山东文艺出版社 编选

山东文艺出版社

西部风景

图书在版编目（CIP）数据

西部风景/山东文艺出版社编选.—济南：山东文艺出版社，2001.4
ISBN 7-5329-1852-1

Ⅰ.西… Ⅱ.山… Ⅲ.散文-作品集-中国-当代 Ⅳ.I267

中国版本图书馆 CIP 数据核字（2000）第 73115 号

山东文艺出版社出版
（济南经九路胜利大街）
山东省新华书店发行
山东新华印刷厂临沂厂印刷
*
850×1168 毫米 32 开本 26.875 印张 4 插页 590 千字
2001 年 4 月第 1 版　2001 年 4 月第 1 次印刷
印数 1—5000
（上、下卷）总定价 39.80 元

目　录

前　言 ··· 1

上　卷

朱增泉　中国西部 ··· 3
　　　　踏冰看黄河 ··· 8
梁　衡　西北啊，西北 ··· 13
　　　　西北三绿 ·· 21
郑云云　浪游西北 ··· 29
张爱华　被西部吸引 ··· 42

林 染	在西北（三题）	55
雷 达	皋兰夜语	62
	依奇克里克	75
杨羽仪	黄河万里行后记	84
刘元举	一种生命现象的诠释	95
	——西部系列	
	从渤海到瀚海	102
王充闾	春宽梦窄	
	——南疆写意	108
	祁连雪	117
王 蒙	新疆的歌	125
王英琦	大唐的太阳，你沉沦了吗？	130
	写在空白的壁画上	134
张抗抗	沙之聚	139
	海市	143
贾平凹	走三边	148
	秦腔	159
李元洛	长安行	169
	青海青	189
石 英	钟情大西北	205
	华清池·兵马俑	209
李木生	初识延安	214
	不凋的激情	223
林 非	从乾陵到茂陵	230
	游了三个关	236
刘成章	安塞腰鼓	242

	黄土写意……………………………………………	245
李若冰	昆仑飞瀑……………………………………………	249
	莽莽的塔里木河………………………………………	255
扎拉嘎胡	蒙古马………………………………………………	261
	蒙古松………………………………………………	265
许　淇	古道西风……………………………………………	269
	草原的精灵…………………………………………	273
红　柯	鲁迅西北行…………………………………………	280
	天才之境……………………………………………	284
周　涛	预言塔克拉玛干……………………………………	290
	旋动的肢体	
	——维吾尔民间舞印象………………………	294
杨闻宇	千里驼铃动朔方……………………………………	298
	宁静的喀纳斯湖……………………………………	307
贾宝泉	二十三丝动紫皇……………………………………	311
柳　萌	京包线上……………………………………………	315
	大漠绿魂……………………………………………	320
张守仁	大漠之夜……………………………………………	323
冯苓植	我从荒漠中来………………………………………	329
刘　芳	绿的拼搏……………………………………………	334
郭保林	草原，一页绿天	
	——巴音布鲁克笔记………………………………	337
	戈壁有我……………………………………………	354
梅　洁	仅仅是"楼兰人来不及种树了"吗？……………	360
	雾罩窑山……………………………………………	369
王宗仁	传说噶尔木…………………………………………	378

周彦文	青冢随想录	393
傅宁军	草原，生命的歌	398
林佩芬	成吉思汗陵	405
毕淑敏	苍茫之悟	411
陈长吟	陕北意象	413

下　卷

晏苏	关城怀古	421
	渥洼池思马	434
匡燮	桥山听籁	444
	关于磻溪的情愫	445
吕锦华	总想为你唱支歌	452
黄颂民	卜辞，伴我走进那片圣地	457
马丽华	灵魂像风	464
	当明月升起在东方山顶	
	——六世达赖喇嘛仓央嘉措的诗意人生	481
巴荒	走进阿里	492
	冈底斯的朝圣	506
老盖	全部形状　全部颜色　全部声音	527
凌仕江	藏南看雪	540
	西藏林芝怀旧	545
秦文玉	十万佛塔记	550
	绿雪	556

| 查拉独几 | 走进高原 | 563 |

闫振中	神山与密宗	570
奚学瑶	从阿里返回"上海滩"	588
马瑞芳	西宁清真寺	595
	哈吉廊下打秋风	600
肖复兴	冷湖吟	608
尧山壁	察尔汗，神秘的湖	623
	九寨阴晴	626
鹿　子	蓝冰　蓝冰	631
	水之恋	637
和　谷	无定河边	645
	赤峡游	648
李天芳	目光	651
	陕北三月三	656
赵　熙	拉卜楞寺圣光	662
	太白景物记	664
章永顺	花雨云南	669
	品读敦煌	673
晓　雷	问讯阿诗玛	677
王玉民	山河情结	686
朱　奇	"花儿"的诱惑	
	——"青藏高原"风情	689
	雪域高原的康巴女人们	695
张　武	又到泾源	702
毕玉堂	鲜艳的维吾尔	706
王　蓬	如镜湖泊	716

王世伟	惊驼铃	719
晓 雪	雪与雕梅	725
	大理茶忆	728
唐大同	巍巍剑门	733
	临邛之恋	739
淡 墨	江河与原野	743
	情生彩云南	750
杨志军	妖媚的那棱格勒河	757
刘 虔	瞬刻之间,我读懂了一部沉重的历史	763
	剑川,梦与激情抵达的地方	766
黄晓萍	剑川男人	772
廉正祥	曼景兰,曼景兰	778
老 荒	黑戈壁之痛	783
浩 岭	柴达木的月亮	786
肖复华	柴达木的风	792
罗金荣	高原民俗(三章)	796
胡 笳	竹海醉春	800
	火把·抢亲·选美	805
戴永夏	西行散记	811
卞 奎	撩人心扉的"翅膀"	819
杜 莎	滇藏漫行记	824
李锦华	走进香格里拉	833
戴光耀	悲情西部:谁为荒漠的土地哭泣?	836

前　　言

　　经过紧张的努力，我们将这部辑全国八十多位作家、散文家撰写的一百二十余篇描写西部风情的佳作《西部风景》奉献给读者。

　　中国西部，"通常指黄河与秦岭相连一线以西"（朱增泉：《中国西部》）。这是传统的地理概念，严格地说，中国西部不包括云、贵、川、滇、渝、蒙诸省市自治区。如果从政治和经济意义的概念出发，西部又囊括了以上诸省份。这固然有历史和地理上的相近，更有经济上的相同，都是我国相对贫困和落后的地区。党中央、国务院发出"开发西部"的伟大号召，无疑是二十世纪末作出的极其英明的战略决策，是全面推行改革开放、富国利民的伟大举措。中国要富强，要实现现代化，走向世界，要在二十一世纪中叶成为一个中等发达的国家，不开发西部，那是一句空话，正如一个人的双足，前脚迈入了现代化，后脚还在贫困、落后、愚昧的泥沼中挣扎一样，那身体必然扭曲变形，而且也必将迈不开脚步。

历史上，西部和东部就是一个不可分割的整体，有着千丝万缕犹如经脉血管般的联系。穆天子就是第一个出使西域的人。他决定西游就是从潼关桃林寨中选了八匹骏马，由驭手造父驾车，率六师之众，一路翠华摇摇，浩浩荡荡，开始了东西文化通道的疏通。接着便有被誉为天虫的"蚕"，吐出一条波澜壮阔、风雨沧桑的丝绸之路，这是由神话走向现实的伟大转折。穆天子西游，既说明他有开放的胸襟，也说明物质基础的雄厚。西周时期，农业文明之花已经灿烂盛开了。周人的祖先就是一位农业专家，曾被尧举为农师，舜又授之为农官，相当于现在的农业部长。相传是他发现和培育了稷和麦，被人们称为"后稷"。《诗经》中"周原朊朊，堇茶如饴"，意思是：周的原野，土质肥沃，连长出的苦菜也甘甜如饴。从那时起，东方先进的原始农业的文明之光已开始向西部辐射了。

而后，便有西汉的"博望侯凿空"，东汉的"班甘之迹"；到了南北朝时期，云、贵、川高原茶马古道上已奏响如鼓的蹄韵，河西走廊的古丝绸之路商贾"相望于道"了，"氤氲缠绵、云蒸霞蔚、巍巍荡荡的释文化"已源源流向中原大地；连最昏庸的隋炀帝也开设了边关贸易。而大唐帝国更有阔大的胸襟，开放的气度，吸纳八面来风，呼唤九天云雨，纵横捭阖，将东西文化交流推向历史的极致。至于大清王朝康熙、乾隆两帝对西部疆域的开拓和巩固，泽惠中华多民族之业绩，已彪炳史书。泱泱中华古国，一部二十四史，几乎每一章都有东西文化交流的感人故事。尽管，东西文化的融合过程中，这广阔的舞台上曾闪烁过刀光剑影的恐怖惨烈,呜咽过血泪交加的生死歌哭,有过马裹朔风,旗卷胡云,剑戈相击,天崩地坼的战争悲剧,但更多的是东西文明相撞所迸溅的火花的灿烂。

更令人欣喜和歆羡的是西部山水的壮丽,多民族的绚丽风情,那里有嵯峨的冰川雪峰,有浩瀚的戈壁旷漠,翠浪叠涌的草原,皱褶重重的黄土高原,还有丰茂的森林,鲜润的绿洲,和处女眸子一样明澈清亮的湖泊……突兀跌宕,色彩鲜明,线条粗犷,一派浩瀚的苍茫。它以场面的辽阔、气象的雄伟,展示着天地间少有的一种风起云涌、气宇磅礴的景观,激起人们的天高海阔的想象,振翮翱翔的欲望。

苍苍莽莽的天地,苍苍莽莽的河流,苍苍莽莽的戈壁大漠,苍苍莽莽的森林草原,苍苍莽莽的诗篇,苍苍莽莽的历史。那是生命之源,那里有我们民族崛起、自强自立于世界民族之林的庞大而发达的根系。

《西部风景》这部散文选集,正是植根于共和国这片辽阔的疆域,这片苍茫的土地,抒发了作家对那里的一草一木,一山一石的真情实感。他们都有着西部之旅的亲身经历,有的是长期生活和工作在那片神秘而神圣的土地上,对西部山川风物,宗教文化,历史古迹,民族风情,有着深厚的体验和独特感觉。鼓荡于胸的情感,发而为文,抒而为情,不拘格套,"真人所作,故多真声",绘就了一幅西部多姿多彩的画卷,这是一幅西部生活的"清明上河图"。

散文家都是语言驱遣者,他们驱遣着语言的大军,披荆斩棘,纵横捭阖,所向披靡,织出炳蔚华瞻、瑰丽动人的篇章。绚丽的文采,隽永的韵味,精妙的构思,给人以高雅的审美意蕴和阅读的愉悦,博得读者的青睐。这部作品选集不负众望,作家们或面迎浩浩风沙，头顶炎炎烈日，跋涉在荒原漠野，经受着肉体的炼狱，批隙导窾，撷拾历史的残章，打捞文明的断简；或独身聆听太阳撞击夜幕的声响，月亮攀登雪峰的跫音，面对因饥饿而瘦骨嶙峋的大山，感叹生存环境的艰辛；或彳亍在倾圮的废墟间，钩沉昔日的辉煌，与古亡灵对话，校点历史，批注风月，感悟人世沧桑的悲凉；或伫立于辽阔旷远之际，重山叠水之间，登乎太始之前，览乎忽漠之初，心潮澎湃，诗浪升沉，唏嘘时空的苍茫，岁月的幽邃；或深入山寨村野，草原帐篷，厕身于村夫牧人之间，体验民风民情，赞美现实生活的斑斓多彩……

而作品的艺术风格，更是千姿百态，色彩纷呈：或风流潇洒，如万竹摇曳，富有清新之美；或秀润纤细，如踏月吹箫，富有凄清之美；或雄视千古，胸藏风云，笔走龙蛇，富有旷达之美；或镂金敷彩，满纸炫然，富有绚丽之美……寥廓的文字，葱茏的诗意，斑斓的情彩，是《西部风景》又一道动人的景观。

为了更真实地反映西部风貌，本书还选发了作家亲自拍摄的部分西部风景照片，力图文图俱佳，文图俱美。这部选集能使读者通过作家的文字和图片，纵览西部之古今，扩大视野，启迪思维，得到美的怡悦，也算达到目的了。

由于编选者受视野所囿，选集会有遗珠之虞，望读者鉴谅。

山东文艺出版社
二〇〇一年一月

陈长吟 摄影

朱增泉

中 国 西 部

　　中国西部是什么概念？中国地图上印有许多带"西"字的地名，但江西不在西部，广西、山西也不算西部。中国西部通常是指黄河与秦岭相连一线以西。《史记》中说战国时代"河山以东强国六"，这里的"河"即黄河，"山"即秦岭。中国的东部与西部，自古以此为界。

　　中国的东部与西部，究竟哪边比哪边更重要？古人似乎也一直在考虑这个问题。殷商的统治中心在东部，西周将统治中心移至西部。东周始于周平王东迁,又将统治中心迁回了东部。秦统一中国后建都咸阳,重新把统治中心选定在西部。汉朝,西汉在西部,东汉在东部。隋朝,隋文帝在西部,隋炀帝在东部。到了唐朝,再度将统治中心西移,定都长安。这是很有意思的历史现象。它说明,中国的东部与西部,好比一个人的右手与左手,走起路来一左一右、一前一后地来回摆动。但是,倘若非要在"东"与"西"之间分出哪边比哪边更为重要,挺难。有时似乎觉得右手比左手更重要,那好,保右手、弃左手。但一旦缺了左手,吃饭时右手拿筷,却没了左手拿碗,这碗饭吃起来就别扭。有时又觉得似乎左手比右手更重要,那好,再试试保左手、弃右手。结果会怎样?一旦缺了右手,只剩一条左胳膊来回甩动,脚下走路都很难保持平衡。好在我们的老祖宗极富哲学智慧,干脆把"东西"二字合二为一,造出一个形而上的词汇。当人们用"东西"一词来指某一件事物时,其中既包括"东",又包括"西",在这里"东"与"西"是同一的。

宋以后,虽然全国的统治中心一直在东部游移,再没有返回西部,但在东部建都的每一个朝代都在密切关注着西部。例如,西安、西宁,一眼就能看出这是两个后起的地名,是统治中心东移后才有的。不过,这两个地名的确取得很有深意,它们一直在提醒后人:保持一个安宁的西部,历来是治国安邦的深层次问题。古代如此,当今之世也莫不如此。

西部有白雪皑皑的青藏高原,有山高水急的云贵高原,有布满冰川的祁连山脉。百川东流,江河入海,自从盘古开天辟地以来,灌溉和滋润华夏大地的水源都来自西部。西部是长江、黄河的源头。人类进化的脚步是顺着水边走的。华夏祖先最早是喝着西部的乳汁长大的。长江、黄河这两条伟大河流哺育了华夏文明,西部是华夏文明的源头。长江上游出土过元谋人牙齿化石,距今一百七十万年;黄河中游出土过蓝田人头盖骨,距今七十万年。这两处古人类化石都比北京猿人资格更老。从古至今,长江、黄河拖儿带女,养育着中华民族人丁兴旺的一大家子,任劳任怨,万古长流,实在太不容易了。亘古以来,为了这片华夏大地,这两条伟大的母亲河泪也流了,汗也流了,血也流了,乳汁似乎被孩子们吸吮得超量了。正当今日之中国要向现代化进发的时候,长江、黄河却显得疲劳了、衰老了。长江水正在变得越来越浑,长江特大洪水泛滥成灾;黄河水变得越来越少,一次又一次发生断流。华夏子孙不能不严峻关注两条母亲河的健康,人们不能不把目光移向西部。西部人的生存状态,西部的雪原,西部的森林,西部的草原,西部的沙漠,西部的矿山,这一切都给长江、黄河带来了什么影响?换言之,东部的高速发展,究竟给西部带来了什么重大影响?很显然,事情已经到了需要认真关注一下西部的时候了。一个国家、一个民族的文明进步,永远需要母亲河为之灌溉和滋润,永远需要母亲河的日夜涛声为之相伴相随。长江、黄河之于中国,恰如密西西比河之于美利坚,多瑙河、莱茵河之于欧洲,伏尔加河之于俄罗斯。如果没有长江、黄河这两条母亲河的健康,中国要想真正搞成现代化是不可能的。开发西部,治理西部,养护西部,是中华民族的"饮水思源"工程。

中国历来回旋余地大,就是因为中国有一个广阔的西部。西部对于华夏子孙的恩泽是难以说尽的。西部拥有宽阔的胸怀、博大的包容精神。旧时西部地广人稀,河东的青壮年活不下去时就往河西走,到西部去逃生,一曲《走西口》唱得让人撕心裂肺。不仅苦命的老百姓如此,甚至连封建帝王、民国独裁者也如此。八国联军打进北京,慈禧太后带着光绪皇帝狼狈逃出北京城,直奔西安去避难。慈禧在逃难路上饿急了,饥不择食吃了一个窝窝头,后来回京后还时时想起这个窝窝头,过些日子就嚷嚷要尝一口,这可能是西部留给她的难忘印象。日本侵略中国,铁蹄踏遍半壁河山,蒋介山躲到重庆,缩在西部不抵抗。此后在西部发生了震惊中外的西安事变,这件事对中国当代历史的走向也曾产生过重要影响。这是外族入侵、民族遭殃之际,西部以博大胸怀为不肖子孙提供庇护的两个例子。回顾中国当代革命史,想当年蒋介石杀气腾腾,对红军连续发起五次大围剿,极欲一举消灭之。红军撤离江西根据地,一路往西走,在西部找到了广阔的回旋余地。长征两万五千里,爬雪山,过草地,到陕北,在西部扎下根来。经过休养生息,发展壮大,最终夺取了革命胜利。

　　从归根结蒂的意义上说,西部是炎黄的故乡。炎帝和黄帝的原籍都在西部。黄帝死后就葬在他的故乡陕北。黄帝陵上,至今古柏参天,郁郁葱葱,浓荫蔽日,森森然一派古意,浩气长存。普天之下的炎黄子孙,平时浪迹天涯,各谋生计,每年春季却都要派出代表,不远千里万里汇聚到黄帝陵来寻根拜祖。黄帝陵下,有轩辕手植巨柏,根深叶茂,气度非凡,树身需十来人合抱。两棵巨柏虽历经旷世风雨,却至今仍生机盎然,昭示华夏之邦生生不息,源远流长。数典不能忘祖,搞现代化不能忘记老祖宗。后人只有认真干出几件彪炳史册的大事业,才能对得起炎黄祖先。西部大开发若能干出实实在在的业绩,可算其中一件。

　　纵观上下五千年,西部的历史传统是一个"大"字。秦始皇"东向扫六合,挥剑决浮云",开创了中国空前统一的大格局。书同文、车同轨、统一度量衡,这些统一措施的深远影响,直至今日还在对中国的文明进步起着积极作用。汉高祖刘邦,虽是东部人氏,帝业却成于西部,一曲大风歌豪情万丈,流传千古。汉武帝雄韬大略,一生开拓,将广阔西域归入了中华版图,建立了丰功伟业。大唐盛世,更是中国古代史上的精彩华章,长安道上各国使节纷至沓来,都要来亲眼看一看世界东方这个泱泱大国的风采。西部的广阔地域和历史文化传统,养育了一种影响中国历史进程的大气魄。历史上,西部兴起过几个大朝代,这些大朝代都干成了一系列大事业。西部大开发,一个"大"字,气魄直追古人,好!

  新千年伊始,中国大地上呼拉拉传遍西部大开发的热烈话题,使人精神为之一振。一个国家,一个民族,如果长时间缺少提神的举措,人们长时间找不到提神的话题可说,生活将会变得平平淡淡、琐琐碎碎,人们的精神世界将会渐渐被平庸所消蚀,日子虽也一天一天过,可是总觉得不怎么能够提起精神来。要是那样,对一个国家、一个民族保持强劲的发展势头是很不利的。眼下,西部大开发已经成为媒介的一个宣传热点,接下去的事情是需要脚踏实地去干,干出实实在在的业绩来。但愿将来,子孙后代翻阅历史时,西部大开发真正能够成为照亮后人眼睛的一个亮点。

踏冰看黄河

我常想,黄河、长江,是孕育中华文明的两条伟大河流。远探中华民族之渊源,近观中国今日之风貌,都不可不去看看这两条伟大河流。可是,黄河、长江好比两篇万里长文,谁也没有本事将它们一口气读完。简捷的办法是选读,长江有三峡,黄河有壶口,去读这两个精彩选章。

今年初春,我从延安返回西安的途中,第一次去看壶口瀑布。

一路上走走停停,傍晚时分才抵达壶口。赶到河边,夕阳西沉,暮色将垂,黄河两岸茫茫苍苍。一条公路干线在壶口南侧横贯黄河东西两岸,河上建有大桥。西岸是陕西,东岸是山西,两省各据一边,分别建有旅游设施。有人建议,看瀑布还需到东岸下河去看才好。车子很快开到山西一侧。下得车来,举目一望,上也滔滔,下也滔滔,惟有壶口这一段,河道里挤满了裹满泥沙的冰凌。看样子,这些冰凌都是从上游顺流漂浮下来的,至壶口水流突然跌入瀑布,冰凌在河道里纷纷搁浅,而后面的冰凌还在继续涌上前来,前堵后挤,在这里层层叠叠地堆垒起来。河道梗塞,大水挟带着滚滚泥沙漫过冰坝夺路而去。大水过后,满河的冰凌全都成了泥冰,堆起足有一丈多厚。

两位年轻小伙子为我们当向导,带领我们从陡峭的台阶下去,踩着河面上的冰凌到河中央去看瀑布。站在岸上观察,满河冰凌虽显起伏凌乱,但从大局上看堆放得还是比较平坦的。下到河面来一看,不对了,突兀在眼前的冰凌如乱石穿空,小者如桌,大者如屋,参差嶙峋,横陈狼藉。冰块与冰块间裂隙纵横,看下去乌黑溜秋,不知深浅。被泥沙裹住的大冰块边缘,偶尔露出亮晶晶、蓝幽幽的一角,却看不清里面的底细。年轻人在一块块横斜仄卧的冰块与冰块之间蹦跳跨跃着前进。我的腿脚已不如小伙子们灵便,穿的又是硬底皮鞋,硬的踩在滑的上,总怕脚底打滑摔倒,引起骨折,所以走得分外小心,其实越小心越吃力。

　　终于走到了冰崖边缘,万里黄河在此收束成一个窄口,一股浊流折跌而下,瀑声如雷。瀑下有一深潭,潭中浊浪翻滚,飞溅到空中的水珠却是白的。地面湿滑,四围水雾弥漫,寒气逼人。大家纷纷以飞瀑为背景,站在冰崖边拍照。我很担心有谁冒冒失失,不小心身子向后一仰跌下万丈深渊,不住提醒大家:"小心!小心!"但我的声音往往一出口就被轰鸣如雷的飞瀑声掳掠了去,年轻人在冰崖边摆好了姿势,该怎么拍照依然怎么拍照,该怎么微笑依然怎么微笑。

　　少顷,两位年轻向导将我们领到一个冰洞口,说:"从这里下去,可以一直到飞瀑跟前,看得更清楚。"于是大家相跟着依次入洞。其实这是一个竖井式的石洞,因为洞口在冰凌堆里围着,给人的感觉是个冰洞。洞中无灯,漆黑一片。心想坏了,误入无底洞了。向导手里举着一个小灯泡,用一根电缆牵着,为大家照明。可是他照了第一个,照不到第二个;想照第二个,又忘了第一个。后面的人只能摸着冰冷水湿的螺旋形扶梯，亦步亦趋，盲目跟进。黑暗中，滴滴嗒嗒的水滴落到头发上、手上，阴森森，湿漉漉。偶尔有一滴水滴滴进我的脖颈，冰凉彻骨。眼前忽地一亮，一行人鱼贯出洞，来到水边。飞瀑溅起的水珠在崖壁上汇成一条条细细的水流垂挂下来，名符其实来到了水帘洞了。此处观瀑。身临其境，气象万千。其势如万马奔腾，奋蹄扬鬃，势不可挡；其声如滚地闷雷，裂山滚石，震耳撼心。崖上泻下万匹黄水，潭中飞起千重浊浪。飞溅而起的水花水珠在空中迷蒙一片，大家只在潭边站立片刻，都已耳濡目染。

带着全身心都被黄河濡湿了的感觉，攀着扶梯重新回到冰面。年轻人眼尖，忽然有人仰天喊叫："看，看，大雁！"抬头看时，一队北归的大雁正从天上飞过，排成"人"字，一路北去。到了岸上，又看到对岸一处冰崖突然崩塌，河心激起一团高高的冰屑水柱，如雪如雾。

自然界已在提醒人们：春天来了。

我立在黄河岸边，回望壶口瀑布。忽然觉得，壶口是黄河掉了门牙的老嘴。黄河正在这里滔滔不绝地口述它曲曲弯弯的经历、滔滔滚滚的心事。眼下，西部大开发终于提上日程。再看壶口，我发现黄河被感动得老泪纵横。

告别了壶口，驱车向南，经韩城，过夏阳，直奔西安而去。忽然想起，夏阳曾是当年韩信强渡黄河的地方。千古以来，黄河的滚滚涛声，一直在中国的史书中回响着。纵观上下五千年，天下兴亡更替，政事得失成败，黄河似乎历来是一条重要界线。春秋以降，五百年战乱不休，直至秦嬴政打过黄河，扫平六国，才建构起中国大一统格局。秦汉之际，韩信在夏阳强渡黄河成功，在河东地界打了一连串大仗，平定了河东

陈长吟 摄影

各路诸侯,才最终为刘邦战胜项羽、建立汉朝扫平了道路。故黄河之于中国,命脉所系,关乎天下。打天下得益于黄河者,坐天下不能亏待了黄河,此乃中国长盛之道焉。

梁　衡

西北啊，西北

要接受一次爱国主义教育吗？要探寻一条英雄之路吗？最好到西北一行。

——摘自日记

有人说，假如用一块硬纸片剪出我们共和国的地图，再在上面选一个点，用一根细棍将它平衡地顶起来，那么这一点正好是兰州。你没有想到吧，那遥远的兰州竟是我国地理上的中心。以地理而论，我国政治、文化、经济、人口的分布是多么地不平衡。所以一些有识之士一再强调开发西北，中央更作出了本世纪末我国开发的重心在西北的决定。我就是在这样的形势下去西北寻访那些开发者的足迹，去景仰祖国的这半壁河山的。

从兰州出来，列车西去，这便是有名的河西走廊。晚上出发，在车上睡了一夜，坐了一天，又睡了一夜，第三天早晨才算走出了这个长廊。只有这时，我才感到祖国的幅员辽阔，才更深一层地体会到祖国的伟大。躺在铺位上，随着车身的摇晃，我想起就在我们出发西行的同时，报社有一个代表团也东行出发到国外去访问。这时我们还没有走出一个省，而他们却早已跨出国境线了。

早晨醒来，我把额头贴在窗玻璃上，贪婪地放眼这西北的大地。天还没有大亮，一望无际的戈壁滩上长着半人高的绿刺，东一簇，西一簇的。这几乎是戈壁滩上惟一的生物。东边天上渐露出一束亮光，刺得人眼睛睁不开，那些骆驼刺更成了模糊的一团团，远望就如操场上正待检阅的士兵。果然，有一位将军出来阅兵了，那就是太阳。他的出场可真不一般，东山背后先是一片微明，继尔又放出一大片红烟，这红烟直冲到极高的天空，将云雾都染上了红色，如此有半个小时，气氛着实威严。就像戏台上大将出场前总要有一阵紧锣密鼓一样，经过这一番渲染后，太阳才慢慢地露出一点眉毛，露出半个脸庞，然后刹那地一下跳出地面。果然，他一出来就带着军威，带着浑身的火焰。他给这个世界上的先不是光，而是色，是桔红的色。他将这种色染给了地上的每一样物质，那嶙嶙的石子，那肃立的骆驼刺，那一切显示线条的地方都镶上这种桔红的边，只有西北的土地才能排出这样威武的仪仗。这广场大极了,静极了,威武极了,将军要训话了。然而他没有说,只是用目光扫视着一切,而且慢慢地升高,以便更清楚地看到全场,看到他的全部人马。

　　列车在飞驰,人们都将身子贴向窗户,静静地迎接这个西北的早晨。我闪过了一丝念头,好像我们进入了一个史前的洪荒世界。我们过惯了那种吵闹的都市生活,走惯了两边夹着高楼的路,听惯了人声与车声的嘈杂,一夜醒来后,这外面展现在眼前的也是我们的祖国吗?啊,祖国在我记忆中,是天安门的红墙黄瓦,是西子湖的粼粼秋波,是泰山的青松,是黄山的白云,何时还曾有过这样未被开发的原野,这样雄浑的气势?祖国的风貌,祖国的色彩,祖国的气概这样地激人壮志,在祖国这结实的胸脯面前再懦弱的人也会鼓起一往无前的勇气!我把头紧紧地贴在窗玻璃上不愿离开,像孩子偎在大人身边。祖国啊,我又一次发现了你,我也发现了,没有在母亲怀中受过爱抚的人,不懂得母亲;不熟悉祖国大地的人,很难懂得爱国。

　　在西北的日子里,这种对祖国的发现之感,对自身爱国之心的发现之感,时时会突然跳了出来。到新疆不久,一天我到吐鲁番去。正是中午,广阔的沙滩蒸腾着热气。但这不是水气,而是向上飘着的干热,腾腾地如同火焰一般。这里的干、热、旱是世界闻名的。夏天,沙面温度最高时可达摄氏七十三度,旱得可以一年不见一滴雨。偶然下点雨,雨滴还未落地,就在空中被干空气吸收尽了。我看着远处的山,周身赤红,这便是《西游记》上写的火焰山了。再看更远处的天山,却又白雪遮帽,静静地蹲在那里,像一个世世代代沉思默想的老人。

我现在所置身的地方，正是有名的吐鲁番，它是世界上仅有的两个最低的地方之一，比海平面还要低一百五十米。这里是一个聚宝盆，我到盆地的葡萄沟里去，那葡萄藤粗得如臂如股，交错扶疏，搭成几百米的长廊。如珠似玉的果实垂着，打人的头，遮人的眼。葡萄园紧连着瓜田，那有名的哈密瓜像枕头一样东卧一个，西躺一只。切开后咬一口，蜜浆粘着嘴唇。哦，正是因为这旱啊，这热啊，这低啊，才有这样出类拔萃的物产。那远山上的雪水渗下来，在地上慢慢地滋润，那天上的太阳射下来，在头上狠狠地加热。我们见惯的绿叶，在景山，在北海，在武夷山下，在漓江旁，常是专让人赏心悦目，怡情增趣的，而这里，每一片绿叶都是一个高效率的化工厂，在作着能量转化、制造糖分的工作。那葡萄，那哈密瓜，含糖率竟达百分之二十以上。西北的沙漠，西北的戈壁，竟是贮满了糖汁的啊。我在葡萄架下漫步，让脸轻轻地摩那冰肌玉肤的葡萄；我坐在沙滩上，用手慢慢地抓起一把细沙，撒开，让它流到地下，再抓一把，再撒开。我体会着她的温软，看着她的晶莹，这就是西北吗？这苍凉掩盖着的娇媚，这洪荒中掩藏着的锦绣，这苦涩后紧跟着的甜蜜。正像歌唱这里的一首歌说的："我的心儿醉了。"

　　从吐鲁番返回，车过达坂城时起了风。路边的树在风中弯成了一面弓，车子开得十分吃力。被风扬起的细沙从车篷的缝隙里钻进来，匀匀地落在头上，脸上，衣袖上。达坂的风在世界上怕也是数一数二的。每年八级风可刮一百天以上，风速大时每秒可达五十五米，连火车在逆风中也开不动，有一次大风甚至将十节空车厢吹翻。"狂吹人上天，疾卷车如纸。"这是清人描写新疆大风的诗句。今天的风没有这样大，但也已昏天暗地的了。风擦着车帮，打着尖利的唿哨。车身震颤着，在和一个无形的力士作着殊死的搏斗。天气也突然冷起来了，上车时还穿着短袖衬衣，这时却都把毛衣加在了身上。出门遇上这种天气是扫兴的，而此时，我却如在钱塘观潮，在海边看浪，感到一种豪气扑面而来。祖国啊，你不只有如画的风景，春兰秋菊的容颜，你也有雷霆，也有闪电。你不喜欢那些只会泪眼对故国明月的儿女，你不爱那些只沉浸于一勺西湖水的子孙。你要用自己的强悍、骁勇去感染、锤炼出无愧于你的儿女！

多么辽阔的土地啊，只新疆一个省，就有三个法国大。多么壮美的河山啊，你在西北行走，无论在甘肃、在青海、在新疆，也无论在冬天、在夏天，你只要一抬头就会看到那皑皑的雪峰，他飘着白须，那样高远，那样静穆。你开着车，走过青海湖，走过天池，走过玛纳斯湖，他们静静地躺着，明净的水面那样深沉，那样含蓄。他们在等待啊，等待。我搜索着自己脑中关于西北的诗词，大都是些"无花只有寒"的悲怨，都是些"北风卷地白草折"的吟叹。直到解放后，这里组建了生产建设兵团，出了一位武将诗人，他就是兵团政委张仲翰。他有一首"老兵歌"唱道：

　　　　江山空半壁，何忍国土荒，
　　　　君有万夫勇，莫负好时光。

西北，这壮美的大地啊，你终于等来了，等来了开发的大好时光。

其实，西北的开发并不自今日始。

我出发作西北之行时，随身带了一本解放前出版的《中国的西北角》的书,可见国民党政府就已在喊着开发西北了。一批实业家确也曾在这里惨淡经营交通、矿业。到乌鲁木齐后,我又买了一本《历代西域诗钞》,进一步知道在满清政府时,就着手这里的开发。左宗棠有诗云:"西域环兵不计年,当时立国重开边","置省尚烦它日策,兴屯宁费度支钱"。他在与沙俄作战的途中还一路亲率士兵修路、植柳。至今,人们在天水、平凉等地还可看见两人合抱不住的"左公柳"。再远,还可追溯到汉张骞、李广、卫青、霍去病。清康熙中叶时又从甘肃境内的五十六个州县西迁了二千四百户,经营敦煌。千百年来,黄帝的子孙们并没有因为这块土地的荒凉而放弃了对它的经营,对它的开发。他们用赤子的热心来暖化这冰天雪地,用爱国之情,来培出沙海的绿荫。这种艰苦而又伟大的开发工作一直持续到现在。它使我们这些同是炎黄子孙,但生活在风和日丽之乡和都会街市里的人,一来这里便不由生发对西北同胞们的敬意,相形之下甚而还有自我惭愧之感。

在西北,我访问了许多在南方出生长大的知识分子。他们是新中国培养的第一批大学生。可是这里早成了他们的第二故乡,江南留给他们的是童年温暖的记忆,这里却给他们注入了事业的生命力。有一位女考古学家,叫穆顺英,也是南方人。她在这里考察时曾发掘出一具古楼兰王国的女尸,虽距今已一千二百多年,但衣饰完整,浓眉大眼,被称为"睡美人"。发掘那天,漫天大风,她和伙伴们抬着这位"睡美人"从山上走下来,心头充满了一种有生以来从未有过的欢乐。她是第一个进入这个地区的女科学家,也是第一个在这里发现了完整古尸的人。对科学事业来说,对开发者来说,第一意味着什么?意味着牺牲,意味着英雄,意味着科学史上的一个新坐标。我想起那个因在我国西北地区考察而闻名于世的瑞典探险家斯文·赫定。他当年越过塔克拉玛干大沙漠进入罗布泊地区，进到古楼兰。他骄傲地说："从前没有一个白人到过世界上这个地方。我是第一个，我就是这里的君王。"炎黄子孙们哪里去了？为什么让一个白人在这里当"君王"？彭加木同志赌这口气，他率队第一个穿越罗布泊，驱车在古丝绸路上疾驶，他和他的继承者得到了一大批最珍贵的资料。他们填补了一个空白，在地质学领域又开辟了一块天地，他们才是这里的"君王"！西北，真是一块砥砺人意志的巨石。在我和一位经常出入沙漠的研究员连续两天的谈话中，从早到晚，他没有想到给客人倒一杯水，自然他自己也不喝一口，这是长期在沙漠里工作养成的习惯。他已经像一株红柳，一苗沙枣，一丛骆驼刺，完全征服了这里的环境，成了这大风、黄沙与冰雪的主人。

在和这些西北开发者一块生活的日子里，我时常想到一个问题，人在这个世界上来去，总应留下一点痕迹，对历史有一点奉献，就像那在甘肃秦安出土的六千年前的彩陶和那敦煌石窟里不知名的艺术家的泥塑。那么这痕迹留在哪里呢？留在那已经人满为患的都市吗？留在那已在炒着冷饭的学术领域吗？这些地方早已是新痕压旧迹，很难再有建树了。还是毛主席的那句老话，要绘图，最好是白纸。在准噶尔盆地的边缘，我拜访了一批军垦战士，他们全都来自上海、武汉、重庆、成都等南方大都市。他们在这张白纸上很快就绘出了新图。这原来渺无人烟的沙窝，现在长着几个人一次都吃不完的大甜瓜，长着全国最好的长绒棉。他们亲手建起的石河子新城，全新的街道，全新的建筑，全新的居民，全市人口平均年龄只有二十三岁。我问一个上海青年，为什么不想回上海？他说："这里天高地阔，回去憋得不行！"文学老前辈王统照说过："人是在环境中容易被征服的动物"。是的，环境太安逸了要夺人志的。白居易写江南是："吴酒一杯春竹叶，吴娃双舞醉芙蓉"，而大西北则是："大漠风尘日色昏，红旗半卷出辕门"。同是炎黄子孙，西北子弟更得天地之豪情！

万千年来，人类的活动只限于地表，他们盖房、挖沟、烧陶、打猎、埋葬，也只不过在地表几米、十几米深的土层上作着搅动。考古学上将这一层留有人类文明痕迹的土地叫作"文化层"。包括那伟大的敦煌艺术，也只是坐落在这一层上。随着科学的发达，人类文明的痕迹也在逐渐向地心伸延。

在兰州，我遇见这样一批搞石油地质的人，他们的钻头已打到地下的一万米深处，而他们研究的石油成因又可追溯到三亿多年前的地球。"深山有宝贝，狮虎来看守"。恶劣的气候正是这油海上的看守者。但是勇敢者来了，当年这些刚出校门的热血青年，背着石头袋子，提着地质锤，爬冰卧雪，在野外遇到一间破房子便是最好的宿处。男女队员中间隔上一溜书包，和衣而卧，鼾声如雷。天不亮又向新的目标前进。我会见了一位当年的女子野外勘探队长。她是杭州人，那曾是西子湖般明亮的双眸旁已经爬满了鱼尾纹。她深情地回忆着过去的英雄生涯，怀念为我国石油事业贡献出青春甚至生命的战友。和她同期来西北的还有杨虎城将军的女儿，她在一天外出回来时迷了路。第二天早晨，伙伴们在帐篷外一里地处发现了她，但是已被风雪埋葬了生命。由这两个英雄的女性，我想到敦煌文物所的一位副所长。她，一个上海姑娘，从考古系毕业后就来到三危山下的沙窝里，只身一人三十多年。她们的青春都献给了祁连风雪，而西北的资源、文化，连同恶劣的自然条件又成就了她们的事业。我国的石油事业，从玉门，从柴达木走出来，走向大庆，走向大港，走向全国各大油田。我们的敦煌艺术终于从沙堆下被发掘出来走向全世界。啊，这批伟大的开拓者，这批优秀的炎黄子孙，天赋西北于他们！他们对得起西北，对得起祖国母亲！

我从西北回来已经很长一段时间了。但是，一闭眼，脑海里就是那皑皑的雪山，那明镜般的天池，那滚滚的黄河，那一望无际的戈壁，还有那些在山河大漠间工作的可敬可爱的人们。这几年旅游之风大盛，有人向往国外的现代文明，有人留恋江南的明山秀水，我却愿中华儿女都到西北一行，那里会给你思考，给你鼓舞，催你奋进。我们不该忘记西北——祖国的半壁河山，更不该忘记：我们自己，是喝着黄河水的炎黄子孙。

西北三绿

古曲有阳关三叠，如怨如诉，叙西北之荒凉，写旅人之悲怆。今天，当我也作西北之行时，却感到别有一番生机，即兴所记，而成西北三绿。

刘家峡绿波

当我乘交通艇，一进入黄河上游的刘家峡水库时，便立即倾倒于她的绿了。这里的景色和我此时的心情，是在西北各处和黄河中下游各段从来没有过的。

一条大坝拦腰一截，黄河便膨胀了，宽了，深了，而且性格也变得沉静了。那本是夹泥带沙，色灰且黄的河水；那本是在山间湍流，或在垣上漫溢的河床，这时却突然变成了一汪百多平方公里的碧波。我立即想起朱自清写梅雨潭的那篇《绿》来。他说："那醉人的绿呀，仿佛一张极大极大的荷叶铺着……"我真没有想到，这以"黄"而闻名于世的大河，也会变成一张绿荷叶的。水面是极广的。向前，看不到她的源头，向后，望不尽她的去处。我挺身船头，真不知该作怎样的遐想。朱自清说，西湖的绿波太明，秦淮河的绿波太暗，梅雨潭的特点是她的鲜润。而这刘家峡呢？我说她绿得深沉，绿得固执。沉沉的，看不到河底，而且几尺深以下就都看不进去，反正下面都是绿。我们平时看惯了纸上、墙上的绿色，那是薄薄的一层，只有一笔或一刷的功底。我们看惯了树木的绿色，那也只不过是一叶、一团或一片的绿意。而这是深深的一库啊，这偌多的绿，可供多少笔来蘸抹呢？她飞化开来，不知会把世界打扮成什么样子。大湖是极静的，整个水面只有些微的波，像一面正在晃动的镜字，又像一块正在抖动的绿绸，没有浪的花，涛的声。船头上那白色的浪点刚被激起，便又倏地落入水中，融进绿波；船尾那条深深的水沟，刚被犁开，随即又悄然拢合，平滑无痕。好固执的绿啊。我疑这水确是与别处不同的：

好像更稠些，分子结构更紧些，要不怎会有这样的性格？

这个大湖是长的，约有六十五公里，但却不算宽，一般处只有二三公里吧，总还不脱河的原貌。一路走着，我俯身在船舷，平视着这如镜的湖面，看着湖中山的倒影，一种美的享受涌上心头。山是拔水而出的，更确切点，是水漫到半山的。因此，那些石山，像柱，像笋，像屏，插列两岸，有的地方陡立的石壁，则是竖在水中的一堵高墙。因为水的深绿，那倒影也不像在别处那样单薄与轻飘，而是一溜庄重的轮廓，使人想起夕阳中的古城。在这样的地方，这样的时刻，即使游人也不敢像在一般风景区那样轻慢，那样嬉戏，那样喊叫。人们俯在舷边，伫望两岸或凝视湖面。这新奇的绿景，最易惹人在享受之外思考。我知道，这水面的高度竟是海拔一千七百多米。李白诗云："黄河之水天上来"，那么，这个库就是一个人们在半空中接住天水而造的湖，也就是说，我们现时正作着半空水上游呢。我国幅员辽阔，人工的库、湖何止万千，刘家峡水库无论从高度、从规模，都是首屈一指的。当年郭沫若游此曾赋词叹道："成绩辉煌，叹人力真伟大。回忆处，新安鸭绿，都成次亚。"那黄河本是在西北高原上横行惯了的，她从天上飞来，一下子被锁在这里。她只有等待，在等待中渐渐驯顺，她沉落了身上的泥沙，积蓄着力量，磨炼着性格，增加着修养，而贮就了这汪沉沉的绿。她是河，但是被人们锁起来的河；她是海，但是人工的海。她再没有河流那样的轻俏，也没有大海那样的放荡。她已是人化了的水泊，满贮着人的意志，寄托着人们改造自然的理想。她已不是一般的山洼绿水，而是一池生命的乳浆，所以才这样固执，这样深沉，才有这样的性格。

船在库内航行，不时见两边的山坡上伸下一根根的粗管子，像巨龙吸水，头一直埋在湖里，那是正修着的扬水工程。不久，这绿水将越过高山，去灌溉戈壁，去滋润沙漠。当我弃舟登岸，立身坝顶时，库外却是另一种景象。一排有九层楼高的电厂厂房，倚着大坝横骑在水头上。那本是静如处女的绿水，从这厂房里出来后，瞬即成为一股急喷狂涌的雪浪，冲着、撞着向山下奔去，她被解放了，她完成任务了，她刚才在那厂房里已将自己内涵的力转化为电。大坝外，铁塔上的高压线正向山那边穿去。像许多一齐射出的箭。它带着热能，东至关中平原，西到青海高原，北至腾格里沙漠，南到陇南。这里的工作人员说，他们每年要发五十七亿度电，只往天水方向就要送去十六亿度，相当于节煤一百二十万吨呢。我环视四周，发现大坝两岸山上的新树已经吐出一层茸茸的绿意，无数喷水龙头正在左右旋转着将水雾洒向它们。是水发出了电，电又提起水来滋润这些绿色生命。这沉沉的绿水啊，在半空中作着长久的聚积，原来是为了孕育这一瞬的转化，是为了获得这爆发的力。现在刘家峡的上游又要建十一个这样大的水库了，将要再出现十一层绿色的阶梯。黄河啊，你快绿了，你将会"碧波绿水从天来，奔流到海不复回"。刘家峡啊，你这一湖绿色会染绿西北，染绿全国的。我默默地祝贺着你。

天 池 绿 雪

　　雪，自然不会是绿的，但是它却能幻化出无穷的绿。我一到天池，便得了这个诗意。

　　在新疆广袤的大地上旅行，随处可以看见终年积雪的天山高峰。到天池去，便向着那个白色的极顶。车子溯沟而上，未见池，发现池中流下来的水，成一条河。因山极高，又峰回沟转，这河早成了一条缠绵无绝的白练，纷纷扬扬，时而垂下绝壁，时而绕过绿树。山是石山，沟里无半点泥沙，水落下来摔在石板上跌得粉碎，河床又不平，水流过七棱八角的尖石，激起团团的沫。所以河里常是一团白雾，千堆白雪。我知道这水从雪山上来，先在上面贮成一池绿水，又飞流而下的。雪水到底是雪水，她有自己的性格、姿态和魅力。当她一飞动起来时，便要还原成雪的原貌。她在回忆自己的童年，她在留连自己的本性。她本来是这样白，这样纯，这样柔，这样飘飘扬扬的。她那飞着的沫，向上溅着，射着，飘着，好像当初从天上下来时舒舒慢慢的样子。她急慌慌地将自己撞碎，成星星点点，成烟，成雾，是为了再乘风飘去。我还未到天池边，就想，这就是天池里的水吗？

等到上了山，天池是在群山环抱之中。一汪绿水，却是一种冷绿。绿得发青、发蓝。雪峰倒映在其中，更增加了她的静寒。水面不似一般湖水那样柔和，而别含着一种细密、坚实的美感，我疑她会随时变成一面大冰的。一只游艇从水面划过，也没有翻起多少浪波，轻快得像冰上驶过一架爬犁。我想要是用一小块石片贴水飘去，也许会一直飘滑到对岸。刘家峡的绿水是一种能量的积聚，而这天池呢？则是一种能量的凝固。她将白雪化为水，汇入池中，又将绿色作了最大的压缩，压成青蓝色，存在群山的怀中。

池周的山上满是树，松、杉、柏，全是常青的针叶，近看一株一株，如塔如蘖，远望则是一海墨绿。绿树，我当然已不知见过多少，但还从未见过能绿成这个样子的。首先是她的浓，每一根针叶，不像是绿色所染，倒像是绿汁所凝。一座山，郁郁的，绿的气势，绿的风云。再，就是她的纯。别处的山林在这个季节，也许会夹着些五色的花，萎黄的叶，而在这里却一根一根，叶子像刚刚抽发出来；一树一树，像用水刚刚洗过，空气也好像经过了过滤。你站在池边，天蓝，水绿，山碧，连自身也觉通体透明。我知道，这全因了山上下来的雪水。只有纯白的雪，才能滋润出纯绿的树。雪纯得白上加白，这树也就浓得绿上加绿了。

我在池边走着，想着，看着那池中的雪山倒影，我突然明白了，那绿色的生命原来都冷凝在这晶莹的躯体里。是天池将她揽在怀中，慢慢地融化、复苏，送下山去，送给干渴的戈壁。好一个绿色的怀抱雪山的天池啊，这正是你的伟大，你的美丽。

丰收岭绿岛

从戈壁新城石河子出发，汽车像在海船上一样颠簸了三个小时后，我登上了一个叫丰收岭的地方。这已经到了有名的通古特大沙漠的边缘。举目望去，沙丘一个接着一个，黄浪滚滚，一直涌向天边。没有一点绿色，没有一点声音，不见一个生命。我想起瑞典著名探险家斯文·赫定在我国新疆沙漠里说过的一句话："这里只差一块墓碑了。"好一个死寂的海。再往前跨一步，大约就要进入另一个世界。一刹那，我突然感到生命的宝贵，感到我们这个世界的可爱。我不由回过身来。

沙枣、杨、榆、柳，筑起莽莽的林带。透过绿墙的缝隙，后面是方格的农田，红的高粱，黄的玉米，白的棉花，正扬着笑脸准备登场。这大概就是丰收岭名字的由来。起风了，风从沙漠那边来，那苍劲的沙枣，挺起古铜色的躯干，挥动厚重的叶片；那伟岸的白杨，拔地而起，在云空里傲视着远处的尘烟；那繁茂的榆柳拥在白杨身下，提起她们的裙裾，笑迎着扑面的风沙。绿浪澎湃，涛声滚滚，绿色就在我的身后，我不觉胆壮起来。这绿色在史前原始森林里叫人恐怖；在无边的大海上，让人寂寞；在茫茫的草原上，使人孤独。而现在，沙海边的这一点绿色啊，使人振奋，给人安慰，给人勇气，只有在此时此地，我才真正懂得，绿色就是生命。现在，这许多的绿树，连同她们的根须所紧抱着的泥沙，泥沙上覆盖着的荆棘、小草，已勇敢地深入到沙海中来，形成一个尖圆形的半岛。我沿半岛的边缘走着，想到最前面去看看那绿色和黄沙的搏斗。前面杨、榆、柳那类将帅之木已经没有，只派着些与风沙勇敢肉搏着的尖兵。她们是：红柳、梭梭树、沙拐枣、沙打旺等灌木，一簇簇，一行行。要论个人容貌，她们并不秀气，也不水灵，干发红，叶发灰，而且稀疏的枝叶也不能尽遮脚下的黄沙。但这是一个伟大的群体，方圆几百亩，你抬头望去，一片朦胧的新绿，正是"沙间绿意薄如雾，树色遥看近却无"。这绿雾虽是那样的淡，那样的薄，那样的柔，但却是一张神奇的网，她罩住了发狂的沙浪，冲破了这沉沉的死寂。我沿着人工栽植的灌木林走着，只见一排排的沙土已经跪伏在她们的脚下，看来这些沙子已被俘获多时，沙粒已经开始粘结，上面也有了稀疏的草，有了鸟和兔子的粪，已有了生命的踪迹。治沙站的同志告诉我，前二三年这脚下是流动的沙丘，我们引进这些沙生植物后，沙也就驯服多了。梭梭林前涌起的沙梁，虽将头身探起老高，像一匹嘶鸣的烈马，但还是跃不过树丛。那树踩着它的身子往上长，将绿的枝去抽它的背，用绿的叶去遮它的眼,连小草也敢"草假树威",到它的头上去落籽生根。它终于认输了,气馁了,浑身被染绿了。治沙站的同志又转过身子,指着远处那些高大的防风绿墙说:"七八年前,连那些地方也是流沙肆虐之地。"我停下脚来重新打量着这个绿岛,她由南而北,尖尖地伸进沙漠中来,像一支绿色的箭,带着生命世界的信息,带着人们征服荒原的意志,来向这块土地下战表了。漠风吹过来,这个绿岛上涛声滚滚,潮起潮落,像一股冲进荒漠里的绿流,正浸润着黄沙,慢慢地向内渗移。我联想到,千百年来流水剥去了大地的绿衣,黄河毁了多少田园,挟带着泥沙冲进碧波滔滔的大海。黄色在海口渐渐蔓延,渐渐推移,于是我们的海域内竟出现了一座黄海。这是大自然的创造。而现在,人们却让沙海边出现了一座绿岛。这是人的创造。

我在这座人工绿岛上散步,细想着,这里的绿不同于黄河上碧绿的水库,也不同于天山上冷绿的天池,那些绿的水,是生命的乳汁,是生命的抽象,是未来的理想,而这里的绿,就是生命自己,是生命力的胜利,是伟大的现实。

丰收岭的绿岛啊,就从这里出发,我们会收获整个世界。

我从西北回来顺手摘了这三片绿叶。亲爱的读者,你看,西北还荒凉吗?我可以骄傲地宣布,我们的西北将会出现历史上最美丽的时期。

郑云云

浪游西北

1

似乎已经远离真实很久了。面对这赤裸的戈壁,我的心骤然紧缩起来。黑与白,只有黑与白的世界,我躲避它多久了?

我随身带着两架相机。我知道我还远没有洒脱到可以舍弃我所熟悉的花花世界。即使在这戈壁,即使在这不见生命的土地，我亦需要寻找色彩来填补内心的恐慌。但我毕竟是聪明的女子，我知道在人们熟悉的一切之外，另有一个不为世人所知的世界。在那个世界，真实就如手掌上的纹脉在地球上伸展开来，没有谁没有任何力量能够遮挡掩饰。

黑白是一种深刻的对比。结果就成了一种深刻的印记。

山是黑的。雪是白的。土地是黑的。太阳是白的。古堡是黑的，而察汉乌苏河是白的。

黑，是那种冷峻的叫人不敢正视的黑。白呢？

我孤立无援地举起了相机。我的相机里黑白胶片成了一片空白。

2

在这之前，浪游西北一直是我的梦幻。一想到某些地名我就莫名地激动。这使我猜测我生命的密码里一定藏着某种未解开的记忆。它像一根魔链般系结着我的过去和未来。

最早让我感知塞外悲怆的，仅仅是一句边塞诗。就那么一句从策马疾驰的诗人口中吟出，便几乎令我目瞪口呆。

"青海长云暗雪山，孤城遥望玉门关"。纷纷扬扬的大雪铺天盖地迷蒙了我的双眼。楼兰成了双重的地名。我模糊地看见一名戍边的士兵骑着胡马站在汉烽燧前，从箭衣袋里小心翼翼地掏出一封家书，大风猎猎中纸笺被艰难地展开……

此时，长安一片月，万户捣衣声。河边那个捣衣的女子，正泪水盈盈抬头望着南飞的大雁长唳着掠过夜空。

雪尽胡天。月明羌笛。风吹一夜梅花弄，撩起多少边愁。

自从那年拥有一本破旧的唐诗后便对所有的边塞诗情有独

陈长吟 摄影

钟。无论是"烽火城西百尺楼,黄昏独坐海风秋"的苍凉,还是"大漠风尘日色昏,红旗半卷出辕门"的雄浑,都会令我感动万分。内心深处,感动我的不是历史书上的无尽长卷,而是隐藏在那些以冷静口吻叙述的史料后面无法说尽的生动故事。

终有一天,我命定要沿着那些诗句走进瀚海边城。

现在我来了。沿着一座座只剩下半截的古烽燧,沿着虽已颓败、却依旧顽强蜿蜒的汉唐长城遗迹,我轻轻呼唤着千年前战死的魂灵。薛仁贵征西的古戏文早已忘却,苏武牧羊的草滩也很遥远,惟有那些不知姓名的士兵们吹奏的羌笛,在塞外的风尘里震荡着我的心。

我的心剧烈地跳动着。一句现代的歌词闪过脑际。千年等一回。千年等一回啊。是谁用五个汉字就一语道破了大漠中这个素衣女子的前缘?

31

3

　　五岁那年,父亲为我买来一架六弦琴。琴盒上赫然用极简的线条生动地刻着一位只手弹琴赤脚舞蹈的少年女子。我至今记得琴盒上以古书篆写的"敦煌"二字。那个女子竟令五岁时的小女孩怦然心动,仿佛她与她之间存在着一种神秘的亲近联系。"敦煌"本来是琴的商标,我却知道它代表了一个庄严神圣的所在,在很久很久以前,那个弹琴的女子就赤脚行走在沙漠里,只为了接近那个叫敦煌的地方。有时我弹着琴,会发痴般地以为自己曾去过那里。

　　这种知识是与生俱来的。没有谁教会我。

　　后来,当我在一种与文化无缘的生命状态中割草挑柴烧窑时,那两个字偶尔会跳出来,泪水跟着就蒙住了我的眼。但似乎那不是为了五岁的印象,而是缘于一种更久远模糊的追忆。

　　其实那时的我并不多愁善感。雷雨之夜一人守着偌大一间黑屋时,除了在暗中睁大了眼睛望着窗外瓢泼大雨听着天空滚滚雷鸣,脸上却可以长久干干地没有丝毫表情。那种情景现在回想起来有些恐怖。我时常觉得在那样的黑夜里我就像一个年少的女巫。

　　后来我回到城市回到文化中来。慢慢清楚了敦煌是什么丝绸之路为什么荣耀至今。

　　但我依旧执拗地以为敦煌就是一个赤脚的弹琴的女子,踯躅在一片荒漠时向往的所在。

　　那时我处于两难境地。往北走过马海戈壁翻过当金山口,是去敦煌之路。往南越过昆仑山越过唐古拉山,可抵布达拉宫。格桑避开旺堆和尼玛与我密谋：往南吧，往南吧。

往南，那一路奇险瑰丽的风光，肯定会眩晕我今生今世。四千米雪线上的冰川雪莲，以其一片冰心浸润过我以往的心绪。我当然也会看见秃鹰在天葬台上盘旋，也会和野马野牦牛及成百上千的野黄羊相遇在楚玛尔河草原。

我就要说往南了。但生命中那一片图腾突然隐现。

往北。往北除了一望无际的戈壁就是戈壁。荒漠的终点才是那片图腾的所在。

终于接近敦煌时正是日落时分。色彩斑斓的天空幻化出飞天满身的金飘带。

当时我扭过头去看于波多吉。他正无动于衷地超然望着天空。我就想可知是一个人有一个人的世界。我只能依靠自己去寻找那些千年沉睡的洞壁。

许多许多年之前，会不会有一个弹琴的西域女子，为了美丽的丝绸，赤着脚穿过炽热的三危山，在敦煌街市上，弹起了清冽的音乐。而一位汉家少年，挤在来来往往的商贩走卒中被美妙的音乐惊呆，痴痴地望着那女子舞动十指行云流水般拢抹弹挑？

历史如一匹美丽的长绸，被那女子散漫地撒开。穿过沙漠，我拾起长绸的另一端慢慢卷起，走进了敦煌，走进了湮灭在传说中的丝绸之路。

4

莫高窟。一座横卧大漠的狭长的石山。它该是多少岁月的水流才磨砾而成的河床之砥？

走近敦煌。大漠的晚空下，有星有月。那是上天的光明。我听见长者的声音穿过星空：来吧，你，别睁着迷茫困惑的眼睛，走过这千年的秘密，你将成为人生的新娘。

哦，我的祖先，你们寻找到了吗？

寻找什么？为什么寻找？

"日出而作，日落而息"的牧歌已经断弦。

贵为人主者歃血为盟，逐鹿中原。原本富饶的中原已是白骨蔽野。贱如蝼蚁的百姓们挈妇将雏，踏碎了暮雪边尘，纷纷避难河西。

那时的敦煌，充满了异域风情。丝绸之路早已打通，汉武帝的屯兵移民政策也已收敛。祁连山的雪水冰川流下来，养育着戈壁滩上这块商来商往的绿洲。富足安定的敦煌，吸纳了流民，也吸纳了汉晋文化。而神姿粲然的释迦牟尼，翩然翻过喜马拉雅雪峰，以救苦救难的许诺安宁了饱受流离之苦、满怀离乡之愁的先民们的心。

公元366年，一个手持锡杖、满身尘土的游僧从西方云游到了敦煌。在一片沙海之中，夕阳灿烂，三危山上，仿佛有千佛隐现？和尚虔诚跪拜，以为佛祖显灵。他将敦煌看作圣地，在面对着三危山的一段山崖石壁上开凿了第一个佛窟。和尚叫做乐樽。唐代石碑上曾有记载。

这一举动仿佛唤醒了人们心中蕴藏已久的渴望，那叮叮当当的凿岩声从此不绝于耳……

想那千年岁月，不管是名门望族，还是平民百姓；不管是学者还是工匠；也不管是入世的商人还是出世的僧人，他们对纷扰的世界和多灾多难的生命都不可能不抱有一种审视。这种审视越是深刻，心灵探究的冲动越是强烈。巨大的生命热情和对生命的战栗使一代又一代的人们在石壁上，在洞窟里，用耀人的彩塑，惊魂的壁画，留下他们追问生命的痕迹。

绝不能简单地用一句愚昧就抹杀了这种追问的意义。

在一个个昏暗的洞窟里，我用手摩挲那些斑驳的、描绘了佛国和世事的千年壁画，用心去读那些丰富了人类文化、艺术、语言的佛教图经，我想人是需要寻找精神支柱的。这已为几千年的文明史所证明。在菩提树下悟道的释迦牟尼无论是人是佛，教人弃恶从善都是他的功德。而佛教中包含着的丰富的哲学思想，应当是人类文化思想史上的财富。

那些开窟造像的先民们，终究是突破了宗教的局限，在描述佛国的故事时也把自己的故事绘上了洞壁。那些纵犬追猎的骑士，抱琴吟唱的歌女，仪态万方的回鹘公主，气势威严的河西节度使，还有船夫、兵士、商人、香客，一个时代又一个时代，你们借助壁画走入了后人们的眼底。

这使我们，在千年之后，有了与历史对话的可能。

撇开敦煌的宗教意味，我们可以看见她借助莫高窟所迸发出来的瑰丽眩目的民族大智慧。

仅仅一个小小的藏经洞，不到十平方米吧，自它开启以后，就像一颗有求必应的摩尼宝珠，霎时丰富了世界的博物馆藏。

那也许是一个黄昏。不知为什么我总认为那一定是在长河落日圆的黄昏时候。汴京的诗人们还在悠闲地为歌女们唱和着被后人称作宋词的那种小调，敦煌莫高窟的僧人们却要逃难了。西夏兵就要攻进敦煌了。高僧洪辩早已圆寂，他的弟子们将所有的经卷文书，以及不便携带却饱含文化意味的文物急匆匆藏入洪辩昔日坐禅的洞窟里。窟门被封死了，细心的僧人们没有忘记在封死的外壁上又细致地重绘了一层壁画。也许就因为这才耽搁了逃命的时间。战事平息后，藏经的僧人们没有一个回到莫高窟。他们的命运无人知晓。藏经洞也就成了永远的秘密。

僧人们将永远无法知道，他们在生命临危之际，泰然自若地完成的，是一件人类文化史上的壮举。我想他们不仅将经书，还将大量的手抄本诗词、绢画、纸画、麻布画整齐地码进洞窟时，抑或是受了神的旨意？不然的话，这些即非佛典又非珠宝的东西，他们竟何以知道其超出生命的价值？

九百年后，1900年，莫高窟当时的下寺主持王圆箓在一个偶然的机会中发现了这个秘密。这位庸俗而卑琐的王道士，不断地用里面的宝物，向蜂拥而至的外国探险家、文盗们换回几捧大洋，几包不值钱的日用品……

从唐宋到清末，僧人们的道德也随国运的衰微而衰微了吗？

莫高窟走进了近代历史。它将随着一个民族的命运颠簸流离。也将随着一个民族的崛起而重放异彩……

现在的敦煌当然征服了世界。莫高窟前，白皮肤蓝眼睛的老外们规规矩矩买了门票，大睁着惊讶折服的眼睛，去礼拜那一排排的文化神殿；离莫高窟不远的地方，日本国无偿资助建造的"敦煌研究保护陈列中心"也已完工。

也许每个历史阶段，都有它相应的文明层次。

但是人类远没有完成寻找。

回过头再望敦煌。我默祷我内心的宇宙一片澄明，以千眼万眼的睿智俯视世界。

这向往不过是一种追问生命的过程。大概除了佛，没有谁能达到那种境界。这追问，其实也是人生美学的永恒课题。从古至今，它所引发的人类智慧璀璨而深邃。

这正是敦煌永远的魅力所在。

5

铜盘似的月亮如吉祥之神，照亮了青海东部高原。在循化街子骆驼泉暗绿密集的水草下，白色的骆驼石神秘地闪烁。饰着新月图案的街子清真大寺尼那罗顶楼上，一声声古老悠扬的宣礼声穿透夜幕。

站在泉边我双手合十，向身着黑长袍、头扎白缠头的满拉致意。心里却惊讶着刚才村头所见披着绿盖头的撒拉族阿娜们的美丽。暗想那些湛蓝的大眼睛以及挺拔的身段，为这静谧的湟水谷地增添了多少迷人的诱惑？难怪在西宁就听说撒拉族的女子最美呢。

我是穿过拉水峡积石峡进来的。为了印证一个美丽的传说。黄河水在深深的峡谷下历尽艰辛地咆哮着。七百年前，那次悲壮的民族迁徙也是从此穿越而入的吗？

飘着长须的满拉指点着老柏树下的圣墓。七百年了，撒拉族先祖尕勒莽、阿合莽的长方形墓庐依旧静卧在湟水谷地。而富饶的谷地至今养育着他们的后人。循化街子，已是青海东部著名的瓜果之乡。

我曾查找过地图。在前苏联今哈萨克斯坦境内，企图圈出元代时中亚细亚的撒马尔罕地域。

撒马尔罕啊，你怎么就那么无情地放逐了一支英雄的部落？

传说七百年前,尕勒莽部落属于乌古斯撒鲁尔的一支。首领尕勒莽勇敢善良,他的威望和战功遭到撒马尔罕国王的忌恨,几次欲将其置于死地。热爱和平、厌倦战火的尕勒莽和他的兄弟阿合莽,遂决定率领族人远走他乡,去寻找和平的乐土。一族人走大漠,涉恶水,终于从吐鲁番进入古肃州,来到伟大的黄河上游,走进湟水谷地。夜色中他们扎下帐篷,燃起炊烟时,驮着古兰经的白骆驼却悄悄走到一眼清泉边,跪下来合上了它聪睿的眼睛。当人们找到白骆驼、取下古兰经和葫芦里珍藏的家乡水时,惊喜地发现这眼泉水和家乡水一样清甜。闻讯赶来的藏人蒙人,热情相邀远道而来的异族人洗去尘土,在此定居。为表诚意,愿以这眼水旱之季不枯不溢的神泉及四周丰美的水草之土相让。

这便是湟水谷地撒拉族人的历史。先祖带自家的古兰经和着藏胞蒙胞的情谊,永恒地供奉在清真圣殿上。

为我采来山核桃的撒拉族姑娘子罕啊,不是为了谢你,我也要把这真实的故事到处传唱。

该泯灭的早该泯灭了。该滋生的应该滋生了。

在这远离麦加的湟水谷地,一座饰有宝瓶、宝剑和新月图案的清真寺面向古兰经的圣地,庄严肃穆地指示了真正的教义。而这教义,不仅是尕勒莽兄弟率领他的族人书写在迁徙的路上,更由胸怀宽广、充满友爱之情的藏胞蒙胞书写在骆驼泉边。

静静地站立村头,听着那悠扬的赞念声穿过夜空,我体味着兄弟与和平的本来含义。

只是我不明白七百年了七百年了啊,麦加为什么依旧战火未断?

掬一捧骆驼泉水,轻洒在泉边的石骆驼脚下。白骆驼啊白骆驼,你还能重新从泉中站起,驮着古兰经走向麦加吗?

现在我知道我为什么在穿越戈壁时感到恐慌了。

然而,尕勒莽的墓是事实的。泉边的石骆驼是存在的。子罕送我的山核桃枝上,湿漉漉地还带着新鲜的水珠。

6

我想我一定是来过这里的。否则,那闪着银光的巨大冰川,那雪线下天然草原上千姿百态的奇花异草,为什么给我的感觉是触手可及。

宗教里灵魂和肉体是生的两极。在这里,在格拉丹冬雪山,父亲河长江的源头,四千米雪线亦是生命的两界之地。雪线以下,有无边的草甸和水泽,矮小的牧草为抵御暴风雪而匍匐在地。野牦牛和藏羚羊在没有风雪的日子里,逍遥自在地站立高原,任强烈的阳光从清晨洒向黄昏。高原花在极短的生命季节里速成了生命的过程,那色彩之艳丽,据书本上说是因为紫外线特别强烈的缘故。科学的确能很好地解释物质世界。但雪线以上的光耀呢?

在那个寂静的世界,惟有银光闪耀如创世之初。雪线以上所有的灿烂和黯淡,被原始神话和现代传说一层层包绕。

谁能够完全释解生命之源的重大含义呢?谁又能够否认大陆东部的所有繁华和稠密的人烟,都是出自它无言的恩泽?

在格拉丹冬雪山依旧冰封的某个春季,一个渺小的生命在波光诡谲的洞庭湖畔呱呱坠地。那是我。后来我被鄱阳湖畔的稻米喂养长大,读着"落霞与孤鹜齐飞,秋水共长天一色"的句子在风雨中锤打青春岁月。那是父亲河哺育的一双强壮的儿子——洞庭、鄱阳，它们用水稻和渔网，创造出两湖平原的九鼎文明。有了它们的依傍，我的生命也因此而强壮起来。

作为长江的女儿，我想我的确应该感恩。不是所有的人都有如我般的幸运。在不是感恩节的日子里，我要在这父亲河的源头，在沱沱河的帐篷边，用柏香叶、山花、奶油和青稞面燃起"煨桑"敬神。

我只能在心里默祷着母亲河的神圣名字而无法真正接近她的源头。我已经习惯了她的伟大刚烈因而无法想象母亲娴静温柔的长成之初。

其实我早该辩证地亲近母亲了。

卡日曲的泉水又细又长，清清澈澈如母亲温柔的眼。约古宗烈曲盆地仿佛有神喻似的，看上去像是"炒青稞的锅"，它令人想起一切母亲的美德。玛曲呢？藏民叫她孔雀河，牧草如茵的天然牧场上，大大小小的水泊和"海子"，如宝珠般闪亮，那是母亲展开的青春舞衣啊。

星宿海，我想她是母亲河的第一个里程碑。年轻的母亲藏身在这无边无际的沼泽草滩上，任无数的繁星落进她纯真的眼睛，落在她翡翠般的美丽衣裙上。她要尽情地享受这自由的生命季节，然后去迎接一场千年的挑战。

这以后的母亲河便是我所熟知而敬畏的华夏之母了。在黄河上游龙羊峡水电大坝巨大的主厂房里，她被刻成铜的浮雕，覆盖了整面的墙壁。

这当然也是另一种感恩的方式。

母亲河为我们养育了五千年文明。在我们就要将她剥夺殆尽的时候，有什么权利指责母亲风韵不再呢？

只有母亲河源头的卡日曲和约古宗烈曲,以其常流常新永恒了黄河的青春。

　　所以在五千年后,当我无数次穿过华北大平原的高粱地玉米地时,我依然能够从那些饱满的果实中吮吸母亲的乳汁。

　　为了母亲河所给予的一切,回报是一种必需的行为。我们惟有虔诚的心灵之绿树,遍栽那条大河的两岸。

　　青龙黄龙,应是华夏文明的父本母本。双龙腾越,创造出华夏文明的千年风光。我们不是自诩为龙的传人吗?要知道文明之流的源头,应在你我的心底。

　　常流常新,是文明永不枯竭的秘密。

　　卡日曲的泉水汩汩汇入约古宗烈曲的水泽。我掉头面向庄重威严的各拉丹冬雪山。我有些明白雪线以上的光耀所暗示的箴言了。

张爱华

被西部吸引

西部在我的心中不单纯是地理的界限，它是灵魂的方向——精神意义上的，永远在寻访着，永远无法到达。

多年来我一直被西部吸引着，又说不清为了什么。没有谁在那儿等我，一旦脚踏西部又禁不住眼睛湿润，亲情在心中涌动。

在西部，我先是到达了甘肃，沿古丝绸之路一直走到南疆，穿过塔克拉玛干沙漠的一部分，不是一次而是三次，我或许是想探求生和死的奥秘。有一次从青海的格尔木坐着破旧的汽车到达拉萨,在藏北高原上我孤零零站立着,感觉自己从以往之中脱颖而出。

我第一次区分了空气和氧气,区分了一种植物和另一种植物,区分了日常喧嚣和祈祷,区分了生命的麻木和生命的惊喜。

我真害怕离开这里,害怕红尘欲望和人间忙碌重新开始。在我的感觉里,西部是地球的背面或是地球的内部,少年幼稚的西部观到后来成了浪漫幻想,我倾心于这种说法:一直朝西走会在蓬草里找到落日。

还有女人的西部观:被苍凉和力量吸引,被兵马刀戈铮铮作响的军旅诗吸引。在过去的时代里,我保持漫长的精神恋爱,依靠古战场和古诗词塑造心中男人形象:马背上吟哦的男人,茫茫西部是他们的大背景。

诗是西部苦难的河流。苦难让西部流芳百世了。

来到格尔木车站是一个清晨。

两天前的傍晚,我还是西宁小街上的游客。西宁,被上一个世纪的探险家称为中国"最后一个城市"。我在他们渲染过的优美的"最后情结"中闲逛着,那条有人走也有牛走的巷子里,一家小小的砂锅店雾气蒸熏,我有一个小时坐在那里。我很爱吃西北的砂锅,它包罗万象,很有点大智若愚的意思。饭桌窄窄的,掰饼时渣子一定会落到别人的碗里。路灯照过来,它没能让西宁的傍晚亮起来,只是让它朦胧起来,古人的心一定是在这时感到了深深的寂寞。对面街上悬着"酸汤饺子"的幌儿,也是我喜欢的;这有点像同一天里有两个人向我示爱,而我不可能都接受。我十分清楚再往西走就没有这么热烈的砂锅和酸汤饺子了。我尽量记住滋味，恋恋不舍地离开小店，走向更西的地方。

铁路到达格尔木就是终端，从青海进藏的任务将全部由公路负担。我是乘客中最后一个下车的——空荡荡的广场如同突然之间扩展的心胸：毫无往事！

空、漏——被一次大的自然变故或人事变迁遗漏：刚才还有成千上万的人在这里跑动，刚才还有一片树木管这里称之为家，刚才还有无数车辆从这里往返，一切都是刚刚离去的，而且永不回返。

广场空无一人，寂静是怪异的喧嚣。这就是我迷恋西部的一个原因，只有在这里才能找到巨大的空、漏之感（惟我独存的侥幸），鲜明的边缘、尽头印象（只差一步就落入轮回的深渊），只有天，只有心情，再走，只剩下天，人就不存在了。在西部，人们最终并不死去，而是深藏或飞升。

格尔木车站留给我的印象是深刻长久的，我反复琢磨空旷中蕴含的深意就如同在水滴中倾听时间，我恍惚觉得身体里栖息的鸟被惊飞了，说起来有点虚幻，直到今天，它仍然是虚幻的，不可描述，只有我的心情到达过那里，看见过它，一闪即逝。

西部有太多的经历和故事，西部只适合被回想，被怀念，讲出一点点就可以让人热泪盈眶。消失和空寂对于我是那么重要，它使一个自以为一成不变的人发生裂变，对西部衷情，就意味着你已兼圣者和囚徒这二重。

在我日常生活的地方，走在街上或坐在写字桌前，有时会突然触景生情，想起心中的什么，会伫立下来或陷入冥思，遥望肯定晴朗的西部，作一次神往已久的张望，我相信在那里，行动的人与飞翔的鹰，一定比沙丘更充满沧桑。

我迷上了一本书：《古西行记》。

那是些最早的西行者，也是最终的西行者，他们西行的内容和意义从未被后人超越过：精神和幻想的浪迹，肉体和岁月的苦役，仿佛没有尽头。终于有一天，他们在遥远的西部回望，望到东方，所来的方向，家的方向，和我的西部旅行时产生的震惊一样，古西行者也处于震惊之中：空寂中无限的饱满。回望——对行走，对生活的回望，又一次证实我们与众不同。

回到格尔木车站，或西部任何一个地方，无边的沙漠里，古西行者——那些帝王、高僧、文人墨客、囚徒和失意者，不发一言地按着白骨的标志走着。文字记载最早西行的帝王是穆天子，也是《古西行记》的开篇。那是一个没有"理由"西行的年代，所以人们有理由把它当成神话。那时候东部本身还是一个广大的空间，有清新的空气和大片的森林，眼睛一样的湖泊，思想也是新鲜的。西方人把生活在这里的人称为"日出之人"，当东方人开始踏上征途寻找西方佛国的时候，西方人却认为看到了真正的佛国：无所不能的东方，出圣人出神仙也出太阳。

在东方人的视野里，西行是一种象征，是对自身生存的扩展的求索和不可及物的渴望。西部一开始就不仅仅是地域概念。所有在书中行走的人们当年都在精神渴求中行走。穆天子之后，是朝代更迭和西行者的接替，在人们的愿望中一次次升起西部炊烟。

莎车、且未、和田，那些仿佛一直就存在着的小村庄小镇子,假如古西行者今天仍从这里走过,一眼就会认出它们。偶然多变的世界里,惟有西部是绝对的。我所说的绝对,不是凝结而是生长——从虚无中长出寓言,从皮肤上长出毛发。西部脊梁般耸起的山洞里,据说依然有人灭尽定的罗汉,他们早已脱离了灶堂炊事,但坚定地生长胡须……西部能够发生任何事情,当年是古西行者见到它们,今天是我们描述它们。

西部古如往昔。我拍过许多西部的照片:在大锅台后面配制手抓饭的男子,又大又黑的手背上爬满了弯曲的青藤;和一篮无花果在一起的少女,伏贴柔软的果子像她身体的一部分或话语的一部分,这些,都会从我的注视中离去,回到西部。

西部是想象出来的吗?

那些氤氲迷茫的圆顶建筑,那些活着如同受难的古城遗址,当我亲临之际它们从天而降,在我离开之后,它们又复升天国。对于西部,有时我是脚的到达,有时是目光的到达,有时是精神的到达,凡可能的时候,我总是在西部。我经常看见从古到今的几个人,走过古城走过一本书的那几个人。明朝人见到的古城废墟,在唐朝人笔下也是古城废墟,我怀疑它们从来就是!十年前我登高昌故城时心中缠绕着和今天相同的问题,西部让人恐惧:无声无息的时间可以让身边的一切转瞬消失。

但是,《古西行记》写到了古城还不是废墟的情景,写到了大河消隐之前的澎湃,写到骑象的国王和头插树枝的王后生活在成为传说之前,戈壁上曾经的青草,沙漠湿润的前身,许许多多有意的抵达和唐突的意外之事,都在书中作过震颤人心的停顿,那是缺憾和永恒,这本书毫不犹豫地记下了它们。

合上书,闭上眼睛,我就成了他们中的一员,在精神伴侣的慰藉中我开始了长旅。我走在地球的另一端,古人和今人是能够在渺无人迹的地方重逢的。

"天使(据说)常弄不清楚,到底他们是在/生者或是死者之间行动。永恒之流/常拖拉着一切年代的人一同通过二者的王国/并在二者的王国里,把那声音淹没。"

我几次去西部集结的文字都在力图歌颂走在我之前的西行者,都在倾听来自远古的声音。都在作以生命为赌注的远行,西部之路成了浪迹的心路,留下的文字是漂泊无定的歌吟。鹰的羽翅上写过他们的名字,西部历史就浓缩为一本书。穆天子豪华出行之后,接下去是玄奘、法显、杜环……伟大的纪实开始了。

西部,六月,无雨的宁静中多了几个渡河的人,独行的人,这是被耶律楚材回忆起来的情景,伤感和豪气同时在心中升起,"古君子南逾大岭,西出阳关,虽壮夫志士,不无销黯。"

当时,他正登临阿尔泰山,见阿尔泰山以西,水皆西流,不禁高吟朗叹:"天之限东西者乎!"

东与西,是天的界限。

耶律楚材是以文字和体魄探寻西部的人,但他不是独行者,他随成吉思汗二十万蒙古军西征中亚,车帐如云将士如雨的情景只是西部短暂的历史景观,西部最终还是独行者的天地,孤独的心和孤独的处境培养了人们对西部的嗜好,西部成了许多人命运的注释,其中有真正的西行者和西部研究者,他们在悲剧命运上一直承前启后着西部,西部就是以这样的方式无限地延伸着:独行者——西部独特时空——文字以及对文字的诠释——携带文字的旅行——被放大了的西部,西部的存在是由于文字的参予。

这是西部以及与西部有关的人生经历中令人伤情的部分:西部与命运,密码与宿命。也许一些人本来和西部没什么关系,但命运把他们朝西一拨,他们就是西部的了。杨应琚,清朝的一位官员,在西北为政几十年,捐资创建西宁贡院、书院。他1739年所写的《据鞍录》,是《古西行记》中相当不错的一篇。西部在他笔下呈现出残月在天,山河闃寂的苍凉,宿命如同一颗流星划过苍凉,他看见了自己的轨迹,二十几年后这位清廉的官员被朝廷赐死。他的西行日记一字一叹,苍郁之美是叹息出来的而不是高歌出来的。他的灵魂已先行一步回归西土,命运使文章升华为美文,对西部圣灵、历史传说、永不平息的魂魄进行祭奠。

《古西行记》中分量偏重的文字都出自于失意者,繁华狭促,苍凉广阔,时空骤变和苦役行程让他们完成了由俗人到圣徒的蜕变。祁韵士在流放新疆几年中,以《西域释地》的问世成为西北史地学的先驱者。西部落日黄昏,他遥望寒烟出没的方向,怀念家乡,但不沉沦,他在寥廓的文字中发现了比西部更广大的空间。

《古西行记》中记载的最后一个西行者,蒙古人阔普通武结束了他的生命西行之后,几乎没有间隔,另一些人,在我们的历史教科书中被误解的那些特殊人物,朝着古西行记中人物注目的方向开始了漫漫跋涉,开头就是悲凉的,因为这意味着有一些人将永远无法回到他们的故乡。

传教士和探险家,他们更是天生就被精神的西部吸引的人,被苍茫和无限吸引的人,自觉自愿地把人生经历演变成圣徒故事。

在云南和西藏交界的雪山上,有一道鲜明的雪线,之上是皑皑白雪,之下是大片青松。雪线上曾经住着一位传教士,每逢布道之日,人们聚集在青松林里,仰望雪山,伏伏在地,头顶响彻深沉宏阔的一声"主啊——"久久地在天地之间回荡。

我站在梅里雪山脚下,听朋友讲传教士的故事。传教士居住的小房子已经不在了,但传教士和探险家的精神跋涉从未停止,大漠戈壁曾走过一代又一代人,心中装着圣洁的旨意。

这是令人崇敬的两种人,他们对日常琐碎绝决的摆脱让人羡慕。他们对停滞和安逸天生怀有偏见、敌意,他们生命的灯点燃了并不熄灭,但却以熄灭生活中另一些灯为前提。

就在我为表达传教士精神思索再三的一天,我读到1955年诺贝尔文学奖获得者谢·希尼的受奖演说《归功于诗》,其中提到教徒圣凯文的故事。圣凯文双肩伸展做十字架状跪在修道院旧址祈祷的时候,一只画眉鸟把他伸开的手错认为栖息处,落在上面下了一堆蛋,接着又在上面做窝。圣凯文一动不动,过了许多小时,白天,黑夜,星期,就一直那么伸着,直到鸟蛋破壳,雏鸟羽翼长成。用这个饱含理想色彩的故事表现传教士精神,在内涵上应该是恰切的。

精神的人看起来是那么相像。这让人联想到精神也是一种生长的物质,它不是均匀地分布在所有的地方,而是集中一地,那亘古荒凉之地。一些生命降临人世秉赋了使命:寻找它,然后记录下来。

如果说《古西行记》中还有的人是从被动西行开始的,那么到了传教和探险的时代,西行(尽管一部分人是由西而东)

已是一种愿望,西部已被人认作精神圣地。传教士和探险家一直西行着,西部本来的神秘因了他们而更加神秘。在能够依赖文字流传下来的真正的传教士故事中,谁都是圣凯文。

被宗教点化和被西部吸引,其中有隐秘的关联,对苦难的衷情也是对责任的肩负,在上帝的使者身上,肉体和精神是可以分开的——肉体陷于沙漠恶风,精神却可以飞翔,难以想象的一切苦都专门为他们存在着,为了考验人类族群中特殊的一部分,明察意志的限度,证明人的软组织中到底有没有不朽。他们在风和石头的领地久久停留,一天一天,一年一年,当再一次听到沙子鸣叫的时候,已经分辨不出灵魂轰响与上帝呼唤的区别。

在中国的西部,黄沙沉埋着传教士和探险家的尸骨。

终于,西部佛堂圣殿向他们敞开瑰丽的门,天国的颜色炫耀着他们的眼睛,光芒来自圣地和内心,佛主和基督也是抒情的诗神,无与伦比的赞颂周身响彻,他们获得回报的时候早已分不清幸福和痛苦,脸上再也没有表情。

我以前说过,人类精神史的一部分是由他们来书写的,这确是一些特殊的人,自虐是性格中鲜明的标志,在肉体经受地狱锤炼之前,他们把灵魂先行送到西部。我也曾试图把自己的灵魂送到西部,并想让它和亲爱的肉体脱离。试验是痛苦的,我已走出很远很远,我认准这一定就是西部了,因为我看到了时间。时间只有在这里才是清晰可辨的:无序无边,无始无终,但又无处不在。它是细利锋刃的绳索,每一个经过那里的人都会感到喉咙被勒紧了,时间变成一双眼睛,在空中尖锐地注视着你身上水份的消失和精力的殆尽。

在西部苦过之后,坚定者会找到一种明确的语言、方式、存在，并为此而惊喜。

那一天我在青海，清早赶路，计划傍晚到达一个地方，可是我们没能如期到达，我们无缘无故地停顿，沉默地站在戈壁之上，望着天空。我心底产生一种走到了时代前面或被时代远远抛在后头的惊慌。渐渐地，心平意敛，我们与这里本来的一切合而为一了，地球上就这么几个人，地球上从来就只有这么几个人。

最早的传教士和最早的探险家可能会在西部相遇。他们身体力行地实现着一种全球观念，尽管那时多数人还不清楚全球的含义，用脚走出的观念是对人们褊狭观念的蔑视。

古代地中海沿岸国家认为，世界西边的尽头是直布罗陀海峡的海格立斯擎天柱。传说神话中的海格立斯在从地中海驶向阴间途中竖起了这两根柱子。几千年前，只有最勇敢的海员曾冒险通过柱子继续向西驶入大西洋。有据可查的只有腓尼基人汉诺和希腊人皮瑟斯，他们可以称得上最早的向西冒险的人。西部神秘之门被艰难地推开，这其中不乏临终头部向西的不甘的西部探险者，也有祈祷时跪而向西的传教士。

西部的概念是模糊、伸缩的，它就是从立足之地广延开去的理想，是精神彼岸的海格立斯。汉诺和皮瑟斯可以突破地中海沿岸人们心中西部的限定，但却无法到达他们心中的西部。在格尔木车站广场，我已深切体会到这失望和惊异：在我还没有去过西部的时候，它已在我的梦中反复出现，即使我不止一次地到过西部之后，一个更加广大的西部时空又出现了，朝西部的延伸是没有止境的。西部是一个世界，这源于海边的一个世界。你只有到了西部，才能发现西部的不可到达，它包含着一切已到之物和未到之境。对探险家哥伦布来说，西部是一块陆地,一块并非北美洲的大陆,直到死,他都认为他所发现的大陆是亚洲的一部分,而不是他心中想要到达的西部大陆。

西部进入诗人、探险家心中就成了梦幻,或说西部是具备诗人气质的梦幻之地,是梦引导着他们寻找西部。西部不是美国西部片中可以找到黄金的西部,而是贫瘠到精神富有的形而上的西部。领导过北极探险的南森,当他历尽磨难回到挪威,受到英雄般的欢迎和款待,但他悄悄回到故乡,一天傍晚,南森独自站在家乡的海滩上,一边听着脚下海涛的拍击声,一边回顾探险的经历,那冰原和极地上漫漫的月夜多么令人神往,但如今已像是一个来自别一世界的遥远的梦——一个来而又逝的梦。但是,生活中要是没有梦想,那么又有什么价值呢?

追逐梦想的人,有可能成为诗人也有可能成为探险家,南森集中了这二者的成就。他留给后人的日记,是出色的诗。当他的好友,极地探险家阿门德森葬身北极后,南森无限深情地写道:

  他在那静寂的冰层下找到了没有墓标的坟墓,但是他的名字无疑像北极光那样长远地闪耀,他像夜空中突然出现的一颗明星来到我们中间,然后又突然星逝光消,只留下我们,茫然若失地对着那空虚的地方凝望。

梦想的价值,在于使人能和伟大接近。西部是不可及的伟大,为了让人永远期待、向往而存在着。一些西行者,发现心中西部永远到达不了的时候,停住脚步,回望使西部产生了边界,那是人类文明史上的精彩记录和心灵的停泊。在停泊中认识幻想与现实之间还隔着什么,还有多远,我们的世界究竟是怎样的世界。

"这是一个疯狂的世界,但仍有忠诚的地方。"在东部繁华喧嚣中淡忘了的词语,在西部会重新想起,比如忠诚;想起它就想起了那些不甘于灵魂消泯的人。

他们曾在漫长的时光中徒步西行,直到几十年甚至几百年之后,我们才找到本世纪最后的殉道者——那位沉迷于罗布泊的余纯顺。我们已经没有了徒步西行的时间,准确地说是没了西行的心情。西部永远都不是为大多数人而存在的。一个浑浑噩噩的酒肉之身,可以喧哗于红尘闹市,怎么可能到西部呢?西部不会收留他们。世上终于有一个地方把人与人区别开来了。

无边沙漠上的脚印已经很少人类的,西行的苦痛和西行的快乐正在成为传说,这意味着梦幻的缺失,即使工作在极地的现代科学家在诗意上也没有可能还原为南森。以火车票、飞机票标明的西部行旅再也不同于认知神灵的漫长过程。现代的西行观光客污染了那里世纪弥漫的苦行僧精神——人世间惟一的律己精神。今人比古人更加难以接近真正的西部。说到这里,我已在心理上否定了我的几次西行,在精神上我从未到达西部,我从未纯粹过,我一直徘徊于心的沙漠。

精神的西部已站在现代人难以企及(或不屑于)的高度,当东部为了填补空虚而寻找精神的回归时,西部从未缺乏过。

人们是多么难于和广大、崇高相处啊,我们只习惯于生活在看得见摸得着如衣服如汽车如面包的东部。东部象征着肉体、欲望、现世之物;东部越来越变得窄小拥挤,渺小到快看不见自己的心了,人们对许多东西不相信了,对非实物的崇高的东西缺乏感情。谁说西部还有神灵？谁说西部能让我们放弃尘俗而沉入亘古苍凉？

　　西部是信仰的西部，东部是欲望的泛滥和泛滥的间歇。西部扩展的地方，正被东部约束；西部的奔放正是东部的拘谨；一个是浮躁的，沧海桑田，一个是缄默的，忠厚诚实；一个是现世，一个是前生；一个是过程，一个是结局。

　　西部的博大遥远，和它本来的骄傲，让我们经常把它忘记。但它却不会忘记我们，相信人的追求不朽的欲望最终会战胜一切。

林 染

在 西 北 (三题)

大 湖 湾

在它名声传扬之前看到它的人,能得到巨大的旅游快乐。在雪山云海和黑河河谷宽阔的草原之间,在白杨林静立的河西原野上,它是那么朴素、恬静和清新。偶尔有牧马人经过这里,从水柳丛中眺望着它淡蓝色的雾气和水鸟。

我说的是水库大湖湾。

没有伟岸的拦水大坝，甚至几乎看不到任何水泥建筑的痕迹，俨然一座天然的湖泊，辽远的水面，红柳、毛柳丛生的岸，四周是白杨林、菖蒲地和浅草滩。

大湖湾方圆十五六里，水面呈不规则形状，从东到西要长一些。水里芦苇和三棱草丛生。看不到水草的湖心水面上飘着几朵云。鱼们"泼拉"的跳水声几乎不断。鱼儿有的大到40来斤。小鱼苗苗尚不知怕人，我挽起裤脚下到水里，一群小鱼立即围过来啃我的脚和腿肚子，感到痒痒的。用手轰开它们，马上又围过来了。鱼多，当然水鸟就多。灰脖子的鱼鸥苗条、秀丽而矫健，成双成对地飞着，时而俯冲到水里叨鱼。一些贪玩的鸟在芦苇上晃荡着。

年轻的水库库长夏玉乾说，鸥、鹳、水䴉鹈、鱼鹰、天鹅，这里什么水鸟都有。春二三月和秋深的十一月是天鹅的季节，它们成群地浮在湖里。你划船挨近它们，可同它们合影留念。

我们划了一片小小的荷瓣船，在湖中流连着。有一条白花花的鱼差点跳到我们船上。

湖上和远野好静呵！静得像处女的心跳，纯净得无任何杂音。

绿林绿禾绿草的远野，绿成深蓝色。南岸草滩后是白杨林，林梢上是祁连山有层次的山影，第一层是淡灰色的，第二层是空中皑皑的白雪。雪峰更增添了湖的情调。

这时我看到六只毛茸茸的小野鸭从芦苇中钻出，随后是鸭妈妈。一只小鸭被苇丛挡住掉队了，鸭妈妈游回来招呼它。一家自自在在向远处飘走了。

在大湖湾里漂泊岁月的野鸭一家人有福了。

大湖湾的风景不适合追逐浮华的人。不,有一些人不必到这里来。大湖湾不是流行歌曲,大湖湾是亚文化之上的纯正文化,是美文和诗歌,它只适合隽永、深刻美的心灵在这儿小栖。

黑河和疏勒河串起诸多美丽的水库,其中包括名声鹊起的山丹草原南缘、祁连山中仙境气息十足的鸾鸟水库。但我以一位诗人的身份断言,大湖湾是河西走廊最美的湖。

大湖湾位于黑河中游的高台绿洲。出高台县城西门,向西十里处便是。

骆驼草上的星

越野吉普在莽荡荡的荒原上疾驰。高台县的青年诗人王大运、张奋杰陪我去参观北凉王城骆驼城遗址。古城位于宽阔的居延水河谷和祁连雪峰之间的骆驼刺草滩上,在荒凉的最深处。野鸽子和偶尔的牧驼人到过那儿。北凉少女骆驼花一样单纯、火红的爱情连同狼烟、北凉勇武的骆驼军一起,被一年一度冷酷的戈壁之春封存在一片遥远的月光里。同车的县政府一位女部长是裕固人,童年时在祁连山野牧羊。窗外的荒野景色触动了她,她突然放声唱起裕固牧歌来。

"我家的星星在骆驼草上,"她唱。

"我跟着野狼学会了走路……"她唱。

这一刻我心旷神怡,快乐无比。我觉得,这种情调特别适合一位名叫林染的诗人。

久居河西走廊西端的流沙地带,渐渐接受了沙雀和骆驼的教诲，认识到：远野实在是至静至美的境界。

我常常走出城市，不带一点儿行装。有时是同妻子一起。妻子波波历史系出身，可没有半点的文史气息，单纯得就像冰草上的风，草叶摆动后，就什么也没有了。在人人都表演小品技巧的生活中，她是绝对不会演小品的。她同我完全配套。我把她带在身边，浪迹原野，就一分一秒也产生不了孤独的感觉。

我最喜爱的地方是居延水。

居延水，又名黑河，也叫额济纳河。它的河床宽阔得让人吃惊，有时你甚至看不到对面的河岸在哪儿。枯水的季节，牛毛草、冰草、蒲公英如毡的河谷就成了草原。随便站在哪一处眺望上游或下游，静立远天的白杨林都安谧、秀美得让你心驰神迷。我曾在一首诗中写道：白杨林是原野的不会说话的女儿。

我在草上打了一个滚儿，然后躺着一动不动地看蔚蓝的天。

没有人烟，最后一个匈奴也在两千年前唱着他的歌"失我焉支山，使我六畜不兴旺"远去了。

沿着河谷走上一天会走到哪儿呢？一个人的居延水，一个人的故事。

那是九月。十八只大雁在河水里投下倒影。它们是纯粹的原野之鸟，而我是第十九只。

　　　一朵素洁的小花儿请求我说："你把我揉碎吧！"它知道我是荒凉流派。

同厌恶舞台小品一样,我逃避瘟疫似地逃避席卷人心的潮流,还有物欲和视权如命根子者。

妻子波波拿给我看美国怀乡主义画家安德鲁·怀斯的画册。白色的连衣裙流淌出残废少女克里斯蒂娜动人的青春曲线。她匍匐在秋天的草场上,仰着头看草地边上的小木屋,那是她孤独、温暖的家。她还得一阵子才能爬到那儿去。夕阳西下,草地满披着柔和的夕晖。

怀斯是美国当代人。怀斯一生都住在乡村,很少到城市旅行。

人生的宇宙其实是在原野里。如果哪个人准确、深远地看到了这宇宙,并且被这宇宙生动地感知,他是值得的。这是我的信念。

日本作家井上靖先生多次到中国塔克拉玛干大沙漠来寻找古城遗址上昨天和明天的太阳。我在一篇文章中写道:井上先生意识到了,他来到世界的目的,是为了得到人生的安然之感。

居延水是一条本质意义的自由河。它散漫着红柳和芨芨草的头发,东一片西一抹地在荒原上流。正如怀斯和井上靖渴求重新与大自然融为一体那样,居延水在漠北无炊烟的地方滴水不剩地消失了。它消失在哪儿?它的生命之流到底闪动在哪片草叶上?谁知道,谁能说清啊!

第一次去居延水时,我在毛目滩绿洲看到了一种名叫鸟子秧的藤萝。绿白色的絮果颤动在岁月里,像是毛茸茸的雏鸟。远天远地,雏鸟静静地飞。

苁苁草原

我欣赏人迹杳然的荒凉远野。青年诗人石厉和曹剑在评论我的诗作时，都曾提到我是从荒凉中挖掘诗意和美感的诗人。我常常蓬乱着头发和胡须，在遥远的绿洲、沙漠盘桓。我觉得像苁苁草原那样的地方，是我获得安逸的辽阔栖息地。

从我所在的小城酒泉驱车东北，穿过白杨林和一片满被砾石的光秃秃山丘，再穿过金塔县城所处的小小绿洲，然后是巴丹吉林沙漠。小面包车继续向东北飞驰四个小时，就是牛毛草飘曳、蒲公英花如海的苁苁草原。

我到达时正是落日时分。我站在草丛里远眺额济纳河谷对岸的天野。流沙静静地展向地平线，一轮桔红的、如蛋黄那样明朗的夕阳正要落地。没有树，没有飞鸟，连枯草也没有。苍茫大野，看不到最后一个匈奴人。三万多匈奴人的首级被霍去病带到长安了。这一带正是西汉军队同匈奴人河西决战的战场。当地的牧羊人说，恰在落日的方向，是大片西汉阵亡将士的墓群。

在宽阔的额济纳河滩我采集到两枚古箭镞。它们在沧桑巨变中已疾飞两千多年了。沙漠无声，草原无声，野兔跑过后随即消失，零星的牧马冷漠地吃着水草。

迷恋中国沙漠和古城遗址的日本作家井上靖曾写道：沙漠、古城遗址比人更孤独。但是诗人林染反驳说：最明洁的月亮每天都照着沙漠和古遗址，而人生的月亮却老是处在被寻找的境界中。

我这是第二次来到额济纳河边。几年前我曾在河边看到一

毕玉堂 摄影

种藤萝垂挂在水柳丛上。那是鸟子秧。藤上毛茸茸的淡绿絮果像一只只欲飞的雏鸟。我心里充满着甜蜜。那时我正同我的波波恋爱。她在读历史系。她差不多一天寄来一封信。现在则是离别。我一个人空荡荡地生活已经有些时日了。

我坐在一座草丘上，点燃了一支烟卷。一只小小的七星甲虫飞落到我手背上。对于甲虫自己来说，它的飞和它的落，它的餐风饮露，它生活的每一瞬间都是重要的。可是，此刻，草原上的草叶，河对岸的沙漠和人心中的沙漠，谁又能感知它的存在？

正因为这样，甲虫是恬然的，我是恬然的。所以我追求荒野，我来到这里。

无尘的沙漠上空，月亮如水洗过，我感到尚有水波在上面荡漾。

雷 达

皋兰夜语

久居兰州的人都知道,深夜出门,不用抬头,即能感到,或身后,或眼前,定有一庞然大物在冥色中谛视着你,那就是皋兰山了;也不必引颈四顾,定能听到一种哈气似的嘶嘶声在空气中鼓荡,那就是黄河的涛声了。

记得一九八六年前后,有位兰州的故交到了北京,闲谈中顺便说起:"皋兰山上建公园了。"兴许他的语调太平淡,兴许当时的我未及细想,反正我没当回事。我估计,那无非是在皋兰山腰的某处修了个凉亭罢了。我的想象力再丰富,也是断乎达不到山巅的——在我少年的记忆里,皋兰山仰不可攀,直薄云汉,如壁立的屏障守护着兰州,兰州则是偎在它脚下的羊群。实难想象,在这陡峭的几乎寸草不生的皋兰山之巅,能建个什么公园。

终于,在一秋日傍晚,我回到了阔别二十多年的兰州。下火车后猛一抬头,竟惊讶得说不出话来:皋兰山还是那副熟悉的静卧了千万年的姿势,老熟人似的对我欷然一笑,但仰观山顶,却全然陌生了,著名的"一棵树"没了踪影,只见原先最高处烽火台的位置上,隐约飞起层层亭台楼阁,与秋夜的星斗混成一团,细辨则有角翼然,在雾霭里明灭,如神话里的蓬莱仙境一般,好像一阵风来,那缥缈的楼阁随时有升入霄汉的可能。这就是友人所言"兰山公园"了吧,果然奇幻至极。由于地面是万家灯火的闹市,山顶是星光灼灼的亭台,而中间部分的大荒山完全融入了沉默的夜色,所谓山顶公园便有了天上宫阙、琼楼玉宇似的飘游感。我盯视片刻,觉得眼睛发酸,真不知是天宫在轻摇,还是夜气在浮动。

我也算是到过一些地方,见过一些世面的人了,就说夜景吧,曾登上国际饭店看上海(听说现在该去登东方明珠电视塔了),也曾登上枇杷山看重庆,还在飞机上看过夜的法兰克福和罗马,但我敢说,它们尽可以其富丽或壮丽炫人,却都不如夜的皋兰山那么富于梦幻之感。我早就觉得,兰州含有某种说不清的神秘和幽邃,暗藏着许多西部的历史文化秘密,凡只到过西安没到过兰州的人,绝对不能算到了大西北;只有到了兰州,而且流连黄河滩,驻足皋兰山者,才有可能摸索到进入大西北堂奥的门径。

我从来都固执地认为，王之涣的《凉州词》，只能作于兰州，而且描写的也只能是襟山带河的兰州。"凉州词"乃古乐府惯用的诗题，并非只能写凉州或只有亲临凉州者才能用它，这就犹如唐人写"出塞"、"入塞"的诗很不少，并非每个人都非要出一回塞一样。可是，单就这首诗的意境观之，恐怕诗人不亲自来到一个高山、长河、古城三者奇绝地扭结在一起的地方，是断难杜撰得出来的。

我想象，王之涣是在一个早春的正午，一个假阴天，来到兰州雷坛一带的河谷的，他极目西眺，觉得黄河上接白云，仿佛是从云端挂下来的，就有了"黄河远上白云间"的句子出唇；再侧目一看，发现身边的孤城兰州紧贴着崔嵬的皋兰山，四围群山如簇，使山愈大而城愈小，便生出了"一片孤城万仞山"之慨；当时天气乍暖还寒，兰州一带的杨柳还没有吐芽，王之涣打了一个寒噤，猛听得有羌笛声若断若续飘来，心里想，兰州尚且如此，那凉州以西的古战场，还不知道会怎样的苦寒呢，遂叹息道，"羌笛何须怨杨柳，春风不度玉门关"啊。我这样理解，唐诗专家可能要引经据典地起来反驳，但据我所知，只有兰州才具备诗中所写的特殊地貌，往西去，甘、凉、肃、瓜四州不是这样，沿黄河上下逡巡，济南、郑州、西宁、银川等地，也都不是这样。后又发现岑参咏兰州的诗："古戍依重险，高楼见五凉。山根盘驿道，河水浸城墙"，益发坚定了我的看法。

兰州这地方确乎有种非凡气象，黄河穿城而过，环城则是山的波涛，好似一座天然的古堡，外面的东西不易进来，里面的东西也难出去，铁桶也似的封闭。要是在西安，你会感到关中大平原的坦荡与敞开,而身在兰州,你就没法不体验一种与世隔绝的疏离感、禁锢感,连走路的步子都会放慢。从地图上看,兰州才是中国真正的中心。老人们常说,环绕兰州盆地的群山是一条逶迤的巨龙,皋兰山是龙头,九州台是龙尾,确实越看越像。小时候,我就经常好奇地久久凝视着它,盼望着又惧怕着它会抖动头颅。及长,渐渐知道了龙的传说,就想,这里是否才是中华民族真正的发祥地?惜乎只是猜想,并无如"黄陵"之类的有史可征。但凭着直觉,我相信这是一块神秘的土地,以前必发生过或不见史籍却惊天泣地的事,以后也必会弄出震撼神州大地的响动。

考证起来,兰州的历史甚为悠久,秦置陇右郡,汉置金城郡,隋置兰州,皆为兵家必争之险要,到了今天,它更是西北重镇,交通枢纽:陇海、兰新、兰青、兰包诸线,均奔凑兰州而来,交会之后又各奔西东。川陕及沿海的货物要进入青海、新疆、西藏,或青海、新疆、西藏的产物要运到内地,大都须经兰州这个"瓶颈"。兰州的得名,一说来自于夹峙着它的一山一河,即皋兰山(兰)和黄河之滨(洲);一说古时的兰州四季如春,盛产兰花,故有此名。对后一说,我有些怀疑。古兰州府或古金城郡,其实是一个小文化圈的别称,它还应包括河州、湟州、临洮、循化、榆中、皋兰等一大片青海与甘肃接壤的地面。新石器时代著名的马家窑文化和稍后的齐家文化,老窝都在这里,前者因临洮的马家窑而得名,后者因广河县的齐家坪而得名,你想找最地道的三足鬲和鱼纹盆,恐非此地莫属。曾使举世惊愕,众学者争执不休的"舞蹈纹彩陶盆",即出土在这个文化地带。此盆也确实奇特得很,盆沿上的舞者,咱们的老祖宗们,头上之饰物似为发辫,披于脑后,而下体之物,就很像男性生殖器,舞者裸体而踏跳,奔放恣肆,性器官非常之突出,这就不能不使学人们大费猜详,一定要破译它的意义了。列祖列宗,你们何以豪放如此?它的笔势、动感、构图、线条均出奇的成熟,却出自五千年前的先民之手,怎不令人惊异。

所以,兰州是封闭的、沉滞的,但又是雄浑的、放肆的。不信,你往黄河老铁桥上一站,南望皋兰山,北望北塔山,下望黄河那并不张扬却又深不可测的浑浊漩流,会感到一种山与河暗中较劲的张力,或蒙克绘画中才有的紧张感,据说现在的黄河冬天也不结冰了,于是不存在解冻问题,但在我小时候,看春天的"开河",那刺激不亚于惊雷奔电,若是一个人独立河边,或会被它骇人的气势吓得战栗。看啊,一块块硕大的排冰,像一个个满怀仇怨、冲锋陷阵的生灵,互相追逐着、撞击着,那高扬着手臂的冰块杀过来了,那低头冲刺的冰块迎上去了,时而惊天动地地轰鸣,时而粉身碎骨地呻吟,有的冰块狂暴得简直要扑到岸边来捉你,于是冰水都溅湿了你的棉鞋。四野岑寂,整条大河犹如低吼着的、厮杀不断、尸横遍野的战场。夜幕降临,就益发骇人心目。这不由让人想起《吊古战场文》里河水萦带,群山纠纷,声析江河,势崩雷电一类的句子,遥想发生在著名的兰州河谷里的无数部落之间、宗教之间、民族之间、政治集团之间、阶级之间的征战和杀伐……

翌日,天一放亮,我便急于寻觅登皋兰山的途径,想弄明白夜气中仙山琼阁的来由。我虽在兰州长大,却从未登上过皋兰山,在过去,那几近妄想,这回该偿还宿愿了。此时,王作人先生来了。王是我当年在兰州大学的同窗密友,现为该校教授,新闻系主任,他约我同去拜访另一同学杨临春女士。杨的寓所恰在皋兰山脚下,窗明几净,我们就坐看通往山顶的缆车缓缓上下,以及游客们的嬉笑状。杨说,千万不要白天坐缆车游山,那太没想象力了,一定要夜里上去,你才能看到一个真正的神秘的兰州。

饭后,三个老同学散步在通往五泉山(皋兰山脚下的一处名胜)的路上,互相打量一番,感慨油然而生。作人是当年班上的英俊小生兼饱学之士,如今业已头顶微谢,一脸沧桑,他那曾经俊逸的脸庞,平添了不少岁月的沟壑。临春是著名的"校花"。当年我在班上年龄最小,虽不明内情,倒也听说,她的追求者就有十八罗汉之多。那可能是夸张,肯定有冤枉,比如仅写了一张小纸条者之类。现今的她,已是五十出头的人,正遇上私人生活的坎坎坷坷,脸色就颇显憔悴,明亮的眸子流露着呆滞,只有秋风中依然苗条的背影,还能想见昔日的丰韵。按老话说,她的出身不好,解放后家境败落,举家作为移民被遣到河西走廊某县,上高中时,寒暑假没钱回家,她就住在学校里,三九天还穿着一双球鞋。她后来的境况时好时坏,似乎一直摆不脱出身的阴影。她是在外面闯荡多年后回到兰州的,我们开玩笑地说,这叫归正果。看着她的背影,心头忽然升起一种苍凉感:我们这代人的青春真像小鸟一样不回来了么?

他俩都说我不见老,我惟有苦笑,我说,这可能因为咱们西北人皮肤"厚黑",少不显少,老不显老吧。临春忽然向我提了个严肃问题,她说,当年咱们班分配到北京的十几个人,为什么除了一二个,不出几年全都纷纷回来了,有的是老婆拖后腿,有的是生活不习惯,一个个直到回到老家的热炕上方觉安妥，你说，这仅仅是甘肃人家乡观念太重，畏惧交往，习性保守的缘故吗？我想了想说，这问题太复杂了，几句话何能说清，直到今天，在北京的甘肃人仍颇为寥落，牛肉拉面的打遍全国并不证明实质上有多大改变，比如，中直系统的全国作协会员近千人，而多年来其中的甘肃人竟只我一个，陕西人则多得多，你说怪不怪？也许，这些都与眼前的这座大山有关系吧。

我小时候就觉得，兰州这座城市有种诡异而神秘的气息，当地俗谚云，"兰州地方邪，说龟就是鳖。"比如，过日子禁忌特别多，一言一动，甚至吃什么不吃什么，都能引起大人们的一番指责或恫吓，而大人们自己，也似乎个个寡言罕语，说出话来神龙见首不见尾，叫你摸不着头脑。他们之所以如此，是出于害怕，因为在他们的经验里，希望的事总是落空，担忧的事总要发生。后来渐渐明白，兰州地面，哪方人氏都有，汉藏蒙回无不麕集，而且教派繁多，关系复杂。从老人嘴里，偶然能听到血脖子教与关里爷、苏四十三血战华林坪，马五哥与尕豆妹、新兴教、随教汉人、西路军、民国十六年大地震、民国十八年大旱、血洗邱宅一类的传说，无不染着血腥气，而这些传说反过来就更增加了这座城市的神秘。范长江在《中国的西北角》中有一段话说："汉代以后，汉族对于西北各民族之征伐或抗拒，多以兰州为极西之支撑点，即到现在，兰州仍然成为汉族在西北与回蒙藏各族交往之中心，自政治方面言之，中国现在政治力量西部之极限，仍以兰州为止。北过黄河，西过洮河以后，军政权力，尽在回族手中。"范公这番话虽说在一九三六年，对揭开兰州历史上的文化密码，却具有高度价值。

但兰州人也并不缺乏幽默感,有一首年代久远的谣曲,俏皮而无奈地表达了劳动者对苦难的反讽,是我迄今为止看到的最绝妙的中国式的黑色幽默,倘用沙哑的嗓子哼唱起来,定叫人鼻酸而笑:

走了个阿干县哪,买了个破沙锅,
试着去吃饭哪,倒把那嘴划破,
哎世上的穷人多呀,哪一个就像我。

买了个破皮袄啊,虱子虮子多,
穿在了我身上啊,雀儿它来作窝,
哎世上的穷人多呀,哪一个就像我。

娶了个大老婆啊,脸上的窝窝多,
买了一升面啊,倒搽去了一半多,
哎世上的穷人多呀,哪一个就像我。

盖了个破房房啊,窟窿眼眼多,
鸽子来踩蛋啊,倒把那梁踏折(读舍),
哎世上的穷人多呀,哪一个就像我……

我觉得,兰州城的性格,就像它那典型的大陆性气候一样,晨与昏,夜与昼,骄阳与大雪,旋风与暴雨,反差十分强烈;又像皋兰山与黄河的对峙一样,干旱与滋润,安静与狂躁,父亲与母亲,对比极其分明。这里既有最坚韧、最具叛逆性、最撼天动地的精神,也有最保守、最愚昧、最狡诈、最麻木、最凶残的表现。马化龙、马明心、苏四十三们的伟大的殉道精神，已在张承志沉郁苍凉的笔下复活，虽然我早在几十年前就听过这些回族英雄的传说，却无力写出。作为西北人，我感谢张承志和他的《心灵史》。但我认为，哲合忍耶诚然是一种宗教精神，但它的根须却是深扎在西北的大漠中的，这里的人民不论信教与否，都曾表现出同样万死不辞的血性，这就不单单是哲合忍耶所能囊括的了。广为流传的长诗马五哥与尕豆妹，是民间艺人根据真人真事编唱的，老兰州人都会哼几句"马五阿哥的好心肠呀，羊肚子手巾者包冰糖"之类。这故事叙述一对受封建宗法和门阀观念压制的男女青年，婚姻不幸，就不顾一切地"通奸"，向着阴沉而凶残的宗教势力挑战，遂招致了杀身之祸，终以"血脖子精神"喋血刑场。使我奇异的是，这故事中"性"的描写极为大胆野气，其反叛性的异乎寻常的决绝，中原文化恐不可能有此胆魄。但我又觉得，它的反叛精神是非理性的，自在的，原始的，带有一种可悲的封闭色彩。

大概就因为这一切，我十分看重皋兰山顶上建公园这件事，觉得它似乎是一个象征：象征着兰州要超越，要登攀，要与山外世界对话，要升高立足点，打破万年的闭锁，汇入大时代的冲动。传说霍去病西征到兰州，正赶上黄河冰封，战士喝不上水，真是"欲渡黄河冰塞川，将登皋兰雪满山"啊，他一怒之下跨上红鬃烈马，要冲到皋兰山外去，却没能上去，只在山根下用马蹄踩出了五眼清泉，遂有了名胜五泉山。这自然是传说而已。但民族英雄苏四十三反抗乾隆暴政，坚守在皋兰支脉华林坪，被切断了水源，他欲翻山突围而不可得，终于悲壮就义，可就不再是传说，而是史实了。传说也好，史实也罢，似乎都在证明，皋兰山不是那么好超越的。

到兰州第三天的深夜十二点左右，机缘来了。我们看完秦腔回来，司机小马忽然说，你不是想上皋兰山吗，走。我以为小马在开玩笑，半夜三更的，找死啊。然而，说话间车已窜出闹市，箭镞一般沿伏龙坪逶迤直上了。此时，不见有下山的车，夜在前方展现出一个庞大黑影，黑影的顶端有点点灯火在夜气里浮游，极为缈远。我们的汽车便向着这黑絮般的夜和星星似的灯奋不顾身地扑去，我想它远看一定像一粒萤火虫罢。虽然疾驰的车子左面不断闪出闹市灯海，我哪里顾得上细看，只是屏住气，死死攥住扶手，直到攥出满手的汗。我决不是一个胆小鬼，走过很多夜路，但我要说，像这样紧偎着绝壁，下望着夜市，一边是命如悬丝，一边是赏心悦目，将死亡与闲适奇妙糅合的地方，在任何一个都市也难觅到。

蓦然间，1949年8月的皋兰山重现在眼前，我又看见马步芳的骑兵沿山上临时公路昼夜转移。从山下仰望，可以清楚看见山腰间黄尘滚滚，万马攒动，每隔五分钟光景，必有一匹马同骑兵一起被挤翻下来，那只能是当场摔死。那时，不及六岁的我，就专门痴痴地清点着摔死者的人数。兰州战役是著名的恶仗，皋兰山支脉狗娃山战役，在战史上也很有名。我在一份材料上看到，当马家军一败如水，土崩瓦解时，马步芳神情黯然地对其子马继援说过，我们由当初的十几个人，发展到现在的十几万人，又由现在的十几万人，回到原来的十几个人，真是天意难测啊。他好像怀着一种对自身命运和地域文化的秘密无力索解的遗恨。

的确，在西部，有些事是很邪乎、很不可思议的，譬如，河州有个叫摩尼沟的荒远村落,你可能连听都没听说过,它竟然培育并输送了近代以来统治西北的一大串政治首脑,尤其是主宰青、宁的所谓"西北五马",除马鸿逵系河州另一村庄人,其余的皆出其里,而耀武扬威了几十年的"马步芳军事集团",最早也从这里起家。不过,这一切都与一个名叫马占鳌的人联系在一起。此人名声并不特别彰显,但所起作用极大,他实在是西北的一个幽灵,少数几个改变过西北史的人之一。由于张承志的《心灵史》,人们爱谈哲合忍耶,其实更应注意的也许是马占鳌。如果说,哲合忍耶的领袖马明心作为一种精神象征是伟大的、不可企及的,那么,叛变者马占鳌作为一种精神象征则是无节操的、投机的、阴郁的。然而,可怕的是,历史在很长的时期里,竟然选择了、肯定了、袒护了马占鳌式的自全之策。这就不能不令人深长思之。

马占鳌原是河州摩尼沟的一位回民领袖,又是一位道行颇高的阿訇,主要活动在清朝同治年间。由于他抑富济贫,敢作敢为,曾在民众中享有很高威信。面对左宗棠的血腥镇压,他曾高张义旗,在新路坡一役中,巧施"黑虎掏心"战法,打得左宗棠部损兵折将,鬼哭狼嚎,溃不成军。他的军事奇才,使左宗棠惊骇万分。就在他的反清事业如日中天,人望几达顶峰之际,他突然提出降清的叛变主张,不免惊呆了他的战友。他先是派遣本族的十公子到左营投诚,继而他自己披戴枷锁亲到左营请罪,并为清廷的征剿和屠杀出谋划策,于是深得左氏的器重与赏识,那丑态很像洪承畴、钱谦益之流。但历史好像并没有惩罚这个叛徒,反而由此奠定了他的家族基业,开创了一个马氏家族统治甘、青、宁的漫长时代。有篇文章说得好,"惟河州的马占鳌不但无灾无害地善终,而且由于他的青云直上，形成了此后七八十年军阀割据的局面，这种离奇的情况，一方面表现出马占鳌投机取巧、工于心计，另一方面也说明了清朝以回制回政策的毒辣。"我感到，马占鳌其人虽已湮没无闻，但他那保守与狡黠、愚昧与精明相结合的消极的智慧，他的家族门阀利益至上的顽固意识，作为一种具体化的地域文化精神，是否并未完全散尽，至今还想在暗中挽住历史的脚步呢？

　　过去常说陕甘不分家，又说青甘不分家，它们其实代表着两种不同的传统。陕甘传统中含有较多开放的、向内地文明靠拢的因素，但它却柔弱、苍白，青甘传统带有更为封闭、蒙昧、保守的游牧文化色彩，但它犷悍、蛮勇，更富于生命强力。青甘传统的实质是封建化、家族化、门阀化，当年马步芳、马鸿逵们的用人，就曾有"甘、马、回、河"之说，必须是同教门、同地域、同家族之三同者，方可信用。还有个金树仁，三十年代初期的新疆统治者，居然也是河州人。在此人治下，全疆一度是甘人的天下，当时谚云："早晨学会了河州话，晚上便把钢刀挎"，意谓只要认了老乡，马上就有官做，其狭隘保守的程度可见。近代以来到建国之前，兰州似经历了从陕甘传统向青甘传统的倒退，直到解放后，这一倒退的态势才被遏制了。但这种封闭性，作为一种惰性的地域文化心态，一旦成形，要改造就恐非一夕之功。

　　十五公里提心吊胆的险路总算跑完，这辆无畏的汽车也终于在山顶的平坝上歇了脚，车里的几个人全都汗津津的，气咻咻的，好似狂奔的不是车而是人，大家相视而笑，笑意中藏着历险后的庆幸和宽慰。"看哪"，谁向山下遥指，紧张立刻转化为兴奋,发出一片惊呼。就在我们眼底,呈现出一片狭长的、璀璨的、深邃的灯光之海,宛若颠倒了的银河。灯光有白的、黄的、蓝的、橙的、红的,各个闪动着慧眼,于是,它们涌动着、呼吸着,如同有生命的潮汐。兰州并未睡着,愈是暗夜,它愈是光彩射目。黄河呢,这白昼奔腾不息的长龙莫非躲起来了?不,在两岸长串灯光的夹峙下,明显地有一条"黑河",那就是她。我推想,在她的深渊,一定奔涌着黑色的、凶险的波涛吧。这时我才留意到,天上的星宿离我们极近,大有"扪参历并仰胁息"之感,再转身向南望去,好不吓人,但见夜暗里蹲伏着无数弓起脊梁的巨兽。同行的甘肃作家王家达告诉我,那是比皋兰山更高的马含山峰群,要在黄昏时辰看,别是一种阔大气象。

　　夜深沉,寒气袭人,我却伫足山顶不愿离去。我在想,对兰州来说,皋兰山无疑是它的见证。四十六年前,马家军企图凭借天险负隅顽抗,终究不敌,兰州遂告解放。现在,古龙要彻底翻身了,古城要跨进现代化的门槛了,人们干脆在皋兰山顶建起公园,这太有挑战性和想象力了,一条龙紧锁兰州的历史结束了,人们已擒住了龙头,真正的驯化自然的时代开始了。我猛然觉得,此刻我登上的何止是山的峰顶,实乃一种精神境界的峰峦。回头一瞥,心头一惊,更高的马含山在黑暗中默默注视着兰州呢!

依奇克里克

　　第一眼望见你,我就被你刻骨的苍凉打懵了,就知道此生再也不会忘记你了。这世上有的场面,只要一撞入眼帘,就能让人头皮麻炸,电击似的一颤,然后烙进记忆的穹庐。快两年了,路途多么遥远,可你的模样在我完全无意识的时候会冒出来,又悄然隐去,如云影掠过戈壁滩。这或许是你给我的一种神秘的暗示,希望我用笔把你的不灭的存在昭告于世人。

　　其实,你只是一片废弃的油井和一座倾圮的油城,默默地藏身于天山南麓一条不知名的山沟。按地理方位算,你处在"塔北隆起带",当在轮台、库车之间,正是岑参诗中"轮台九月风夜吼,一川碎石大如斗,随风满地石乱走"的地方。那天,我们本不是去看你的,而是去看正在穿凿中的将深达九千米的亚洲最深井"依南一号"的,却偶然地瞥见了你。

　　我们乘坐的是"沙漠王",巡洋舰吉普的第二代,马力大,底盘重,不怕颠簸,最宜于跑戈壁瀚海。可惜,拐进一片干涸而宽阔的漫滩,汽车就扭起了秧歌,越扭越欢,后来干脆跳开了桑巴舞。轮子从尖利的石头上碾过,似有赤裸的脚掌踩过刀尖的痛楚。抬眼望去,鹅卵石的波涛一直排向天边。没有人,连一只野兔的踪影也没有,仿佛登上月球般荒凉。虽是正午时分,却有瘆人的恐怖袭来——没有人的地方就会生出恐怖的。

此刻要是把谁推下车,他还能活着回去么?风像个隐身强盗,吹着尖利的口哨,围着车子打转,随时准备下手。再看两岸山的波涛,呈赭红色,狰狞百态,气象森凛:或如狮虎伫立,或如巨鹰攫人,或作尖塔状,或作钟乳状,或作孝感麻糖千层饼状,眼看要压下来,一齐瞪视着渺小的汽车在河谷里摆簸。

我忽发奇想:石油这种与人类命运攸关的珍贵燃料,就像飘忽的仙女,总爱跟人捉迷藏,不是遁入莽原和海洋的底下,就是潜进无垠的沙漠,非要累死找她的人不可。石油仙女的魔力也真大,直堪与传说中妖艳的海伦媲美,海伦诱发了特洛亚战争,石油仙女折腾得萨达姆和布什双双失眠,导火索似的引爆了海湾战争。我们的石油工人,却像勇武的骑士,仙女躲到哪里,骑士就追到哪里,风尘万里,一往情深,甘作二十世纪的游牧人。可为什么,驱动文明车轮的神油,非要藏在人类无法生存的绝塞?文明与洪荒是对峙的,为何文明发展的最深根基却又蕴藏在洪荒之中?有人说,宇宙是人的放大,人是微缩的宇宙,还有人说,世界是意志的表象。那么,人和原油,是否都是神秘的生命意志外化于大地的具象?我发现,到了这儿,一切都能被更深地感悟。

那天,我们的汽车还真出了毛病,司机下去一看,轮胎扎进一只石牙。他说,千万不敢拔,不拔还能跑,一拔就只能瘫在这儿了。他抬头看着天说,万一遇上暴雨,咱们全得完蛋,跑都没处跑啊。我想起斯文·赫定写新疆的著作里,多次描绘过的"干沟":那是指天山南北孔道间的一段河谷,盛夏万里无云,天边突然有一团不祥的黑云探出,霎时间,暴雨掀天揭地,干沟翻成怒海,人畜顿成鱼鳖,无一幸免。只消几十分钟,浩劫即可完成。直到1995年,还发生过一起整车旅客罹难干沟的惨祸。所以，提起干沟，没有不心惊胆战的。我们感觉着一沟热风翻涌，惟有太息。

哦，依奇克里克，谁能想得到，你就是在这个时候蓦然现身的，令人猝不及防！

当时汽车总算离开河谷，爬上高岸，我们可作壁上观了，我心想，哪怕你真个洪水滔天，其奈我何？正得意间，忽然发现拐弯处，有一条新的河谷地在展开，定睛细看，只见密麻麻一片蜂窝状的东西摆在谷底，呈一字形，像大地震后的遗迹，又像大火焚毁的集镇，还像影片里被劫掠过的村庄，裸露于光天化日之下，万分苍凉乃至于恐怖。里面的人呢，怎么全失踪了？抛下经营多年的家园，不心疼吗？到底是地震、洪水、野兽，还是神秘的外星人把你们掠走了？我以为，在最骇人心目的景象中，废墟要算一种，它简直像一具尸骸，仰躺在那儿，使人急于探知它的来历，和藏在残垣断壁中的秘密。我是见过一些废墟的，比如圆明园，高昌故城，交河故城，但眼下的景象却不同，像是个活物，好像炊烟刚刚散尽，主人离去不久似的。这就是你，一条名叫依奇克里克的山谷和同名的废油城，所给予我的击打般的第一印象。

一孔孔遭尽风吹雨打的黑窗洞，像盲人忧郁而深思的眼窝，迎视着我。漏斗状的旋风一圈圈跟了过来，尖啸着旋过身旁，旋过街巷，又像你不安的灵魂向我倾诉。你的规模真不小：有操场，戏台，小学校，成排的泥坯房，宽的街巷，虽大多已坍塌，却不难见出一个村社的形态。我当然知道，你是新疆最早的油田，从五十年代中期到"文革"结束，你聚集过七千石油健儿，最多时达到上万人。你是一所严酷的学校，培育了第一代新疆的石油人：教会他们从地幔深处钻油，锻造其顽铁般的筋骨，磨练与恶劣环境周旋的能力。人们都说，没有依奇克里克，就没有今天准噶尔和塔里木的广大油田。从这里走出去的人，遍布全疆，有的还远走江汉、胜利、大庆。你的出名，还因为你的北面有"健人沟"，南面有新兴的"依南油井"——新疆石油人的秘密好像全在这儿了。

我知道，你原先只有地窝子，后来才有了干打垒，至于土坯房、自磨电和家属、学校，那是最后阶段的事了。一道道暗红的山脊紧贴你身后，好像人一抬头就能碰到鼻子尖，你最大的财富是满眼戈壁滩的石头。你啊，冬天的雪有半人深，夏天硕大的蚊子能钻透衣服叮人。春秋沙暴多，它一来，天地失色，呼吸憋闷，能见度只有一米，只隐约看见人的牙齿在闪动。人们一年四季都穿着棉袄，就是那种四十八道杠杠的工服。汽车半月会来一趟，运来物资，再拉走一车车原油。当时大学生比牛毛还多，上趟厕所没准就能撞上两个。一封信要走几个月，新婚的人两年才探一次家。没有电灯，没有任何娱乐活动，没有八小时工作制，只有繁重的两班倒。从山边的钻井下班的人，顾不上脱衣，死猪似的倒头便睡。山谷的夜黑沉沉的，只有野狼的嗥叫在寒风中远游。那时，你与外界基本是隔绝的。后来，有了一只小半导体，每晚几百人围着这小玩艺听，把声音放到最大，大到好像一条街都能听到，才不那么孤寂了……

哎呀，怎么老说这些，多没劲啊，你难道不觉得，这一切并不怎么新鲜有趣，在老掉牙的故事片里不也能看到吗？怎么就不说说，七千人，二十年，封闭在一条山沟里，把人的体能耗到极限，也只出产了可怜巴巴的一百万吨原油，生产力多么低下，设备何其落后。今天，不用走远，只要看看轮台的东河塘联合站，电脑监控，自动分流，十九个人穿着白大褂儿就管起了一大片油田，相当于以前上万人干的活，年产六十五万吨呢，你还有什么好夸耀的？

是该想一想了，依奇克里克，你究竟是耻辱的象征，还是光荣的大纛？我在一块滑洁的大石上坐下来，摸出一支烟点燃，透过急风掠走的烟圈，打量着你。我想起有人当笑话告诉我，说某油田有个青工名字叫"石生"，二十多年前，就出生在依奇克里克，他这名字有来历，一说是因为他的母亲感到即将分娩的疼痛时正好坐在一块大戈壁石上，但另一种说法却是，当年他的父母难得一见，是夏夜在一块大青石上做爱才有了他的。我更相信后一种说法。我不但不觉得可笑，反而感到有种苦涩的激情和前无古人的浪漫撞击心头。

1965年，你最大的一口油井在经历了长久的钻探和焦灼的等待后，终于喷油了。那一夜，狂喜的人们热泪纵横，点起火把，敲起脸盆，彻夜在山谷里欢呼、笑闹、奔跑、唱歌，脸盆都敲碎了还在敲，火把照得斑猫和塔里木兔子惊惶四窜。没有人布置以这种方式庆祝，一切都是自发的。这是一场无人喝彩的演出。当时，整个民族即将卷进"阶级斗争"的大厮杀，谁还顾得上天山深处的这群挖油汉子？对依奇克里克人的情感来说，这也是压抑很久的一次井喷。你们说过，日日夜夜的辛苦有了回报，这就够了，"我们的兴奋点是油啊"，这朴素的话语多么令人深思！那是个说大话不上税的年代，但天上飞的，地上跑的，海里游的，哪一样不急等着石油解除焦渴？口腔运动可是变不出一升油来。你的封闭和远离反倒有助于盯紧出油这个目标，这真是不幸中的万幸。没有先进的设备，没有雄厚的物资，就只有靠团队精神，靠肉搏，靠"熬鹰"来弥补了，不然怎能夺取油呢？你抗拒不了潮流，扭转不了混乱，但你必须给狂躁的城市提供燃料，于是你只能在夹缝中战斗，奇迹般地维持了另一种秩序。在今天，你的意义或者说遗产，难道仅仅是那点原油吗？

我曾被你的一堵土坯砌的大照壁吸引，旁边还有戏台和操场。照壁上的宣传画早已剥落，剩下一行语录独对风雨，那就是："阶级斗争，一抓就灵"。这照壁，这戏台，这操场，太容易与残酷斗争连在一起了。我问一位同来的老钻长，"文革"这里斗得够凶狠的吧？谁知回答竟是：风平浪静，世外桃源。他还说，我就挨过批斗，斗完后我的心情不是更坏了而是更好了。我以为他在搞反讽，说怪话，嘿嘿地笑了，不料他严肃地说，你当我在说笑话哩吗，我才不说笑话哩。这儿的人来自四面八方，原先谁也不认识谁，现在为了出油，谁也离不开谁，就像一家人，一个大家族。石油这一行，最讲"师"道尊严，比如玉门出身的老师傅，就像酋长一般威严。整个"文革"，也有个别捣蛋的，但始终只有一派，斗不起来。你想嘛，当领导的没有特权，要说有就是吃苦的特权。大家穿得一样，吃得一样，连饭盒都一样。上井，领导得冲在前头，批判会领导也得冲在前头，他得像完成生产定额一样完成政治任务啊。

我仿佛沿着时间隧道逆行，来到了三十年前一个夏日的傍晚，眼前幻化出一幕滑稽突兀的场景：我的身旁，匆匆走过梳洗完毕的工人们，他们换上干净衣服，取出手帕包着的红宝书，在大喇叭播放的语录歌声中，拥向操场。气氛欢快，如过年闹社火。一伙人把一人压在身下，硬是掏走了他的烟给大伙儿分发了；另一小伙子的帽子被人藏起，他追寻着，一回头，却见帽子被抛上了天空，众人皆畅快地大笑着。不一会儿，大会开始,一切模仿内地的批斗会,先是念老三段,晚汇报,接着一声断喝,钻井大队的书记被"揪"上台,垂首站在台侧。然后是各分队代表的发言比赛,有人刚一上台,底下就笑,笑得莫名其妙,谁念得好,就鼓掌,谁念得结巴,就哄笑,发言内容与批斗对象毫无关系,书记有时还不顾此刻的角色,纠正起发言人念的错别字。最后,书记像卸妆似的把胸前的牌子一摘,缓步走到麦克风前,清清喉咙说:"下面,我把明天的生产任务布置一下。"夜色渐浓,人们才恋恋不舍地散了场。有人把书记拉进小屋,沏上好茶说,你今天站得不错,腿累不累?

1979年夏天,大撤离的日子到了。依奇克里克,你的表现又一次使我意外。按说,油井枯了,留下已毫无意义,走出封闭,到条件好的地方去,该是求之不得啊,可实际情形却是,人们并不愿离开,磨蹭着,就像快出嫁的姑娘舍不得离家。对于外面即将开始的轰轰烈烈的改革,人们既感新奇,向往,又显得迟钝,茫然,畏怯。有人说,这是因为过惯了家族式的、封闭的、整齐划一的生活,某些方面退化了,不知该怎样适应外面陌生的世界。也有人说,多少年的青春,理想,汗水和精神追求,全都扔在这块土地上了,怎么忍心离开它?虽然有的东西正在过时,但它和我们的生命连在一起撕不开,我们怎能像别人那样轻易抛下?

我听说,在整理东西和等车搬运的日子里,人们不约而同地来到了附近的"健人沟"散步,面对这条与天山山脉千万条山谷并无两样的山谷出神。"健人沟",好怪的名字?原来它是为了纪念1958年牺牲于此的两个年轻勘探队员戴健、李月人而命名的。戴健,女,时年二十三岁,湖南长沙人,地质学校出身。李月人，男，仅十九岁，刚参加工作。那年，戴健已完成任务，本应回南方与未婚夫筹办婚事，她却主动放弃了，继续入山勘探，突遇山洪，攀援不及，被裹着泥沙和滚石的洪水卷出了十几里，死时手中紧攥着资料，观者无不为之动容。现在有一出歌剧叫《大漠女儿》，是写杨虎城之女杨拯陆为找油而牺牲于洪水的，戴健之死的情形与之完全一样。一个少女，还没来得及品尝爱情的酒浆，一个女性，还没有抚育可爱的婴儿，就被洪流吞没了。她死时身在异乡，只有天塌地陷似的暴雨和一万头猛兽似的黑浪，她的呼叫没人能听见，她像一个蜉蝣似的在洪荒宇宙中隐没了。依奇克里克，你看见了这一切，却没办法救她。如今我们来到这里，红色的山脊逶迤着，周围静得吓人，只有风儿呼喊着说，她就在这里。追想四十年前事，我对依奇克里克人的恋家情结似有所悟。

　　依奇克里克，我觉得你不仅是一片物质的废墟，更是一片蕴藏丰富复杂的精神遗产的废墟，以至使我一时理不清头绪。今天是昨天的继续，今天我们日益雄厚的石油工业决非从天而降，而是以你这样的血肉之躯一步步铺垫的，包括你提供的经验、智慧和教训。尽管你把人的体能利用到了极限，但你的科技水平、管理方式和产量的严重滞后，仍然证明精神不是万能的，不走现代化之路就没有出路。你是一种过时的经营方式的象征。然而，现代人早就发现，物质的东西过分壅塞，精神就没有地盘，有时想激动都激动不起来，不得不苦苦地呼唤激情。无论物质技术条件如何发达，作为主体的人依然需要拼搏、牺牲和奉献，否则人就不能发展。这也是被反复证明了的真理。依奇克里克，你的伟大和复杂，正在这里。

　　我们离开你时，看见废油井旁只有一个维族瞎老汉和一条狗守候着,斜阳残照里,有人在一点一滴地打捞着你的余沥。才十八年,你已成废墟,古老如一个世纪,令人无限感慨。向南看,"依南一号"高耸的井架冲天而立,直插霄汉,它将是亚洲最深井。我们向它走去。我很惊讶,在这同一条山谷,昨天与今天、历史与现实,竟只有一步之遥。

杨羽仪

黄河万里行后记

黄河万里行的艰苦历程

我是今年五月中旬从鲁东黄河入海处西行,经洛阳、三门峡、壶口瀑布、兰州、祁连冰川、西宁、玛多、直朔扎凌湖黄河源……全程万里有余,走了三十六个点,八月下旬结束。

在这万里行中,难度最大的是上黄河源和攀越河西祁连冰川。

王充闾　摄影

　　我到了青海西宁后，不适应温差突变，得了重感冒。要是在广州，得个感冒是小事，可是有个青海朋友对我说："你去青海，千万别感冒，它会导致多种并发急症，致人于死地的。"果然，感冒一来，接二连三的脚上出现丹毒，腹部出现急性肾炎，人体内上中下都被病毒占据了。这时，我真有点悲观，写了一首旧体诗："突发沉疴气如何？青海高原瘴气多。春风不识高原梦，暗夜难听藏民歌。七月飞雪悲自叹，人生达命好磋磨。漂泊黄河亏一篑，但忍孤城空气薄。"

　　我连续吊了四日针，病渐好了。但是，接待我的青海武警总队的一位处长对我说："你五十七岁了，去黄河源是青年人的壮举，加上你大病初愈，体力未恢复，还是在青海湖和龙羊峡附近走走，就不要到源头去了。前几天，我们武警总队的人在这条路上就死了三个，提起这条路，人们还心有余悸……"我听了，心里一沉，思忖着如何说服他？自然是我到不了源头，万里之行，功亏一篑。他说，黄河源缺氧55%，一般地区缺氧40%已经是严重的了。为这事，他同北京武警总队反复通了电话，如何打发我呢？真是好事多磨，最后的结论是：为了"还我的心愿"，把我往玛多路上送，若途中适应不了，立刻折回；若能到达玛多（离黄河源百多公里），就交给政府，武警不介入，以免有三长两短，负不起责任。只能如此了，我想，到了玛多后，再作计议吧。我们上日月山，再上布青山（海拔四千五百米）……从早上七时吃了一个饼和一碗粥上路，陪同者似有意考验我的体能和意志，说是争取天黑前赶到玛多，就不吃中午饭了，结果在饥寒交迫（青海高原七月也下雪）和严重缺氧中，长驱了十三个小时，晚上八时到了玛多，那时已被折腾得够呛。晚饭时，我提出请他们玛多武警中队帮助去源头之事，陪同者再次传达上级决定，如去，只能找县政府了。中队指导员也说：前年有两个日本人要到黄河源，因高山反应，并发急症死亡，饮恨黄河；今天有几个"鬼佬"到了玛多就躺倒、昏迷了；黄河源上还有狼群、湖里有水怪……还是不要去。我想，他们说的不会假，完全是一片好意。我又说功亏一篑的遗憾，坚持一定要去。他们见我决意要去，心里有所感动，便说，想想办法。这天晚上，我们三人住在县招待所，这房子没有窗户，中间还有一个火炉子用于取暖，三个人加一个炉子同时都要吸氧，而在这十来平方的屋子里也只有45%的氧气，吸两个钟头就把氧吸尽，难受极了，我在床上喘气，后来披着大衣偷偷跑出野外吸氧，才避免窒息，那晚上，度夜如年。第二天早晨，武警答应用三菱吉普载我到扎陵湖，岂知才走了三公里，被一条溪水挡住去路，"三菱"左冲右突都无法越过。他们说，爱莫能助了。只好折回。武警干事去看赛马了,我在墟镇上溜达,找到一辆"北吉",我喜出望外,和他洽谈,说好价钱,即刻上路。这"北吉"底盘高,在戈壁滩上能横冲直撞,现在去黄河源,一路坎坷极了,坐"北吉"如骑武媚娘驯服的那匹烈马,摔得人浑身散了。我终于历尽坎坷到了扎陵湖,然后沿着湖岸再走一程黄河源的小溪,在路上看到黄河第一桥,看到高原野花,看到野驴、黄羊和野骆驼。我在那里看到了中华民族之源,是那样的苍凉,那样的原始,那样的空旷,同时又是那样的崇高、美丽,那样的辽阔、冷峻。

实现了走黄河源后,我在嘉峪关偶尔发现祁连山有个冰川,又野心勃勃想去攀冰川。祁连冰川海拔五千米,比黄河源高一些,车子可以开到雪线下海拔三千三百米处,以后就沿着一条羊肠小道走向雪线,因是攀山,每一步都要付出代价。途中有两个"鬼佬",还有一对北京青年男女,也想登冰川。北京那一对很快就败下阵来,在海拔约莫四千米处苟延残喘;"老外"好一些,在努力攀登。越过四千后,我渐渐感到气力不支,气喘吁吁的,因气温在零下,冷得发抖。这时,每跨出一步,都费很大的劲,但是,望上方,雪线越来越近,还有约五百米的高度(不是长度),我开始理解人类从事超极限活动的艰辛。我渐渐理解举重运动员那增加一公斤的超极限的拼搏;我理解三门峡的岩壁下留下纤夫深深的指痕,那是超极限劳动的印记;我理解表现红军过草地的舞蹈动作,竟是一点儿也没有夸张(我在极费劲之时竟也不自觉地发现自己就是这样走路的,即使每一步都十分沉重呵!);我理解黄河船夫曲中的号子为什么那么深沉(我在极艰难之时,也呼出了:"嘿哟吭啊,嘿唷吭哟,鬼叫你穷哟,顶硬上哟!"这样的粤地"咕哩的号子），而且愈喊越大声，简直是在呐喊，才能帮助自己前进一步。这时候，倘若一俯身，恐怕眼前一黑，就永远长眠在冰川上。我终于攀上了雪线，还进入冰川腹地，看见了我一生中没见过的冰河、冰蘑菇、冰凌、冰峰……当一个人孤独地立在冰天雪地中，为了从事某种事业而需要这种孤独，这种孤独也许是崇高的。在冰川，我留下一首自叹的诗："祁连冰雪接寒星，飞鸟还需半月程。东风不为吹愁月，朔云岂知入长城。坐地偷生泪沾襟，仰天谈死风生情。行人莫听冰川水，流尽春华是此声。"

尽赏黄河壮丽的山川

黄河流经万里，大致可分为三截。一是下游，即三门峡以东的黄河冲积平原；二是中游，即河套的黄土高坡；三是上游，即龙羊峡以上的高原地带。这三截各具特色。

下游为中华民族的发祥地，中原文化的摇篮。这里有五岳中的泰山、华山和嵩山。东岳泰山从海拔十多米的地平线上崛起，如虎踞龙盘，尤见其雄伟，大有一览众山小的气势。我曾得一诗："荡气回肠入世间，危峰高出照尘寰。天垂漠漠围平野，几度坎坷一泰山。"西岳华山以奇险瞩目于世，自古华山一条路，现在，华山已有两条路可上了，我在华山西峰小住，吟得一诗："西岳华山立，中坚定乾坤。浮云生脚下，翠色滴罗巾。造物生灵气，其势荡西秦。沉香刀斧削，雁落日色沉。天地忽开拓，百里见刀痕。来日上山岳，韩愈惊失魂。奇险赏不尽，唏嘘叹黄昏。夜来山寒极，凌晨积雪深。天地溢正气，多情未归人。"中岳嵩山则以雄伟中藏着秀丽为特色："嵩山顶天地，光华石上明。千峰夜托月，万壑日浮影。热风驱松涛，冷雨拂山亭。自古攀山者，多有为浮名。"自然，嵩山的少林寺是十分出名的，各人的感觉不同，到了少林寺，看见一尊弥勒佛，突然冒出几句诗："花寺门前见草衰，开门佛祖笑颜开。借问人生坎坷路，一生大笑有几回？"下游的黄河入海处，不论是沽水或是丰水，我以为都是难得的奇观，我看到的是沽水，故有沽水的观感："怅别黄河入苍穹，奔流到此无影踪，沧海月明波有泪，长河日暗脊生风。万里相逢叹水沽，相见恨晚隔九重。黄龙一去豪华尽，留得大野在鲁东。"而洛阳龙门以石窟著称于世，但其风景也很秀美，白居易葬于此，偶见日本人植数十株樱花于墓前有感："溪山春雨静，樱花落无声。白氏诗香远，千里故人情。"

黄河中游流经黄土高原，这黄土高坡东起巩县，西至甘肃的刘家峡。黄土高坡的特色，除了它酿造了黄河几千年的灾难，是一个罪孽的根源外，它也有其独特的风格，浑黄，直立，沟壑，高远，贫瘠……延安就是典型的黄土高坡："春岸延河水，滋润枣园林。窑洞灯火明，游者泪沾襟。百年苦战事，功归延安人。可怜半世纪，洞中仍清贫。"

中游除了黄土高坡的特色外，还有峡谷地貌，从三门峡起，北上有龙门、壶口、青铜峡、刘家峡等。三门峡是一绝，那千古奇观"照我来！"更是一绝。龙门的奇观有诗为证："才出三门又韩城，几道铁壁锁黄龙。真疑兵家长蛇阵，岂惧敌军狭路逢？道是有缘跃龙门，可惜无份上天宫。借问古今跃门者，多少遗恨急流中。"壶口瀑布是中国第二大瀑布："黄河之水入陕北，两岸铁壁风如雷。山如七级浮屠立，水似万马连环追。情聚一壶泻千里，云横九派入梦回。问君终归大海去，一生坎坷有几回?"

中游还有内蒙的草原风光、黄河古道,宁夏的沙湖也是一大奇观:沙漠与湖泊相连一起,互不侵犯。而甘肃敦煌的鸣沙山与月牙泉也是如此神秘。鸣沙山上每天数千游客踏沙而行,把沙子向下滑,但是,到了晚上,从山谷吹来的风又悄悄把沙子吹上沙山之顶,不留游人半点痕迹。至于祁连山的冰川,更是令人难忘:"祁连冰雪万仞山,野羊不度鸟未还。晶莹世界心极冷,白玉天地胆生寒。悬冰高挂弹竖琴,玉台低抚叹凯旋。万古冰川终不化,红日高照锷未残。"而嘉峪关除了关楼的壮伟外,自然景观很值得品味:"天下雄关立陇西,朔风古道壮马蹄。墩台遥看白杨直,烽燧高悬黑山低。祁连冰雪依天立,戈壁瀚海入地迷。我欲因之梦关阙,茫茫天地走丸泥。"(步林则徐《出嘉峪关感赋》韵)

上游是高原风光,其特色:高寒,气薄,无树,辽阔,天蓝,云白,河清。五月草色始青,九月则被厚雪覆盖。

到了黄河源,风光着实迷人。藏族人鲜艳明丽的服饰和高原那高远的元色,构成极和谐而且互补的一幅幅油画:一条清清的白石子铺底的溪水,近处一片连一片红的、黄的、紫的野花,中景是连绵起伏的草原,草原上几顶白色的帐篷,藏族的牧人和他的妻子骑着马在原野上漫步或奔跑,色彩明艳极了。远处是雪山,再远是蓝天白云……

它不同于塞北的草原,塞北草原上,奔放中彬彬有礼的蒙古牧民同温暖、柔情构成了暖调子,让人有亲切感;而青海高原上,粗野放肆的藏民同冷峻、高寒构成了冷调子,令人有畏惧感。

此行,我经历过高原、沙漠、戈壁、峡谷、险峰、平原、黄土高坡、悬河、冰川、雪山……我在观察自然，不是浅薄的青年时代，而是像倾听世间既有悲伤又有欢乐的旋律，既不粗野也不刺耳，感到有一股精灵以崇高的喜悦激动着我的心，感到有一股崇高的意念深深溶进脑海。自然和人的思绪中，一种高尚的动机，一种勃发的精神力量激励着一切有思维活动的机体，净化着人的灵魂，激发着人的爱国主义情绪。

对黄河文化的初步思考

　　我到鲁东黄河入海处，在这里特别领略了黄河尾巴是怎样摆动的奇迹和黄河上的人们是怎样以智慧和力量缚住这条黄龙尾巴的，这一壮举，更是千古一绝。

　　然后，我登上泰山，以前我写过一篇《太阳、神和人》是写泰山不要独尊，独尊者就意味着衰落和走向死亡。这回独得领略明知大雾茫茫，不可能观日出，却有无数游者随着大流盲目地走进了渺茫，这是中国人的一种悲剧。

　　后来又游了曲阜，有个副市长对我说，他出访德国，遇一德国人在马克思墓前顶礼膜拜。他问礼拜者，"你信仰马克思主义？"那人摇摇头。副市长又问："那为何你谒拜马克思墓？"那人说："马克思是德国伟大的思想家，我不奉行共产主义，但我尊敬这位思想家的人格……"我立刻从德国人对待马克思想到中国人对待孔子，想到"倒孔"、"批孔"的悲剧，我以为孔子是中国伟大的思想家，这是无可置疑的，我们能否有那位德国人的胸怀？思想上能否存异？这是我们国人思想能否活跃，思想能否发展的重要因素。

　　后来，我继续西行，到过济南，看了洛口，第一次接触黄河是一条悬河就在此地。接着西行水泊梁山（东平湖）。这古时的水泊梁山上，还有宋江等一百零八个好汉，他们排着坐次在聚义厅里分立。当然中国人的排坐次并非从宋江开始，但是，聚义厅上的排坐次令人印象太深刻了，以至中国的今天，排坐次竟然成了一门专业，这是一种延续至今的悲剧。

巩县的杜甫土窑洞、石窟和洛水与黄河交合处成了巩县的三绝（洛阳以下的黄河是没有支流的，因为黄河下游是悬河）。洛阳的龙门石窟不但把中国古代的石窟艺术推向高峰，而且留下一个值得思索的千古之谜：鲜卑人为什么有"石窟情结"？从统治者的热衷于造佛总是在未得到政权之时，得到什么人生启示录？

至于三门峡，不单它的奇险和壮伟值得看，而且在三门峡留下的历史回音更值得我们思索和反省：五十年代，中国要在三门峡建水电站，得到苏联专家的真诚帮助。后来，由于政治的分歧，导致两国关系恶化。苏联政府撤走了专家，使三门峡的建设中途受挫。这是事实。我问三门峡当年的建设者，"据当时报载，苏联专家撤走前，蓄意破坏三门峡的工程……这是否是事实？"他们都说，"这是瞎说。两国关系恶化，政府命令专家撤走，专家们不能不撤走，这是常理。那时专家们还舍不得走，因为在共同的建设中，苏联专家和中国水利工程技术人员建立了深厚的感情。他们走时，双方都流泪了。他们的帮助是真诚的，只是在设计大坝时，由于缺乏在含泥沙量特大的河流上建大坝的经验，我们都忽略了一个重要问题：筑成大坝后，上游的大量泥沙泄不下去，会造成上游渭河平原八百里秦川的泛滥。坝筑好后，现实提出了这个问题，后来经专家多次会诊，决定在山壁凿一大涵洞，把坝前的泥沙引至坝下排泄到下游去。后来的宣传,把这个大家都忽略了的问题,说成是苏联专家的"蓄意破坏",我觉得是缺乏起码的良心。为了某种政治的需要,而昧着良心说瞎话,我以为是卑鄙的。正如为了林彪上台,把井冈山会师说成是毛泽东与林彪的会师,同样也是可鄙的。

我在内蒙伊盟看了成吉思汗陵。蒙古人对成吉思汗的崇拜,不是一个人,而是整整一个民族。只要看看每年从不间断的在成陵的祭祀活动,就有数十次之多,其中农历三月二十一日为一年中规模最大的一次,就可见蒙族人崇拜之心近八百年历久不衰:双峰白色骆驼拉着成吉思汗的银棺到草原上举行大祭典礼,祭台两侧三十六面龙凤大旗,四周用蒙古包围着,然后打开多层金锁,然后磕头,然后以黄骠大骒马祭陵,然后奏乐、献哈达,行三跪九叩的大礼,然后朗诵成吉思汗及其子孙的名字……我看中国历代皇帝都没有这种厚遇,可见成吉思汗在蒙族人心中的位置。可是,在我认识成吉思汗时,是从"一代天骄""只识弯弓射大雕"开始的。我访问了几位蒙族作家,他们都认为成吉思汗不单是个杰出的军事家,而且还是个伟大的政治家。他在青年时代就把血战不休的各个部落统领起来,平息战乱,成为日益强大的蒙古族;他也有唐太宗的胸怀,在战乱中成吉思汗曾被敌军射中一箭,后来,他问一群被俘的将领,知不知道是谁射这一箭?当中一将领坦然说:"是我射的。"成吉思汗不计前仇,认为此人诚实,反而重用他。成吉思汗在统治中国和西征欧洲时,重用了不少汉人,还有异族人异国人,包括马可·波罗在内的欧洲人。这些,都从各侧面说明成吉思汗文韬武略都是有出息的。历史,应该是客观的,而不应是情绪化的。绝不能因为我们不知道古代的真实情况,所以我们尽量把谬误当作真理,然后当真。

  我走着万里黄河,它是哺育中华民族的河,又是带给中华民族深重灾难的河。它为什么总是具有这两重性?这位黄河母亲,既令人热爱和尊敬,又令人害怕和憎恨,也许她不愿意溺爱自己的儿女,她懂得:在冰雪中,在风暴中,在她的浪涛咆吼声中,可能孕育出一个刚强的民族;只有刚强的民族,才能自立于世界民族之林。就让黄河母亲的野性永存吧,她的野性,蕴含着对中华民族的真诚的爱。

刘元举

一种生命现象的诠释

——西部系列

通往柴达木的柏油路很是平坦,车子驶过,几乎就没有一点激动可言。路旁没有树木,没有植被,就连荒丘也远得不着边际。在这种地方开车是不需要技术的,完全可以闭着眼睛跑出去几十公里都不会出事。就是跑到公路外边也没有关系,车子碰不着什么,你就是想去碰撞也没有办法。

公路笔直得不会打弯。最长的直段有六十公里。筑路规定直段最长不得超过四十公里。这是基于安全上的考虑。可是，这里的六十公里直段已经是人为地制造了弯度，要不，可以上百里路不拐弯。

没有弯的公路单调得与周围格格不入。到处都那么空空荡荡，空空荡荡得没有一处风景，也没有什么名胜。在这人迹罕至的地方见不到一个活物。柴达木译成汉语的意思就是盐泽。过份强烈的光照使这里干燥得一片龟裂。那所有的裂缝处都有盐的痕迹。那痕迹在我看来就像是针脚不匀的粗糙的线段，无法将那一片片过密的补丁缝合，反倒使地面更加破碎，更加松散。最能体现柴达木风格的大概要算那片大面积的碴硝层，苍凉清冷，透不出一丝生机。看一眼，就感到渴。其实，车子一驶进柴达木的地界，我就感到嘴唇发干。在这海拔三千米的高原盆地感到口干，就说明了我对这里不够适应。好在出发时，我把杯子灌满了水。

柴达木最缺的就是水。没有水的地方就不会有生命。四十年前闯进柴达木搞勘探的勇士最能体验到水的重要。水就是命。那些倒下去再也爬不起来的壮士，哪一个不是把咽喉部位抓得一片破烂。在这种干旱地带，最有耐旱力的要算骆驼，可勘探队的骆驼也因为干渴而躺倒了。当第一口油井喷出油，储存到一个油池中时，从来见不到飞禽的石油工人竟意外地发现不知从哪儿飞来几只鸟，一头就扎进了粘稠乌亮的油池子里。它们连挣扎一下都没有，就凝固了。它们是把油池子当成了湖水。

与我同行的是青海石油局文联的梁主席。他是1958年从河北乡下跑到柴达木的。他当过工人，当过记者。他经受过太多的艰苦。我发现他有一个本事就是不喝水也不吃水果。这使他的皮肤干燥而枯黄。有人开玩笑说，梁主席有一张柴达木脸。我本想问问他何以戒水戒水果，但他不苟言笑，我不好这么问。只能去揣测。他的本事无疑是柴达木这恶劣的环境造就出来的。但是，现在柴达木的环境好了，他就是喝再多的水吃再多的水果也算不上奢侈。

我们乘坐的是一台日本丰田越野车。以每小时一百二十公里的速度飞驰。进柴达木本来是一件艰苦的事情，但我连颠簸都感受不到就觉得过于顺利了。而过于顺利就过于平淡就没有多大意思。如果不是突然发生了一件奇怪的事情，那么我的柴达木之行就会大为逊色。

当时我已经感到很疲倦了，就将目光从侧面的窗口收回，去瞅一瞅前边。只一眼就发现正前方几十米处，立着一根棍状的东西。由于路面光洁明亮，连个疤痕都没有，所以，突然有个东西就格外醒目。盯住瞅，怎么会是一只鸟呢？这只鸟太奇怪了，它昂首挺立，将其颈项尽其所能地向上拔着，笔挺得像一根立棍。它迎着我们的车而陡立，那说明它看到或者说知道我们的车近在咫尺，对它生命已然构成威胁。它不用动脑子仅凭条件反射，它也会躲闪汽车的。可是，眼睁睁看着我们的车朝它覆盖过去，它竟然一动不动。很显然，它没有把我们的车放在眼里。对一只小鸟而言，汽车就如同一座大楼，铺天盖地压将下来那就是一种灭顶之灾。可是，它面对这巨大的威胁毫无反应。它是眼睁睁看到我们的车到了近前，依然纹丝不动。这不禁使我大惊失色。只听说过螳臂挡车，没有听说鸟臂挡车。也就那么一眨眼的功夫，我们的车就从它上方覆压过去。对于它来说一定是经历了那么一种天塌地陷的滋味。车体从它的头上方飞过，车轮没有压着它。就算压不着，那么车子带起的那股风也够它呛的。猛一回头，看它，它还是陡立不动。那份孤傲使它显得不可一世。这种专横霸道简直就是一种滑稽。

它显然不怕车。它不怕中国车，居然也不怕日本车。这使我怀疑起它是否是只真鸟。我让司机调回车头去抓这只鸟。等我们车又开到它的面前时它依然那么稳丝不动，根本不把我们放在眼里。我们推开车门跳下去刚要捱近它时，它才轻盈地一闪，而后一张翅膀飞起来。它的翅膀好大，要比它的身子大出几倍。离得近，看得真真切切那两片大羽翼缓慢而沉实地忽闪着，就那么一忽闪，就把面前偌大的一片死寂的荒漠弄得活泛开来。这又是一个奇迹。这么点的小东西，怎么就能够带动起一大片空间呢？我注意了它飞到哪里，哪里就是一片明亮，就是一片灿烂，那片僵死的碴硝原随着它的翅膀煽动的弧度竟有了生动的起伏。

我一直呆呆地目送它飞向渺远。它飞过之后，就一点生动也没有了。但是，我仍然沉浸着。一只小鸟带给我的激动竟这般突如其来，竟是这样经久不息。

梁主席并没有像我这般惊奇，他说这是一只野鸭。在柴达木地区有三种野鸭，一种是麻鸭，一种是板鸭，一种就是这种黄鸭。这是一只极普通的黄鸭。梁主席对此不以为然。可是，我认为这是一只神奇的野鸭。我为之震撼得是它这股不怕车的劲头儿。我与梁主席探讨，它为什么要到公路中间来？为什么它不怕被车压死？梁主席说不清，别人也无法说清。

当天傍晚到了花土沟。在花土沟呆了三天，去了北山也去了油沙山，见到了井架，见到了采油机，也见到了炼油厂。这些东西使荒芜的花土沟充满了人情味道，构成了一处挺热火的风景。梁主席希望我在这里多呆几天多看上几眼，我能理解他的心情。因为这里到处都有他的足迹都有他的汗水,那土山上的每一道花纹状的褶子在他眼里都充满着沧桑感。人的经历不同,关注点和兴奋点也自然不同。西部有太多的人文景观,太多的名胜古迹,太多的兴奋点。大批大批的中外远游客涌来,都是慕名而来。去莫高窟去鸣沙山去玉门去阳关去出天马的渥洼池,每一个游人到了这些名胜地都兴奋得溢于言表。我不相信这些人就真的从里往外这般兴奋,就那么有收获。进柴达木之前我就去了这些地方。实在地说,我能够来西部就是为了看看这些个震今烁古的名胜。要是没有这些个名胜我是不会迢迢万里风尘仆仆到这里来的。但是,面对那一处处名胜,我就兴奋不起来。比如游人到了月牙泉几乎没有不留影的,我却被那一圈铁围栏弄得一点也没了情绪。想象中的月牙泉神秘得那是一只神的眼睛。可是,那铁围栏与城市马路上的围栏一模一样,就没有什么可拍照的了。再比如莫高窟。十几年前就神往着,就准备了那么多的激情,看了那么多关于它的书和文章。可是,到了那里,只能看上三个洞穴。其它洞穴不开。据说,有的重要洞穴要看一眼就得花上一百二十元钱。最贵的一个洞穴得四百元。为了对得起这趟远游,我看了十几个洞,在那一天的游人当中,我可以算上看得最细最认真的了。我想努力地发现一点什么,唤起一点什么,更历史一点更哲学一点,可是,我看了差不多一整天,也就是看一看罢了。我看到那个叫王圆箓的道士发现并打开的那一处震动世界的洞穴,我没有像散文家余秋雨那么激动。也没有人家想得那么多那么深。我倒觉得让外国学者拿走了那么多宝贝也是对于中华民族文化的一次弘扬。令我深思的倒是莫高窟的维修。那是日本和香港有钱人投资的。保护人类文化的精神可佳,但我总觉得那一个个铝合金门太现代味了也太商品味了。它与莫高窟不那么谐调。再说阳关。那条大漠中的庑廊太缺少文化气息了，而一些题字的碑文也败坏了我的胃口。何况，那还不一定就是阳关真正的旧址。

名胜不该掺进人为的矫饰，名胜也不需要现代人躁动情绪。名胜也不是现代人附庸风雅的场所。别人激动你不一定就得跟着激动，别人说好你也不一定就得说好。你要学会用自己的心去感受名胜感受风景。否则，就不会有真正的收获。

从柴达木回到敦煌，石油局的领导宴请我。席间，他问我此番之行对什么感受最深，我说了那只野鸭。我是用文学语言渲染了那个场景，效果极好。闻者无不感到希奇。我说，那只野鸭让我看到了柴达木的魂灵，看到了柴达木的精神。我当时完全是按着我的逻辑诠释这只野鸭的行为。我说它是一种对于生命的张扬和展示，它以渺小向广阔展示，它要向比它更高级的人类展示它的存在价值。它以这种怪异方式完成了一次鸭类的最高境界。它不怕外国车，不躲外国车，那么快的速度它不躲使它具备了崇高的美学意义。我说得党委刘书记哈哈大笑。

事后，我觉得我对野鸭的那种诠释过于矫情。而矫情似乎成了当代文人的通病。特别是当我读了美国人尤金·伯恩斯写得那本《野生动物的性生活》之后，我对这只野鸭的壮举有了一种新的诠释。这本书的作者花了三十年的时间，研究了三千多个种类的野生动物生态，而这本书在我国图书馆的特藏室里也沉睡了三十年。伯恩斯认为动物处在性奋期时，其情绪上的巨大变化会突然出现。原已建立的习惯被打破了，性格变化了。最胆小最内向的野生动物也可能变成一只危险的野兽。他举例说，一只处于性兴奋期的公野牛竟然跟一架扫雪机在公路上争抢路面；一只最温顺的斑纹鼬性兴奋时竟敢用鼻子去拱一只巨大的灰熊。而一只被性兴奋驱使的雄獾竟敢面对一辆开来的汽车，结果迫使司机把车停下，退回去，绕开它。处在淫欲时的野生哺乳动物的雄性，甚至会向人类的女性主动做出性交的表示。有的可以把女孩子追得无处躲藏。伯恩斯所举得这些例子都是哺乳动物，野鸭不能算哺乳动物，但它的壮举显然也是可以用性兴奋来解释。尤其难忘得是它那尽量上拔的棍状颈项，它是一种雄性的展示，雄性的张扬。它那时一定为找不到一个异性而倍受折磨。如果我们车上有一个女性下车抓它，我想它是不会躲闪不会飞走的。

　　这一个例子可以使伯恩斯对哺乳动物的由这只野鸭的性宣言，使我对柴达木有着更深的认识。这个地方不仅缺水而且缺性。作为生命，水和性都很重要。少了哪一个都会痛苦不堪的。鸟类在柴达木作出了性的牺牲，而人类在柴达木所作出的性的牺牲又有多么巨大！石油人在这里生活了四十年啊！四十年前，来这里的都是一些阳气旺盛的年轻人，这些个小伙子也不过二十郎当岁。我们的作家何曾真正关注过他们的生活？

　　青海有位青年作家在五年的时间一气写了五部长篇。五部长篇有着同一个母题，那就是荒原与性。他在一本叫作《天荒》的长篇中写到了年轻的石油工人。他们争抢着爬上数百米高的井架，为了争看一眼远处的女人，结果把井架压倒了，几个小伙子摔得粉身碎骨。还有个小伙子用彩色的石块摆出一个女人的形体，进行一种自戕式发泄。小说毕竟是虚构的，不必考证真伪。而石油作家肖复华给我讲的他的一位令他敬重的师傅因为性而杀人的故事，让我砰然心动。那位师傅逃走后是他带着人把师傅抓到的。那时候，他还过于年轻。肖复华是位有出息的石油作家。他写了好多东西。多次获奖。但是，他写他那位师傅的小说最让我震动。

我们的时代在走向真实，我们的作家也在走向真实。我们过去太热烈于崇高与神圣了，我们写文章使用这些字眼时，缺乏必要的严肃和严谨。这不仅是一种从众意识，也是一种媚俗。生命的方式不能托举到一种虚枉的高度。那种高度代替不了本来的规律和属性。但是，人类毕竟不能满足于一种动物的真实。他们渴望着神圣，当他们感到自身神圣不起来时就将希望寄托到神的身上。神可以是泥胎也可以是油画，但必须要做得精致。人去造神是一种需要，也是一种对于自身的绝望。我也曾有过虚枉，虚枉得要上天；我也有过实在，实在得要入地。上天也好入地也罢都不是对于生命的一种真正感悟。

西部的历史太长，西部的千佛洞太多，西部的生命被西部的历史和西部的神祇快淹没了。我无疑去褒贬什么，但是，那只野鸭构成了一幅柴达木的风景，什么时候只要一提到柴达木，我的眼前就会生动地再现那只棍状的颈项，像一个小小的"!"号兀立荒原。

从渤海到瀚海

爱自己的家乡似乎无需寻找什么理由。事实上，并不是所有的家乡都那么值得去爱。但是，我却执爱着我的家乡——大连。城市的美丽自不必说，重要的是那片海域。走的地方越多，走出去越远，就越会觉得家乡的美妙。那摇篮般的大海，不仅摇晃着我童年的梦，也摇荡着我的文学梦。许多年了，尽管我的习性我的气质我的口音都已变得面目全非，但是，我仍然无法剪断家乡的脐带。

我喜欢海，别人也喜欢海。所不同的是我喜欢得冒傻气。我可以在白天游泳，也可以在深夜投入大海，在金石滩，在傅家庄，在星海公园我都有过夜晚下海的经历。在白天与夜晚的比较中，我发现夜晚的海要远比白天的海更自由更舒畅更能感受到一种自我的存在，也更能与大海进行交流。说什么都行，怎么说都行。高兴也行，发怒也行，横着行，立着行，仰着卧着任你扑腾。不必担心被别人碰着或碰着别人。没有城市的噪音，没有高大建筑物的压抑，也没有孩子哭老婆叫的烦扰。你不必去看什么人的眼色，你完全可以无所顾及。人需要海，是因为海能给人一份宁静，一份开阔，而白天的海是没有这份恩赐的。人生活在城市，要活得好，就得有一份抗干扰的能力。人的抗干扰能力到底有多大？我的这种能力是脆弱的，所以我常常选择一种逃避。我每一次到家乡的海边都可以说成是这样一种逃避。然而，这一次，我的逃避不是到家乡的海边，我是到了一个更博大更辽远的地处。那个地方叫柴达木。

我只身去往柴达木是在阳春三月。从沈阳到柴达木，迢迢万里，在中国的版图上，那只硕大的鸡头与鸡尾之间跨越了好几个省份。途经那么多的城市，却无一与我们的大连相比。见到那么多的河流，却没有见到海。进入河西走廊，就进入了荒凉。荒凉得没有一丝柔情，光秃得没有半点掩饰。茫茫瀚海走上一天与走上十天都不会有多大变化。我一直分不清哪里算柴达木的边界,我只能从最荒凉的地段算起。

柴达木是海拔三千米的高原盆地,它的高傲和冷漠使你无法亲近。泛着硭硝的荒漠,像月球的地貌,麻木得寸草不生;那泥岩构造的秃丘,从上到下密实地排列着痛苦的皱褶,不用细看,就会感到那一道道褶子像深深的泪槽,扭扭歪歪,憋憋曲曲。一排秃丘是这副模样,再一排秃丘也还是这副模样,柴达木到底有多少这样的秃丘?这些苦难苍桑的面孔,都在诉说着柴达木的苦难,不管有没有人听,也不管听懂听不懂,它们就这么永永远远地说下去。在我之前,已有许多的文人墨客光顾过这里。他们肯定和我一样,不断地撞见这些个苦难的面孔。爱看你得看,不爱看你也躲避不了。你就是躲了几眼,不定什么时候,它就又会冒了出来,凄凄哀哀地拦着你。你会仔细地看吗?你会沉浸下来去倾听去感悟吗?你会去理解它们吗?我们生灵之间的相互理解已属不易,而我们对这些非生灵的理解其实更难。我不相信会有和我一样的文人到了这里来会有心情理解这些荒丘。

我很早就读过一位很著名作家写柴达木的文章。那些文章充满感情,还都是些发自内心的感情。他年轻的时候来到这里,写柴达木;他中年的时候来到这里,写柴达木;他老年的时候来到这里,还写柴达木。他写柴达木写出瘾了,就像当今作家写性写上瘾了。他走遍了柴达木,写遍了柴达木。他写了柴达木的所有艰苦,写了石油工人的所有艰辛,却独独没有写这些亘古不变的苦难的面孔。我丝毫没有理由挑剔我的前辈,我只是想说明我们的作家只是关注了柴达木人的疾苦而还没有来得及关注柴达木本身的苦难。柴达木经受了我们不可思议的磨难。

绝不仅仅是这一副副面孔。风蚀残丘——雅丹地貌更让我理解了这片土地的苦难：那一片零乱的无今无古的残骸，像巨兽的肢体？像巨人的头颅？还是像一艘艘破船或者游艇？它们更像或大或小的坟冢。那上面随处可见的沉积相，伤痕斑驳，使我幻若看到了二亿多年前的最后一片海水是怎样因为祁连地槽和昆仑地槽的封闭，拖儿带女无家可归。它们愤怒着，挣扎着，企图向北寻求一条生路，可是，强劲的印支运动疯狂地驱使着巴颜喀拉山褶皱迅速隆起，隔断了它们远洋惟一连接的沟槽，绝望中的任何挣扎都无济于事。只有默默地接受着死亡的折磨。它们接受死亡的安静是任何大兵团任何城市在沦陷时所不可能具备的。

无数鲜活的生命深深地沉入地下。在沉积厚度一百三十至四百零六米的泥岩层中，这些生命有了新的价值。那就是石油资源。那就是冷湖、鱼卡的存在理由。因为石油是生命的凝聚，得到它，也不能不以生命作为代价。公元1954年，中国的石油大军开进了柴达木。从此，这里有了生命，有了城市。这里的第一座城市是冷湖。冷湖没有给我留下什么印象，石油人已经从这里移到了敦煌。人走楼空，风吹着断壁真感到从里往外的清冷。该走得都走得差不多了，没走的，过几年到了退休时候也得走。在这柴达木见不到一位老年人。海拔三千米的冷湖不适应老年人生存。也有走不了的，他们就永永远远地留在了这里。那一座座荒冢和雅丹地貌的残丘还有从敦煌出来途经的那一片汉墓群一样，经受着同样辽阔的孤寂，也经受同样无情的风沙剥蚀。所不同的是，还有些活着的人惦记着他们，怀念着他们。为了让这些亡灵安静一点，人们筑了一堵墙。那堵墙很长很长可是仍然挡不住更长的风沙。偌大的墓地只有这一堵墙，敞开处是无边的辽阔。多少生命都能埋得下，埋多少生命都显不出多。这是我迄今为止见过的最大的墓地，可在这里，它仅仅占了小小的一角。走在这片墓地中，我试图数出这里有多少座荒冢，可是，我无法数得清。我只能被那干枯的花圈和简陋的墓碑弄得难过无比。这里边没有一个我的亲人，也没有一个我所认识的人，可是，这里的人有着和我一样的那股痴劲儿。他们在这片瀚海投入的浪漫或理想绝不会亚于我对家乡的渤海湾。据说这里边沉睡着一位从未来过这里的老地质专家，他在有生之年曾多次想来柴达木，均未能成行。最后一次他下决心来的时候，被病魔击倒。临终遗嘱将遗体埋在这里。埋在这里与埋在别的地方又有多少区别呢？柴达木不会被感动的。经历过大的苦难的柴达木是不会被人类的壮举所感动的。既不会接受伟大，也不会承认永恒。但是，他埋在这里能够感动作家。不仅感动了作家我，也感动了那位一直在写柴达木的作家。那位作家曾在几年前折了一枝骆驼刺，颤颤地放在了老地质家的坟头。我倒不想在这里放上什么，我觉得放上什么都没有用。我认为人搞的所有仪式都是愚蠢的，重要的是一种对于生命的悟性。这种悟性是我在夜晚的渤海湾里所不可能感受到的。渤海给予我的是轻松，是悠闲，瀚海给予我的是沉重，是压抑。太多了轻松和悠闲就会没有意思，而太多了沉重和压抑就会短寿。

　　人不能总在一个地方呆着，就是再好的地方呆久了也会呆得萎缩。而且越好越舒服的地方就越容易使生命力萎缩。生活在渤海边的家乡人并未因为大海的陶冶而获得多少意志，他们变得越来越自私越来越敏感越来越脆弱了。他们的孩子长得都比父母高了，下海时挎着救生圈还得他们的父母牵着手。在这

刘元举 摄影

些城市人的影响下,我们的渤海已经肌肉萎缩。那排浪无论下多大的决心鼓多大的勇气,也没有办法撞痛海岸,海岸早已成了一块变了质的大海绵。海岸麻木了,慵懒了,随之我们的城市也慵懒起来。

城市没有激情。没有激情的城市再好也没有意思。

渤海在退化在失去激情。我不知道柴达木当年的那一片汪洋是不是因为失去了激情才遭到欧亚板块与印支板块的撞击?才变成一片不毛之地?不管它怎么回事,我执拗地相信宇宙需要激情,要不,为什么总有撞击的星矢?地球需要撞击,要不怎么会出现这片瀚海?城市需要撞击,生命也需要撞击,否则,时间长了就会迟钝就会慵懒就会失去创造活力。作家更需要撞击,否则就不会有灵感。编辑也需要撞击,否则就会漏掉好稿子。但愿我的这篇散文能够撞乱枯燥的稿件堆,早日在渤海到瀚海的空间传播,我希望这两个地方的朋友们从中获取一点激情,哪怕是一点点……

王充闾

春宽梦窄

——南疆写意

1

"八千里路云和月"。飞山越岭,载驰载驱,总算到了此行的目的地——新疆巴音郭楞州的首府库尔勒了。这里与沈阳有两小时的时差,八点钟才亮天。可是,没到六点,我的一枕还乡幽梦就被报晓的鸡鸣唤醒了。看来,生物钟是不因地域的远近而变换的。因得诗二句：南疆满目风情异，剩有鸡啼似故乡！

我们离开乌鲁木齐时，正值漫天飞雪。天山山脉，这条大约四亿年前从茫茫古海中腾冲出世的巨龙，此刻，更是银妆素裹，气宇雄浑，鳞甲飞扬，夭矫万仞。天山路上，"忽如一夜春风来，千树万树梨花开"，确是一番壮美的景观。

想象中，气温较高的天山南麓，纵然没有"杨柳依依"的江南秀色，起码也该是"雨雪霏霏"的塞外风光。可是，翻过天山脊背一望，迎接我们的是浑然一色的茫茫戈壁滩。四野苍黄，天高地迥，空中没有一丝云气氤氲、雨意迷离的情调，气候干燥得很。与北麓天低云暗的冰雪世界可谓悬同霄壤。这使人联想到美国加利福尼亚海岸山脉东西两侧截然不同的景象：一边是湿润肥沃的绿洲，另一边是干旱贫瘠的荒漠。显然，都是由于高山阻隔了雨云所致。

还在上中学时节，我就曾面对着祖国大西北的赭黄色的地图画面，射出过无数支向往的神矢，鼓振着玄想的羽翼，描绘着它的历史、现在、未来的诸般色相。而今实地游观，才觉察到自己的想象力之贫乏，与大自然的瑰奇特异恰成鲜明的对照。借用一句宋词来形容这种反差，就是"春宽梦窄"吧。

那天，我还写下了这样两句诗：自此敢夸心眼阔，茫茫瀚海任飘游。你看，坦坦荡荡的大戈壁，无丘无壑，无树无草，平展展一直伸向天际。苍茫的大地托着浩渺的天穹，显得格外开阔，格外壮观。

我想，只有身历南疆，才能真正体会到祖国幅员之广袤。在这里乘车，往往以百公里计程。乌鲁木齐到库尔勒五百公里，库尔勒到阿克苏五百公里，阿克苏到喀什五百公里，喀什到和田又是五百公里。怎么这样凑巧？就是因为地域太广了，像亿万富翁计算收支一样，四舍五入，取其大略而已。空间的代价是时间。巴音郭楞州辖一市八县，面积相当于苏、浙、闽、赣四省的总和。从自治州首府到最远的且末县，即使乘坐飞机，也要花上一两个小时；若是公路驰车走遍全州各县，大概没有半个月时间是下不来的。

我们在六百万人口的沈阳，朝朝暮暮，常以人满为患。徜徉闹市，但见万头攒动，摩肩擦踵，仿佛满城人口全都涌到身边。可是，置身戈壁滩上，却又嫌周围世界过于荒凉、孤寂了。即使百辆汽车齐驱并驾，任性撒欢，也绝无闯灯、落涧、撞人之虞。这里听不到喧嚣的市声和各种都市的噪音，空中偶而有一两声老鸦的鸣叫，尽管并不怎么动听，却也如庄子所言，"逃虚空者"，"闻人足音，跫然而喜矣"。

2

数千年的中华文明史页，铺满了历史风霜，展现着沧桑变幻，"俯仰之间，已成陈迹"。而这里，却似乎停下了时代的步伐，甚至连自然面貌也几乎没有什么明显的变化。对此百年一瞬，万古如斯，真要令人"哀吾生之须臾，羡宇宙之无穷"了。

但是，如以历史的眼光来看，就会觉察到，这原来是一场误会。作为"丝绸之路"的中段，此间曾有过千余年繁华兴盛的岁月。如果这条古道，像人一样也存留着记忆的话，那么，它绝不会忘记：这里，奔驰过出使西域的张骞的车骑和勇探"虎穴"的班超的鞍马，飞扬过和亲乌孙的细君、解忧两公主的车尘，闪现过乘危远迈、策杖孤征、西天取经求法的玄奘的身影，也刻印着谪戍边陲、率领民众修渠引水的林则徐和追奔逐北、平叛杀敌的左宗棠的足迹，迎送着无数中西商旅的满载着财货的驼队、马帮。直到今天，这一幅幅雄奇、壮观的瀚海行旅图，一阵阵悠扬悦耳的驼铃和苍凉的军乐、征战的杀声，还仿佛闪现在眼前，回旋在耳际。

人们一向赞叹《西游记》作者艺术想象力的丰富。其实，只要沿着古丝路走上一遭，就会发现书中的许多神话故事都可以在这里寻觅到它的本原。我们拜识过"巍巍荡荡飒飘飘"，搅得对面不见人的"黄风大王"（可惜无缘见到"虎先锋"）；穿越过通天水、流沙河（但是，没有看到"鹅毛飘不起，芦花定底沉"的奇观）；也游览过传说孙悟空曾在那里"三打白骨精"的铁门关；还在吐鲁番观赏过火焰山，寻访过葡萄沟里的牛魔王洞和高昌古城中的唐僧讲经台。我认为，吴承恩即使没有实地考察过唐僧取经之路，也肯定认真研究过玄奘的《大唐西域记》和中国的古代神话，把它们作为玄思的渊薮和灵感的触媒，为构建一个完整的神话世界，悟入深邃的背景、现实的土壤和神秘的机锋，找出联结历史与现实、幻想与存在的一条彩路。

3

库尔勒地处南疆古丝绸路上，紧临全国最大的塔克拉玛干沙漠。"塔克拉玛干"，维吾尔语，意思是"进去出不来"。这个名称来源于一个神话故事：

很久以前，在干旱酷热的塔里木盆地，人们渴望着引水种田，开发宝藏。有个慈善的神仙，手中握有两件宝贝：金斧子和金钥匙。他把金斧子交给了哈萨克族人，让他们劈开阿尔泰山，引来清清河水。还准备把金钥匙交给维吾尔族人，让他们打开塔里木盆地的宝库。不料，金钥匙被神仙的小女儿丢失了。神仙一怒之下，便把小女儿囚禁在盆地中央，从此，这里就成了"进去出不来"的地牢，日久天长，宝地变成了大沙漠。

千百年来，人们还口耳相传：沙漠中有个神秘的去处，叫做"七座连城"。那里人烟密集，市井繁华，楼宇栉比，绿树葱茏，四围有清澈的流水，肥沃的田园。不知哪一年，突然刮起了一场连续七七四十九天的黑风，田园淹没，庐舍为墟，水流干涸，人烟灭绝，遍地堆起了沙丘、砾石。可是，每到夜静更深时刻，还能听到人喊马嘶、鸡鸣犬吠之声。我曾向当地一位维吾尔族老人问询："这七座连城的遗址离市区有多远？可曾有人考察过？"答复是：大沙漠东西长一千公里，南北宽四百公里，谁也说不清楚这个城池的所在。

后来我才知道，在距今两千一百年到两千五百年期间，这一带，像楼兰古国那样的城市至少有二十座，但都一一淹没在流沙之中。最近，塔里木盆地不断传出喜讯：据勘测，那里的石油、天然气蕴藏量分别占全国油、气资源的六分之一和四分之一。茫茫瀚海中重新矗立起繁华城镇的时光，已是指日可待了。

有人说，神话传说是贫弱民族的财产。凡在现实中无力获取的事物，远古先民便把它付诸余生梦想，发而为神话传说，绵延到千秋万代。如果塔克拉玛干沙漠的这些传说也是这样形成的，那么，随着"金钥匙"回到人民手中，神秘的地下宝库之门被打开，诸般梦想逐渐地成为现实，神话传说本身也就会逐渐地淡化了。

听说，库尔勒在清朝末年还只是一个小村落。直到解放初期，村民们还把手电筒称为夜明珠，把胶鞋视为不透水的神物；一把砍土镘就是当地农民的万能工具。他们做梦也没有想到，这里会平地矗起一座崭新的城市，不仅有火车、汽车、航空之便，而且有充足的动力资源，多种原材料工业和丰饶的农、畜产品。驰誉世界的"果中王子"——库尔勒香梨就产在这里。

4

饮马河流经市区，相传东汉班超曾饮马于此。当地人民把它看成是生命之泉，对它怀有特殊的感情。由于河水清澈明丽，在阳光照射下，绿漪层层，浪花朵朵，有如孔雀开屏，因此，人们又亲昵地称之为孔雀河。一位诗人赞美它：冲出巉岩峭壁的束缚，挣脱灼热、饥渴的沙魔的折磨，矢志东流，之死靡它。即使最终不免被瀚海吞噬，幻化其踪影，失去其存在，化作"悲壮的灵魂"，但是，经过雾化、蒸发，也还要实现其生命的循环和灵魂的晶化，蒸腾氤氲，回到人间。

默诵着诗人的赞歌，眼望着滔滔东去的清流，我倒是别有会心，耳畔仿佛响起二百余年前英雄的蒙古族土尔扈特部人民的悲壮吼声："让我们奋勇前进，向着东方！向着东方！"我记起了久为当地人民传诵的一部万里长征东归祖国的历史佳话。

土尔扈特部是清代厄鲁特蒙古四部之一，元代重臣翁罕的后裔。十七世纪三十年代，其部首领因与准噶尔部首领失和，遂率其所部西迁至伏尔加河下游，自成独立的游牧部落。但仍和祖国保持着联系，经常参加厄鲁特各部的共同活动，并多次向清朝政府上表进贡。从顺治三年（公元1646年）起，历经康、雍、乾三朝，相互往来不绝。公元1712年，康熙帝派出使团前去探望他们，途经西伯利亚，历时二载，到达土尔扈特部。公元1756年，该部遣使进京，经过三年时间，向乾隆帝呈献了贡品，表现出他们对祖国的一片至诚。

这个期间，沙俄却不断加紧对其控制，力图割断他们与故国的联系。沙皇先后发动了对瑞典、土耳其的战争，都强迫娴于骑术的土尔扈特人为其前锋，归来者十无一二。可怕的灭族之灾，使部内的有识之士忧心如焚。尤其难以容忍的，是沙俄实行宗教压迫，强制他们改信东正教。于是，在民族英雄渥巴锡的率领下，三万二千帐、十七万人毅然离开了已经生活了几代的欧洲草原，冲出了沙俄官兵的围追堵截，踏上了千难万险的东归祖国的征途。他们高呼着："如果走回头路，每一步都会碰到亲人和同伴的尸骨。让我们奋勇前进，向着东方！向着东方！"终于在公元1771年夏天，踏上了祖国的疆土。检点队伍，只剩下七万余人。

一路上，他们历尽了千难万险，一个个蓬头垢面，形容枯槁，衣衫褴褛，靴鞋俱无。但是，那颗祖辈传留了三百六十多年的明朝汉篆封爵玉印，依然完好地保存着。乾隆皇帝在承德避暑山庄热情地接待了渥巴锡等首领，封赏有加，后来把他们安置在水草丰美的库尔勒一带。

5

　　库尔勒市区算不上宽敞，也谈不到漂亮，但颇具南疆特色。街道两旁遍植馒头柳、沙枣和白杨。柏油路上，人群熙来攘往。最引人注目的，是戴着小花帽、留着俏皮的小胡子、闪动着幽默眼神的"库尔班大叔"和头裹花巾、身着长袍的蒙古族妇女。有的毛驴车上还坐着西服革履的外国朋友，其悠然自得之态，远胜于乘坐豪华轿车。

　　人们常说"吃在广州"，其实，也可以说"吃在南疆"。这里，饭馆的主副食品，真是千色百味，异彩纷呈。我们品尝了"手把羊肉"、烤羊肉串和"抓饭"。据说，千余年前有个医生，身体虚弱，百药无效。后来，他选用新鲜羊肉、胡萝卜、洋葱头和清油，加盐加水，同大米一起混合焖熟，早晚各吃一碗，逐渐恢复了健康。人们猜他是服了什么灵丹妙药，其实，就是现在的"抓饭"。店主人一手端水盆，一手提铜壶，给我们逐个淋净了手，同时教授"抓饭"的吃法。一撮入口，果然鲜美清香，别有风味。

　　虽然我们已经鼓腹餍足，但禁不住新奇食品的诱惑，不时地在一些饭馆前停下脚步来。有一种叫做"馕"（波斯语，面包的意思）的圆饼，由于经过特殊的烤制处理，可以存放很长时间。传说，唐僧取经穿越大沙漠时，就是带了许多馕作干粮的。这又引起了我们的浓烈兴趣，每人都买了几个，珍重地放进提包里，留作纪念。

　　这时，几个维吾尔族的男女青年在邻座开怀畅饮，忽然又站起来，围着圆桌翩翩起舞。有的两只手同时打着响亮的"榧子"助兴,其他人一齐击掌打拍,脚下踏地有声。颇像古籍《通典》中描述的情景:"或踊或跃,乍动乍息,跷脚弹指,撼首弄目,情发于中,不能自止。"受到他们的感染,我们也欢快地拍手应和,同他们一起度过了快乐的秋宵。

6

　　北出市区十五里,我们寻访了古丝路上的铁门关。这是从焉耆盆地通向塔里木盆地的天然关口,从晋代设关开始,便成为历代兵家必争之地。现在,这里修起了一座水电站。登上高高的拦河坝,只见人工湖碧波潋滟,浪花轻轻地吻着崖岸。开阔处,屋舍错落,恬静地袅起缕缕炊烟。云鳞在碧空中织成斑驳的图案。绿杨耸天,宛若一排排甲兵在护卫着村落,阻戗着风魔。

　　这时,我忽然记起南宋词人姜夔咏叹合肥的名句:"绿杨巷陌,秋风起,边城一片离索。""更衰草寒烟淡薄。似当时,将军部曲,迤逦度沙漠。"面对着枯索、惨淡的秋容,词人想到金兵压境,疆土日蹙,就连江淮沿岸的合肥也都作了边城,简直像黄沙大漠一般荒寂。凄苦之情跃然纸上。而今日的铁门关,这地处大漠深处的货真价实的天涯边防,却成了各兄弟民族的友谊关,流辉溢彩的电光城!在水电站接待处的留言簿上,我即兴题了两句唐诗:"天涯静处无征战,兵气销为日月光。"

　　我总觉得南疆是一片神秘的土地。这里地处西陲,群山环阻,沙碛障路,"热海亘铁门,火山赫金方,百草磨天涯,湖沙莽茫茫",可是,两千年来却成为中亚与华夏的陆上交通纽带，有过"驿骑如星流"，"使者相望于道"的商旅繁兴的岁月；这里酷旱高温，终年少雨，可是，却以盛产香梨、甜瓜、棉花名满天下；这里并不具备文化发达的土壤，可是，它却是中西优秀文化传流交汇，充满着疑真疑幻的神话传说的地方；这里给人的直观印象是荒凉、单调、枯索，可是，却富有诱惑力，显现着浓郁的民族风情和边疆特色……

当然，数日的短暂勾留，还谈不上对南疆有什么深知邃解。但匆匆一瞥，已经留下了铁铸刀刻般的印象，日后思量，尽足以向往于无穷了。

祁 连 雪

真是"一处不到一处谜"。千里河西走廊，在我身临其境之前，总以为那里是黄尘弥漫、阒寂荒凉的。显然，是受了古诗的浸染："千山空皓雪，万里尽黄沙"，"青海戍头空有月，黄沙碛里本无春"之类的诗句，已经在脑海里扎下了根基。这次实地一看，才了解到事物的真相。

原来，河西走廊竟是甘肃省最富庶的地区。这片铁马金戈的古战场，这条沟通古代中国与欧亚大陆的重要交通孔道，于今已被国家划定为重要的商品粮基地。当你驻足武威、张掖，一定会为那里的依依垂杨、森森苇帐、富饶的粮田、丰硕的果园所构成的江南秀色所倾倒。

当然也不是说，整个河西走廊尽是良畴沃野。它的精华所在，只是石羊河流域的武威、永昌平原，黑河、弱水流域的张掖、酒泉平原，疏勒河流域的玉门、敦煌平原。这片膏腴之地是仰仗着祁连山的冰川雪水来维系其绿色生命体系的。祁连雪以其丰美、清冽的乳汁，汇成了几十条大大小小的河流，灌溉着农田、牧场、果园、林带，哺育着河西走廊的子孙，一代又一代。

祁连山古称天山，西汉时匈奴人呼"天"为"祁连"，故又名祁连山。一过乌鞘岭，那静绝人世、叠列天南的一脉层峦叠嶂，就投影在我们游骋的深眸里。映着淡青色的天光，云峰雪岭的素洁的脊线蜿蜒起伏，一直延伸到天际，一块块咬缺了完整的晴空。面对着这雪擎穹宇、云幻古今的高山丽景，领略着空际琼瑶的素影清氛，顿觉情愫高洁，凉生襟腋。它使人的内心境界，趋向于宁静、明朗、净化。

大自然的魅力固然使人动情，但平心而论，祁连山的驰名，确也沾了神话和历史的光。这里的难以计数的神话传闻和层层叠叠的历史积淀，压低了祁连山，涂饰了祁连山，丰富了祁连山。

在那看云做梦的少年时代，一部《穆天子传》曾使我如醉如痴，晓夜神驰于荒山瀚海，景慕周天子驾八骏马巡行西北三万五千里，也想望着要去西王母那里做客，醉饮酣歌。当时，我是把这一切都当成了信史的；真正知道它"恍惚无征，夸言寡实"，是后来的事。但祁连山、大西北的吸引力，并未因之而稍减，反而益发强化了。四十余年的渴慕，今朝终于得偿，其欢忭之情是难以形容的。

旅途中，我喜欢把记忆中的有关故实与眼前的自然景观加以复合、联想。车过山丹河（即古弱水）时，我想到了周穆王曾渡弱水会西王母于酒泉南山；《淮南子》里也有后羿过弱水向西王母"请不死之药"的记载。在张掖市西面的镇夷峡，当地群众还给我们讲了大禹治水的故事：

传说，禹王凿开了镇夷峡，导弱水入流沙河，玉帝闻讯后加以干预，命寒龙镇守祁连山，把河水全部冻结成冰雪，河西走廊从此变成了戈壁荒滩。后来，李老君骑青牛赶到，与山祇、土神计议，到寒龙那里偷水，就这样，从南山开下来一条黑河。山神牵牛引路，李老君扶犁耕田，土地爷撒播种子。寒龙发觉后，怒吼道："你们三个合伙作贼，我就叫这里每年三个月不得安生！"结果，黑河每到六、七、八月，就要暴发洪水，为害甚烈。

这里，本来就够惝恍迷离的了，偏偏沙市蜃楼又来凑趣、助兴。我们驰车戈壁滩上，突然，发现右前方有一片清波荡漾，烟水云岚中楼台掩映，绿树葱茏，渔村樵舍，倒影历历，不啻桃源仙境。但是，无论汽车怎样疾驰，却总也踏不上这片洞天福地。原来，这就是著名的戈壁蜃景。

据说，整个河西走廊，包括祁连山脉，上古时都是西海，与大洋相通，后来经过喜马拉雅造山运动，隔断了印度洋，南山拱出海面，其余地带留下了无量数的沙荒砾石。也许这沙洲蜃景，正是古海的精魂寄形于那些海底沉积物，仍在做着昔日的清波残梦吧？

人类史前时期相当长的一段，是在幻想和神话中度过的。作为丰富的人文遗产宝库，神话传说汇集着一个民族关于远古的一切记忆：它的历史性变迁，它的吉凶祸福、递嬗兴亡，它对于自然、社会、人生的独特认知和体验。我们可以通过这种思维、情感、体验以及行动的载体,深入地窥察一个民族以至人类史前的发展轨迹。

观山如读史。驰车河西走廊,眺望那笼罩南山的一派空蒙,仿佛能够谛听到自然、社会、历史的无声的倾诉。一种源远流长的历史的激动和沉甸甸的时间感、沧桑感被呼唤出来,觉得有许多世事已经倏然远逝,又有天涯过客正向我们匆匆走来。

这时,祁连山上一团云雾渐渐逸去,露出来一个深陷的豁口,我猜想它就是历史上著名的大斗拔谷。两千一百年前,骠骑将军霍去病从这里穿越祁连山,进入河西走廊,以迅雷不及掩耳之势,攻占了匈奴的单于城,在焉支山前展开了一场震天撼地的大拼杀,终于赶走了匈奴,巩固了西汉王朝在河西的统治。霍去病死后,汉武帝为了纪念他的赫赫战功,特意在自己的陵墓旁为他堆起了一座象形祁连山的坟墓。

时光流驶了七百三十年,隋炀帝率兵西征,再次穿过大斗拔谷。不过,他没有碰上霍去病那样的好运气,当时"山路隘险,鱼贯而出,风雪晦冥,文武饥馁沾湿,夜久不逮前营,士卒冻死者大半"(见《资治通鉴》)。但是,由于他在张掖会见了西域二十七国君主,实际是举行了一次中原王朝与西域诸国的和平友好会议,也是一次首创的国际经贸洽谈、物资交流会,使此行毫无逊色地与骠骑将军的武功一同载入史册。

祁连山下,河西走廊,不仅有叱咤风云的过去,而且,有无比辉煌的现在与将来。勘探工作者的辛勤劳动,使祁连山更高地昂起了头颅:

——这里并不贫乏,而是一座矿藏极为丰富的百宝神山。继往昔的"金张掖、银武威"的盛名之后,今天又博得了"油玉门、镍金昌、钢酒泉"的美誉。

——始建于西汉时期的山丹军马场,现已发展成为亚洲第二大马场。

——祁连山继续向世界人民奉献着"葡萄美酒夜光杯"。

——驰名中外的敦煌莫高窟,这名副其实的艺术的圣殿、神话的王国,像一颗璀璨的明珠,在古丝路上散发着夺目的光彩。

——坐落于祁连主峰北面的我国建设最早、规模最大的卫星发射中心,创造了许多"中国的第一":发射第一颗人造地球卫星,第一颗返回式卫星,第一枚"一箭三星"运载火箭,第一枚中程导弹,第一枚洲际弹道导弹……被誉为中国航天工业的摇篮,巍然屹立于世界先进科技之林。

正是这些风尘顿洞、异彩纷呈的历史人文之美,伴随着甘霖玉乳般的高山雪水所带来的丰饶、富庶,使千里祁连从蒙昧、原始的往昔跨进了繁昌、文明的今天。我们这些河西走廊的过客,与祁连雪岭朝夕相对,自然就把它当作了热门话题。

有人形容它像一位仪表堂堂、银发飘萧的将军,俯视着苍茫的大地,守护着千里沃野;有人说,祁连雪岭像一尊圣洁的神祇,壁立千寻,高悬天半,与羁旅劳人总是保持着一种难以逾越的距离,给人一种可望而不可即的隔膜感。可是,在我的心目中,它却是恋人、挚友般的亲切。千里长行,依依相伴,神之所游,意之所注,无往而不是灵山圣雪,目力虽穷而情脉不断。一种相通相化、相亲相契的温情,使造化与心源合一,客观的自然景物与主观的生命情调交融互渗,一切形象都化作了象征世界。

也许正是这种类似的情感使然,一百五十年前的秋日,爱

王充闾 摄影

国政治家林则徐充军西北,路过河西走廊时,曾与祁连雪岭风趣地调侃:"我与山灵相对笑,满头晴雪共难消。"我的一位祁姓学友,西出阳关,竟和祁连山攀了同宗:"西行莫道无朋侣,亘古名山也姓祁。"甘、青路上,我也即兴写了四首七绝,寄情于祁连雪:

断续长城断续情,蜃楼堪赏不堪凭。
依依只有祁连雪,千里相随照眼明。

邂逅河西似水萍,青衿白首共峥嵘,
相将且作同心侣,一段人天未了情。

皎皎天南烛客程,阳关分手尚萦情。
何期别去三千里,青海湖边又远迎!

轻车斜日下西宁,目断遥山一脉青。
我欲因之梦寥廓,寒云古雪不分明。

王 蒙

新 疆 的 歌

黑黑的眼睛

在遥远的伊犁,几乎每一个本地人都会唱《黑黑的眼睛》这首歌,几乎每一次喝酒的时候都要唱这一首歌。

喝酒和唱歌这二者,从声带医学的观点来看是互相排斥的;从情绪抒发的角度来看却是一致的。

第一次听到这首歌是 1965 年冬天,在大湟渠渠首——叫作龙口工程"会战"的"战场"。我与农民们一起住在地窝子里。那里临时开设了几个食堂。寒冬腊月,食堂的厚重无比的棉帘子外面挂满了冰雪,也许不是雪而是霜,食堂里的水汽从帘子边缘逸出来,便凝结成霜。掀开这沉重得惊人的门帘,简陋的食堂里热气弥漫、灯光昏暗、烟气弥漫、肉香弥漫。更重要的是歌声弥漫,歌声激荡得令人吃惊,歌声令人心热如焚,冬天的迹象被歌声扫荡光了。

在关内的时候,我们也听过一些新疆歌曲。但是伊犁民歌自有不同之处,它似乎更散漫,更缠绕,更辽阔,没有开头也没有结尾,抒不完的感情连结如环,让你一听就陷落在那里,疾醉在那里。

从此我爱上了伊犁民歌。在伊宁市家中,常常能有机会深夜听到《黑黑的眼睛》的歌声。是醉汉吗?是夜归的旅人?是星夜赶路的马车夫?他们都唱得那么深情。在寂寥而寒冷的深夜,他们用歌声传达着对那个永远的长着"黑黑的眼睛"的美丽的姑娘的爱情,传达着他们的浪漫的梦。生活是沉重的,有时候是荒芜的,然而他们的歌是热烈的,是益发动情的。

后来我有几次与农民弟兄们一起喝酒唱歌的经验。我们当中有一位歌手,他是大队民兵连长,他叫哈里·艾迈德,他一唱,我们就跟,随着每一句的尾音,吐出了无限块垒,我傻傻地跟着唱,跟着哼,却总觉得跟不上那火热的深沉与寥阔的寂寞。

也有时候我不跟着唱,只是听着、看着哈里和别的人们的那种披肝沥胆地唱歌的样子,就觉得更加感动。

1973年我离开了伊犁,1979年我离开了新疆。

1981年中秋节前后我重访伊犁,诗人铁依甫江与我同行。为了将《蝴蝶》改编成电影的事,长春电影制片厂的一位导演不远万里跑到伊犁去找我,一天晚上,我们一同出席伊宁市红星公社就是西公园附近的一次露天聚会。饮酒之际,请来了民间的盲艺人司马义尔,他弹着都塔尔,唱起了歌,当然,首先唱的仍然是《黑黑的眼睛》。

　　他的声音非常温柔。他的歌声不是那么强烈,却更富有一种渗透的、穿透的力量,那是一首万分依恋的歌。那是一种永远思念、却又永远得不到回答的爱情,那是一种遥远的、阻隔万千的呼唤,既凄然、又温暖。能够这样刻骨铭心地爱,刻骨铭心地思恋的人有福了,能唱这样的歌,也就不白活一世了!看不见光明的歌手啊,也许你的歌声里充满了对光亮的向往和想象?在伊犁辽阔的草原上踽踽独行的骑手啊,也许你唱这首歌的时候期待着人群的温暖?歌声是开放的,如大风,如雄鹰,如马嘶,如季节河里奔腾而下的洪水,歌声又是压抑的,千曲百回,千难万险,似乎有无数痛苦的经验为歌声的泛滥立下了屏障,立下了闸门,立下了堤坝。

　　一声"黑眼睛",双泪落君前!他一唱我的眼泪就流出来了!

　　伟大的维吾尔诗人纳瓦依说过:"忧郁是歌曲的灵魂。"这又牵扯到一个民族的性格问题来了。你为什么那么忧郁?由于干旱的戈壁沙漠吗?你的绿洲滋润着心田。由于道路遥远音信难传吗?你的好马和你的耐性使你们的交往并不困难。由于得不到心上人的呼应、得不到知音?你的歌、你的舞、你的饮酒又是那样地酣畅淋漓!而你的幽默更是超凡入胜!

　　快乐的阿凡提的乡亲们,却又有唱不完的"黑眼睛"的苦恋。
　　我没有解开这个谜。虽然我自我标榜我对新疆、对维吾尔人的生活、语言、文字颇有了解。我至今学不会这个歌。虽然我喜欢唱歌、粗通乐谱、会唱许多歌、自信学歌的能力不差。那么熟悉，那么想学，却仍然不会唱。也怪了。

就让我唱不好、唱不出这首"黑黑的眼睛"吧。唱不好，但是我知道她，我爱她，我向往她。小小的一声我就能从万千音响中辨识出她。她就是我的伊犁，她就是我的谜一样的忧郁。至少是因为告别了伊犁，至少是因为它是惟一的我又喜爱又熟悉又至今唱不成调的歌儿。

阿娜尔姑丽

以喀什噶尔为中心的南部新疆的歌儿与以伊犁为中心的北疆的歌儿有很大的不同。如果说北疆民歌的代表是《黑黑的眼睛》的话，那么，南疆民歌的典型则是《阿娜尔姑丽》。"阿娜尔姑丽"的意思是石榴花，而这又是一个在南部新疆常见的、姑娘的名字。这个名字很美。电影《阿娜尔汗》的主题歌就是根据民歌《阿娜尔姑丽》整理、配词而成。歌一开始便唱道：

> 我的热瓦甫琴声多么响亮，
> 莫非装上了金子做成的琴弦？

而民歌的起始两句，据我所知的一个版本是这样的：

> 夜晚到来我睡不着觉呀，
> 快赶开巢里的乌鸦，啊，我的人！

最后一个词是 bala，是孩子的意思，这里叫一声孩子，类似英语中的 baby,是一种昵称,故译作"我的人"。

以《阿娜尔姑丽》为代表的南疆民歌似乎更具有节奏性,人们唱这些歌的时候似乎正迈着沉重有力的步子,似乎正在漫漫砂石戈壁驿道上长途跋涉,四周杳无人迹,远山上雪光晶莹,干峻的柴草在风中颤抖,行路者的歌声坚毅而又温情,我好像看到了歌者的被南疆的太阳烧烤成了紫酱色的脸庞。

也许他们是骑着骆驼唱这些歌的吧?在"沙漠之舟"上,他们体验着大地的辽阔、荒芜、寂静与神秘;他们也体验着自己内心的火焰的跳动、炽热、熬煎和辉煌。他们已经漫游了许多日日夜夜。他们已经寻求了许多岁岁年年。他们已经创造了许多城市乡村。他们热烈地盼望着更多的人间的情爱。

我永远不会忘记我第一次受到这样的歌声的冲击的情景。那是在叶尔羌河东岸、塔克拉玛干沙漠西缘的麦盖提县,1964年,我住在县委招待所,准备去洋达克乡。招待所正在盖房子,每天早晨八时以后,来自农村的临时建筑工开始上班。有两个年轻的女人,她们不紧不慢地用抬把子抬砖,一边装卸,一边走路,她们一边大声唱歌。她们唱的是《阿娜尔姑丽》,她们的唱歌就像呐喊一样地自然、朴素、开阔、痛快,她们的唱歌就像呼唤一样地响亮、多情、急切、期待着回应,她们的唱歌又像是一种挑战、放肆地发泄,自唱自调,如入无人之境。她们戴着紫黄色的小帽,穿着红色的裙子,红色的裙子下面还有绿色的灯笼裤。这歌声响彻一个上午,中午稍稍歇息,又一直唱下去唱到太阳快要落山。她们的精力,她们的热情,她们的喉咙,似乎都有着无尽的蕴藏。

即使是生活在城市中,生活在忙乱中,生活在纷忧与风霜雨雪中也罢,想起这样的歌,能不为那股热流而心潮激荡么?

王英琦

大唐的太阳,你沉沦了吗?

我的面前,放着一本《井上靖西域小说选》。

翻开扉页,一位清癯潇洒的老人,手指夹烟,目光深沉地凝视远方。

对于这位老人——井上靖君,这是怀有深深的仰慕之情的。他是一位有着超群的才华,盖世的学问,以研究中日文化交流史和中国古代史,而被誉为日本"文化功臣"的杰出作家。

他的这部小说选,基本选材于我国古代西域的名城名人。我曾在此之前,有幸拜读过其中的《楼兰》和《异域人》。我不会忘记,当时在读完这两部历史小说后,我的心情是何等的激动。我既为《楼兰》——这座古西域的一代名城的不幸湮灭而痛心不止,亦为《异域人》中的一代忠臣——班超"立功异域"的伟大业绩钦叹不已。

还有那著名的三十六国。

还有那神秘的塔克拉玛干……

而在当时,我是根本不曾想到,能写出这样功力深厚的西域历史小说的人,竟是一位从未到过中国,基本是"仰仗于正史材料"和"依赖于稗史材料"的日本作家写的。

我想起了去年秋天在新疆,在塔克拉玛干边缘的喀什市,听到的有关这位作家的感人事迹。

由于迎来了中日邦交正常化的光辉时代,井上靖作为日中文化交流协会常任顾问、日中文化交流协会会长,曾先后访问过中国十三次。他曾三次来到过塔里木盆地,深入过塔克拉玛干地区,游历了他自己小说中的舞台。有一次,他想去看看叶尔羌河(塔里木河的上游支流),不料,却遭到了当地政府的拒绝。当然,他们不是没有理由的。譬如他们担心叶尔羌河水流太急,交通不便,他又年迈体衰等。

然而,井上靖却不是一个好对付的老人,他苦苦纠缠了好几天,到最后,竟流着老泪,"扑通"一声,就要给当地政府的有关工作人员下跪:"求求你们,让我去吧,我写了一辈子的西域,一辈子的塔里木河,却从未真正见到过它。现在我好不容易来到了这里,来到了塔里木河畔,你们却不让我亲眼看看,我怎么能甘心啊!"

老人的如此挚情,深深打动了有关工作人员的心,他们终于想方设法,排除一切困难和障碍,满足了老人的夙愿。

难得一个外国人,能对中国的历史和古文化发生如此浓烈的兴趣,这不仅需要热情,而且需要气魄。由此我突然联想到,为什么西域在中国,而写西域历史小说的人,却在日本,却是日本作家(我国几乎没有一位作家写过这方面的小说)?是我国的作家少,还是质量不如人家?怎么就从未听说过,我国有哪位作家,却写日本的富士山和明治天皇呢?

还是那次在西行的途中,我遇到了一位叫沈勤的青年画家。他是有感于我国西域的画,都让一位叫平山的日本画家给包了,他憋不下这口气,才特意跑到大西北,发誓也要去生几个"大头儿子"回来的。那天也巧,我们谈话之时,收音机里正好在播送着日本作曲家喜多郎写的《丝绸之路》,沈勤气得一下子把收音机关掉,挥舞着拳头,大声地对我说:"好啊,井上靖在写,平山在画,喜多郎在作曲,西域全让日本人给包了,中国人死绝了!"

我完全可以理解青年画家的怨愤之情。他并不是真的在责怪日本朋友,他是真的在为我国缺乏这方面的人材而痛心疾首!

西行的最后一站,我拐到了南京。因为创作上的某些需要,我找到了南京大学历史系的博士研究生姚大力同志。

他基本属于我的同代人。虽只年长我几岁,但在知识和学问上,却超过我十万八千里。从这个不修边幅、文气十足的未来博士的口中,我又听到了一件不能平静的事情。

包括我国古代西域在内的整个中亚细亚地区,近年来发现了许多钵罗婆文字(古波斯文的一种)。在别的国家发现的这类文字,基本已由这些国家的考古人员研究破译出来了,而在我国发现的一些,却没有人能破译得出来。除了少量的聘请了有关国外的考古专家来认出了一些外,大量的,至今仍放在那里,无人问津。

在我国的国土上,发掘出来的文字,却要请外国人来认,这叫什么话嘛!

姚大力的话,在我的本来已经沸腾着的心中,又投下了一颗巨石……

啊!我国的作家、画家、艺术家和考古学家们,他们都在哪里呵?你们难道听不到大西北在对你们殷殷呼唤吗?你们难道看不到古西域艺术在向你们频频招手吗?你们都躲到哪个鬼旮旯去了?你们怎么那么能沉得住气,你们还有点文化良知和民族情感么!坐等外国人来研究我们的历史,我们的艺术?

哦,我们古老的五千年文明古国,我们灿烂的大汉、大唐的太阳!——难道你真的沉沦了吗?

不,太阳的暂时沉沦,是为了蕴育另一个更加辉煌无比的白昼。我们伟大的"大唐太阳",也一定会复出东山,普照中华大地的!

到那时,我们的文学艺术,也会冲出国界,走向全世界的。我们的作家、艺术家,也会去写美索不达米亚和爱琴海沿岸的古文明的,也会去画圣索菲亚大教堂和巴黎圣母院的,也会去考察希腊国土上倒塌的墙垣和罗马帝国的古典文明的……

井上靖第三次从西域归来,曾专门写了一篇散文,发表在《人民日报》上。我虽忘了题目,却忘不了那结尾的最后一句:"我惬意地燃起了从西域归来的第一支烟……"

他老人家惬意了,我却窝下了心病。

写在空白的壁画上

我的目光像似凝固了，凝固在眼前一幅精美绝伦的"龟兹王礼佛图"的壁画上……

壁画上的龟兹王雍容潇洒，锦袍玉带，眉眼神情处处透着一片虔诚专注，正全心全意地在顶礼跪拜佛祖释迦牟尼。

这幅壁画不仅生动形象地反映了古代龟兹王拜佛的情形，而且艺术价值极高。它不是像通常那些壁画是画在涂白的泥壁上的，它是直接往泥壁上作画的。它既使用了有覆盖力的矿物颜料，也使用了透明的颜料。着色方法不但有平涂和烘染，而且有水分在底壁上晕散。这种具有独特风格的"湿画法"——也称凹凸画法，是古代龟兹艺术家的一种独创。

在离新疆库车县（古龟兹国的国都）六十多公里的克孜尔千佛洞中，像这样杰出的壁画洞窟共有二百三十六个，是我国也是世界上仅次于敦煌莫高窟的巨大壁画宝库。

这个宝库里的壁画，不仅包括佛像、菩萨、罗汉、天龙八部、佛本生故事，而且还有大量的民间俗画、山水花鸟、以及舞伎飞天……这些宏篇巨制，记录着大约从公元三世纪到公元十三世纪新疆地区的历史现实生活图景，它是我国石窟艺术开凿的首创，也是佛教及其有关艺术经由这里传往内地的见证。

……我的目光又凝固在另一幅排列有序的龟兹乐队的壁画

上。乐工们，有的弹琵琶，有的抱箜篌，有的打手鼓，有的吹唢呐……一个个鼓腮弄指，手舞足蹈，神态维妙维肖，令人看了不由大声称绝。这幅壁画，就是克孜尔千佛洞中著名的第三十八号洞窟——"音乐家之窟"。

突然，我的目光一下呆住了！我蓦地发现在壁画的中下部，在一大群乐工们当中，竟然有着一片空白的壁面！壁面秃里秃气的黄泥巴上，刀痕累累，豁豁牙牙，明显像是人工用刀和锯毫无心肝地剥落下来的。

由于出现了这样一块大煞风景的空白壁画，整个壁画面的和谐与美感一下子被破坏的消失殆尽，使人大有倒胃口和不胜遗憾之感。

我震怒了！在这神圣的艺术的宝窟中，哪个贼、强盗、无法无天的家伙斗胆干出这等丧心病狂、缺德带冒烟的事来？

在以后的一些日子里，当我又参观了新疆的一些其它千佛洞：如柏孜克里克、库木吐喇、森木塞姆——尤其是拜访了著名的敦煌莫高窟千佛洞后，我的愤怒达到了沸点！

我惊愕地发现，在所有的千佛洞中，几乎无一例外地都能找到这种空白的壁画——有的干脆连整个壁面都被洗劫一空。

从文管所同志的口中，从有关方面的书籍里，我终于找到了制造了这些空白壁画的罪魁祸首们来了。

黑名单上的第一个人当首推英国的斯坦因。这个被西方某些人推崇为所谓"光辉的东方学专家"的最大的"考古学上的贼"，仅在吐鲁番地区的柏孜克里克千佛洞附近就盗走了包括精美的壁画、雕塑在内的近一百箱文物，用五十峰骆驼运回去的。

其次是由范莱考克和戈伦维德尔所率领的四次法国考古远征队的掠夺。在这四次惨无人道的掠夺中，他们共剥走了完整与不全的六百二十幅壁画。特别是被他们剥走的大量的克孜尔千佛洞中的壁画，被史学家们认为是所有的中亚细亚艺术品中价值最高的一种。

美国人参加国际性的掠夺姗姗来迟。当英国人、德国人、法国人和日本人在我们西疆已闹得如火如荼之际，他们才派了华尔纳和詹恩前来试探自己的命运。可是，他们来得太晚了。先于他们而来的斯坦因、范莱考克这些大盗劫者们，已经扫尽了这里的一切，他们简直已无遗穗可拾。但就在这时，他们意外地发现了敦煌，发现了莫高窟，他们被洞窟中成千上万个优美的画像惊呆了！于是，他们立即发誓：要剥尽这里的一切而毫不动摇！他们使用了一种剥离壁画的特殊化学溶液，无情地剥下了十二幅八世纪最完好的壁画后，连同一尊最精美的唐代彩色塑像一并运回了美国哈佛大学。由于他们带回的艺术品别致新颖，又具有很高的艺术性，为世所仅见，哈佛大学小小的福格博物馆顿时身价百倍，赫然出现在东方学术成就的地图上……

够了！尽管黑名单上还有一长串无耻的名字，但我相信，每一个中国人对此都不会感兴趣的，他们关心的只是被这些不顾一切牺牲，用尽全力和手段一再盗运壁画的一小撮考古"英雄们"（也可以叫做恶棍）所盗去的壁画，如今都放在什么地方，有着怎样的命运？

说来实在令人痛心。这些不幸的壁画，今天至少分散在十五个以上不同国家的博物馆和文化机构里，其中相当一部分由于不加注意或缺乏经费已糟蹋得不像样子。尤其是德国人四次远征掠去的那些壁画，仅在第二次世界大战中的七个令人恐怖的夜晚，就被盟国的轰炸机摧毁了一半以上……

　　抚摸着那些伤痕斑斑的空白壁画，我的不可遏止的怒火渐渐被一种莫可言状的耻辱所取代。这耻辱是那样强烈地压迫着我的中枢神经，我不禁感到自己的灵与肉都有着一种深重的负荷……我索性让自己靠在那空白的壁画上，放任思想的驰骋，以减轻些许胸中的压抑和凝重。

　　首先，我想到，为什么那些遥远的盗劫者能那么肆无忌惮地在我国领地内胡作非为？为什么中国会允许别人来拿去属于自己的珍宝？为什么我国古代各族卓越的无名艺术大师们，能在那种异常艰苦的环境下，"仰卧执笔画窟顶、弯腰匍匐绘墙脚"，创造出了名满天下的西域艺术，而我们这些后代子孙却没有能力保护好它……

　　我的头炸裂一般地疼痛……我联想起了那个外国盗贼蜂拥而来、群魔乱舞的整个十九世纪——那是中国历史上的一个最黑暗、最蒙受欺辱的世纪：列强争霸，中原多故，清王朝处于风雨飘摇，根本无力顾暇经营西域……这一特定因素，当然是那些外国盗劫者敢于明火执仗地行强盗之能事的主要原因——人善被人欺，国弱被人欺，这是千古真理！

　　可惜有些真理至今却不易被人接受。按说，距离那个"黑暗世纪"已过去一百多年了，既然今天的中国人一般地已不再重提往事，重记老账了，那么作为当年被劫走的那些壁画和塑像，也应该"完璧归赵"，还给它们真正合法的主人了。然而，事实却并非如此……明明西域艺术产生在中国，西域艺术的珍品却散落在世界各地；明明敦煌在中国，敦煌学的研究却在国外，这对每一个中国人的民族自尊心，怎不是一个严重的损伤呵！

"往事依稀浑如梦，都随风雨到心头。"……

徘徊在那些空白的壁画下，我不禁浮想联翩，如果它们能够在洞窟里再晚上哪怕一个世纪，也许它们就会安然无恙地永存在那里——既然它们已经在一千多年漫长的时间里经历了战争、地震和异教徒的破坏而幸存了下来，那么新中国的诞生，当更应恢复和保持它们的辉煌与壮丽。

需要再说的话似乎不多了。但我还有一个小小的疑虑：假设这些空白的壁画，当年没有被那些外国文化强盗"拯救"出去的话；假设它们今天确实存留在原来的地方的话；假设流散在国外的所有壁画及其它一些文物宝藏，真的都已归还了我国的话，我们是否有能力完全彻底地将它们继续保存下来，以流传给子孙万代……

鸣沙山下，渭干河畔，赛其姆峡谷中，那千万座石窟壁画上的空白，将永远留给中国人民以耻辱和惨痛的记忆！

张抗抗

沙 之 聚

千里河西、十日垅上之行的最后一站——敦煌。

去敦煌不全是为了莫高窟。我明白,却不能说。其实你心里惦念了很久的,是茫茫大漠中那座神奇的鸣沙山。

人说在清朗干爽的风天,傍晚时分,在山脚下能听见沙子呜呜的鸣响。伴着月牙泉汩汩的水声,这鸣沙山就是沙漠中的音乐之城。

血红的夕阳隐去山后,天空纯金一般烁亮。鸣沙山从尘埃中静静显露，眼前是一片浑沌的金黄。天低了地窄了原野消失大海沉没，惟有这座凝固的沙山，如同宇宙洪荒时代的巨型雕塑，矗立于塔什拉玛干沙漠的起点或是尽头。

也许最初的创造只是出于一场无意的游戏。千古寂寞，朔风把大山和岩石揉成沙砾；然后又把白灼的细沙重新捏成一座山岩——当鸣沙山成为鸣沙山之时，它已是一群雄健而威武的西北汉子，壮硕的脸膛上刻着重重深邃而峻峭的线条。延绵的山脊如一道锋利的刀刃，挎于腰间、举过头顶。曾在梦里见过许多回的鸣沙山，在这一刻却忽然变得不那么真实——曾有过千姿百态的想象，可就是没想到，一座沙子聚成的山，居然能聚得如此坚实如此刚硬如此有棱有角如此轮廓分明。

那沙子是如何一粒粒汇拢堆积聚合又浑然一体地升高壮大的呢？

我读不懂鸣沙山。

脱去鞋袜，光脚走上沙丘。沙极细且柔软，有一种温热的暖意，从脚跟缓缓浮起。沿着山脊上坡，瘦削的山顶如地平线在远天呼唤。沙中的脚窝很深，却不必担心会陷落，沙窝似有弹性，席梦思般的托着，起起伏伏，沉沉浮浮，跳着即兴而随意的舞蹈，在自己身后扔下一长串荡逸的脚印，是沙漠之舟……

忽然恍悟，沙山原来还很温柔。

沙山的温情别有一种表达的方式。天下也许再不会有比鸣沙山更坦率的山了——它从来没有外衣没有包装，没有树林没有青苔，只有金沙连着银沙，一无遮拦地铺陈开去，裸露的身体无需任何一点覆盖，从从容容地展示着它优美的体态和曲线。坦坦荡荡、清清白白，冷峻中含着几分柔韧，野性中尚有几分羞怯，从春到冬，永远敞着胸怀，呵护着来往西域的路人。

我惊异我惶惑。我读不懂鸣沙山的性别。

夕阳已完全沉落。月亮从大漠尽头悄悄升起，沉浸在月色中的沙山，如海上漂流的冰峰，烟笼雾绕，白璧无瑕。沙峰之顶，更如仙山琼阁，难以企及。回望身后，沙坡笔陡如削，四壁悬空，果然有降落伞的旅游服务，可在山坡上逆风一跃，降落到海绵般的沙谷中去。还有用木头和竹片做成的滑板，人坐在上面，可以从沙坡上出溜溜地滑下来。如出弦之箭，只要几秒钟时间就滑到了山下。

只见每个游客滑到山脚，都削下一层沙子，裹下一层沙子。

人，生性也许是喜欢玩沙的罢，那是一个童年的游戏。也是人生最后的归宿。

于是伙伴们都索性纵身跃入沙海，身体自是滑板，双手代桨，一个个挂在陡峭的沙坡上，前前后后只见憧憧的人影晃动，像一座座移动的沙丘。

月色迷茫，星星深远。亘古大漠，冷峻寂然。有凄凉的风，从沙底一丝丝透出来。那个时刻，我相信永恒。

前来膜拜沙山的人，几乎每个人都要从沙山上带走些许沙子，沙子藏在鞋里衣里头发里，带到山下、带回他来的那个地方。可是，为什么，这鸣沙山竟然未被络绎不绝的游人踩塌？它一日日依然如故，巍然耸立，每日里流失的沙子，为什么竟没有使它低矮下去呢？

我仍然读不懂鸣沙山。

有人说，当第二天太阳升起来的时候，游人留在鸣沙山上那一行行凌乱的脚印，就会消失得无影无踪。鸣沙山重又恢复了原状——杳无人迹的雪峰、缎子般的金沙滩。舒缓而坦然，没有一丝波纹和皱褶。

是月牙泉的女神，在黑夜里辛劳而奇巧的创作么？

是沙漠里的精灵，不厌其烦的一个游戏么？

也许是来去无踪的风。是风之手，在人们歇息之时，抚平了沙山的每一道印痕；又将沙子驱赶回它们原来的位置，将它们重新凝聚、重新整合、重新磨砺。每日每日，风都在这样不知疲倦地完成着它手中不朽的雕塑。

所以鸣沙山每天都是新的。

人们难以察觉风的工作。人们不会知道，沙子也是可以塑造的。不是用强力粘合剂、不是用万能胶、更不是用强于"沙"的水泥；而就是用这无形无状无色无味的风。当人们发现风儿揉捏了修复了再造了沙山时，风，已飘然而去。

于是你再次仰视再次攀临鸣沙山，你会觉得在这西域的吉祥宝地，风，就成为聚合物的一种精神、一种力量。它来去随缘、挥洒自如，从不刻意而为，却能移山搬山，还能潇洒地在沙山上拨响它的琴弦。

沙之聚，有自由的风之手。那么人心呢？人心之聚，更求八面来风；若是一盘散沙，解铃还须系铃人——风聚沙，便是一个顺其自然、循序渐变的演进之途。想必是，当风渗透了沙子的心，风的需要成为沙子的需要时，沙子就自己走动起来、舞蹈起来，最后完成它的屹立。

声声驼铃，在大漠上叮咚远去。鸣沙山，却无言。

海　市

　　穿越戈壁滩时，你会忽然觉得，世界原来竟是如此单纯。

　　天很蓝。蓝得像海，一无杂质。悠悠白云飘来，丝丝缕缕地绕在头顶，天幕有如巨幅浮雕。

　　地很平，一马平川。视线里弥漫着黄褐色的沙地，从车轮下一直通向地球的尽头。眼里除了黄沙还是黄沙。粗糙的沙滩散落着碎石般的沙砾、精细的沙丘上，刻着一圈圈年轮般的波纹；日月凝聚而成的沙岗，如长堤般延绵伸展；路边掠过废弃的村落，断墙残垣仍是一片触目惊心的灰黄……

　　偶尔有远远的山，卧龙似地盘蜒着。如黑黢黢的树根纠集、缠绕在一起。皱褶却整齐而光滑，透着西北的苍劲。峰顶的积雪分外鲜明，蓝莹莹地闪烁，像一双双苍茫而忧郁的眼睛。

　　旋风突然就出现了。风夹裹着黄沙，构成了风的形状，像一只只倒扣的金钟，呈 U 字形，底部紧贴着戈壁滩，任意地旋转舞蹈着。那是一页奇妙的图景，大漠上凝固的黄色成为一块巨大的底版，与游曳的黄色旋风浑然一体。镂空的风柱又似一支急促的喷泉，安慰着沙漠里的行人。

　　再没有更多的颜色了。戈壁只有单纯得近于单调的金黄。当然，还有白灼的阳光，令戈壁越发地一览无余。

在长久单调的旅途中，假如眼前忽而掠过了几丛稀稀拉拉的骆驼草，那样短暂而可怜的一点绿色，也会给人带来莫大的惊喜。针叶状的骆驼草总是自顾自一丛丛生长着，周围聚起一个个小沙堆，略略地高出沙地，远看就像是一座座小小的绿岛，淹没在无边无际的沙海之中。

　　却没有一棵绿树。

　　出凉州、经张掖、过酒泉，漫漫长途，古城的绿洲与绿洲之间，没有河、没有泉、也没有井。

　　黄沙古道，掩埋了多少流放者饥渴的白骨和焦灼的灵魂。

　　真的没有绿树也没有河流么？苍天在上，谁能拯救这荒茫死寂的戈壁？

　　昏沉沉的困倦中我睁开眼。如闪电掠过黑夜，我的眼睛为之一亮——亦或是海，灰蓝色的水波漾溢着，弥漫着，悬浮于沙洲之上，宁静而安谧。水上横一道长长的湖堤，堤上有树，清晰而精致的树影，一棵棵生动地排列着，像故乡西湖十景之一的苏堤春晓。更奇妙的是，水面上还映着绿树的倒影，水墨画一般，朦胧得柔美。在沙漠的骄阳和干旱中，那水，想必是清凉又甘甜的。

　　那一定是个好去处了，我问。那是个什么地方呢？

　　是海市。司机回答。

　　海——市？这真的就是海市？怎么就和真的景致一模一样啊？

　　车上的人都醒了，迷迷糊糊的，都来看这海市。

　　再是睁大了眼，也看不出这实际上虚无飘渺的海市，同实实在在的风景，有什么区别。虽然远在天边，那水中的倒影，却是明明白白的呵。

有点儿怀疑自己的眼睛,也怀疑司机漫不经心的介绍。就只差停车下车,自己徒步大漠,直奔那远处的湖岸,去看个究竟了。

——嗨,你去吧,没等你找着那个地方,你就在沙漠里渴死累死了。司机显得有些幸灾乐祸。千百年来,有多少人被它骗了,都以为那是真的,奔着那水去,奔着那好风景。可你走它也走,越走越远,一辈子也走不到头……

脑子里忽然涌出许许多多关于海市蜃楼的传说。

……焦渴的找水人,怀着虔诚和崇敬之情,流尽了最后一滴汗、耗完了最后一滴血,倒毙在沙漠里。也许临死时,还在期待着他那一个可望而不可及的梦幻和理想,会如奇迹般出现……

再看海市,那清清的湖、静静的树、分明露着一副狡诈和虚伪的微笑。

可为什么,曾有人会以生命相托,祭祀这本来虚无而渺茫的幻影呢?

连同我在内。

如不是亲见,我也不相信如此美丽诱人的海市,会是一个骗局。

然而,海市没有罪过。海市因沙漠的气流和折光而现,海市本无意。

而人,辛劳饥渴、疲于奔命的赶路人,孤身于茫茫戈壁、漫漫大漠之中,寻求一处绿树环抱的甘泉,是苦难的旅程中,灵魂最后的庇护地和温柔之乡的梦。人依赖于心造的幻影,苦捱岁月,为自己的精神天国付着高昂的代价。人迷恋海市,人也没有罪过。

但如果是一些备足了水的人，为另一些缺水的人，刻意造出一个人为的海市来呢？造出一个连他自己也并不相信，更不会以真情和生命去抵押的神话。那人造的海市，便是一种真正的罪孽了。

海市是一个陷阱。误入其中的猎物就成为海市下一个猎物的诱饵。

尽管海市的谎言早已被人戳穿了很久，却仍然还有饥不择食、自欺欺人的后来者，走进那没有坐标的戈壁滩，在无水的沙海中迷失自己。

车窗外，遥远的海市依然烟波浩淼、树影幢幢，美得充满诱惑。

车迎着那片海市而行。海市始终浮游在沙漠的尽头，在我前行的左侧，固执地不肯离去，不可摆脱。

有一阵寒颤从心头掠过，不敢再看海市一眼。

那时候我只剩下一个愿望：我只想快快走完这片苍凉的不毛之地。

临近中午，阳光越发炽烈，金色的戈壁像要燃烧起来。

抵达安西城时，天空忽然飘来几片黑云，一阵凉气袭过，豆大的雨点落下，干燥的地面扬起一层白粉，雨却顷刻无踪无影。旋即，清朗而广袤的天穹之下，横空划出一道巨大的七色彩虹，勾勒出一片绚丽的辉煌。

司机说，你们的运气不错呵，戈壁滩上的旋风、海市、彩虹、丝路花雨，都看见了。我走那么多次，也不是回回都有的啊。

我心里却觉着一种莫名的酸楚。我只想快快地往前走，快些到达前面那片真正的绿洲。没有狰狞的旋风、没有虚幻的海市、没有稍纵即逝的彩虹,却有冒着炊烟的房屋、欢乐的人群、油绿的青稞麦和丰收的田野……

　　戈壁是单纯的,在这片单纯得近于单调的黄色世界里,美丽的海市和斑斓的飞虹就成为沙漠的调色板,成为旅人一个虚妄的希望。可惜它们并不真正存在,当彩虹悄然隐去、海市无声消失的时候,人们仍然只能依靠自己的双脚走出戈壁,去寻找活水和黑土,寻找蔚蓝色的大海和坚实的船帆。

　　我多想筑一条引水的渠呵,然后,在路边种上一排排树苗。

　　那是一种看得见、摸得着的绿色。浇灌、浸润着绿叶的水,就在树根下流淌。

贾平凹

走 三 边

往陕北远行,三千里路,云升云降,月圆月缺,旅途是辛苦的。过了金锁关,山便显得愈小,羊便见的更多,风头一日比似一日强硬,一日比似一日的思亲情绪全然涌上心头了。当黄昏里,一个人独独地走在沟壑梁上,东来西往的风扯锯般地吹,当月在中天,只身儿卧在小店床上听柴扉外蛐蛐儿忽鸣忽噤,便要翻那本边塞古诗,以为知音,是体会得最深最深的了。但我仍继续北上;三边,这是个多么逗人情思的神秘的地方啊。我知道，愈是好地方，愈是不容易去得，愈是去的人少了，愈值得去一趟呢。

穿过延安，车进入榆林地区，两天里，在沟底里钻，七拐八拐的，光看见那黄天冷漠，黄原发呆，车像是一只小爬虫儿，似乎永远也不可能钻出这黄的颜色了。第三天，偶尔看见山头上有了树，是绿的，或者是黄的，或者是红的，高高的衬在云天，像天地间突然涌出了一轮太阳，像战地上蓦地打起了一发信号弹，猜想水土异地，三边该是到了，但车又走了半天，还不肯停。杨树倒是多起来，陕南的杨树长在河边，这里的杨树却高高在上，这便称奇。九月天里，树叶全都泛黄，黄得又不纯，透了红的，属黄红，透了绿的，属黄绿，天生的颜色，天工的浓淡，这又是奇了。且那山的幅度明显大起来，沟却深极深极，三两步的宽窄，一直二十丈三十丈地下去，底里就是一指宽的水条子，亮亮的。路边偶尔就有人家了，独户一院，三户一簇，前墙单薄，山墙单薄，顶上微斜，不砖不瓦，用泥抹了，活脱脱一个个放大的火柴匣子呢。路边的土壁，用锨头一下下挖成，表面再凿成鱼鳞的纹，人字形的纹，全然发黑，纹里生苔，千年万年而不倒了。有村子就有饭店，除了羊肉还是羊肉，常瞧见有人捧着一个煮熟的羊头，啃得嘴上是油，脸上是油。老头子的，披了羊皮袄袄，摇摇晃晃，提一副羊肠子，沿沟畔下到河边去洗，三四丈长的下水玩意儿在胳膊上像框线一样打着结。五只六只的肥狗竟无聊得围了车子撒欢，汪汪叫，四山一片空音。

三边还没到吗？山头变得更小了，也更矮了，末了就缓缓平伏了，像瘫了软了下去。几天几夜的山的压抑，使人几乎缩小了许多，猛一出山，车在路上快得蹦跶，人在车上也乐得蹦趿，但很快风大起来，沾身就起一层鸡皮疙瘩。这是个什么地方呢？这么开阔，天看不到边，地看不到沿，一满黄沙；这儿，那儿，起落着无数的小洼小包，可以说是哗啦铺下的一张大毯，并未实确，似乎往包上踩踩，包就下去，洼就起来了。草很少，树更没有，天和地是一个颜色，并行向前延伸着是两张粘合的胶布，车的行驶才将它们分开。路端端的，却软得厉害，风一过，就窜一条尘烟，远远看去，如燃起了一条长长的导火索。只是风沙旋转着往车上打，关了车窗，仍听见沙石在玻璃上叮叮咣咣价响。

　　到了定边，天已擦黑，城外三里，便进了绿的世界，要不是赶驴人提醒，谁能想到这不是树林子而是县城呢？于是得知，在这三边，有一丛树，便有一户人家，有一片树，便是一个村庄，有一座树林，就该是镇子或者县城了：原来天和地平行，树和人同长，这便是三边的特点了。林子里的路，已铺了柏油，无风无沙，落叶满地，在路边的沙窝子里积着堆儿，扫柴人一抓一把，动作犹如舞蹈。两边渐渐有了屋舍，虽也是火柴匣子的形状，但毕竟清洁可爱，门窗直对屋顶，更为讲究，格棂漆蓝，贴纸黄、红、绿、白，上有窗花，飞禽走兽，花鸟虫鱼，千姿百态；窗子是房子的眼，透眼一看，主人的家景，主人的心境便楚楚了然了。街道出奇的宽，家家院落大能作球场，这使善于拥挤的大城市的人如何不能想象，假设有盲人来到这里，用不着探路棍儿，也不会撞了壁的。从街面往每一条巷道望去，青瓦瓦一色，再一留神，才发现全县城每一块地面，沙土全不裸露，一律被青砖铺了。正是这些有根系之树，这些有重量之砖，才在沙原上镇守住了这个县城吗？街上路灯已亮，人走动得极多，几天来很少见到人影，原来人都集中到这儿了吧。男人差不多都戴了卫生帽,脸是黑的,帽是白的,黑白反衬;女人却全束着长发,瘦脸光洁,发是黑的,脸是白的,也是黑白反衬,似乎这里一切都十分安逸、平静。外地人一来,立即就被所有人发觉了,她们全要妩媚而大胆地瞅着,在灯影下指指点点地议论,你刚一注意,便噘了口舌,才一掉头,就又戛然大笑。茫茫边塞,漠漠沙原,竟有这么个城,城里有城墙,有门洞,有钟楼,有鼓楼,城里的人又水色,又风雅,爽而不野,媚而不俗,一时使外人如进了天上仙地,温柔之乡,竟忘了去投宿,也不卸行囊,便沿街乐而漫游了。

　　走到十字街心,人头攒涌,路塞而不能前行,原来一家戏院正散了戏,问声:"什么戏?"答曰:"秦腔。"一句秦腔,倍感亲切,一时大梦初醒,才知这里并非异地,走来走去,还在陕西。我有一癖性,大凡到了一地,总喜欢听听本地戏文,因为本地方戏剧最易于表现当地风土人情。但听听别的戏文,仅仅是了解罢了,秦腔却使我立即缩短了陌地陌人的距离。便当街立着,与他人攀谈,三边人竟男音雄而有禅,女音秀而有骨,三言两语,熟若知己。说话间,见无数只狗沿街窜钻,吓得不敢走动,旁有解释说:这里家家养狗,体肥性凶,但一般却不伤人;晚上主人看戏,狗尾随而来,故街上到处可见了。

　　我先到西南郊的白于山区去,河流下切的河槽上,陡屋上,沙岩露出,这便是整个三边出石头的地方了。除此以外,到处是黄土、黄土,除了黄土还是黄土。站在沟壑处,便见山峰连续,站在坡上,却原来一切都被洪水切裂了,一眼望去,浑圆的丘峰,混混的、沌沌的,重叠交错。千沟万壑又显得支离破碎,分割成一小块一小块的地面,这便是有了涧、川、塬、梁、峁、岔、坪、台吗?正是这残存的塬、台、梁上,高梁火红，糜子金黄。此时正逢收获，可惜这里不比关中平原，庄稼茂密如森林，农民而是跑着收割，收一把，夹在肘下，跑一垄，肘下夹一捆，广种薄收，偌大一块地，末了在地中只堆起五堆六堆，这便是好年景了呢。再往南走，那山更有了特点，多是土山戴沙，其气脉从沙迹而来，势颇平缓，亦有负石而出的，其势则峻急了。但那石头已不是坚硬的青色，而是赤褐，脚踢便松散，像未烧熟的砖坯。那人家就沿沟而居，掏室穴处，或在石崖、河底凿出石板架屋代瓦。衣裤穿那羊皮，烧柴山上砍蒿，饮水却到崖畔上去，那里是一个一个小窟，小如灯盏一般，水自盏出，渊渊声如鼓，水虽不大，聚潭清澈可见底，味甘纯如露，最宜于烹茶，冬饮能暖肚，夏喝而祛暑。更有趣的是山壁上多有打儿窝：窝小小的，高高在上，立崖下往上丢石，石进之求子辄应。我在那里住了一夜，主人十分好客，做了荞面疙墩，熬了羊肉腥汤，彻夜一家老少盘脚坐炕，喝酒儿，唱曲儿。天明要走，特去那打儿窝丢石，可连丢五次未中，主人倒很难堪，不住替我安慰，我虽求儿不至，但以此而乐，已是十二分的满足了。告别主人回返，行至十里，正是腹饥口渴，忽听哪儿有唢呐，声声远韵。循声寻去，沟洼有了人家娶亲，新人正拜堂，院中十二支唢呐吹天吹地。见我路过，一哇声喊着，邀到上席，说是省城客人，正好添喜，于是主人敬酒，新郎敬酒，新娘敬酒，每敬必三杯，杯杯底干。

走了丘壑地，又上牧草滩。这里比不得前日的艰辛，一马平川，便租得自行车，终日走乡穿村落得自在。早上，草原日出，比海上日出更为可观，直奔红日驶去，偶一侧头，便见蜿蜒长城，长城那边沙丘连绵，免不了感叹：难得一道长城，昔日挡敌寇，今日拒风沙。间或还会遇见一些河流的，但都可怜见的,流程短,又愈流愈小,末了就积水于穴洼,不涸者为湖,涸了的为坑。车上稍走个神儿,就骑进草里,车倒了,人也倒了,软软的不疼。站起来,草没了膝盖,远远看着有了羊群,白云似地飘,却忽然不见了,等到风起,草木倒伏,那羊群又复出现。羊是百十头,头羊领着,时而散开,时而集中。我觉得好玩,便去捉那长角头羊耍玩,只说羊是世上最温顺的动物,没想竟发怒起来,直向我牴。牧童叫要就地睡倒,我照办了,那头羊倒以为我已死,便昂首得意而去。问牧童:这里的羊这么凶恶?他冲我一笑,只是领我又走了一段,遇见另一群羊,一声吃喝,两群羊就肃然对阵,头羊出场,怒目而视,良久,几乎同时各自后退十多米远,猛地冲去,砰,两头相撞,角也折了,皮也破了,仍争斗不已。我不禁胆战心惊,庆幸刚才装死,要不哪是羊的对手呢?这么得了教训,再遇见羊,不敢妄动。但有一日,又看见好大两群羊在那里啃草,却无论不见牧羊人。正要呼叫,远远飘来嘻嘻笑声,左右看时,前边的一丛沙柳,无风而摇得厉害,便见有了两个人影,一个蓝衣,一个红衣,相依相偎。我知道这是一对恋人了,爱情最忌外人,就悄然退走,走出二里地,终忍不住回头一望,那少男少女已经分开,各站在白云似的羊群中,招手对笑,接着就对唱起来了:

> 大红果果剥皮皮,
> 大家都说我和你,
> 其实咱们没有那回事,
> 好人耽了个赖名誉。

道是无情却有情；爱情是这么热烈，又是这么纯朴。遥想那大城市中的公园，一张石凳紧坐三对恋人，话不敢高说，笑不敢放纵，那情、那景，如何有这里的浪漫情趣呢？我一时激动，使劲蹬动车子，骑到了莽草中的一个平坝子上，坝子上草是浅了，但绿却来得嫩，花也开得艳，实在是一个天然的大足球场，又想起大城市为了办足球场，移土填面，松地植草，原来是么么地可怜而可笑了。越想越乐，车如奔马，似乎觉得自行车前轮如日，后轮如月，威威乎、当当乎，该是世上见识最广、气派最大的人物了。

但是，乐极生悲，天近黄昏，竟迷了方向，又一时风声大作，草木皆伏，我大声呼喊，嘴一张，风便灌满，喊声连自己也听不到。惊恐之际，蓦地远处有了灯光，落魂失魄地赶去，果然有了人家。进去讨了吃喝，一打问，这里竟是盐场。盐场？我反复问了几句，主人讲，这里的盐场可大了，年产几十万吨，况且类似这么大的盐场，三边共有十多处，他们这一带人，人人会捞盐，每年二三月开捞，至八九月止，如今捞盐时令已过，他们就放牧，或是采甘草。说着，就送我一捆甘草，其茎粗，其根长，为我从未见过，嚼之，甜赛甘蔗。其中有一种叫铁心甘草的，全株竟是朱红，折之，质坚如木，也还有一种叫"大郎头"的，直径甚至达一寸五分，一株便一斤三两。这一夜真可谓乐极生悲，又否极泰来，虽然未能去看看那盐场，但得了甘草，又得了知识，美哉乐哉。天明要走，主人又杀了羔羊，这羔羊十四五斤，浑身雪白，顺着将毛儿用手一撮，四指不见头，吹吹，其毛根根九道曲弯。这就是中外有名的"二毛皮"了，此等皮毛，以往只听说过，至今见到，爱不释手，实想买得一张，又难以开口，但却开了口福，羔羊肉鲜美异常，大海碗的羊肉泡馍馍，一连吃过三碗，生日忘了，命儿忘了，心想神仙日子，也莫过如此了。

在安边呆了几日，就新结识了几位伙伴，他们视我如兄弟，主动提出作我的向导，要往北边沙漠里去走走。"一定要去看看，那又是另一个世界呢！"兴趣撩拨，就三人越过了长城，徒步北行。沙地上行走委实更艰难了，太阳曝热，阳光反射在地上，白花花的，直刺得眼睛发疼。脚下越走越沉，正应了走一步退半步之说，立时浑身就汗水淋淋。沙丘皆是东西座向，带状排列，望之如海中浪涛，其波峰波谷，起起伏伏，似有了节奏。每一沙渍，低者三米，高者八米十米不限，沙细如面，掬之便从指缝流漏。沙丘过去，又是成片的盐碱地，树木是不长的，只可怜巴巴生些盐蒿。一棵蒿守住一抔土，渐渐便成了一个小包，均匀得像种的蔬菜。再往后却又是沙丘，但已经植了树：沙柳、红柳、小叶杨、沙枣。生态竟是这么平衡：沙盖了盐碱，树又守住了流沙。

再往沙地深处去，已不知走了多少里，树林子便越发密了。叶子全金黄了，透过金黄色过去，便看见里边又是白亮亮的沙丘。谁知刚刚走了二十分钟，前边竟是一个不大不小的湖！伙伴们才哄的笑了，笑的诡谲，也笑得得意。便去拣柴舀水，做起野餐来。我兀自到湖边去看，湖水没源无口，我不知这沙地里水是从哪儿来的，又怎么没在沙中漏掉?！掬一口尝尝，甘甜清凉，立时腋下津津生风。静观水面，就有了唼唼鱼声，但湖水绿得沉重，终未看见那鱼的模样。倏忽又有了啾啾鸟鸣，才醒悟这一整天来，还未见过鸟影，原来沙地的鸟全快活在水边树丛中了。忽然，那鸟惊起，满天撒了黑点，瞬间无影无踪，才是四只五只鹞子飞来，黑色影子一般地四处出击。

我不禁恨起这些鹞子了，怎么到什么地方，有良善，就必然要有了凶恶呢？一个人再往湖后沙丘上爬去，那里有几株沙枣，枣子成熟，用脚一蹬树，枣子就哗哗落下，并不红的，有沙一样的颜色，吃之，没汁，质如栗子，嚼嚼方酸味隐隐显有了。大多的沙丘已经被固定，圆墩墩的，压了道道沙柳，那沙纹便像女人头上的发罩，均匀地网着。

三天过后，我们又信步走到一个镇落里，这个镇落显得很大，有回民，有汉民，分两片屋舍：一处汉民，建筑分散中但有联络，一处回民，建筑对仗里却见变化。伙伴讲，再往北去不远，还有蒙民哩。汉回见得多了，蒙民还未见过，我便想改日往北边去，夜里在镇中小学借宿，和一老教师说起蒙民，那老教师原来在那北边干过事，给我一个手抄本，上有关于蒙俗的描叙，那上边记载多极，现在依稀记得这么一段：

> 三边地区蒙民，性刚强而心巧，专恃畜牧，羊只尚少，马牛最多。当地亦产盐，每三二人驱牛数头，鞍驮其盐，载布帐锅碗往来。昼意干粮，晚就道旁，有水草处卸鞍驮，撑帐支锅，取野薪自炊，其牛纵食原野，人披裘轮卧起，以犬护之，不花一钱。汉民亦效之。

读此书，方知三边地域竟是这么广大，民族竟是这么亲善，在远离省城，更远离京都的边塞，保持了这般宝地，令人有多么感慨啊！但是，就在我们动身去蒙民居住的区域的时候，意外又得到消息：这个镇子在两日之后，便是汉、回、蒙一年一度的盛大交易会，便只好暂时取消北上计划，只好将把蒙区访问作成千般儿万般儿美好的想象罢了。

交易会，其场面可谓之热闹，有北京王府井的拥挤，却比王府井更气势，有上海南京路的嘈杂，却比南京路更疯野。那一排一摆小吃，荞面拉条，豆面丢片，黄米干饭，羊肉粉汤，酸、辣、汪、煎，五味俱全，那菜市上一筐一车，二尺长的白菜，淡黄的萝卜，乌紫的土豆。半人高的青葱，六色尽有，那农具市上的铜的挂铃、铁的锨、钢的锹，叮、咣、铿、锵、七音齐响。还有那骡马市上，千头万头高脚牲口，黄乎乎、黑压压偌大一片，蒙民在这里最为荣耀，骡马全头戴红缨，脖系铃铛，背披红毡，人声喧嚣，骡马鸣叫，气浪浮动得几里外便可听见。在羊肉市上，近乎一里长的木架上，羊肉整条挂着。更有买卖活羊的，卖主用两只腿夹住羊头，大声与买主议价。汉、回、蒙民都似乎极富有，买肉就买整条，买果就买整筐。末了就都涌进那菜馆酒馆，大块吃肉，大碗喝酒，直要闹到月上中天方散。第二天坐车要离开，车已开动，有几个蒙民却挡住了车头，要我下来，我不知何事，倒吓了一跳。他们竟是从怀中掏出一瓶"西凤"，他们不服，特赶来要我喝。我哈哈一笑，感其豪爽，当场喝下两口，他们叫好，称我"朋友"，几番握手，互留地址，方放车通行。

　　半个月匆匆过去了，临走前两天，正好是阴历八月十五，夜里在长城根下一个村子吃了月饼、香梨，喝了花茶、葡萄酒，看了一阵房东大娘剪的窗花，兴致还未尽，便同房东小儿子一起登长城望高，月光下，沙海泛亮，草原迷丽，高高低低的长城，从脚下一头伸向天的东头，一头伸向天的西头，这伟大的建筑，从远古的时候，一坐落在这里，沙再没有埋住，风再没有刮走，它给了沙漠之骨，沙漠也给了它雄壮。如今烽火台没有了狼烟传递，但每一座台下，都住了人家，牛羊互往，亲戚走动；生者，在这沙漠上添着活气；死了，隆起沙堆，又生起一堆绿色。一道长城，是连接千家万户的一条线，流动着不屈不挠的生命和新型的人与人关系的情感。玩到天明，晨曦里看见天地相接的地方，柳树林子长得好茂，那树都是树干粗壮，一人多高，就截了顶，聚出密密的嫩枝，枝形呈圆，叶子全红了，像无数偌大的灯笼高高举着，似乎这天之光明，完全是这些灯笼照耀的。树林子前面，端端一柱白烟长上来了，走近去，是放蜂人燃的。这里还能放蜂，犹如春天里一个童话！相坐攀谈，放蜂人来自江南，年年都来，来数月方去。他说，外人以为三边无色无香，其实那是错了。"你瞧，绿的沙柳，红的盐蒿，粉的牛儿草，白的盐，黄的沙，这三边的土地是最有五颜六色，是最有香有甜的。"尝尝那蜜，果然上品，荔枝蜜没有它香醇，槐花蜜没有它味长。

　　告辞了放蜂人，突然之间，几天来混混沌沌的思想，沉淀的沉淀了，清亮的清亮了，一时觉得有角度来做我的文章了。往回边走边构思，眼光偏又盯住了一片一片不知名的荆棘，开着丸子一般大的白绒花团，顺枝而上的，如挂纸钱串，就地而生的，又如围起的花环。哦，我明白了，这类花的开放，是对三边荒凉的送葬吗？是对三边的富有和美丽的礼赞吗？天黑回到村子，房东已为我准备好了送别酒菜，菜饱酒足，席上拉起了二胡。二胡的清韵，又勾起了我思亲的幽情，仰望在上明月，不知今夜亲人们如何思念着我，可他们哪会知道今夕我在这里是这么欢乐啊！一时情起，书下一信，告诉说："明日我又要继续往北而去，只盼望什么时候了，我要和我的亲人，更多的朋友能一块再走走三边，那该又是何等美事呢。"

秦　腔

　　山川不同，便风俗区别，风俗区别，便戏剧存异；普天之下人不同貌，剧不同腔，京、豫、晋、越、黄梅、二簧、四川高腔、几十种品类，或问：历史最悠久者，文武最正经者，是非最汹汹者？曰：秦腔也。正如长处和短处一样突出便见其风格，对待秦腔，爱者便爱得要死，恶者便恶得要命。外地人——尤其是自夸于长江流域的纤秀之士——最害怕秦腔的震撼；评论说得婉转的是：唱得有劲，说得直率的是：大喊大叫。于是，便有柔弱女子，常在戏台下以绒堵耳，又或在平日教训某人：你要不怎么怎么样，今晚让你去看秦腔！秦腔成了惩罚的代名词。所以，别的剧种可以各省走动，唯秦腔则如秦人一样，死不离窝；严重的乡土观念，也使其离不了窝：可能还在西北几个地方变腔走调的有些市场，却绝对冲不出往东南而去的潼关呢。

　　但是，几百年来，秦腔却没有被淘汰，被沉沦，这使多少人在大惑而不得其解。其解是有的，就在陕西这块土地上。如果是一个南方人，坐车轰轰隆隆往北走，渡过黄河，进入西岸，八百里秦川大地，原来竟是：一抹黄褐的平原；辽阔的地平线上，一处一处用木椽夹打成一尺多宽墙的土屋，粗笨而庄重；冲天而起的白杨，苦楝，紫槐，枝干粗壮如桶，叶却小似铜钱，迎风正反翻覆……你立即就会明白了：这里的地理构造竟与秦腔的旋律惟妙惟肖的一统！再去接触一下秦人吧，活脱脱的一群秦始皇兵马俑的复出：高个，浓眉，眼和眼间隔略远，手和脚一样粗大，上身又稍稍见长于下身。当他们背着沉重的三角形状的犁铧，赶着山包一样团块组合式的秦川公牛，端着脑袋般大小的耀州瓷碗，蹲在立的卧的石碌子碡碡上吃着牛肉泡馍，你不禁又要改变起世界观了：啊，这是块多么空旷而实在的土地，在这块土地挖爬滚打的人群是多么"二愣"的民众！那晚霞烧起的黄昏里，落日在地平线上欲去不去的痛苦的妊娠，五里一村，十里一镇，高音喇叭里传播的秦腔互相交织，冲撞，这秦腔原来是秦川的天籁，地籁，人籁的共鸣啊！于此，你不渐渐感觉到了南方戏剧的秀而无骨吗？不深深的懂得秦腔为什么形成和存在而占却时间、空间的位置吗？

八百里秦川，以西安为界，咸阳，兴平，武功，周至，凤翔，长武，岐山，宝鸡，两个专区几十个县为西府，三原，泾阳，高陵，户县，合阳，大荔，韩城，白水，一个专区十几个县为东府。秦腔，就源于西府。在西府，民性敦厚，说话多用去声，一律咬字沉重，对话如吵架一样，哭丧又一呼三叹。呼喊远人更是特殊：前声拖十二分地长，末了方极快地道出内容。声韵的发展，使会远道喊人的人都从此有了唱秦腔的天才。老一辈的能唱，小一辈的能唱，男的能唱，女的能唱；唱秦腔成了做人最体面的事，任何一个乡下男女，只有唱秦腔，才有出人头地的可能，大凡有出息的，是个人才的，哪一个何曾未登过台。起码不能吼一阵乱弹呢？！

农民是世上最劳苦的人，尤其是在这块平原上，生时落草在黄土炕上，死了被埋在黄土堆下；秦腔是他们大苦中的大乐,当老牛木犁疙瘩绳,在田野已经累得筋疲力尽,立在犁沟里大喊大叫来一段秦腔,那心胸肺腑,关关节节的困乏便一尽儿涤荡净了。秦腔与他们,要和"西凤"白酒,长线辣子,大叶卷烟,牛肉泡馍一样成为生命的五大要素。若与那些年长的农民聊起来,他们想象的伟大的共产主义生活,首先便是这五大要素。他们有的是吃不完的粮食,他们缺的是高超的艺术享受,他们教育自己的子女,不会是那些文豪们讲的,幼年不是祖母讲着动人的迷丽的童话,而是一字一板传授着秦腔。他们大都不识字,但却出奇地能一本一本整套背诵出剧本,虽然那常常是之乎者也的字眼从那一圈胡子的嘴里吐出来十分别扭。有了秦腔,生活便有了乐趣,高兴了,唱"快板",高兴得是被烈性炸药爆炸了一样,要把整个身心粉碎在天空!痛苦了,唱"慢板",揪心裂肠的唱腔却表现了多么有情有味的美来,美给了别人的享受,美也熨平了自己心中愁苦的皱纹。当他们在收获时节的土场上,在月挂中天的庄院里大吼大叫唱起来的时候,那种难以想象的狂喜,激动,雄壮,与那些献身于诗歌的文人,与那些有吃有穿却总感空虚的都市人相比,常说的什么伟大的永恒的爱情是多么渺小、有限和虚弱啊!

　　我曾经在西府走动了两个秋冬,所到之处,村村都有戏班,人人都会清唱。在黎明或者黄昏的时分,一个人独独地到田野里去,远远看着天幕下一个一个山包一样隆起的十三个朝代帝王的陵墓,细细辨认着田埂上、荒草中那一截一截汉唐时期石碑上的残字,高高的土屋上的窗口里就飘出一阵冗长的二胡声,几声雄壮的秦腔叫板,我就痴呆了,感觉到那村口的土尘里,一头叫驴的打滚是那么有力,猛然发现了自己心胸中一股强硬的气魄随同着胳膊上的肌肉疙瘩一起产生了。

每到农闲的夜里,村里就常听到几声锣响:戏班排演开始了。演员们都集合起来,到那古寺庙里去。吹,拉,弹,奏,翻,打,念,唱,提袍甩袖,吹胡瞪眼,古寺庙成了古今真乐府,天地大梨园。导演是老一辈演员,享有绝对权威,演员是一家几口,夫妻同台,父子同台,公公儿媳也同台。按秦川的风俗:父和子不能不有其序,爷和孙却可以无道,弟与哥嫂可以嬉闹无常,兄与弟媳则无正事不能多言。但是,一到台上,秦腔面前人人平等,兄可以拜弟媳为帅为将,子可以将老父绳绑索捆。寺庙里有窗无扇,屋梁上蛛丝结网,夏天蚊虫飞来,成团成团在头上旋转,薰蚊草就墙角燃起,一声唱腔一声咳嗽。冬天里四面透风,柳木疙瘩火当中架起,一出场一脸正经,一下场凑近火堆,热了前怀,凉了后背。排演到什么时候,什么时候都有观众,有抱着二尺长的烟袋的老者,有凳子高、桌子高趴满窗台的孩子。庙里一个跟头未翻起,窗外就哇地一声叫倒好,演员出来骂一声:谁说不好的滚蛋!他们抓住窗台死不滚去,倒要连声讨好:翻得好!翻得好!更有殷勤的,跑回来偷拿了红薯、土豆,在火堆里煨熟给演员作夜餐,赚得进屋里有一个安全位置。排演到三更鸡叫,月儿偏西,演员们散了,孩子们还围了火堆弯腰踢腿,学那一招一式。

一出戏排成了,一人传出,全村振奋,扳着指头盼那上演日期。一年十二个月,正月元宵日,二月龙抬头,三月三,四月四,五月八日过端午,六月六日晒丝绸,七月过半,八月中秋,九月初九,十月一日,再是那腊月五豆,腊八,二十三……月月有节,三月一会,那戏必是上演的。戏台是全村人的共同的事业,宁肯少吃少穿也要筹资积款,买上好的木石,请高强的工匠来修筑。村子富不富,就比这戏台阔不阔。一演出，半下午人就扛凳子去占地位了，未等戏开，台下坐的、站的人头攒拥，台两边阶上立的卧的是一群顽童。那锣鼓就叮叮咣咣地闹台，似乎整个世界要天翻地覆了。各类小吃趁机摆开，一个食摊上一盏马灯，花生，瓜子，糖果，烟卷，油茶，麻花，烧鸡，煎饼，长一声短一声叫卖不绝。锣鼓还在一声儿敲打，大幕只是不拉，演员偶尔从幕边往下望望，下边就喊：开演呀，场子都满了！幕布放下，只说就要出场了，却又叮叮咣咣不停。台下就乱了，后边的喊前边的坐下，前边的喊后边的为什么不说最前边的立着；场外的大声叫着亲朋子女名字，问有坐处没有，场内的锐声回应快进来；有要吃煎饼的喊熟人去买一个，熟人买了站在场外一扬手，"日"地一声隔人头甩去，不偏不倚目标正好；左边的喊右边的踩了他的脚，右边的叫左边的挤了他的腰，一个说：狗年快完了，你还叫啥哩？一个说：猪年还没到，你便拱开了！言语伤人，动了手脚；外边的趁机而入，一时四边向里挤，里边向外扛，人的漩涡涌起，如四月的麦田起风，根儿不动，头身一会儿倒西，一会儿倒东，喊声，骂声，哭声一片；有拚命挤将出来的，一出来方觉世界偌大，身体胖肿，但差不多却光了脚，乱了头发。大幕又一挑，站出戏班头儿，大声叫喊要维持秩序；立即就跳出一个两个所谓"二干子"人物来。这类人物多是头脑简单，四肢发达，却十二分忠诚于秦腔，此时便拿了树条儿，哪里人挤，哪里打去，如凶神恶煞一般。人人恨骂这些人，人人又都盼有这些人，叫他们是秦腔宪兵，宪兵者越发忠于职责，虽然彻夜不得看戏，但大家一夜满足了，他们也就满足了一夜。

终于台上锣鼓停了，大幕拉开，角色出场。但不管男的女的，出来偏不面对观众，一律背身掩面，女的就碎步后移，水上漂一样，台下就叫：瞧那腰身，那肩头，一身的戏哟！是男的就摇那帽翎，一会双摇，一会单摇，一边上下飞闪，一边纹丝不动，台下便叫：绝了，绝了！等到那角色儿猛一转身，头一高扬，一声高叫，声如炸雷豁啷啷直从人们头顶碾过，全场一个冷颤，从头到脚，每一个手指尖儿，每一根头发梢儿都麻酥酥的了。如果是演《救裴生》，那慧娘站在台中往下蹲，慢慢地，慢慢地，慧娘蹲下去了，全场人头也矮下去了半尺，等那慧娘往起站，慢慢地，慢慢地，慧娘站起来了，全场人的脖子也全拉长了起来。他们不喜欢看生戏，最欢迎看熟戏，那一腔一调都晓得，哪个演员唱得好，就摇头晃脑跟着唱，哪个演员走了调，台下就有人要纠正。说穿了，看秦腔不为求新鲜，他们只图过过瘾。

在这样的地方，这样的环境，这样的气氛，面对着这样的观众，秦腔是最逞能的，它的艺术的享受，是和拥挤而存在，是有力气而获得的。如果是冬天，那风在刮着，像刀子一样，如果是夏天，人窝里热得如蒸笼一般，但只要不是大雪，冰雹，暴雨，台下的人是不肯撤场的。最可贵的是那些老一辈的秦腔迷，他们没有力气挤在台下，也没有好眼力看清演员，却一溜一排地蹲在戏台两侧的墙根，吸着草烟，慢慢将唱腔品赏。一声叫板，便可以使他们坠入艺术之宫，"听了秦腔，肉酒不香"，他们是体会得最深。那些大一点的，脾性野一点的孩子，却占领了戏场周围所有的高空，杨树上，柳树上，槐树上，一个枝杈一个人。他们常常乐而忘了险境，双手鼓掌时竟从树杈上掉下来，掉下来自不会损伤，因为树下是无数的人头，只是招致一顿臭骂罢了。更有一些爬在了场边的麦秸积上，夏天四面来风，好不凉快，冬日就扒个草洞，将身子缩进去，露一个脑袋。也正是有闲阶级享受不了秦腔吧，他们常就瞌睡了，一觉醒来，月在西天，戏毕人散，只好苦笑一声悄然没声儿地溜下来回家敲门去了。

当然，一次秦腔演出，是一次演员亮相，也是一次演员受村人评论的考场。每每角色一出场，台下就一片喊喊喳喳：这是谁的儿子，谁的女子，谁家的媳妇，娘家何处？于是乎，谁有出息，谁没能耐，一下子就有了定论。有好多外村的人来提亲说媒，总是就在这个时候进行。据说有一媒人将一女子引到台下，相亲台上一个男演员，事先夸口这男的如何俊样，如何能干，但戏演了过半，那男的还未出场，后来终于出来，是个国民党的伪兵，还持枪未走到中台，扮游击队长的演员挥枪一指，"叭"地一声，那伪兵就倒地而死，爬着钻进了后幕。那女子当下哼了一声，闭了嘴，一场亲事自然了了。这是喜中之悲一例。据说还有一例，一个老头在脖子上架了孙孙去看戏，孙孙吵着要回家，老头好说好劝只是不忍半场而去，便破费买了半斤花生，他眼盯着台上，手在下边剥花生，然后一颗一颗扬手塞到孙孙嘴里，但喂着喂着，竟将一颗塞进孙孙鼻孔，吐不出，咽不下，口鼻出血，连夜送到医院动手术，花去了七十元钱。但是，以秦腔引喜的事却不计其数。每个村里，总会有那么个老汉，夜里看戏，第二天必是头一个起床往戏台下跑。戏台下一片石头，砖头，一堆堆瓜子皮，糖果纸，烟屁股，他掀掀这块石头，踢踢那堆尘土，少不了要捡到一角两角甚至三元四元钱币来，或者一只鞋，或者一条手帕。这是村里钻刁人干的营生，而馋嘴的孩子们有的则夜里趁各家锁门之机，去地里摘那香瓜来吃，去谁家院里将桃杏装在背心兜里回来分红。自然少不了有那些青春妙龄的少男少女，则往往在台下混乱之

陈长吟 摄影

中眼送秋波，或者就悄悄退出，相依相偎到黑黑的渠畔树林子里去了……

秦腔在这块土地上，有着神圣的不可动摇的基础。凡是到这些村庄去下乡，到这些人家去作客，他们最高级的接待是陪着看一场秦腔，实在不逢年过节，他们就会要合家唱一会乱弹，你只能点头称好，不能耻笑，甚至不能有一点不入神的表示。他们一生最崇敬的只有两种人，一是国家领导人，一是当地的秦腔名角。即是在任何地方，这些名角没有在场，只要发现了名角的父母，去商店买油是不必排队的，进饭馆吃饭是会有座位的，就是在半路上挡车，只要喊一声：我是某某的什么，司机也便要嘎地停车。但是，谁要侮辱一下秦腔，他们要争死争活地和你论理，以至大打出手，永远使你记住教训。每每村里过红白丧喜之事，那必是要包一台秦腔的，生儿以秦腔迎接，送葬以秦腔致哀，似乎这个人生的世界，就是秦腔的舞台，人只要在舞台上，生、旦、净、丑，才各显了真性，恶的夸张其丑，善的凸现其美，善的使他门获得了美的教育，恶的也使丑里化作了美的艺术。

广漠旷远的八百里秦川，只有这秦腔，也只能有这秦腔，八百里秦川的劳作农民只有也只能有这秦腔使他们喜怒哀乐。秦人自古是大苦大乐之民众，他们的家乡交响乐除了大喊大叫的秦腔还能有别的吗？

李元洛

长 安 行

长相思,在长安。

我的家乡在南方,将近四十年前的青春时代,我却远放西北。沿铁路线北上南下西去东回,好几次和唐代的长安今日的西安擦肩而过,伫候于列车的窗口,那雄伟迤逦的古城墙从唐朝就在等我,喊我去敲叩它的门环。回到南方数十年来,我常常西北而望,那是大唐的京城,唐诗人纷纷登场歌哭吟啸的舞台,怎不使我魂牵梦萦,心神向往?

不久前，年华向老的我终于远赴弱冠之年即已订下的约会。匆匆盘桓数日，在千年古都的城墙内外，于古典与现代交汇的巷尾街头，从唐人永不生锈的优秀诗句里，拾得这篇姗姗其来迟的《长安行》。

兴 庆 宫

我去兴庆宫，并非朝拜帝王的宫苑，而是为了重温诗人的绝唱，寻觅李白的遗踪。

兴庆宫，原是唐玄宗李隆基作太子时的藩邸。李隆基即位后，改建旧邸为新宫，兼有宫殿与园林之胜，开元天宝时代，与太极宫、大明宫一起被称为"三内"。唐玄宗多年在此理政，这里就成了盛唐的政治和文化中心。人生变幻，世事沧桑，到清代初期，昔日的煊赫繁华早已成了一方废墟瓦砾。现在于原址建成的兴庆宫公园，规模只有原来的四分之一，有如一幅比例大为缩小的地图。

兴庆宫金明门内曾置翰林院。公元742年即天宝元年，李白于江南应召再入长安，被任为翰林院学士。那时，长安城内王侯的深宅大院多种牡丹，玄宗更是在沉香亭前广植此花，并辟花园。李白供奉翰林的次年春日，牡丹在眼，贵妃在侍，心态当然极好的玄宗不想闻旧乐而欲听新词，"赏名花，对妃子，焉用旧词乐为"，于是，在长安市上不知哪一处酒家召来醉乡中的李白，酒意尚自醺然的他绣口一吐，立成风流俊逸的《清平调》三章。歌唱家李龟年一边以檀板击节，一边引吭而歌。多才多艺的玄宗不知是想讨贵妃的欢心呢，还是一时技痒，也轻吹玉笛而相和。

待我来时，已是千年后的一个炎炎夏日。龙池之畔的沉香亭，为今日重建的赝品，而昔日的牡丹也早已和杨贵妃一起玉殒香消，李龟年的歌声虽然可以绕梁三日，但却绕不了千年，任你如何在池畔亭前侧耳倾听，那不绝的余音也早已断绝。玄宗时代，翰林学士们要在翰林院轮流当值，李白呢，也许他此时正在翰林院里值班吧？我去金明门内寻寻觅觅，只见昔日翰林院的北部，早已为居民住宅区所占压，南部也只有考古学家才能查明的瓦砾残迹，许多游人到此，绝不会想到他们足之所履，也许正好踏上李白当年的一枚脚印。

李白的足印已然是凭空想象了，距翰林院不远之西南角，却尚有班班可考的勤政楼遗址。勤政楼原名勤政务本楼，是一座东西宽五间进深三间面积五百多平方公尺的大建筑，登楼可俯瞰远眺宫外的街市。此楼是兴庆宫内最重要的皇家楼台，节日庆贺，盛大宴会，策试科举以及咨询朝政等等活动，都在这里举行，曾经极一时之盛。中唐诗人王建的《楼前》写道："天宝年前勤政楼，每年三日作千秋。飞龙老马曾教舞。闻着声音总点头。"八月五日玄宗诞辰为"千秋节"，每年届时盛宴三日于楼上，舞马于楼下。王建的诗追怀天宝旧事，可见当年鲜花着锦烈火烹油之盛。稍后的白居易曾作《勤政楼西老柳》他着眼的，却是一株可以为历史作证的柳树：

    半朽临风树，多情立马人。
    开元一株柳，长庆二年春。

从"开元"盛世到白居易来时的"长庆"年间，一百多年的岁月又已经交给了历史。白居易没有正面写楼与楼中之人，但言开元之临风无情老树，长庆的多情凭吊之人，无限的俯仰今昔之感，便尽在其中。数十年后，杜牧也前来吊古伤今，写了一首《过勤政楼》：

千秋佳节名空在，承露丝囊世已无。
惟有紫苔偏称意，年年因雨上金铺。

莓苔随意滋生，甚至爬上衔门环的铜制门饰。虽未明说，但勤政楼的破旧荒废已意在言外。时间呵，这是天地间至高无上的主宰，人间任何位高权重者，都休想与之抗衡，哪怕贵为帝王；世上任何坚固的建筑，也无法经受它的风吹雨打，哪怕坚如金石。

待到我千年后跟踪前来，勤政楼不仅早已人去楼空，而且连楼也早已不知去向，只剩下劫后余生的几个石础，凄凉在蔓草荒烟之中，兀自回忆它们当年所承载的歌声与笑语，煊赫与繁华。能与时间角力并取得胜利的，不是手握重权的帝王将相，而是杰出的诗人和紫苔不侵风雨不蚀的优秀诗篇，这个问题，最好去询问李白，他当年虽然被唐玄宗赐金还山，等于逐出长安，但现在却早已凯旋。在兴庆宫公园内高达三重的"彩云阁"前，在一泓碧水中央，他正以手支颐侧身而卧，长眉入鬓，长髯垂胸。我想前去叩问，但恐怕他还没有从一时的醉酒千年的小寐中醒来。暂时别去惊动他吧，在他的石像之侧久久伫立，我仿佛听到轻微的鼾声。

渭 城 曲

渭城，是秦朝的首都，唐代的重镇，更是诗人的名城。名城呵名城，永远矗立在名诗人的名诗里。

从长安往西四十余里，便是曾经作为秦代帝都的咸阳。其名咸阳，大约是因为它在嵕山之南渭水之北而山水皆阳吧？咸阳又称"咸秦"、"咸京"，时至汉代易名"渭城"，唐诗中或称咸阳，或云渭城，实为一地，如颜尚《送陆肱入关》："舟行复陆行，始得到咸京。"如高适《答侯少府》："赫赫三伏日，十日到咸秦。"他们所说的已都是唐代的渭城了。

对于两千多年前的项羽，我的印象虽然比出身市井的无赖之徒刘邦好得多，对他的英雄末路也颇为同情，但他却不该迷信武力轻视文化而作风粗暴，而且如流行歌曲所唱的"一把火"，将全国最大的城市咸阳烧成一片焦土，我们至今在杜牧的《阿房宫赋》里，仍可看到那熊熊的火光。但是，如果项羽复生，他纵然能烧掉秦朝的百殿千宫，然而即便再纵火也烧不掉王维的一首绝句。自王维的《渭城曲》一出，千百年来，渭城便更令旅人伤感，离人伤怀，读书人伤情，也令从古至今的诗人伤神。三十多年前，诗人郭小川远去西北，他就在《西出阳关》一诗的结尾写道："何必'劝君更尽一杯酒'！这样的苦酒何须进！且请把它还给古诗人！什么'西出阳关无故人'！这样的诗句不必吟，且请把它埋进荒沙百尺深！"当年，我就曾以《新时代的边塞诗》为题评论。小川英年早逝，我也人生易老，迟至不久之前才一骑绝尘，不，四轮生风，奔驰在王维和唐诗人的诗句里。

车出西安，当渭城还在车轮前面，我的心早已从现代飞到了唐代，耳边满是唐诗人对渭城的歌吟。渭城，咸阳；咸阳，渭城，当年是从军戍边的战士的必经之地，所以令狐楚的《少年行》写得意气飞扬："弓背霞明剑照霜，秋风走马出咸阳。未收天子河湟地，不拟回头望故乡。"而李白的《塞下曲》也笔歌墨舞："骏马似风飙，鸣鞭出渭桥。弯弓辞汉月，插羽破天骄。阵解星芒尽，营空海雾消。功成画麟阁，独有霍嫖姚。"这大约是所谓"盛唐之音吧"，此一时也，彼一时也，到了杜甫的《兵车行》中，就只听得一片呼天抢地的哭声了："车辚辚，马萧萧，行人弓箭各在腰。爷娘妻子走相送，尘埃不见咸阳桥。牵衣顿足拦道哭，哭声直上干云霄。"

左耳听的是壮曲，右耳听的是哀音。顷刻之间，沉思之际，我们的越野小汽车已驰上现代化的渭河大桥。桥梁雄伟，桥面宽阔，两侧雕花的石栏如绣带，路旁成排电杆高擎的，是要到晚上才盛开的簇簇金莲。我触景生情，忽然想起了温庭筠的《咸阳值雨》，于是，现代的咸阳桥上，响起了温庭筠的古典的绝句："咸阳桥上雨如悬，万点空濛隔钓船。绝似洞庭春水色，晚云将入岳阳天。"温庭筠为什么头脑发热，或者说诗思飞腾，将渭水当成了湘水，把咸阳幻成了岳阳？面对夏日干涸得只剩下一线黄流的渭水，我更是心存疑惑，也许当时生态环境未被破坏，渭水也和湘水一样清碧吧，李白的《君子有所思》行中，也曾有"渭水银河清，横天流不息"之句。不过，我还要前去游览汉唐帝王的陵墓，回来时再步行于咸阳桥流连一番吧。待我在唐陵汉墓匆匆怀古之后，回到桥上，已是西风初起夕阳西下的时分了。漫步桥头，我俯仰天地，思接汉唐，不禁感从中来，不可断绝。

唐人写咸阳的诗作不少，佳篇也多。如喜欢写"水"而被人嘲谑为"许浑千首湿"的许浑，就曾作《咸阳城东楼》："一上高城万里愁，蒹葭杨柳似汀洲。溪云初起日沉阁，山雨欲来风满楼。鸟下绿芜秦苑夕，蝉鸣黄叶汉宫秋。行人莫问当年事，故国东来渭水流。"如刘沧的《咸阳怀古》："经过此地无穷事，一望凄然感废兴。渭水故都秦二世，咸原秋草汉诸陵。天空绝塞闻边雁，叶尽孤村见夜灯。风景苍苍多少恨，寒山半出白云层。"但他们的八句，似乎仍不及李商隐四句的《咸阳》：

    咸阳宫殿郁嵯峨，六国楼台艳绮罗。
    自是当时天帝醉，不关秦地有山河！

刘沧与许浑都是一般性的感时伤逝，而李商隐的诗则不仅有"史实"而且有"史识"：如果施行暴政而失掉民心，即使皇权神授，哪怕有山河之险，也不免倒台和灭亡。秦始皇如此，咸阳原上埋葬了西汉九个皇帝，十来个唐代帝王，他们不就是历史上来而复去的匆匆过客吗？在李商隐之前，李白早就唱过"乐游原上清秋节，咸阳古道音尘绝。音尘绝，西风残照，汉家陵阙"了。在李商隐之后，鲁迅也曾在《无题》诗中一说"六代绮罗成旧梦"，二说"下土惟秦醉"，化用李商隐诗的故典而借古讽今。

  提到咸阳或渭城，就不会忘记王维那首《送元二使安西》，后来因被之音律管弦而称之为《渭城曲》：

    渭城朝雨浥轻尘，客舍青青柳色新。

　　　　劝君更尽一杯酒,西出阳关无故人。

渭水之上有桥,唐人送人西行,一般都送到渭桥折柳为别,王维的《渭城曲》,写的就是桥边送别的情景。这首绝唱一出,就传诵不绝,后来谱为《阳关三叠》,唐代长庆年间有位歌唱家何戡,就善唱此歌,刘禹锡就曾说"旧人惟有何戡在,更与殷勤唱渭城",而现代作家郁达夫的《湖上杂咏》,也有"如今劫后河山改,未听何勘唱渭城"之句。然而,此城已非彼城,此桥已非彼桥。隋唐之后渭城城址屡经搬迁,现在的咸阳市,系明代在渭水驿的基础上扩建而成,而唐代的渭城,原址在今咸阳市西北之聂家沟。难怪我先前穿越咸阳市区时,不论如何左顾右盼,怎么也找不到王维送元二出使安西时,相送复相别的那座杨柳青青的客舍,且不说"元二",连王维自己也不见影踪,不然,我也会去"劝君更尽一杯酒",和王维一握手而加入送行的行列呢。

　　当年在"安史之乱"中,唐玄宗携杨贵妃西逃,为阻绝追兵而焚毁渭桥。桥亡河在,那里便成了"关中八景"之一的"咸阳古渡",在今西安市三桥镇沣河入渭之处。我们在新建的咸阳公路大桥上徘徊,久久俯视桥下的渭河流水。来不及去寻访那叠印着李白、杜甫和王维的足迹的咸阳古渡了,苍茫暮色袭上我们的衣袖,远处的长安城已举起万家灯火,在喊我们回到现代的红尘中去。

大　雁　塔

　　我追踪杜甫、高适、岑参等诗人的足迹,终于在朝阳初升时来到大雁塔,然而,却无法和他们联袂攀登了,我已迟到了一千多年。好像急急忙忙去赴一场盛会,待至赶到会场,早已曲终人散,只留下你形单影只,凭空想象演出的盛况而不胜低回。

唐代的长安,有如现在美国的纽约,法国的巴黎,英国的伦敦,德国的柏林,是当时世界上最壮丽繁华的国际性大都会,也是人类历史上第一座人口超过一百万以上的城市。在"贞观"、"开元"之治的盛唐,更是声威远振,万邦来朝。然而,人生有悲欢离合,历史有兴衰更替,"安史"乱后,唐朝江河日下,京都也日渐败落,复经唐末的战乱和兵火,长安城几乎成了一片废墟。时至今天,往日的宫殿楼台千门万户,只能从考古学家绘制的复原图样中去追寻,而昔年的诗酒风流昌盛繁荣,也只能从诗人流传至今的作品中去想象。

然而,目击唐代盛衰的见证人仍在,那就是唐高宗李治之时修建而屹立至今的慈恩寺内的大雁塔。而先知者的预言呢,那就是杜甫的《同诸公登慈恩寺塔》了,时在唐玄宗天宝十一年,即公元752年的秋天。三年之后,安禄山骑兵的铁蹄,就将关中大地将大唐帝国践踏得一片狼藉。其时大雁塔高崎半空,听到了也见到了下界的鬼哭狼嚎,愁云惨雾。

那年秋日同游并同登大雁塔的,有杜甫、岑参、高适、储光羲和薛据,前三位是盛唐的诗坛俊杰,后二人也非等闲之辈。除薛据之作失传外,其他人的作品都流传至今,而且题目大同小异,可谓中国诗史上一次颇有意义的同题诗竞赛。最差的是储光羲的诗:"冠上闾阖开,履下鸿雁飞。宫室低逦迤,群山小参差",这已是他写景的好句,结尾的"俯仰宇宙空,庶随了义归。崱屴非大厦,久居亦以危",也不过一般的居高思危之意而已，而且认为万事皆空，只有佛家的"了义"才是最后的归宿。高适与岑参的写景胜过储作不止一筹，高适说"言是羽翼生，迥出虚空上。宫阙皆户前，山河尽檐向"，岑参说"突兀压神州，峥嵘如鬼工。四角碍白日，七层摩苍穹"，都颇能写出塔的高峙和登临的感受。但五十三岁的高适，其结句是"盛时惭阮步，末宦知周防。输效独无因，斯焉可游放"，抒发的仍然是一己的怀才不遇之情。岑参的结句是"净理了可悟，胜因夙所宗。誓将挂冠去，觉道资无穷"，正当三十八岁的盛年，就想退隐宗佛，也未免过于消极。

在洞箫低吹单弦缓奏之中，大雁塔的最高层，轰然而鸣的却是杜甫的黄钟大吕之声：

> 高标跨苍穹，烈风无时休。
> 自非旷士怀，登兹翻百忧。
> 方知象教力，足可追冥搜。
> 仰穿龙蛇窟，始出枝撑幽。
> 七星在北户，河汉声西流。
> 羲和鞭白日，少昊行清秋。
> 秦山忽破碎，泾渭不可求。
> 俯视但一气，焉能辨皇州？
> 回首叫虞舜，苍梧云正愁。
> 惜哉瑶池饮，日宴昆仑丘。
> 黄鹄去不息，哀鸣何所投？
> 君看随阳雁，各有稻粱谋。

杜甫他们登临咏唱之时，到处莺歌燕舞的大唐帝国已经危机四伏，奸相李林甫和杨国忠独揽大权，斥贤害能，朝政日非，昔日励精图治的唐玄宗，也已经蜕化成为贪图享受终日醉酒美人的腐败分子，安禄山秋高马肥，反叛的旗帜即将在朔风中呐喊。前来登临大雁塔的几位诗人，他们的写景都各有千秋，不乏佳句甚至壮语，但在眼光的锐利、胸襟的阔大和忧国忧民的情怀方面，杜甫之作不但高出他们不少，同时也是唐代诗人写大雁塔的近百首作品之冠。时代的深忧隐患，社会的动荡不安，个人的忧心如捣，这一切都交织在"登兹翻百忧"的主旋律之中，全诗就是这一主旋律的变奏，仰观于天，俯察于地，"惜哉瑶池饮，日宴昆仑丘"，他讽刺唐玄宗贪于声色而荒于国事，他预见到时代的动乱有如山雨欲来，因而发出了"秦山忽破碎，泾渭不可求"的警告和预言。"有第一等襟抱，斯有第一等真诗"；前人不早就这样慨乎言之了吗？

前有古人，后有来者。原籍唐朝的大雁塔，千年来一直候我登临。沿着塔内的回旋楼梯，踩着杜甫的足迹，高六十多米的古塔将我举到半空之上，凭窗阅读四方风景和千古兴亡。极目远眺，只见浑圆浑圆的地平线，千秋万代以来就和天边青蒙蒙的雾霭捉着迷藏，至今没有了局；低头俯瞰；唐宋元明清早已退朝，即使是月夜，也再听不到李白听过的万户捣衣之声。只见成群的大厦高楼拔地而起，汹汹然想来和大雁塔比高，而纵横交错车水马龙的大街是现代的驿道，喇叭声声向大雁塔宣告：昔日的长安已经不在，你面对的是今日的西安。以笔为生，以笔为旗，有时也要以笔为剑呵，在高高的大雁塔上，我书生气地想。虽然"斯人不可闻"，但"余亦能高咏"，面对八面来风，我高声吟咏杜甫登塔的诗章，以乡音呵湘音，流浪的鸟，过路的云，还有曾经认识诗人的八百里秦川，都在下面倾听。

华 清 池

在登大雁塔而赋诗之后三年，也就是公元755年11月，因守长安十年，最后得到个右卫率府兵曹参军从八品下小官，专司管理武器仓库和公私驴马的杜甫，从长安去奉先（今陕西蒲城）探望妻儿。他半夜出发，黎明时过骊山，凌晨经华清池。华清宫里，唐玄宗和杨贵妃及大臣们正在寻欢作乐。"朱门酒肉臭，路有冻死骨"，杜甫将沿途的见闻及归家后的感受，写成有名的一代史诗《自京赴奉先县咏怀五百字》。当时没有电话电报和电传，安禄山已经在范阳即今日北京附近起兵，鼙鼓震天，铁骑动地，唐王朝却仍在"形势一派大好"中歌舞升平。

八年过去，干戈扰攘，血流飘杵，生灵涂炭。白发唐玄宗与红颜杨贵妃的个人悲剧，白骨成丘山苍生竟何罪的时代悲剧，都终于烟尘落定，进入了历史，让后人评说。五十年后，在陕西周至县当县尉的白居易和友人议论天宝遗事，不禁感从中来，写下了千古传唱的《长恨歌》。它的主要倾向是咏叹李、杨的爱情还是讽喻？它表现的是二者兼有的双重主题吗？或者，它主要是抒写诗人自己悲时叹逝感伤家国？白居易没有也不应该直接说明，但却使得后人聚讼纷纭，一代人，黑发争成了白发，一千年，哀史争成了历史，至今也仍然没有定论。

一千年后的一个夏日，再不见剑戟森然的羽林军守卫巡行，也没有高力士指挥下太监们的盘查喝问，大约当年杜甫和白居易都不得其门而入，我却只买了一张窄窄的门票，便昂首阔步跨进大唐的皇家禁苑华清池,于其中悠哉游哉,留连半日。

华清池位于西安城东约七十里的骊山之下。山麓温泉流涌,周幽王在这里建过"骊宫",秦始皇易名"骊山汤",汉代改建为"离宫",唐玄宗时更环山筑宫,宫周建城,名为"华清宫"。因融园林宫殿为一体而以温泉为中心,一些宫殿又架筑于汤泉之上,故又称"华清池"。唐玄宗每年农历十月均到此避寒游幸,次年开春才回到长安,在封建时代,朕即国家,唐玄宗在华清池初逢儿媳杨玉环,惊为天人,辗转反侧,于是他"曲线救国",将玉环度为道士之后再册立为贵妃,其时杨贵妃才二十七岁,而唐玄宗已是垂垂老矣的花甲之年。"春寒赐浴华清池,温泉水滑洗凝脂。侍儿扶起娇无力,始是新承恩泽时",于是,华清池便成了他们的游宴之地与温柔之乡,后来因白居易的一曲《长恨歌》,更是名闻遐迩。

鼎盛时期的华清池宫苑,从骊山山麓一直延伸到如今的临潼县中心。沧海桑田,今日整修后的华清池,已只是旧时的一小部分,如同泱泱上邦沦为蕞尔小国,一国首富降为中产人家。但进得宫来,你仍可以感受到一派富丽豪华的皇家气象:回廊如带,水波似镜,绮户低垂,檐牙高啄。在仿唐新建的宫殿里,你当然已见不到演出霓裳羽衣舞时那翻飞的长袖,在新发掘的原来专为贵妃修建的浴池"海棠汤"旁,你当然也无缘得见贵妃如一朵出水芙蓉。西绣岭第三峰峰顶东侧,有唐代长生殿遗址,那本是侍神的斋寝,白居易时隔数十年,又未能到华清池实地考察,故在《长恨歌》中误将其作为李、杨的寝殿,实际上,"夜半无人私语时"的寝殿是"飞霜殿",在海棠汤之北。七月七日月明之夜,如果你来原址侧耳细听,也许还能听到唐玄宗和杨贵妃山盟海誓的私语之声。如果你听不到，你说，那必要时就只好请高居其上的骊山出面作证了。

可以作证的，不仅有耳闻目见的骊山，还有唐人的诗句。除了杜甫和白居易之外，曾作《宫词百首》的中唐诗人王建，追念开元盛时，也有《华清池》一绝："酒幔高楼一百家，宫前杨柳寺前花。内园分得温汤水，二月中旬已进瓜。"吴融的《华清宫》则颇有杜甫诗的遗风："四郊飞雪暗云端，唯此宫中落旋干。绿树碧帘相掩映，无人知道外边寒。"而多忧时感世之作的杜牧呢？他的《过华清宫绝句》三首，则更是时代的诗的证言：

> 长安回望绣成堆，山顶千门次第开。
> 一骑红尘妃子笑，无人知是荔枝来。

> 新丰绿树起尘埃，数骑渔阳探使回。
> 霓裳一曲千峰上，舞破中原始下来。

> 万国笙歌醉太平，倚天楼殿月分明。
> 云中乱拍禄山舞，风过重峦下笑声。

封建时代的中国，是君主集权专制的国家，所施行的是生杀予夺皆出于帝王的人治，帝王本身的素质和才能如何，往往决定国家的兴亡和苍生的苦乐。唐玄宗本是英明有为之主，但在位时间过长，长达四十五年，又无监督机制，到后期已经从明君变为昏君，导致天下大乱，国事不可收拾。观今宜鉴古，无古不成今，杜牧的诗，岂可只视为感慨一时一姓的盛衰吗？

漫步华清池内,在写华清池的唐人诗句中神游,我恍兮惚兮,思接千载。待到回过神来,一千多年的时光早已随风而逝,唐玄宗和杨贵妃也早已一去不回。只有逶迤骊山,仍高高在上俯瞰尘世,唯有温泉流水,仍汩汩潺潺还似旧时。

灞 桥 柳

汽车往东奔上西安到临潼的高速公路,风驰电掣二十余里,便到了史名与诗名俱盛的灞桥。晚唐诗人郑綮说,他的诗思在灞桥风雪中,驴子背上,后代遂以"灞桥诗在"、"灞桥风雪"指作赋吟诗,今日我来是乘坐现代的桑塔纳,而且是其热可比南方的盛夏,我不想风雪中吟诗,驴背上得句,但是,灞桥杨柳能赠我一章散文吗?

长安之东有灞河,原名滋水。春秋时秦穆公称霸西戎,竟然不管滋水愿意不愿意,竟霸道地径行将它改名为灞河。秦穆公早就不在了,但阅尽千古兴亡流过唐宋元明清读过无数灞桥折柳诗篇的灞河仍在。灞河之上,秦穆公建有以舟相连的便桥,汉代定都长安,才正式兴建砖木结构的桥梁,后代许多桥梁如至今犹存的赵州桥,都是它的后辈子孙。没有河就没有桥,如同没有树就没有果实,但灞桥的名声却远在宽约四百米的灞河之上。自秦汉以来,它沟通北中国的东方与西方,是官员与百姓东去西来一桥当关的重要关卡和通道,灞桥两岸,广植杨柳,汉唐之时行人由长安远去西北,亲友们送到渭桥折柳为别,而从长安远去东南呢,则于灞桥相别折柳。暮春时节风中柳絮如雪花,不知由哪些评委评定,"灞桥风雪"就进入了"长安八景"之列,而灞桥也就成了中国历史和中国诗史中的一座名胜。

桥上飞花桥下水,断肠人是过桥人。五代王仁裕《开元天宝遗事》说:"长安东灞陵有桥,来迎去送皆至此桥为离别之地,故人呼之为销魂桥也。"离别少不了柳条,甚至还有箫声伴奏,那至今没有消逝的箫声,从李白的《忆秦娥》中越千载而传来:"箫声咽,秦娥梦断秦楼月。秦楼月,年年柳色,灞陵伤别……"李白这首词,上片歌长安东南之灞陵伤别,下片咏长安西北之汉家陵阙。柔婉与悲壮兼而有之。至于说到"年年柳色",在李白之后,盛唐的戎昱也曾在《途中寄李二》中咏叹:

    杨柳含烟灞岸春,年年攀折为行人。
    好风若借低枝便,莫遣青丝扫路尘。

从诗中可见,当时河滩东西,官道两旁,杨柳低垂而枝条拂地。附带提及的是,此作在《全唐诗》中也归属于李益名下,而且题目相同,同时又属于另一位诗人杨巨源,只是题目为《赋得灞岸柳留辞郑员外》,一诗三主,如果其中一人像当代某些作者一样动辄诉诸法院,不知法院如何宣判版权所有?届时只怕要请灞岸之柳出庭作证。也许是多年来攀折者太多,加之后来者不愿重复前人,要故意抬杠,于是我们又见到另一种景象,中唐时的韩琮在《杨柳枝词》中就写道:

    枝斗纤腰叶斗眉,春来无处不如丝。
    灞陵桥上多离别,少有长条拂地垂。

两位诗人虽都是唐人,但异代而不同时,所见所感同中有异,也都各有妙趣。你如果觉得柳长柳短不知听谁的好,那就兼听则明吧。

将车停在灞水桥头,我们在桥上漫步,左顾右盻。公路两旁仍然绿柳依依,毫无疑问是唐柳的不知多少代的苗裔。宽阔的河床上则到处是沙洲绿滩,枯瘦的水流像中国大地上它的许多同行一样,都已经患了污染之疾。什么时候,灞水还能像唐代一样清碧丰沛而一苇可航呢?虽然其清明浩阔已远不如从前,但一千多年的风沙吹过去,李白写灞水的《灞陵亭送别》却仍然流光溢彩,如同刚在纸上一挥而就那样新鲜:

> 送君灞陵亭,
> 灞水流浩浩。
> 上有无花之古树,
> 下有伤心之春草。
> 我向行人问路歧,
> 云是王粲南登之古道。
> 古道连绵走西京,
> 紫阙落日浮云生。
> 正当今夕肠断处,
> 黄鹂愁绝不忍听!

我的前辈同乡王夫之先生,在《唐诗评选》中曾说这是"夹乐府入歌行,掩映千古"的杰作,不知他当年是否到过灞桥?我往日读这首诗,也只是在故乡长沙,人隔千里,且局促于小小的斗室书房。今日有幸一睹此水,亲履斯桥,我当然便忘乎所以地高吟起来，不管那座现代化的钢筋水泥桥梁听得懂听不懂，也不管桥下年高体迈的古老灞水听不听得清。我只顾自己心血如潮，放声吟诵，李白正在唐朝正在千年的那一头倾听，我毫不怀疑，你信不信？

曲 江 池

未到曲江池，好像美人如花隔云端，令人心神向往；来到曲江池，美人已化为黄土泥土尘土，你会又一次憬然领悟人生的短暂和世事的沧桑。

还是在少年时，我就已经从唐诗中和历史读物里初识曲江池了。长安城外约五公里的东南方，离大雁塔不远，有一处游览胜地，秦代名"宜春苑"，汉代叫"乐游园"或"乐游原"，其中有盛开荷花的芙蓉园，还有一处弯弯曲曲长约7里的湖泊，人称曲江或曲江池。这里美如江南：湖水清亮似绿绸，夏天在水面绣了许多红莲与白荷；近岸处则是菖蒲与菰米的天地，湖畔柳丝拂地，乔木参天，亭台楼阁在两岸凌波照水，如同在举行盛唐的时装展览。从唐代中叶开始，进士们及第后要去大雁塔题名，来曲江池畔的杏园举行宴会，"及第新春选胜游，杏园初宴曲江头"，这就是刘沧《及第后游曲江》的开篇自白。唐玄宗为了自己和贵戚们的游乐之便，由大明宫至兴庆宫往南直至芙蓉园和曲江，沿城墙修了一道两边是城墙中间是行车大道的"夹城"，他们心血来潮，就可以从夹城直趋曲江。"花萼夹城通御气，芙蓉小苑入边愁"，这是杜甫在《秋兴八首》中的记叙。每年阴历三月初三，到水边除垢呈祥是自古相传的习俗，唐代上至皇亲国戚，下及百姓平民，也纷纷到曲江游赏,风光更是盛极一时。

我慕名远道而来时,曲江早已面目全非。当年的曲江池,已变为一大片低洼而弯曲的麦田。麦田周围树木稀疏,工厂的烟囱在吞云吐雾,民房与厂房踵接肩摩。"鱼戏芙蓉水,莺啼杨柳风",张说的鱼戏与莺啼呢?"穿花蛱蝶深深见,点水蜻蜓款款飞",杜甫的蜻蜓和蛱蝶呢?"更到无花最深处,玉楼金殿影参差",卢纶诗中那些映水的玉宇琼楼呢?不止是现在的我已不复得见,唐代末年的诗人豆卢回,在他仅存诗一首的《登乐游园怀古》中,也早已说"昔为乐游苑,今为狐兔园",而到北宋诗人李复的笔下,曾极尽繁华的曲江,就已经是"唐址莽荆榛,安知秦宫殿"了。

曲江池的由盛而衰,除了水源枯竭这一自然灾难之外,关键在于人祸。后期的唐玄宗,由英明之主变为昏聩之君,任用奸人,远斥贤者,朝政与国事日非。因宠爱杨玉环,他竟在同一天封大姨为韩国夫人,二姨为虢国夫人,八姨为秦国夫人,每人每月赐可买五百担米的十万钱作脂粉费。杨玉环的堂兄杨钊,本是游手好闲的纨袴无赖,玄宗认为"钊"字由金刀组成,有失吉利,故赐名杨国忠,并作为李林甫的接班人当了宰相。他一身而兼五十余职,百般诬陷正直有才之士,千方迎合贪图享乐的玄宗,贪污受贿不计其数,仅细绢就收藏三千多万匹。他曾对人说,他是碰上了机会,此时不捞,还不知日后是什么下场;名声无所谓,还不如眼前尽情快活。这,倒可以作为现代的贪官污吏的座右铭。现代的赃吏邪官,群众视之如同瘟疫寇仇,他们的名言"有权不用,过期作废",恐怕是其源有自吧?"三月三日天气新,长安水边多丽人。……就中云幕椒房亲,赐名大国虢与秦",杜甫作于安史之乱前夕的《丽人行》，揭露了皇室的追欢逐乐，骄奢淫逸，而结束全诗的"炙手可热势绝伦，慎莫近前丞相嗔"，批判的锋芒，直指其下场仍与金刀有关并不吉利的杨国忠。有识有胆的杜甫，真不愧"诗史"与"诗圣"这一光荣尊贵的称号。

　　安史之乱，是唐朝也是曲江池由盛而衰的转折点。安史乱后，唐朝已成了一轮不可逆转的西下夕阳，而往日如同美人的曲江池，也日见形容憔悴，无复盛时的风华。"少陵野老吞声哭，春日潜行曲江曲。江头宫殿锁千门，细柳新蒲为谁绿"，这种时代的沧桑巨变，长安沦陷时落于敌手的杜甫，在《哀江头》中已有身历目击的反映。数十年后，忧心国事的李商隐也写了一首《曲江》：

> 望断平时翠辇过，空闻子夜鬼悲歌。
> 金舆不返倾城色，玉殿犹分下苑波。
> 死忆华亭闻唳鹤，老忧王室泣铜驼。
> 天荒地变心虽折，若比伤春意未多。

而应该与此诗写作时间相近的《乐游原》，就更为概括而警策。胜地的衰败，唐王朝的日之夕矣，自己年华老去而壮志难申的悲哀，眼前景，世间事，心头情，无限丰富的内蕴和意韵，一齐压缩在寥寥二十个字里，有如冰镇了千年而新鲜一如昔日的多味之果，让后世的读者重新品尝它的苦辣酸甜。

　　"向晚意不适，驱车登古原。夕阳无限好，只是近黄昏。"唐朝，早已降下永远不再升起的帷幕；李商隐，也早已转身走进了台后，再也不会出场。在李商隐驱车吟诵过的乐游原，在穿过原来曲江池的"雁引公路"旁的高地上，回眸二十世纪那一轮饱经沧桑的落日，面对地平线上那欲吐未吐的晨光，豪情未衰，热血未冷，且让我张开筋力未老的臂膀，抱起新世纪的第一轮朝阳！

青 海 青

一

> 青海青，黄河黄，
> 更有那滔滔的金沙江。
> 雪皑皑，山苍苍，
> 祁连山下好牧场……

好几年前，在中央电视台举办的春节联欢晚会上，来自香港的歌唱家张明敏高歌几曲，唱沸了神州的四野八荒。他的歌，朴质而飞扬，深沉而激越，而每当《青海青》的旋律在耳边响起，我的心呵，总是如生双翼腾空而起，飞向远在天涯的大西北，飞向近四十年前我曾经捧上青春献出理想洒下年轻人热血的遥远的地方！

年华随风而逝。假若时光可以倒流，如果生命的流水可以回到1960年夏季那个渡口，我便可以重温那年轻浪漫的仲夏夜之梦了。当时，我年方弱冠，北京师范大学中文系四年学业期满,由青青子衿的校园而江湖多风波的社会,生活将向我展开一片全新而未能预卜的天地。由于所谓"只专不红",在当时的环境氛围之下,我知道留在首善之区的北京纯属妄想,那是大权在握的同学的专利,也是许多同窗可能的现实选择。虽然无可奈何,对平时高调入云但分配时却捷足先登京城与高校的同学,也不免心存疑惑,但那个时代的大学生虽然大都未免盲从,然而却思想单纯,远不及他们现在的后辈大多少年老成而人情练达。因此,在我的心中,汹涌的仍然是李白式的"大丈夫必有四方之志"的豪情,飞扬的依旧是艰苦奋斗建设边疆的壮志。我填写的三个志愿,一是青海,二是内蒙,三是西藏。犹记临行前的一个晚上,全班在中文楼一间教室里开"誓师会"。我未去青海,就已经和唐诗中的西鄙之地结缘了,我发言中援引杜甫《兵车行》中的诗句,虽然杜甫只是写过而未曾去过青海。我慷慨陈辞:"'君不见青海头,古来白骨无人收。新鬼烦冤旧鬼哭,天阴雨湿声啾啾',这是千年前杜甫的悲叹,我们新时代的青年要到祖国最艰苦的地方去,要以建设边疆的行动改写杜甫的诗句:'君不见青海头,战天斗地最风流。新人欢喜旧人笑,誓叫边疆变锦绣!'"杜甫听不听得见,版权所有,他同不同意改写他不朽的诗句,当时我血气方刚,已无暇他顾了。在留于北京和远去边陲的同学同样热烈的掌声中,我只有一往无前的决心,和少年不识愁滋味的兴奋。

第二天清晨,学校专车送我们去北京车站。当汽车驶经天安门广场时,太阳正从东方冉冉升起,同学少年齐声要求司机缓行,让我们再多看北京和天安门一眼。我想,当时或前后北京许多走向外地奔赴边疆的高校学生,他们大都体验过同样的情境吧?如同山中泉水夺地而出,我的心中立时喷涌出几行诗句,一直到现在犹如昨日:"北京,我的母亲/我即将离你远行/我牵着你的衣裙/要求把临别之言赠送/你春风满面,含笑不语/指着天安门后的红日一轮。"当时的许多莘莘学子,确实是把弦歌数载的首都看作"母亲",将已逐渐神化的毛泽东视为"红日",我的诗句虽然幼稚而青涩,但却是那一代年轻人心声的忠实记录。于是,在隆隆的车轮声中,我们班和我们年级的一些同学携手南下而西去。有的在西安下车等待进藏,有的沿着唐诗人走过的河西走廊北上新疆,而我们则从兰州转车西去青海。当时,人为的加上自然的灾难已经横扫神州,但在天子脚下的我却不谙世事,只知"全国形势一派大好",虽然愈往西走,就愈见见所未见的贫穷感同身受的饥饿和冰冷的荒凉,但与杜甫唱反调的誓辞犹在耳畔,而李白式的豪情也没有立即退潮。

边塞诗,是唐代诗歌的一个重要流派。但当时去过边塞或人在内地却也到边塞诗领域来试探虚实的诗人,除了歌咏北方的戎马生涯之外,大都是西去甘肃,北上新疆,在河西走廊跃马扬鞭,匆匆来去。真正到过青海"深入生活"的诗人极少,大约当时青海主要是吐蕃和吐谷浑的领地,杀伐连年,争斗不息,盛唐虽然如日方中,但青海也并非它的阳光普照之地。唐王朝不时和吐谷浑以及吐蕃握手言和,但更多的时候双方则是兵戎相见。安史之乱后,吐蕃趁机占领了青海全境,并进而攻取了河陇地区。时至中唐与晚唐,这样一方苦寒而且杀机四伏的边陲,并非鸟语花香的乐土,也无海味山珍的盛宴,自然就更没有多少浪漫而务实的诗人前来问津以身蹈险了。我之所以远赴青海,除了别无选择,以及多年来所受的教育养成的报国之心,在潜意识里,还有因读边塞诗而滋生的对边地新奇神秘风光的向往。然而,一踏进青海的门槛,有如从美丽的飞天神话坠落到并不美丽的无情现实,面容严峻神情肃杀地站立在我们面前的是:饥寒交迫,长日如年。

1960年,那是遍及全国的饥饿的岁月。在兰州,从北京带来的按大学生标准定量的干粮,早已被我们一扫而空了。饥饿,像一个势利之徒开始向我们抛来冷漠无情的眼色。车轮敲奏着铁轨也敲奏着我们的忐忑,饥肠在腹中辘辘复辘辘,我们终于和夕阳一起到达青海省会西宁。如果是现在,街道上食品丰盈,餐馆林立,你做梦也不会想到饥饿的滋味;初来乍到,有关部门也会按常例盛情接待一番,你纵然怀念家乡和亲人,也免不了会兴高采烈,将青稞酒与欢迎辞一饮而尽。然而,近四十年前的那个黄昏,在湟水之旁那家简陋的招待所安顿之后,好像对我们的心理与生理出示第一张通牒,我们开始了在青海最初的晚餐,如果那是意大利文艺复兴时期大画家达·芬奇的"最后的晚餐",也许还可供观赏,但那却是现时代艰难岁月中最初的晚餐:每人一碟其味苦咸其色深黑而不见油星的干野菜,外加三枚越看越瘦小伶仃的馒头。从北京一路而来的凌云豪气美妙幻想,仿佛都已经烟消云散,大家默然而黯然地狼吞虎咽之后,回到集体宿舍式的大房间里,各自一言不发地爬上床铺。圆月,一轮边塞的圆月,正从群山之上涌出,圆在高原纤尘不染深蓝如海的天空。人生经历的第一次印象或初次印象,常常是铭记难忘的,数十年过去了,我还记得当晚的边塞夜月,久久把它的清霜洒满地上床上和我的心上。那时,李白的"明月出天山,苍茫云海间。长风几万里,吹度玉门关",便奔来我初临其境的心头。"汉下白登道"虽远在山西大同市东北,但"胡窥青海湾"的青海湾却已近在身旁。我想,人生不能只有月夕花朝,也要傲斗风霜雨雪,命运掷给我的还只是第一道战书,我只能咬紧牙关应战。虽然强自振作,然而,月色如银呵月色更如霜,凄然地凝视床前月色,我久久怀想的却是李白的另几行诗句:"床前明月光,疑是地上霜。举头望明月,低头思故乡。"这首诗,浪迹萍踪的李白是在哪一家客舍写成?一千多年过去了,怎么像是为我此时此夜难为情而作的呢?

二

今天的年轻人,已经不晓遍及全国的大饥荒为何物了,即使在内地尝过那种艰难苦楚的人,也很难想象边地众生的苦中之苦。青海地广人稀,冬春气候奇寒,温度常在零下二三十度,缺煤少电,更谈不上暖气,晚上用水如不及时泼掉,第二天早上收获的就是坚冰。粮食定量每人每月二十四斤,外加二两白糖、半斤鱼干、三张烟票,这便是我们的全部福音。此外,则如现今的流行歌曲所唱的"一无所有"。我在青海两年,食油涓滴全无,最后半年每人每月配给二钱,今日听来如同天方夜谭,烟票可买的烟只有一种,即上海出品的"勇士牌",一角三分钱一包,人都饿成奄奄一息的"病夫"了,却可以抽气冲斗牛的"勇士",烟云吞吐毕竟聊胜于无,不知是故作多情的自嘲,还是事有巧合的反讽?饥饿填满了每一个白天和长夜,辘辘的饥肠饿成了瘦瘦的鸡肠。岳父大人知我饥苦,自己忍饥挨饿,从邮局寄了十斤炒面给我,当然我未能收到,万里迢迢,那肯定是为现代的殷洪乔所误了,不是投于水中,而是投于他的腹中。岳父早逝,多年后我才知道这件辛酸往事,禁不住到他老人家的坟上一连磕了二十四个响头。我泪如泉涌,希望他能于地下听到我的感激和愧疚，收到我的哪怕一滴迟到的泪水。

永志不忘的还有色香味俱全的早餐——两碗"拌汤"。所谓"拌汤"，即是撒少许面粉在一大锅清水中搅而拌之，在清可照人之中，外加若干片包菜叶，让其载沉载浮。两碗拌汤下肚，一上午传道授业，虽不致于喉干舌燥，但却腹诽得如沸如煎。早来两年的学兄林锡纯君，和我同在一中任教，现在已从西宁晚报总编辑岗位上退休，但当年却头戴一顶"右派分子"的帽子，身披一袭因长年累月与拌汤为伍而汤光可鉴的棉衣，终年脸上浮肿，四季面有菜色。他是中文系出身，会写文章和旧体诗词，读书时即以独立思考和执笔为文贾祸。他又多才多艺，会画画，擅篆刻，善乐器，同时又长于外文，因此，他一身而兼任多种课程，包揽学校许多杂务。我们晚上九时半可以下班，他却每晚要在教研室忙碌煎熬到午夜以后，以这种大大超负荷的工作来"立功赎罪"，不知他枵腹从公，何以卒夜——熬过那些漫漫长夜？

当时，还要"坚持走与工农相结合的道路"，师生们不时要翻山越岭去乡下生产队干活。青海的乡野较之省会西宁，当然更加寂寞荒凉，是名副其实的"穷乡僻壤"。锡纯知道我虽不敢对他多所亲近，但私心却颇为同情，加之有同学之谊，在荒山僻野无人之处，他抄给我一首唐诗人吕温的《吐蕃别馆中和日寄朝中僚旧》：

      清时令节千官会，绝域穷山一病夫。
      遥想满堂欢笑处，几人缘我向西隅。

吕温与王叔文、柳宗元、刘禹锡等人相交甚善，贞元十九年，他以集贤殿校书郎的身份作为副使，"万里海西行"，随工部侍郎张荐出使吐蕃，被扣留经年，写了近十首绝域羁留之诗作。锡纯精于诗道，且早来青海，对吕温写青海之作烂熟于心。他虽不是羁臣，却相当于流人，吕温此诗特别是其二、四两句，该撩起他萧条异代不同时但却同样的身世之感吧？

　　锡纯有位同班同学范亦豪君，1957年两人"同案"，定为"范林反党联盟"。他在农场劳动一段时间后，分到我所在的班"监督改造"，所以早已认识。亦豪"认罪态度不好"，头上戴的帽子较锡纯更为沉重，是所谓"极右"，因而发配之地也更遥远更少人烟，远在"雪皑皑，山苍苍，祁连山下好牧场"的祁连山，海拔三千多公尺的门源平地。亦豪开始没有资格教书，"考查两年半"（最高也只三年，实为"劳改"），主管方面令其放牧。张明敏唱的《青海青》中有道是"这里有成群的骏马，千万匹牛和羊，马儿肥，牛儿壮，羊儿的皮毛好像雪花亮"，这真是太富于诗情画意了。但山中山下不仅有牛羊也有豺狼，铺天盖地的大雪不时前来封山，不说人烟，就是炊烟都几近断绝。亦豪连住房都没有，严冬时节只好瑟缩在依山崖而草草搭建的窝棚里，因而关节炎严重复发而举步维艰，当年在篮球场上的虎跃龙腾，成了他形影相吊时的辛酸回忆。但他在孤寂之中却不愿见到一个陌生来客，因为那会让他立即想起自己是"入另册"的阶级敌人。后来终于让他去祁连中学教书，听说他教的那个高中班，总共只有四名学生，其地之荒僻落后可想而知。我们音讯不通也不能通，每一天都是短促生命中漫长的一天呵，不知他在那里如何苦度并终于度完流放的岁月？

亦豪的同窗女友芳名王世巧，他们密切得已经论毕业之后的婚嫁了：但变生不测，罡风劲吹，他沦为右派，开除出团而远谪边荒，她则分配到沈阳辽宁师院中文系教外国文学。有关组织多次动员世巧与亦豪断绝关系，但她顶住如磐压力，坚辞拒绝；有的男士向世巧表示殷勤和关怀，她也依然是我心匪石，不可卷也。他们真情挚爱，两地相思，正如同唐代无名氏的诗句。唐代的无名氏，在战争中于敦煌被俘，经柴达木盆地、青海湖畔而押 送至唐之临蕃今之湟中县多巴镇，他在途中和羁押中写了许多诗作。感谢敦煌石窟的唐人诗集残卷，其中保留了他的一些篇章，那是唐代实地抒写青海的边塞诗，空谷足音，弥足珍贵。作者以《晚秋》为题的诗写道：

　　　　日月千回数，君名万遍呼。
　　　　睡时应入梦，知我断肠无？

　　　　白日欢情少，黄昏愁转多。
　　　　不知君意里，还解忆人么？

这位伤心人自己魂牵梦萦意犹未足，还从对面想来与写来，以《闺情》为题，虚拟他远在家乡的妻子对他的想念：

　　　　千回万转梦难成，万遍千回梦里惊。
　　　　总为相思愁不寐，纵然愁寐到天明。

　　　　百度望星月，千回望五更。
　　　　自知无夜分，乞愿到天明。

尽管这位无名作者和他的妻子早已成灰化烟，幸而他的诗句还留在人间，仿佛是为我辈而写。我的未婚妻远在江南，人隔万里，辗转反侧。境况较好的我尚且如此，何况境遇更近似无名氏的亦豪呢？出于常情常理之外，而且给亦豪以雪中送炭的慰安的是，世巧竟然远离内地的繁华都市，弃置名牌高校的绝佳环境，不远千里复万里，毅然决然地奔向唐代无名氏所说的"六月尚闻飞雪片，三春岂见有烟花"的青海，而且是青海的祁连山下，和亦豪缔结苦难而美满的姻缘。当今之世，世风日见低下，道德日益沉沦，不计功利而一片真纯的海枯石烂的恋情，大约只能从《诗经》从汉魏乐府从梁祝之类的民间传说中去招魂了。但是，我的一直未曾谋面的师姐，青海的风至今仍传说她美丽的故事，她的故事传扬了中国女性高尚而坚贞的美德，其真实动人使任何同类情节的当代小说相形失色。我离开青海时，为我送行的锡纯说，亦豪这几天就要到西宁来，迎候自远方前来团圆的恋人。锡纯虽然命运坎坷，慈悲为怀的上天还是给了他补偿，他后来遇到了一位窈窕淑女，成了他的夫人，名字叫郑美霞，是他的生命的天空苦雨初收后真正美丽的彩霞，我重访青海时有缘一见。师姐世巧却缘悭一面，和亦豪也多年不曾再会，只听说亦豪成了青海师院中文系的教授，身患癌症的他曾兼任系主任，后来双双调回天津。在57届毕业生四十年聚会上，世巧朗诵了她的《致同窗》，结尾是："我的故事很平淡，没什么光也没什么辉。可我挺珍惜，无怨无悔。"亦豪即席发言说："如果没有她，我今天就不能活着到这儿来。有同学说世巧老了，脸上皱纹多了，我要说，那每一条皱纹都是我的！"人生无常，天道好还，每当想起他们凄美动人的故事，唐代无名氏诗中的哀情怨绪就重到心头，而当代小提琴协奏曲《梁祝》的旋律便怆然欣然轰然响起，那双飞的彩蝶呵，便在我的眼前翩翩而飞。

三

多年来，我常常临风回首我和同窗们在青海的艰难日月，高吟低咏唐人写青海的诗句。但在八十年代之初读到诗人邵燕祥的《青海》，却引起了我不是隔代而是同时代人的强烈共鸣："一个山鹰折断翅膀的地方／一个骏马放蹄奔驰的地方／一个囚禁罪犯的地方／一个流放无辜的地方／一个磨砺你为宝剑的地方／一个摈弃你如废铁的地方／青——海——啊！"西下的夕阳，虽然仍有满天霞彩，但不知它是否忆念自己朝日初升或日到中天的时光？年华向老的人，对于自己的青春岁月，不论是坎坷不遇还是意兴飞扬，总是难免凄然或悠然回首的吧？离开青海已近四十度春秋，对于那个我曾经奉献过幻想、青春和热血也令我铭心刻骨的地方，对于那个一经邵燕祥咏唱更使我怀想无已的地方，我总盼望有朝一日能旧地重游，去追寻自己越去越远的青春的背影，去瞻拜它古老而日新月异的容颜。

不久前的八月夏日，和当年去青海的时令巧合，我终于一偿夙愿，从南方远飞兰州，然后乘火车奔向西宁。铁路线两旁，那些久违了的站名和久别了的植被稀疏的山峦，一一来招呼我如逢故人的眼睛，而如黄色泥浆一样滚滚东流的湟水黄水，也以它的浪涛再度拍打我的胸膛。一般人重温旧梦，不论是好梦或是恶梦，总难免百感交集，近四十年前我离开青海，锡纯兄拖一部破旧的板车，运载着我简陋的行李回乡的喜悦和一朝分袂不知何时再见的离愁，我心中珍藏多年的，是他站在冷落的月台上依依挥手的身影。而此番重到西宁，月台上除了两鬓微霜的他，还有我大学的班长曾任西宁市电视台台长的陈宜，还有在青海工作了大半生籍贯湖南的诗人朱奇。当年，我曾在西宁火车站昏黄凄冷如同几滴浊泪的路灯下，碰到一位卖蚕豆的农民，不是论斤论两而是论颗，一毛钱一颗，虽然工资微薄，几经踌躇，我还是买了一百颗，慰劳饥肠。如今，那位摆摊的农民不知去了哪里？他现在该已丰衣足食了吧？而西宁火车站也一派高敞堂皇，早已脱下了那一身敝旧暗淡的衣衫。世间何物催人老？半是车轮半日轮。日轮下，车轮旁，同窗和旧雨在欢呼声中久久地拥抱在一起，如同拥抱我们珍贵的久已失踪的青春岁月。

　　四十年前在青海，自己只是一名穷愁潦倒的中学教员，加之饥寒交迫，除了下乡劳动去过西宁近郊，可谓足不出户。现在名动四方游人如织的塔尔寺、日月山和青海湖等处名胜，于我都是可想而不可即。我一直心存遗憾，连青海湖都没有去过，怎算到过青海？这回前度李郎今又来，锡纯和陈宜均已退休，手中之权已经"过期作废"了，幸亏朱奇仍任青海省作协主席，加之我们是同行，所以由他尽地主之谊，驱车陪同，匆匆走马观花三日。

　　除了和我青春作伴的西宁，我最想看望的就是石堡城和青海湖。西宁早已今非昔比了，往日的寒伧冷落已不见影踪，四十年后，这座古老而简陋的边城，出落得如同一位仪态雍容的西部美人，这是千千万万本地人和外省前来的建设者流血流汗，为她梳妆打扮的结果。我匆匆探访原来工作过的学校，免不了油然而兴晋代桓温的"树犹如此，人何以堪"的感慨。我急急看望曾经印满我的足迹的小街深巷，却再也听不到一声回音。于是我们驱车穿城而过,去赴四十年前即已订下却未能践约的约会。

我来时正值高秋八月,一年好景君须记,这是青海一年四季中最好的日子。车出西宁城,天蓝,地阔,绿树成阴,油菜花在田野上抛撒它们的黄金,成熟的小麦在阳光下炫耀它们的金黄。车过湟源县后,折向西南约六十华里,这一带本已是山岭逶迤了,有一座峭壁为铁灰色的山头尤其傲慢,海拔约三千米,虽然时间早已进入了现代,但它依然一副一夫当关万夫莫开的神态,睥睨四方。朱奇告诉我们,这就是唐代的石堡城。石堡城又名铁仞城,简称石城,城西侧有小河,名药水河,三面悬崖绝壁,只有一面有一条盘旋石道可以攀行而上。这里曾是唐朝与吐蕃的交界之处,为唐蕃交通要道,唐帝国边防前哨,后来陷于吐蕃之手。因为固若金汤,所以许多大将试图攻克都未能如愿。李白昔日在《答王十二寒夜独酌有怀》中说:"君不能学哥舒,横行青海夜带刀,西屠石堡取紫袍。"天宝八年即公元749年,名将哥舒翰率兵十万人攻石堡城,伤亡数万人方始收复,而吐蕃只有数百人固守,可见此处之山高城险。"北斗七星高,哥舒夜带刀。吐蕃总杀尽,更筑两重壕",这是唐代西北边地流行的民谣,我以为写的就是哥舒翰在青海的戎马生涯。哥舒翰曾任陇右节度使,治所在唐之都州今之青海省乐都县,李白"横行青海夜带刀"句中的"青海",也可以为证。石堡城上,尚有两个长宽均为数十米的大小不一的土台遗址,其上各残存有瞭望台。我们登台瞭望,四顾苍茫,山谷间虽然似乎还隐隐可闻刀剑的铿然交鸣和冲锋陷阵的惊心呐喊,山下有令人心惊的地名"死人沟"和"万人坑",但却已望不到一炷狼烟或硝烟。我不禁想起敦煌抄本保存的哥舒翰的《破阵乐》,《全唐诗》未及收录。此乐是凯旋歌,进行曲,原是唐太宗所制,唐玄宗继之作《小破阵乐》。哥舒翰之作,是这位一度叱咤风云的突厥族武将所赋的庆祝胜利的文辞:

    西戎最沐恩深,犬羊违背生心。
    神将驱兵出塞,横行海畔生擒。
    石堡岩高万丈,雕窠霞外千寻。
    一唱尽属唐国,将知应合天心。

这首诗,敦煌抄本注明作者为哥舒翰,我却怀疑是他的秘书代劳,或是请他人捉刀,如同现在的某些"领导"一样。因为哥舒翰除此之外,只有《题凤凰山》的断句"彩凤双飞翼,宛然半岩间",见之于《全唐诗补编》,看来他武功赫奕,文治阙如,何况他即使志得意满,豪兴飞扬,也还不至于自称"神将"。这些都不必去管它了,除了"犬羊"之类现在早已不合时宜的词语,诗的中间四句写得确实笔酣墨饱,虎虎生风。"横行"一词,在这里意指纵横驰骋,所向无前,一见于此诗,一见于李白之作,该是李白读此诗后受到影响吧?

  天宝十一年,年近五十的诗人高适"客游汉右,河西节度使哥舒翰见而异之,表为左骁卫兵曹,充翰府掌书记"(《旧唐书》本传),因为担任哥舒翰的秘书,所以高适也曾一度从戎青海。天宝十二载,哥舒翰攻破吐蕃,收复"黄河九曲",置"洮阳郡"和"浇河郡",即青海省东南部黄河曲流之处。随军的高适的《九曲词》,就是歌咏哥舒翰和大唐将士的胜概英风:

西看逻逤取封侯,铁骑横行铁岭头。
青海只今将饮马,黄河不用更防秋。

诗中的"铁岭"已不可考,大约是指边境的山岭,而"逻逤"又作"逻娑"与"逻些",为唐代吐蕃都城,即今日西藏自治区的拉萨。我们在石堡城徘徊,在残存的遗址上永恒的唐诗中悠然怀古,但却不能久留,因为民族之间的干戈杀伐早已成为历史的一抹云烟,何况日月山和青海湖还在石堡城之西等着我们。

日月山是唐蕃边界,也是文成公主进藏的胜地。以此山为界,山之东是丘陵农业区,山之西是草原畜牧区。从石堡城西行二十华里,站在日月山上,仰观长天空阔,天边灰白色的积云不是成朵而是成带成阵,皑皑雪山从唐朝从亿万斯年以前,就白在云带之中威严在云阵之上,俯瞰纷纷攘攘的尘寰。朱奇告诉我,这种带状云是青海特有的景色,只有身临其境,才能深切体会王昌龄为什么要在《从军行》中说"青海长云暗雪山",徒然纸上谈兵,就无法体味诗人观察之深状物之妙。低头远眺,无际的草原像一卷豪阔华丽的地毯,从我们的脚下抖开而铺向天边,油菜花金黄,绵羊雪白,牦牛深灰,它们都没听说过吐蕃赞普松赞干布和吐谷浑王伏允,都不知道曾挥戈青海的薛仁贵、黑齿常之和哥舒翰的名字,更不要说那许多曾此去彼来搅攘高原的旌旗,和那些此起彼伏号令草原的胡笳与号角了,它们只知银线金针,将美丽的图案一齐绣在青青的青青的草原之上。西向而流的"倒淌河"呢?虽然大名鼎鼎,此时却只是一曲似可飞身而过的涓涓小溪。在草原的地毯上飞驰向西,从如同江南的菜花香里向西飞驰,本来远在天边的青海湖水,就迎上来拍打我们的车轮了。

青海湖,蒙语名"库库诺尔",意即"青色的湖"。古称"西海",因其地处西域而得名,西汉王莽曾于此设"西海郡"。"青海"之称起于北魏,北魏的地理学家兼大旅游家郦道元,在《水经注》里留下了青海湖的水影波光:"海周围七百五十余里……水色青绿,冬夏不枯不溢。"青海湖如同瑶台的一面明镜,掉落在大通山、日月山和南山之间。我们来时正是盛夏,湖畔有许多圆形的白色帐房如莲花开放,湖上有如箭如犁的游艇在劈波破浪。湖水清凉,湖边清可见底,青藏高原上特有的无鳞湟鱼,正不知有汉无论魏晋地在水中悠哉游哉。由近而远,湖水的颜色依次是淡绿、银白,缥青和宝蓝,墨绿与深灰。造化真是天地间最杰出的画家,以高原为画板,绘出了青海湖这一帧不朽且不干的传世之作。我久久趺坐在湖边的岩石上,相见恨晚已经四十年,只好请朱奇以湖为背景为我拍几张照片,让青海湖驻在我的心里,也让我留在青海湖的心里。见我留连不舍,不忍离去,朱奇说:

"唐代诗人写到青海湖的,只有从敦煌遭送到青海的无名氏这一家。他在《青海卧疾之作》中一叹'惊魂漫漫迷山际,怯魄悠悠傍海涯',在《秋夜》中再叹'一夜秋声傍海多,五更寒色早来过'。而他在孤独悲愁中想念家乡和故国,更有《青海望敦煌》之作。"

初见青海湖,怎能不略表微忱?于是我对着连天湖水,放声朗吟:"西北指流沙,东南路转遐。独悲留海畔,归阻望天涯。九夏呈芳草,三时有雪花。未能刷羽去,空此羡寒鸦!"如果四十年前我有缘来青海湖畔,此诗只能勾起我的凄凄戚戚之情,而今斗转星移,风物晴美,心境自是大不相同。可是,我却到哪里能找到无名氏,请他旧地重游,修改他的诗句呢?

四十年前初识,四十年后重来。人生有多少四十载?当火车离开西宁,汽笛长鸣,我伏在窗口不禁频频回首:我们什么时候能够再见呢?青海,青海,青海青,青青的海呵!

石 英

钟情大西北

　　通常人们提起大西北,往往与寥廓、荒凉以至贫穷的概念联系在一起;在心目中便与广东、江浙、山东半岛等经济发达的较富庶区域形成鲜明的对照。对大西北,有人或则望而却步,或则浅临即返,难生留恋之情。

　　当然也有毕生挚恋的钟情者,以至魂系西北,骨守漠丘,奉献出一腔热血浇灌那河西杨柳,沙洲稻菽。对大西北钟情的心声呼唤着柴达木油流,与腾空神箭同啸……

我未曾在大西北久居，但近二十年来也曾数度因公赴西北地区，少则数日，多则月余。去得愈多，愈生骨肉之情。是那种感情上无间距，心灵上息息相通，见则亲，离则想的亲同骨肉的深情。

为什么？最初我也不得其解。西北地区既非我生地，又从未在那里工作过，连亲属也没有在那里的，完全是一种缘分。最后，我只能归之于是性格气质上的共同，审美取向而使然。具体说呢？只恐难得精确。

可能这里暂时经济上不如沿海地区、某某三角洲发达，商品意识还不够"火"，栉次鳞比的高层"写字楼"、星级饭店以至"花园"、"广场"之类还没有达到雨后春笋般的密度；但在我，似乎也不过于苛求它。因为不同的地域有它各自不同的沿革和条件，怎能不分青红皂白地指手划脚？也知道任何事情（尤其是比较艰难的事）怎能一蹴而就？何况我们到那里办事、观察体验，并非只为了尽尝珍馐美味的膏腴，也并非为了得住豪华套间而恍觉身披殊荣。更何况纵是稀世美馔佳肴亦不能永贮肠腹而不消，再豪华的套间也不能如蜗牛负壳而永世扛在肩背。大西北之于我的吸引力显然不是这些，也不可能是这些。

那么，是哪些东西吸引了我使我深深眷恋？

是那黄河两岸、丝绸之路上的无比丰富的文化遗存吗？肯定是一个重要方面。但主要尚不是诸如那威风八面、仪仗隆盛的武则天和唐高宗的"寝宫"乾陵，也不是"三千宠爱在一身"最后被迫香消玉殒的马嵬坡杨贵妃墓，更大胆地说，对于我主要也不是号称世界几大奇迹之一的兵马俑和世界级艺术博物馆敦煌莫高窟千佛洞；而是范公仲淹在陕北屯兵抗敌御侮的遗址，青年将领霍去病倾倒皇封酒以犒赏众军的酒泉故池，左宗棠西进时沿途植下的"左公柳"和林则徐因销烟获罪遭贬流放至伊犁的遗踪……。这些是万古正气的源泉,这些是大义凛然的显形。经过这些地方,我听到的是金戈铁马的余音,看到的是冰河碎裂春水涌流的倩影,感受到的是不乏悲怆却发人向上的伟力。

古老吗?也很年轻——凡有人在,这样的声音,这样的姿影,这样的力量永远将成为人生的主动脉;否则,大地就会失血,万木就会变得十分苍白。因此,不只是仅为怀古而恋古,实在是为取经借力而来。

诚然,大西北大而难免有些荒凉,地域辽阔而并非处处草木茂长。但不喧噪的另一面便是静谧,少人工雕饰的另一面是较多地保持了本真的天性。它静,静得就像一个个彪形大汉在午休;在这时刻,周围的一切生命也都屏住了呼吸;无形中,连我这外来人与同行者交谈也不自觉地变得低声絮语,仿佛只恐惊扰了冥冥中的什么神祇。但偶尔也有喧腾时,譬如说戈壁滩上空猛地一声炸雷,大晴天里便会下起一场揭天盖地的大雨,果子沟坡的钻天杨也会应声齐呼,艾比湖畔的阔叶植物也会猎猎击鼓!这种静中有动仿佛是为了提醒新来乍到的人们:莫要误以为空旷的戈壁滩就缺乏生命。有的,这生命不只是存在于动植物,而且是天地间蕴含着的那种内在生命力,它远比狭山细水、局促之地更宏大更骠悍。也许因为它太大太壮阔,人们还顾不上着意去侍弄它、雕饰它,因此许多东西显然更自然更质朴,却也不是完全原始无序。有如钻天杨,齐刷刷地往上伸长,但并不因无人理正就任意侵夺友邻的空间;倒反是因为有足够的阳光和空气使之各取所需,构成一个同登高格的绿林世界。又如宁夏的枸杞子,长得那么鲜灵、个儿大,较别的产地质优味美,也使人觉得它们是多得自然山水的滋养,而较少受到大气污染和噪声的困扰,才保留和生发出更多的原汁原味。

 无可否认的是,由于西北地区的历史和自然条件等原因,现代化的进程尤其是经济发展较前述的某些地区是迟了些或慢了些,有些地方人民生活还未达到温饱水平。但这只是一个方面,并不能因此就认为西北所有地区低劣,更不能说它在一切地方都无发展优势可言。其实,就大西北而言,它在地域优劣上是跳跃式的,呈现出错综驳杂的态势。它有沙漠也有绿洲,有雪山也有草原,有荒滩也有茂林,有寂然无声的天山落日也有高楼塔顶的皎月东升。当地人不无自豪地说:"我们这里是有水就有树,有树就有村。"在水草丰美之地,我见庄稼长势比沿海和中原地区绝不逊色,甚至还更领风骚。渠水动而稻麦竞姿,重穗低垂而风送喜讯,白兰瓜哈密瓜堪可矜夸,吐鲁番葡萄园自非凡品可比。至于西北的地下资源,有如戴面纱的绝代仙子,一旦拂去黄土,便会托出旷世珍宝。且不须赘言此间的城市建设,如今也并非简陋羞窘之相。相反是,不少中心城市的气派壮貌并不比许多东南地区城市稍差,甚至还有一种舒放谐调的潇洒和不拘俗常的大气。融古风于今市有西夏、鄯善之余韵,浴晨雾登高楼隐听丝绸之路驼铃。高昌、北庭古城虽尽成废墟,而奎屯、石河子等新城相继崛起;玉门关、阳关古道风沙掩息了唐代边塞诗人的履踪,却有东西贯穿的欧亚铁路桥架烟云。何虑古道盛风不再?大西北优势不显?

 人亦如斯。西北地区由于风沙侵凌,部分人面现"红二团"。其实"红二团"也未尝不是一种美。何况对于多数健男靓女来说,不仅没有"红二团"的特征,且有别处不具的性格和风采。男则粗砺诚朴,女则柔而不媚。前者有别处山野雄性之"憨"却绝少土气；后者有江南女子的灵俏却更富母性的善解人意。尤其是乌鲁木齐、伊犁等城市的女性，其气质，其姿态往往令外来者感到惊讶！何以在远离京城、沪上的数千公里之外，中隔黄土高原、荒漠戈壁的边地竟有这样多见世面的双眸？尽脱浅俗的大方？

神州万里幅员，我最钟情于大西北。并非故乡，远胜故乡——故乡之谓仍是一个狭小的概念。诚如骨肉，又非同血缘关系的骨肉至亲。那么到底是什么？是心灵天地与大自然空间的对接？是我这凡俗的目光与大西北气格的共溶？还是历史与当今无比丰富的精神宝藏对我的吸引与呼唤？啊！巍巍祁连山的雪风，你能回答我吗？青海湖鸟岛上的候鸟，你能将答案捎给我吗？

华清池·兵马俑

同是一个景物，在不同的时间不同的心境下去观赏，往往会产生不同的感受。譬如陕西骊山华清池，十年间我去看过两次。第一次因为商品大潮尚未兴起，华清池亦未着意修缮，因而看看也就是了，最近的一次正是轰轰烈烈追求旅游效应之时，加上电视连续剧《唐明皇》的播映，那个风流皇帝和他的宠妃的故事渲染得正红火，华清池的势派自然也今非昔比，给我的印象也必然更强烈些。至于这印象究竟是绝对更好还是更差,那恐怕不是一两个字的简单答案了得。

但总的说来,我的心绪并没有完全随景点的红火而顿然升腾;倒是更沉静下来,对华清池以及围绕着这个池子演出的那场温柔缱绻、酣歌曼舞、欢娱无比而又凄楚哀怨的长篇悲喜剧,加以重新的审视,作了属于自己的但也许不是新奇绝伦的评价。

我瞅着瞅着,幻想中的华清池竟是一个水上金丝笼,笼内养了一只能歌善舞的小鸟。这只小鸟,既非圣洁爱情的光环,但也并非妲己再世的狐妖。我却不得不承认:这区区华清池泛起的涟漪,竟在千余年间的许多人心中掀起过无限艳美、徒然伤感的海洋的波涛。

华清池现在弄得很精致(不知是否根据当时图纸原样再造),我又觉得它好似皇帝与宠妃的水上寝宫。当年在这里,日听莺声燕语夜赏含金吐玉。雾笼氤氲,秋波暗转,过于投入也过于安逸,听不到渔阳那边潜声的马蹄;过于温馨也过于封闭,看不到长安禁苑中的蛛丝马迹。

华清池水无疑是非常温柔,温柔得使人娇弱无力。这水,既能洗去香汗淋漓的微垢,也能洗去立身立国的元气,终于,那泄漏的水汽化为一道白绫,扼断了盛唐时期最后的喘息。华清池从此走向萧条冷落,那位风雅一时的"太上皇"孤老清寂,恐怕再也少有心思来这华清池重温旧梦;那往昔的钗光鬓影、胭云粉气,只配得白头宫女闲坐消愁的资料而已。当然,后来的几代文人也蘸着这尚未完全干涸或许遗有天宝余韵的泄水,写出了《长恨歌》、《长生殿》和《梧桐雨》。

我也曾去过几处温泉,但那里也不及华清池的身价豪贵。我想,并非这里水质最最优良,只是因为皇帝和贵妃濯过身子。中国的风习（也许世界都是如此）就是这样：只要皇帝和皇后以及贵胄沾过的东西，身价便达到至极。皇帝登过的山，尽管不见得就是极胜，也便成了头带光环的圣岳；皇帝沾过的水，也便如华清池这样，永世不再与凡水相通。其实，这种"惯例"的结果，既僵化了水，也僵化了人。

华清池只是个景点而已，买票参观、排队洗个温泉澡都无妨；当然有那么一种沾了些许皇妃之气、抚摸自家肌肤似有点凝脂感，却是可以理解的心理效应。但对在这里洗过一二十年澡的、千二百年前的那对冤家，既不必开现场批判会，也不必作为痴心向往的偶像。倒是可以从这唐代宫廷沐浴中得到一些曲里拐弯的启示：在当前城乡许多地方许多人洗澡还有困难的条件下，今后的沐浴业是重在发展豪华桑纳浴还是大众澡堂？

我没下水，充其量只是"思浴"而已。

尽管一些艺术评论家巧挥他们的生花妙笔喷喷感赞秦兵马俑（我之所以不说是秦皇兵马俑，是因为最近又见新说云：兵马俑是秦太后兵马俑。也就是说尚在争议中）："一个个各尽情态，栩栩如生"。栩栩如生总的来说我还是认同的，但要说各尽情态我却略感过头了些。我倒是觉得这些兵俑的姿势还是统一多于异趣。这应当说是比较合理的，因为他们是军士，是正在行进中的阵列，自然应有整齐划一的步武。

何况，他们征伐的目的主要也在于统一。统一是一宗大事，一宗大好事。这也是秦皇嬴政的最大历史贡献；以及后来的车同轨，书同文，都是向着统一的大目标。当然"语同音"这个统一工作更艰巨，秦皇那时没有解决，至今也还没有解决得好。

肯定了统一这个大局,再去观察秦立国之后的一些举措就会较为辩证。也许我们就能不那么苛求秦皇的"稳妥",不只是哀怜那几个七嘴八舌、说三道四的迂腐儒生,也就不会到处寻找两千多年前的那些焚书坑儒的原址何处;也就不会再去讥笑为什么那么一个强大的秦王朝,竟十五年而倾覆。还说不定要体谅它毕竟是没有先朝可以借鉴的现成经验,治理起来就不如后世一些朝代的君王那么高明。他没有像汉高祖刘邦那样彻底实行"狡兔死,走狗烹"的灭绝功臣大将的决策;他也没有如汉武帝刘彻那样"罢黜百家独尊儒术"以加强思想钳制(最近又有一说刘彻并没那样做,姑存疑);他也不如唐太宗李世民实施科举取士"尽入朕彀中"那么有效;他还不及明太祖朱元璋以叛逆罪诛杀胡惟庸、李善长等人并株连数万那么干脆利落;自然也不如清朝爱新觉罗氏康、雍、乾几帝大兴文字狱来得"名正言顺",诛之有理。然而,他横扫六合的威势却不仅空前,而且也为后世他姓诸皇不得不无言而瞠目;只是他们都还无缘亲眼得见地下兵马俑的奇迹!

是奇迹,据说连参观过的外国首脑们也叹为奇迹;当然,他们多半不知道,就连东进中坑杀赵卒四十余万的行动也可谓"奇迹"。

也难怪,观景的人不论中外,不论黑头发还是红头发,黄眼珠还是蓝眼珠,只为大饱眼福,只顾啧啧赞叹,哪里想到与此相联系的其他东西。眼前只有兵马俑,没有了李斯、赵高的阴谋,也没有了蒙恬、公子扶苏的悲剧;只有兵马俑,只有雄赳赳气昂昂,没有了沙丘崩殂密不发丧的掩尸大瓮,也没有大将章邯被击败时的西向回蹿……

参观者或许有人并不知道这些事,纵然是知道的这时也不去想。

　　眼前只有兵马俑；顶多是联想到传奇中的关云长过五关斩六将……

李木生

初识延安

1995年仲秋,我去延安朝圣,带着一腔敬慕。

富庶的地方有福可寻,媚丽的地方秀色可餐。踞在黄土高原上的延安既没有物质的富庶,也没有景色的媚丽,只有数千年不变的深厚的黄土和黄土做成的塬、梁、峁、沟、壑,木讷、糙裸、朴陋。

但是,我到延安朝圣的举念却是日益强烈,而且在敬慕中更涌动着热爱。尤其是在"浮躁,圆滑,势利,孱弱,自私"

的现代病将心智磨蚀殆尽的时候,这种朝圣也是一种对生命营养、生命拯救的渴求。

当然,最先知道的延安、也是众所周知的延安,是在中国共产党人走投无路的时候,以自己贫穷但却宏阔的胸怀接纳了他,从而在中华民族生死存亡的关头,成为中国革命的圣地和新中国的摇篮的延安。我们好说共产党人建设了延安,战士们保卫了延安,我们更应该说延安、延安的人民对共产党人和革命战士的恩情。

当长征的红军渡过金沙江,终于甩掉围追堵截的敌人时,出发时的八万六千人(征途中不断扩充的人数更是大大超过这个数),此时只剩下衣衫褴褛的六千人。建立根据地找个落脚处,对于跋涉了二万五千里路的红军来说已是迫在眉睫。1935年9月20日,突破天险腊子口进入甘肃哈达铺的毛泽东看到了国民党《晋阳日报》上的一则消息:"陕北刘志丹赤匪部已占领六座县城,拥有正规军五万多人,游击队、赤卫队和少先队二十余万人,窥视大西北,随时有东渡黄河的危险性"。于是,他对周恩来、刘少奇、彭德怀等人说:"到陕北去吧。"

延安接纳了这些衣衫褴褛的红军,1935年10月19日,徐海东、刘志丹部与长征的红军在延安吴起镇会师。红军在这里一住就是十三年,赶走了"日本鬼子"打败了"蒋匪帮",从这里走向了全中国;毛泽东在这里一住就是十三年,写下了《毛泽东选集》一百五十九篇文章中的一百一十二篇,从窑洞走向中南海。住了十三年的战士们走了,走了就很难再来。延安想他们,但不怪他们,知道他们建设的事很忙。住了十三年的毛泽东走了,走了就没有回来。延安想他,但不怪他,知道他日理万机,何况陕北的路又难走。来时,它无言地迎纳,捧出又香又甜的南瓜小米，营养着革命和一代巨人；走后，它无言地思念，独自吃着南瓜小米梳理岁月。

陕北有一首民歌《骑白马》调美词也有味："骑白马，挎洋枪，三哥哥吃的是八路的粮，有心回家看姑娘，呼儿咳呀，打鬼子呀顾不上。"住了十三年的亲人们走了没再回来，但是陕北农民李有源却将《骑白马》改编成《东方红》，唱遍全中国，一唱几十年。

接纳之时，延安本未想过什么报答，就因为他们是穷人的队伍，是穷人的造反队伍，是处在危难之中需要帮助的落泊之人。接纳了，相交了，就将心掏出来相待，生死与共，患难与共，即使承受委屈冤情也不移初衷。那是红军落脚之初吧，当时的陕甘宁边区政府后方军事委员会主席兼边区保卫局局长的戴季英就制造了"刘志丹冤案"，将刘志丹、习仲勋、马文瑞等一大批陕北高级干部当作反革命逮捕。不知情的通信员曾将装着逮捕令的信交给了刘志丹，刘志丹怀着对党与毛主席的深信，看完信便只身前往瓦窑堡，"束手就擒"。被毛泽东救出并委以重任的刘志丹，几个月后便牺牲在战斗之中（《名人传记》1995第10期《王首道与他的老师毛泽东》）。

还有一个人不应被忘记，这个人叫吴满有。1941年他共收粮食三十四石，缴公粮十四石三斗，公草一千斤，公债与盐代金八百一十五元，被边区政府命名为劳动英雄，并在全边区开展了吴满有运动。但在1948年4月，他在一次战斗中当了俘虏。在敌人的折磨下，他还托人给林伯渠捎话："如果我死不了，终有一天会是你们的人，如果我死了的话，我在革命队伍里还有几条根（他的儿子），还能继续为党为人民服务，为我复仇。"就因为敌人的谣言和离间，跑回家乡的吴满有被宣布为延安最大的叛徒,取消称号,开除党籍。王震从新疆派人来接他,他怎么也不去;成立高级社,七个村就他一个人不入社。他将"冤枉事一肚子装着",只给党中央写了三封信。一个人在这黄土高原上,放着一群羊,等着中央的回信。1959年3月,没有等来回信、已经六十六岁的吴满有郁郁死去。郁郁死去,也不说昔日的朋友一个不字。

到了"文革"时期,又是一番今非昔比了。当年曾被延安收留的习仲勋再次落难,这次是落难在"革命"手里。儿子习近平在北京走投无路,两进监狱,十五岁上只身爬火车投奔西安的亲戚。谁知世态炎凉,亲戚不仅不认他,连门也不让他进。才十来岁的孩子本能地想到了延安。果然,仍然十分贫穷的延安收留了他,给他吃、给他住,并且毫无歧视地"重在表现",让他入了党,当了大队党支部书记,二十年后的1988年,他在福建宁德地委书记位上的所作所为,就颇有点"延安味"。经过调查发现,宁德地区有七千三百九十二名干部大建私房,其中副县级以上的二百四十二人,科级以上的一千三百九十九人,分别占这级干部的49%和46%。他雷厉风行,全区共处理了一千零二十一人,占该处理干部的95%,七百三十九户退地还耕,罚补款九十四万七千六百元,共退出一千多套公房,相当于新建楼房二百幢。当时干这件事的时候,习近平有几句至今让人不忘的话:"不清除腐败,那些无权无势者也许到死也住不上公房","真正不好惹的是人民"。他之所以底气十足,是因为他的背后有了延安和黄土高原的养育。也正因为有了这次"营养"的垫底,才使他能够成为高干子女中少有的成大器者。

木讷、粗粝、朴陋的延安是永远和熟透的世俗格格不入的。它贫瘠苦寒,却屡屡帮助庇护那些最需帮助的人,它不被理解,却理解那些最需理解的人;它不图报答,却以涌泉报答滴水之恩。

至诚、至深、至热之情,往往就产生于这木讷、粗裸、朴陋之中吧?细腻、敏锐与激烈,则容易导致矫情、脆弱与背叛。

无言的延安,踞在这苍旷的黄土高原上,将这般至诚、至深、至热之情揣在心窝子里,为人间知冷知热。

延安曾是春秋五霸之一的晋文公重耳母亲的家乡。当晋国发生内乱。整个中原都不愿收留流亡的公子重耳,甚至连普通农人都视其为倒霉蛋以泥团作馍戏弄他时,是延安无言地接纳了他,并且一留就是十二年。等到重耳作了中原霸主,无言的延安还是无言地过自己的日子,连大富大贵的想法也不起。

公元755年夏,安史之乱暴发,唐王朝处于风雨飘摇之中。玄宗仓惶逃蜀,关中人民陷入战乱的颠沛流离之中,诗人杜甫也挈妇将孺裹入逃难的洪流。无助的诗圣"野果充糇粮,卑枝成屋椽。早行石上水,暮宿天边烟"(杜甫《彭衙行》)。本来"荒瘠"的延安,在安史之乱的摧残下,已从开元年间人口的"十万零四十八"(《旧唐书·地理志》),锐减为"户九百三十八"(《元和郡县志》)。但是,苦难中的延安富县羌村却无言地收留下穷诗人的一家,一留就是一年。诗人毕竟还是向往着功名和为皇帝尽忠,肃宗刚于宁夏灵武即位,他便迫不及待地前去投奔。心急的杜甫只在延安城南的七里铺露宿了一宵,便趱程而走。"麻鞋见天子,衣袖露两肘"的天才诗人,得到一个八品左拾遗小官就已是"涕泪"感恩,要以心头的实话向皇上谏劝了。谁知才一谏就使龙颜大怒，被放还羌村"省亲"。失意的诗人回来了，本就凄苦无依的村民，却对他的遭际表示了诚挚的同情，"邻人满墙头，感叹亦嘘欷"，还有四五个父老从自己穷困的家中拿来吃的喝的。饱经炎凉的诗人终于"请为父老歌，艰难愧深情"，歌罢长叹，继之以哭。

　　无文的延安就这样和诗圣相通着，并无言地呵护着这位穷文人的身魂。就连他匆匆住过一宿的七里铺，百姓也记念着，叫它杜甫川。

　　歌颂着朝廷、守着良心却又时时想着当官的中国文人，注定了要被极少良心、绝对自私却掌握着所有"乌纱帽"的朝廷蚂蚁般碾踏猴子般戏耍。但是，常常受苦、被视为草芥的百姓和百姓脚下的土地，却往往是这些穷命的中国文人的爱护者与收养地，并给文人以为文的灵感与力量。当然，在他们"春风得意"之时，百姓是不会去凑热闹的。

　　还有一个让我无法忘却的故事。大家都知道延安宝塔，但却很少有人知道这座襟三山、带两河的巍峨宝塔，是为一位女子建的。据《太平广记》记载："延州有妇人，白皙颇有姿貌，年可二十四五，孤行城市。年少之子，悉与之游，狎昵荐枕，一无所缺。数年而没，州人莫不悲惜，共醵丧具，为之葬焉"，众人并且"为设大斋起塔焉"。按说，这该是一个"淫纵"的女子。对于这样一个女子，悲悯的黄土高原怜其孤苦无依容纳了她，并共同捐凑丧具安葬了她；不仅安葬了她，更为她筑起一座巍峨的塔，祈她来日成佛，有所归依。

　　这该是怎样一种博大仁爱的胸怀啊。

　　踏过"一步一个皇帝"的八百里秦川，一步步仰视着走入黄土高原、走近延安的时候,一个问题便时时叩问我:延安到底是一种什么形象呢?只是当我离开延安市区,凭吊过延安黄陵县的黄帝陵而后又让灵魂沐浴于黄河壶口瀑布之后,一个似乎寻觅已久也相识已久的形象忽然在我心中清晰起来:将沧桑风雨凝为骨血的最具阳刚之气的男子汉,一位超然于功利、默视千古的慈父。

座落在桥山的黄帝陵掩映于苍郁的松柏之中,两株已是数千年高龄的古柏似两员无畏的卫士守护着中华始祖。中华就是一棵参天大树吧,这里是大树的根。不管有多少皇帝来过,或祭或谒或刻碑,他们都是为了一己的江山,都是为了在这里打上一个合法的印记,企望将中华永远据为己有。其实这都是没有用的,挂上印记也白搭,只能证明自己的速朽。这棵大树只是这棵大树的,谁也无法据为己有,陵与树是这里的惟一风景。

这棵参天大树的根,就发轫于这片黄土高原。那个叫做黄帝的男子汉,就是生于斯葬于斯,带着黄土高原的脾性,延安则是他嫡传的儿子,而磅礴于陕北的黄河壶口瀑布,一定是他心的跳动了。

黄色的山夹着黄色的河,黄色的水织成黄色的瀑布,撼天动地,激人心魄。一种顿悟的清流如醍醐灌顶。黄土高原的粗裸与朴陋,在这里正显出他宏阔背景下的壮丽与锦秀,而那木讷不正是一种大音稀声吗?这是一位举世无双的歌者,胸怀有九百六十万平方公里。如果没有千里万里的寂寞,没有千年万年苦难的熬炼,怎会有如此的绝唱?浩荡而绵亘的苦难与生俱来,他却将山脉般沉重的苦难举起,奋然摔碎在脚下。当垄断了二十四史的帝王将相们早已在二十四史中干成了木乃伊的时候,百姓们却冲出了无字的黑暗,在这里将老迈的岁月飞泻成生命的旗帜。有一个叫做冼星海的文人,只在这里站了一刻,便在几亿人的心弦上奏出了不朽的《黄河》。

这便是延安吗?这就是延安了。将沧桑风雨凝为骨血的最具阳刚之气的男子汉,一位超然于功利、默视千古的慈父。

不是这样的男子汉,不是如此无与伦比的黄土高原,怎能诞生出马超、韩世忠这样的名将,怎能养育出李自成、张献忠这样蔑视皇权的英雄?怎能吸引来吴起、李广、沈括、范仲淹这样一批有作为的人来此作官?这种阳刚之气,弥漫于高原之上,浸淫日久,已成为不可或缺的滋养万物的营养,就连延安的女子,都在多情之中特别亮着这种见仁见义、敢做敢为的阳刚之美。中华大地家喻户晓的替父从军的花木兰,就是延安城西南花原头村人。"旦辞黄河去,暮至黑山头,不闻爷娘唤女声,但闻燕山胡骑鸣啾啾。万里赴戎机,关山度若飞。朔气传金柝,寒光照铁衣。将军百战死,壮士十年归。"——北朝民歌《木兰辞》,注定要百世千世地流传下去。

孔子说"君子欲讷于言而敏于行",那么,延安就是一位真正的君子了。这位木讷的君子,总是在历史的紧要关头敏捷地行动,做出惊天动地的事来,为人类发展做出巨大的贡献。那是在二千四百年前吧,吴起和刚刚即位的魏武侯一起从黄河泛舟而下。面对万马奔腾般的遄流和两岸如壁的峡谷,踌躇满志的魏武侯似乎觉得可以长治久安了,禁不住对吴起说:"美哉山河之固,此魏国之安也!"这时,吴起说了一句传世箴言:"在德不在险……若君不修德,舟中之人皆敌国也!"(《资治通鉴·卷一》)是腐败还是清廉,是浊还是清,这一必将和人类阶级社会共始终的话题,既是关涉着人民祸与福的话题,也是关涉着国家兴与亡的话题。

说过这句话才七百来年,杀了其父的隋炀帝就已忘了其间战国、秦、两汉、三国、两晋、南北朝七个朝代的兴亡,更忘了吴起的这句箴言。他北出巡塞,在延安甘泉县南七里的美水沟发现了一处甜泉,便霸为御用,让附近的百姓贡水禁内。日复日,年复年,百姓死于贡水劳役的就有近万人。等到杨广亲手给隋朝送了终,才碰到一个清官,在几次封泉无功之后,终用自己的官印填塞泉眼,并用石条、三合土和五金熔液将这一害了百姓百年的泉堵死(姬乃军《延安史话》)。

浊与腐,已是封建统治阶级的必然;清与廉,只能是偶然或局部,而且这不大的清与廉也要往往蜕变为腐与浊。不彻底清除产生腐与浊的病灶,已是清廉无望。历览了浊与清、腐与廉历史的延安,就是在这种时候,接纳了中国共产党人和其领导下的红军,并以一个"人民真正当家作主"的期望,信任地托付。

熟视有时确乎容易无睹。当"革命圣地延安"成为大家的口头禅时,延安反倒渐渐地被淡忘了。特别在商品经济大潮的浪涛声中,圣地更是难得被人们记起。

但是,延安是不能忘记也不会被忘记的。"几回回梦里回延安,双手搂定宝塔山","羊羔羔吃奶眼望妈,小米饭养活我长大"(贺敬之《回延安》)。只要生命还需要营养,只要世界不甘于寂寞,只要人类还渴望至情,这位"讷于言而敏于行"的君子就会被一辈又一辈人永远记起和思念。

不凋的激情

(1) 从嘉峪关至山海关,草凄树迷里,两千岁的长城已经老成一具"木乃伊"。

三百万岁的黄河,却从青藏高原巴颜喀拉山北麓约古宗列盆地出发,亮着她金黄色的胴体,向东,向东,消化了亿万岁的崇山峻岭,反刍成一个青春的海洋。

秋季,一个已界秋季的男子挣脱了长城冷凝的尘封,从孔孟之乡起程,向西,向西,扑向黄河,扑向黄河的壶口瀑布。

(2) 黄河的心脏一定就在这里了。而且是撕开胸膛,鲜淋淋向世界悬呈的激情澎湃的心脏。

她从洪荒流来,一路从容,即使斗折于险象环生的秦晋峡谷,也还是潇脱不迫。谁知行至陕西的宜川和山西吉县之间的壶口处,不仅四百余米宽的河床遽然间缩成四十米,而且一步间落差便是五十米。每秒数千立方米的河水从天而降,一如淙淙琴鸣与舒缓闲步,骤然变得万雷裂天地,浊浪吞山河。黄灿灿的巨流里,陡然袭出万匹受惊的野马,口啸蹄吼。阒寂的黄土高原,于此沸腾。

天也被这罕世的壮美感染得不能自已,有丽日抛来崭新的彩虹,将万匹野马奋扬的鬣毛燃成翻飞的火焰。火星溅在两岸的山上，便是那红红黄黄的秋果与秋叶了。催行的车笛，已使我无法用魂灵体验夜中的瀑布了。当夜色弥漫，宇宙隐于梦幻之中，壶口瀑布对明月的倾诉，将奏成天地间的绝唱。

夏日，当洪水滔天的时候，又该是怎样的景象？隆冬，黄河万里冰封，惊心动魄的壶口瀑布，又会现出怎样惊心动魄的沉默？奋扬翻飞的火焰，会老成千丈白发吗？她以沉默抗争着寒冷，并用自己不死的生命证明，寒冷是无法封杀所有生命的。来年初春，这沉默的瀑布会有如像如牛的冰凌奔突而下，爆发出更加壮烈的生命。这时，寒凝的大地上，看似老去的枯草间便有新绿萌动了。

(3) 从太空中了望，我们的地球呈现着美丽的蔚蓝。这是水的缘故。它用这隆隆的瀑布不停地冲刷着，荡涤着自己的污浊与腐朽，并于这不停的冲刷荡涤中获得时时的新生与生命的蔚蓝。

永远的喜新厌旧，又永远的恒情于大地。蛮荒文明，雌雄阴阳，古今中外，天上地下，她宏廓的胸宇包蕴一切又消化一切。正因为是一种杂种的聚合，黄河才呈现着深色的浑然和无穷的生命张力，一如数十个民族糅合而成的中华民族，恢弘而又优雅。黄土，黄水，黄皮肤，传统的极致，便是真正的现代，民族的极致也才有着世界的共性。

黄河，是一条深情的河流。她不求报答地惠施万物，更惠施于人类，而对于人类的爱顾，却是滴水泉报。五十年来，中华民族在黄河上共完成各类土方十三亿四千万立方米，投入劳力四亿八千万工日，工程量相当于建造十三座万里长城。已经五十年没有决口的黄河，将人类的厚爱点点滴滴铭记于心，并用自己全部的血液与奶汁哺育着大地与人民。她每年为缺水干旱的西北、华北地区提供着珍贵的水源，在每年天然径流量五百八十亿立方米中，献出了三百多亿立方米给人类，灌溉着一亿一千万亩的土地，将三百多万亩盐碱沙荒地改造成了丰产田，向沿河几十座大中城市以及一大批企业提供了命脉一样的水源。

站在黄河的这惟一的瀑布身旁，我感到了一条大河从我心的河道上流过的幸福。只有大自然的发言才有如此的气派，我听到了大地的呼吸，那亘古的天籁。

（4）江山迭替，世纪嬗变，只有世世代代的百姓默然的生活，万岁，万岁，万万岁。壶口瀑布，真令我惊喜莫名，这不就是我寻找了二十多年都没能寻到的雕塑吗———一尊永远生动的关于人民的活的雕塑。

每一滴水都是极其的普通，包含着一颗平凡朴实的心。每一颗心里，甚至还有着淡淡的自卑，他们甚至连自己也不知道本身的力量，只是一辈辈朴实而又真诚的活着。但是，当一滴一滴的水汇集起来，当历史一截一截的成形，平凡的水滴便挥洒成真正伟大的瀑布，他们也就成了翻天覆地、创造人世的伟大的力量和历史惟一的主人。虽然史书上连篇累牍的说着帝王和他的大人物，但是现实和未来却依然是人民的现实与未来，而哪一瞬历史不都是现实与未来的遗存？

从小失恃的我，终于又婴儿样投入母亲的怀抱，滚滚瀑流犹如母亲的奶汁，流入我久久饥渴的生命。满目黄土的黄土高原，整个就是一个"渴"字，真可谓水贵于金。可是她却慷慨地敛起整个黄土高原的水，集成黄河和黄河的壶口瀑布，送给沿河的人民土地草木牲灵。干渴的高原一天天的瘦了，瘦了也不改母亲的情怀，还是让自己的母爱如瀑布一样地挥洒，并在黄河的入海口以每年三万亩的速度填海造陆。

只有人民，只有黄河，只有母亲，才能有这样的爱和这样的牺牲精神。

聆听着她，仰望着她，儿子懂了：人生的最大享受和最大意义便是去爱，去给予。只有去爱去给予，才会保持生命的青春、轻松、明朗、活力，才能行千里万里，也才永远的拥有。否则，满负着占有的枷锁，怎能有人的生趣？

懂得了壶口瀑布，便是懂得了中国母亲。

(5) 千古绝唱，却千古寂寞，这便是壶口瀑布的命运了。没有唱和，罕有理解，独自苦吟于西北高原荒凉的边隅，万年千年。

纵然是无数次的粉身碎骨，还是从容地跃下深渊，将自己献上文明的祭坛。

在瓦釜雷鸣、黄钟毁弃的悲惨的漫长岁月里，孤独的瀑布依然在这寂廖的边隅坚持着自己的声音。哪怕是血流成河，冤狱遍地，她还是顽强地坚守着胸中的良心，坚守着真理的声音，也坚守着那股贯虹的正气。"富贵不能淫，贫贱不能移，威武不能屈"，"我善养吾浩然之气"，"生亦我所欲也，义亦我所欲也，二者不可兼得，舍生而取义也"。

雷鸣的瓦釜到底还是瓦釜，寂寞的瀑布却在寂寞中留下了传世之宝——那哺育着一代又一代人的奶汁和唤醒了一代又一代人的呐喊。

面对岩石的钳夹，深渊的摔打，她毫不退让，断然前行，于绝境处拓出万里的前途，在牺牲里释放出千倍的力量。没有阴电和阳电的撞击，怎能有撕空烛宇的雷闪，没山挤渊吞的绝境和如坟的寂寞，又怎能诞生出如此惊世骇俗而又万寿无疆的绝唱？

达则兼济天下，穷更初衷不改，还是执拗地给炎凉的世界留下一个济天下的热怀。殷忧悲悯，恫瘝在抱。

在这空旷的天地间，孤独的壶口瀑布，让我看到了一个气骨嶙峋的中国书生的形象。

（6）我来了，捧着一个庸常的生命和沾满凡尘的灵魂，酣畅地沐浴在这隆隆的瀑布之下。再不用说人云亦云的假话套话热闹话，再不用扮阿顺时尚的苦脸笑脸正经脸，没有了人世的虞诈，也远去了市俗的纷扰。当心上的羁索纷纷坠落，逝去的生旅便开始凸现、苏醒。

童年的梦幻，几乎全被饥饿窒息了，瘪作一个饱吃一顿白面馍馍的愿望。及长，疯狂的岁月竟将还是稚嫩的胸腔，塞满愚蠢的狂热。而后，参军，入党，提干，转业，职务，职称，在这生途的阶梯上，鲜活的人性早已是疲惫钝滞，蓬头垢面。

巨瀑溅起的雨雾，像母亲的手，轻轻地抚着我的脸，也湿润了我皴裂已久的心。奋蹄振鬣的瀑布，一如千万面激昂的战鼓，在我生命的深处擂动。远远的远方，有一道噙着朝辉的水线在慢慢地向我涌来。啊，我看到了一个波光粼粼的生命的海洋，骚动而又安详。灵魂的翅膀开始缓缓地扇动了，一个地动山摇的呼唤和着瀑流一齐呐喊：我要飞翔……

无匹的硕瀑，也成了我灵魂的翅膀，在这秋日的澄空里扶摇直上。

怎能让高贵的生命去夤缘时会,变成扭曲的盆景,更不能让桎梏囚禁生命于污泥溷厕之中。心灵,不能瀑布般淋漓尽致地表现一次,那该是多么的悲哀;人生,能像瀑布般恣肆挥洒,那该是多么漂亮。

生命,本质便是飞翔,一边扇动着独立自主的精神,一边扇动着自由奔放的思想。

(7)"源出昆仑衍大流,玉关九转一壶收",数百万年里,黄河就这样赤裸着她的心,亮着生命的巨瀑,也为易老的人间留存下一脉永不凋谢的激情。

有了这付抗腐剂,古老的中华才能老而弥新。

这是冥冥之中的一个前定,是人与大自然结下的一个最早也最深的缘分,一阕透彻古今的音乐,慰藉着苍凉的土地,也抚恤着多苦的人民,把伟大给平凡,把美丽给自由,把力量给善良。于是渗着原苦意识的人生,便在悲苦中寻见了欢乐,在挣脱中觅着了自由。

生命,民族,土地,人民,书生,自然,一切都在这里得到着阐释。

二十世纪已经到了它低迷委琐的强弩之末,面对焦渴的土地与焦渴的生命,壶口瀑布以她粉身碎骨全不顾的超凡气度,为二十一世纪打起了一面呼唤激情,呼唤崇高,呼唤开放,呼唤创造的大纛。

(8)但是,三百万岁绵亘不绝的黄河,走到公元二十世纪七十年代的1972年6月,竟至走不到她永远的归宿大海,怆然断流!其后的二十五年间,黄河下游累计断流高达五百二十六天,而在去年的一次断流就是一百二十八天。专家们预计,到下个世纪二十年代,黄河下游将全年枯涸,"奔流到海不复回"的黄河将成为一条不能赴海的内陆河。

就在去年黄河断流的日子里,延安的朋友们却告诉我:壶口瀑布依然在秦晋大峡谷里隆隆作响。

我知道,在这种时候,壶口瀑布肯定会愈发义无返顾地舍身。她要用自己万捐不辞的身躯,为中国,为人类,为二十一世纪,也为每一个还在泵血的心灵,撞响振聋发聩的警钟,种下春风吹又生的希望。

比黄河的断流还要令人触目惊心的,是一个民族的科学文化之脉、独立思想之脉、平等道德之脉、自由精神之脉、知识人才之脉、人民作主之脉的断流。从屈原投水,到老舍投水,从秦始皇的焚书坑儒到五十万"右派"被作践再到造成文化、人才灾难性毁灭、人的尊严遭受普遍践踏的"无产阶级文化大革命",我们的民族已经尝够了这种断流的灾难。

断流就意味着封闭与毁灭。畅流才是开放与新生。

荡然无存的沙漠和圆明园横陈的石的骸骨,就是这断流悲剧的结果。

只要壶口瀑布还在隆隆作响,黄河就不会永远断流。只要十二亿颗心里亮起十二亿挂轰然有声的瀑布,壶口瀑布就会永远地隆隆作响。

林　非

从乾陵到茂陵

汽车开出了西安市区，就在一片望不见边界的丘陵地上缓缓地攀登着。

这黄土高原上，有多少数不清的方阵：火红的是辣椒；碧绿青翠的，是玉米；黄澄澄一片的，是刚收割后耙平的土地。这缤纷的色彩，这几何的图形，真秀丽迷人，庄稼人的手真巧，心真灵，我觉得自己似乎是进了艺术家们精心开垦的花园。

在这些图案的外面，却又是苍茫、寥廓和雄浑的大地，层层地包围着它，不由得使我从心底里感到舒展，想要伸出手掌，触摸那离得多近的天空，扯几朵白云下来。

这片令人心醉的土地，实在太阔大了，在这儿可以顶着天，踩着地，干出多少事情来！得感谢我们多少世代之前的祖先，在这儿辛苦地耕耘、劳作和建设。他们描绘的图画，他们吟咏的诗歌，至今还在我们心里奔腾，不过他们做成的事情确实也不能算多，还有多少事，要靠我们从头去开拓。

在这高原上，望着头顶的云彩，沉思着天地的悠悠，回忆着祖先的足迹，我的多少情思，随着起伏的丘陵，越过人生，越过历史，在半空里翱翔，就这样到达了乾陵底下的一片平滩上。

我沿着夹道的石俑，穿过两行碧绿的枫树，往顶上攀去。这埋葬着武则天和他丈夫唐高宗李治的乾陵，远远望去，也许只能说是一座矮矮的小丘。我心里想，走不了几步路，就能站在顶上眺望了。不过真的走起来，却还挺费劲的。那一段陡峭的土路，爬得我气喘咻咻，额头冒汗，幸好路畔有丛丛的柏树，遮住燥热的阳光，阵阵的凉风，习习吹来，唤起了我跋涉的兴致，于是信步走了上去。

走到土路的尽头，一座几十丈高的峭壁，雄赳赳的，倾斜在那儿，只见好多男女老少，都在左顾右盼，寻觅路径，往上攀登着。有两个从香港来的年轻人，背着行囊，挎着照像机，胸膛前，背脊上，挂得满满的，却一路领先，走在这支队伍的前头。几个本地的时髦女子，踏着尖尖的高跟皮鞋，也不甘落后，嬉笑着，操着绵软的陕西口音，边走边搭话。有个满腮蓄着胡子的老头，默默地伸着手，攀住了尖尖的石块，一步步地蹬着腿，往上走。

我的心儿在胸口里突突地跳，喉咙里不住地喘着粗气。原来我刚才过早地轻视它了，我将会功亏一篑，屈服于被自己轻视的小丘吗？绝对不行，这不合我的脾气，于是在嶙峋的乱石中，寻觅着平稳的立脚点，左手按住石块的边缘，右手拉住石缝里的青草，连奔带跑，总算走到小丘的顶上。

这里是附近一大片平原的制高点，往四周极目远眺，苍茫的大地，尽收眼底，连同武则天在内的多少帝王，或者是不用帝王称号的那些独裁者，当他们活在世上时，都想牢牢地统治这幽谷里无数的子民，一旦死去，还要将他们的尸骨，永远高踞在群氓的顶颠，这是多么狂妄和愚蠢的念头，对于不甘心做奴隶的人们，对于具有自尊心的人们来说，是多大的不公，多大的侮辱。

可是他们在生前也许不会想到，千百年后竟有许多平凡的人们，站在他们的头顶，缅怀往昔和瞻望未来，让他们的幽灵在地下哭泣吧，多少平凡的人们终将拨开专制的迷雾，走向自由和平等的坦途。

天空里忽然刮来一阵硬朗的风，吹动着我的衣袂。兴许在汉唐时，也曾刮过这样的风吧，然而我想起的，并不是"迅风拂裳袂"的王粲，也不是，"登高一长啸"的李白，我在年轻时曾迷恋过的多少古代诗人，似乎已经远远地离开了自己，在这儿想到的，是将平等观念高唱入云的卢梭，如果不是他那"人生来就是平等的"原则，逐渐潜入我们时代的意识中间，能允许人们走到那些帝王和独裁者的头顶上去吗？

兴冲冲地走下乾陵，我又观看了附近的章怀太子墓和永泰公主墓。这两个墓窟，相距只有一箭之遥，两条穹形的墓道，两座石头的棺椁,竟十分相似。不过从平地上仰视,永泰公主的墓要气派得多,在顶上耸起了一个好几丈高的土包,章怀太子的墓坑上,却没有这隆起的高台。

走进这两个墓坑时,同样都得沿着往下倾斜的甬道,摇摇晃晃走上几十丈的路程。好在路面很宽,可以容纳四五个人,携着手并肩而行。如果有谁在阴惨惨的灯光底下,踏着这坑坑洼洼的土路,偶或闪失的时候,伙伴们就会拉住你的手,不让你摔跤,于是顺利地走到了底部。

在这两座穹隆似的墓窟里,大理石砌成的棺椁顶端,都雕成瓦棱的模样,我伸出手去,恰好够上它的高度。这多像方方整整的篷帐,停放在挖空了泥土的宫殿中间。

我仔细辨认着一块块黑色的大理石,只见这上面雕了不少花草、禽鸟和人物的画像,刀锋都显得纤细,缺乏宏阔的气概,技巧也不高,该不会是大匠的手艺。

章怀太子李贤是武则天的儿子,生性十分聪颖和敏感,宫廷中那种充满谗言和猜疑的气氛,老让他惴惴不安,无意间说了些遭忌的话,传到他母亲的耳朵里,于是龙颜大怒,将这亲生的骨肉废为庶人,远谪巴蜀,事隔不久,又被奉命监视他的一个将军逼令自杀,三十岁刚出头,正是年轻轻的大好时光,就死于客乡,成为政治斗争中争权夺利的牺牲品。她的孙女永泰公主李仙蕙也是幼年夭折,仅活了十七岁,据《新唐书》记载,是因为得罪了祖母武则天的宠臣,被赐死的。

女皇帝武则天对待自己的子孙竟也如此残忍,实在令人惊讶。这也可见生在主宰人民的帝王家,往往并不一定是幸事。暴虐的专制主义权力,在摧毁和扼杀整个民族的生机时,也会将血淋淋的屠刀,砍向自己家族的金枝玉叶。争夺、倾轧、阴谋和杀戮，这些最卑劣与肮脏的行径，就在这最华贵的家族中迸发出来。正是专制的权力腐蚀了武则天，如果她不是独裁的君皇，当然就绝不可能杀害自己亲生的骨肉。

离开阴暗的墓道时，我似乎觉得武则天奇异和怪诞的幻影，在黑黝黝的地底晃动。我在年轻时，就听到过对于她狂热的颂歌，也听到过对于她凶猛的诅咒，这使我异常惶惑。后来我才懂得了，无论她有多大的政绩，或者有多大的败行，其实都是被那架贪婪和残忍的封建专制机器所推动、所驱使，她是作为皇帝的妻子，才有可能在格斗和厮杀的漩涡里，爬上权力的顶峰，她为了巩固自己专制的权力，将一切阴险和狡诈的欺骗手段，发挥到了令人惊讶的地步。如果她当时不是进入宫廷，而是流落在市井的话，大约也就是个有点儿泼辣和心计的美女，肯定不会这样腐蚀和泯灭了自己的良知。

看完了这两个古墓，背着一身历史的重担，又乘上车，赶往南边百里以外的茂陵去。在阴沉沉的暮霭中，远远望着那座埋葬汉武帝刘彻的坟墓，觉得很晦暗和凄凉。比起陡峭的乾陵来，自然要矮小得多了，不过它的形状也规则得多了，简直是立体几何中最为标准的铲形图案，有几个操着南方口音的老人，冒着零零落落的雨丝，在路旁眺望着这座土丘，不知道在想些什么？不知道是充满感情的膜拜，还是含有理性的否定？

当我在暮色苍茫中，匆匆赶到霍去病墓的时候，已经来不及在他的墓前凭吊一番，对这个年轻有为的大将军，作历史的遐想了，虽然他那句"匈奴未灭，胡以家为"的豪言壮语，曾在我的青年时代，鼓舞过自己踏上人生的途程。

我迎着一阵阵潮湿的雾气，迎着从天顶上垂下的夜幕，大步流星地走去，终于寻觅到了墓侧两庑的石雕，这十多件艺术品，都凝结了那些无名艺术家构思的智慧，天真的情趣。看似幼稚和笨拙，却透出一股晶莹的灵气。瞧瞧那个石俑吧，只是就着一块椭圆形的巨石，稍加凿磨，便活脱脱是个焦躁不安的人，睁大了眼睛，紧紧闭住了阔嘴，在诅咒着天道的不公，瞧他那硕大的手，还伸开粗糙的指头，紧紧压住自己凸起的肚子，憋着满腹的怒气，实在太难以忍受了。我分明像是看到了他在不住地抽噎。

在自然、浑厚和真切中，含着无穷的意蕴，这真是艺术的极致，这位无名的艺术大师，绝对没有命令我一定要记住他的作品，却尊重我自己的感觉和判断，唤醒了我心里的幻想，才使我反复吟味，终生难忘。

我不知道近世写意派的绘画大师齐白石，有没有目睹过这块石雕？不过他几乎用一笔勾成的那些小鱼和虾米，与两千年前这位无名大师的艺术风尚，无论如何是颇为吻合的，可惜的是在齐白石奇妙的神韵中，似乎少了些这种粗犷和刚健的豪气。艺事艰辛，独树一帜，就得耗尽毕生的精力，实在是很难强求的啊！至于西班牙的绘画大师毕加索，肯定是无缘领略这件艺术珍品的，不过他那神彩奕奕的和平鸽，跟这座石雕之间，好像也有着某些相似的精神，这就是在最纯朴的形式中，燃烧着最昂扬的激情，如果他能够看到这件珍品的话，也许会对自己不少抽象画的线条不满的吧，也许会嫌它太过于无谓的烦琐了吧？

看完了石人，还想仔细揣摩人与熊搏斗的那座石雕，可是天色愈益昏暗下来，我只好迈开脚步，又浏览了精神抖擞的卧牛，英姿勃发的跃马，眈眈疾视的伏虎，而当我站在那座马踏匈奴的石雕前，又被一股拚死搏斗的精神吸引住了，停下来仔细辨认着威武的马头下面，在那石像仰起的脸颊上，眼睛和鼻梁都被压扁了似的，可是他拉住马腹的手指，却镂刻得太清晰了，显出一股蠕动和挣扎的力量，这无名的艺术家，用模糊的影子强调那石像狰狞的神情，却又用分明的笔法强调他抵抗的力量，审美的情趣实在丰富多彩。像这样来刻画力度的艺术似乎还不多见，它顿时使我想起贝多芬《命运交响曲》那样磅礴的气势。

我深深庆幸着今天这后半段的旅程，能在无意间亲炙不少稀世的艺术珍品。从黎明到黄昏，我在汽车里颠簸了将近四百里路程，我的收获却或许是飘洋过海也无法得到的。

游了三个关

在天真无邪的童年，是最喜欢幻想的，那时候背诵着王维的"劝君更尽一杯酒，西出阳关无故人"，我总是用很幼稚的对于人生的了解，想象着这座古老的关口，想象着西行的客人跨上骏马，跟征戍沙漠的友人们挥手告别。在扬着灰土的城楼底下，乐师们弹起了琵琶，吹响了笛子，歌伎们在唱着清扬婉转的曲调。

我在童年时常常憧憬着这古代的边塞，在荒凉的大漠中间，看黎明时分笔直的炊烟，和黄昏前后圆圆的落日，心胸该是如何宽阔，我觉得自己居住的这个长江下游的小镇，实在是太拥挤了,那种混浊与发霉的空气,实在是太令人窒息了。

　　阳关始终在我的记忆中留下美妙的印象,我始终向往着能够到阳关去漫步,然而阳关究竟在地图的哪一个角落里,我却从来没有仔细地寻找过,我只是朦胧地感到,这是个遥远的地方,也许很难有机会到达。哪里知道在四十年以后,当鬓发已经花白的时候,我终于来到这个在记忆中珍藏了很久很久的地方。

　　当我来到敦煌西南的沙漠中间,踏着金黄色的沙土,攀上一个矮矮的小丘,看到的几乎像是一间倾圮的土房,只剩下四垛厚厚的泥墙,孤单地兀立在蓝天底下。它被沙漠里的风暴长久地剥蚀着,比人们的身躯也高不了多少,而且都已经坑坑洼洼,形容憔悴,再也看不见丝毫威武的气度了,这就是令人神往了许久的阳关?难道它当时也是这样矮小和湫隘的吗?难道是冷酷的时间老人磨损了它原来很庄严的容颜吗?难道是诗人的篇章将它升华成一个海市蜃楼似的幻影吗?

　　在小丘底下,这一大片向四方绵延的沙漠,被暗红色的夕阳镀出了金灿灿的轮廓。微微耸起的一堆堆沙丘旁边,都围上了浓重的光痕,而在倾斜的洼地里,却显得有点儿暗淡,一股潮湿的雾气正从这里升腾而起,映着渐渐沉落的阳光,闪烁出紫红色的光影来。在南边不远的地方,有一个小小的湖泊,像是从天上掉下的一面镜子,也反射出夕阳的余辉,显得分外的晶莹和明亮。听说这是古代出产天马的地方,当时给汉武帝进贡的那些雄赳赳的骏马,有不少就是从这儿送去的。

　　同来的几个旅伴,都走往底下的古董滩,想从这长着芦苇的沼泽地里,挖出一个锈损了的弩机,或者拣着一枚烂掉了边沿的钱币,可以替这回远游增添一点儿有趣的回忆,听开车的司机说，如果能够找到那些被沙碛埋藏了上千年的物件，就预示着将会有喜事来临，这大概是人们在长期艰苦的生活中，给自己编造出一些安慰的话语罢。

瞧着旅伴们走远了的足迹，我留在小丘附近的沙漠上徘徊着。也许是不久前曾下过雨，泥沙很湿润，走起路来一点儿也扬不起灰尘。从远方走来了一个彪形大汉，赶着头高高大大的骆驼，慢慢地跋涉着，在骆驼的背上，结结实实地驮了几捆树苗，走起来摇晃得分外厉害，它颈脖底下挂着的铃铛，也在起劲地抖动着，发出了急促而又悠扬的响声。

这浓眉大眼的汉子挥着皮鞭，踏着沉甸甸的步伐，威武地走着，当他擦过我身边的时候，那裹着白毛巾的黑黝黝的脸庞上，绽出了腼腆的笑容，像是向远方的来客致意。这儿再也没有过去的那种征战了，在凛冽的寒夜里，再也听不到敲响刁斗的声音了，再也不会有长驱直入攻破楼兰的勋业了，这个汉唐将士的后裔如果要建立功勋的话，就只有在征服沙漠的战斗中作出自己的贡献。把树苗运到沙漠里来，在这儿长出参天的大树，阻挡住风暴和灰沙，开辟出绿洲和良田来，这是绝不会比古代名将的功劳逊色的。

我们从阳关往回走的路上，看见人们正在栽树，原来是要布一道绿色的长城。我忽然强烈地感到了这地方的美和诗意，在这片古老和苍茫的土地上，融进了苍翠青葱的色彩，怎么能不叫人兴奋呢？

玉门关也是因为王之涣的那首诗，深深地藏在我童年的记忆中了。"羌笛何须怨杨柳，春风不度玉门关"，这是因为美的消失，才会感到一种永恒的惆怅。为了这么一点无影无踪的记忆，我又随着几个旅伴，在敦煌西北的戈壁滩上颠簸着，寻觅着。在这片茫茫的大戈壁上,并没有修筑出公路来,自然也不会有明显的路标,因此连那个沉着稳重的老司机也迷了路,把我们带到了一片沼泽的边缘上。这里有一座很陡峭的方方正正的土丘,像是被人们特意垒起来的,好不容易才攀登到顶上,这也许是往日的烽火台罢,我们默默地站立着,在暮色苍茫中极目远眺,找那向往已久的玉门关,司机辨认了一会儿,摇摇头,说是走错了地方。

在离这儿有一箭之遥的西南方向,一座用泥土垒出的城墙蜿蜒起伏,几乎有几十丈远。在粗糙的灰褐色的泥墙上,夹着早已枯败的树枝和野草,层层叠叠,隐约可见,在夕阳的辉映下,显得分外的荒凉和寂寥。我猜想这也许是汉代长城的遗迹,于是顿时像走进了悲壮激越的古战场,跟卫青和霍去病变成同时代的人了。城墙底下的沼泽地里,一株株荒草在摇曳着,飒飒的风声将我从汉唐时代的幻梦中唤醒,又回到了现实世界里来。后来当我在敦煌县博物馆参观时,据那儿的同志说,我们去过的那个地方,确实是汉代长城的遗址。

热心的司机知道我们来一趟很不容易,开上车认真地寻找起玉门关来,我们终于在北面的疏勒河边,瞧见了一个用泥土砌成的古堡,四面的围墙大约有两丈来高,从拱形的门洞往里面瞧去,是一块露天的空地,竟像个硕大的木桶被孤零零地丢弃在戈壁滩上,这里大约可以容纳上百个人操练和休憩。站在破败的城头下,眺望着四周的戈壁滩,真是广漠无垠,一片苍茫,遍地灰黑的小砾石,不让大片的草木在它们身旁生存,几棵稀稀疏疏的暗绿色的芨芨草,显得那样的浑浊,一点儿也不给旅行者葱茏的感觉,不用说玉门关以西了,就是在玉门关以东,也丝毫没有春风送绿的影子,原来王之涣是在凉州写的这首诗,离开敦煌还有一千多里的路程,那儿又是个水草丛生的地方,就足够让诗人想象玉门关附近该有一片可爱的绿色了。

诗人给戈壁滩头带来的绿色的幻想,经历了一千多年的岁月,依旧藏在许多人的心里,为什么这首诗有如此令人惊讶的魅力呢?大概是因为抒发了热爱生命的缘故罢,在土地上只要有一大片碧绿色的树木,就会吸引人们前来,搭起美丽的房屋,留下欢乐的笑语。

不久前,当我在美国西部的土地上漫游时,曾跟几个朋友去凭吊过两百多年前建造的西班牙教堂,在那里抒发了思古的情怀,然而今天我所进入的古代,却更要遥远得多了。在这个像是远远离开了人们的空间中,有一种苍茫和寥廓的美,正是这种美的气氛,让人更懂憬着今天完全不同的生活。

是的,这一片荒凉的戈壁滩在启示着人们,想到巨大和艰苦的事业等待着自己去进行,想到我们已经建设的生活是多么值得珍贵,想到我们的使命是多么的宏伟和崇高。戈壁滩给人们的启示是很多的,这也许就是它永远吸引着人们不辞劳苦,跋涉前来的缘故罢。

在敦煌的沙漠和戈壁滩上漫游以后,再回到酒泉去看一看嘉峪关,就觉得它的背景太狭窄了,附近就是村舍和市集,缺乏那种将天空和土地连成一片的雄浑气势,尽管它前后毗连着三座高大的城楼,是阳关和玉门关的土墙所无法比拟的。

嘉峪关建成于明代初年,它的历史比阳关和玉门关要短得多,然而经过风沙的剥蚀,城墙和箭楼也都显得有些破旧了,站在城外一片小小的戈壁滩上仰望起来,觉得它还是挺威武的。这建造了三层瞭望台的箭楼,每一层的顶端都有凌空翘起的飞檐,像是排成了队,整整齐齐地向远方的跋涉者招手。

陈长吟 摄影

　　我绕到城墙背后，沿着石级攀上宽阔和平坦的城头，可以清楚地看到前后毗连的三座箭楼，被左右两侧的围墙圈出了两个很大的空地，大概是用来操练兵马的，然而现在却显得那样的空旷和静谧，丝毫也留不下那种钬金伐鼓和旌旆逶迤的气氛了。

　　巍峨的嘉峪关给我留下的印象，却还不如阳关和玉门关的土墙来得强烈，这是为什么呢？是因为那些吟哦阳关与玉门关的诗句，早已拨响了我的心弦？是因为久远的历史和古老的传说，更可以使思想张开翅膀飞翔？是因为寥廓的天宇和广漠的土地，更可以造成一种阔大和深沉的气氛？我自己也回答不了这个问题，一个人的印象有时候是很难解释得清楚的，不过这印象确实已经深深地嵌入了我的心里，使我的心变得开阔起来，使我从卷上云雾里的黄沙，想到这儿怎么样能够有雨水，怎么样能够有碧绿的草坪，怎么样能够让大戈壁滩翻开新的一页……

刘成章

安塞腰鼓

一群茂腾腾的后生。

他们的身后是一片高粱地。他们朴实得就像那片高粱。

咝溜溜的南风吹动了高粱叶子，也吹动了他们的衣衫。

他们的神情沉稳而安静。紧贴在他们身体一侧的腰鼓，呆呆地，似乎从来不曾响过。

但是，

看！——

一捶起来就发狠了，忘情了，没命了！百十个斜背响声的后生，如百十块被强震不断击起的石头，狂舞在你的面前。骤雨一样，是急促的鼓点；旋风一样，是飞扬的流苏；乱蛙一样，是蹦跳的脚步；火花一样，是闪烁的瞳仁；斗虎一样，是强健的风姿。黄土高原上，爆出一场多么壮阔、多么豪放、多么火烈的舞蹈哇——安塞腰鼓！

　这腰鼓，使冰冷的空气立即变得燥热了，使恬静的阳光立即变得飞溅了，使困倦的世界立即变得亢奋了。

　使人想起：落日照大旗，马鸣风萧萧！

　使人想起：千里的雷声万里的闪！

　使人想起：晦暗了又明晰、明晰了又晦暗、尔后最终永远明晰了的大彻大悟！

　容不得束缚，容不得羁绊，容不得闭塞。是挣脱了、冲破了、撞开了的那么一股劲！

　好一个安塞腰鼓！

　百十个腰鼓发出的沉重响声，碰撞在田野长着酸枣树的山崖上，山崖蓦然变成牛皮鼓面了，只听见隆隆，隆隆，隆隆。

　百十个腰鼓发出的沉重响声，碰撞在遗落了一切冗杂的观众的心上，观众的心也蓦然变成牛皮鼓面了，也是隆隆，隆隆，隆隆。

　隆隆隆隆的豪壮的抒情，隆隆隆隆的严峻的思索，隆隆隆隆的犁尖翻起的杂着草根的土壤，隆隆隆隆的阵痛的发生和排解……

　好一个安塞腰鼓！

　后生们的胳膊，腿，全身，有力地搏击着，疾速地搏击着，大起大落地搏击着。它震撼着你，烧灼着你，威逼着你。

它使你从来没有如此鲜明地感受到生命的存在、活跃和强盛。它使你惊异于那农民衣着包裹着的躯体，那消化着红豆角角老南瓜的躯体，居然可以释放出那么奇伟磅礴的能量！

黄土高原啊，你生养了这些元气淋漓的后生；也只有你，才能承受如此惊心动魄的搏击！

多水的江南是易碎的玻璃，在那儿，打不得这样的腰鼓。

除了黄土高原，哪里再有这么厚、这么厚的土层啊！

好一个黄土高原！好一个安塞腰鼓！

每一个舞姿都充满了力量。每一个舞姿都呼呼作响。每一个舞姿都是光和影的匆匆变幻。每一个舞姿都使人颤栗在浓烈的艺术享受中，使人叹为观止。

好一个痛快了山河、蓬勃了想象力的安塞腰鼓！

愈捶愈烈！形体成了沉重而又纷飞的思绪！

愈捶愈烈！思绪中不存任何隐秘！

愈捶愈烈！痛苦和欢乐，生活和梦幻，摆脱和追求，都在这舞姿和鼓点中，交织！旋转！凝聚！奔突！辐射！翻飞！升华！人，成了茫茫一片；声，成了茫茫一片……

当它戛然而止的时候，世界出奇地寂静，以致使人感到对她十分陌生了。

简直像来到另一个星球。

耳畔是一声渺远的鸡啼。

黄 土 写 意

　　一个落满积尘、罩着蛛网的问题,存在于世间,已经说不清有多少年月了。

　　但一茬又茬的孩子,还总要把那问题擦试得珍珠般闪亮,捧在大人的面前。

　　"人是从哪儿来的?"

　　老祖母说,早先,世界上本没有人,一个也没有;那时候,世界上只有山,只有水,只有黑压压的林莽。天上神仙看这世界太冷清了,就抓了一把黄土,把黄土和成泥,又把泥捏成一个男人,一个女人,然后,又对着那泥人儿吹了两口气,于是那泥人儿就活了,眼珠儿就转动起来,就成一个真正的男人,一个真正的女人;于是,那一对男女就耕就织,就谈情说爱,就繁衍子孙;于是,过了千千万万个春秋,普天之下,就都是哭哭笑笑的人了。

　　尽管后来传来了颠扑不破的达尔文的学说,根据那学说,人是由猴子进化来的;然而,有时候,人们却仍然执著地衷情于一代一代老祖母的说法。不是么?近年来还流行着一首歌,那歌的开首一句便是:"一把黄土塑成了你我"。当唱着这首歌的时候,谁的心里能不泛起对黄土的无限亲近之情呢?

　　也许是潜意识在起作用,住在繁华都市的人们,都要在阳台上摆上花盆,在花盆里装上黄土;有了黄土,才会有活鲜鲜的生命的闪光啊!

然而,那么一丁点儿黄土,怎么能够满足人们感情的需要呢?

这时候,你不妨到陕北走走吧。

一到陕北,你就知道天底下究竟有多少黄土了!连绵不断的、似乎永远走不到头的,那是黄土的山,黄土的沟,黄土的坡洼。热月天还有点花红柳绿的点缀,要是到了西北风刮起的季节,那黄土就全部赤裸裸地袒露出来了。山野和村庄几乎没有什么界线;村庄也是黄土的,人就住在黄土挖成的窑洞里边。当你驱车前行的时候,黑亮的柏油路永远在黄土的峡谷中蜿蜒,黄土永远磨擦着你的目光。水是有的,可以说哪里有公路,哪里就有水,水总是在公路一侧流淌;石头也是有的,石头就在水畔。但那水却是细细的,浅浅的,石头却也比水多不了多少。如果把磅礴雄浑的陕北高原分解一下,毋须细估,那当是万分黄土,三分石头,一分流水。来到陕北,你就是滚到黄土窝窝里了。这时候你不由不感到,时空的藩篱都不复存在,你触摸到的,是你赖以孕育成人的衣胞了。

一切都让人感到返朴归真的愉快。天是那么明朗,地是那么温热,风是那么柔和。小毛驴静悠悠地品味着人间的气韵,而花翅膀的喜鹊就落在它的背上,它们和谐相处,谁也不讨厌谁。人和大自然间也完全是如此。就在这么恬静这么美好的氛围中,没有任何矫揉造作的淳朴的爱情,更像山丹丹花儿一样,于背洼洼,于山湾湾,亮出了一朵又一朵的鲜红。这儿没有公园的长椅供恋人相偎。这儿更没有旋转舞厅。然而,这儿的饱含着糜谷香和天然气息的爱情,却像千层砂石滤过的井水一般纯净!

那一家又一家的崖畔上,常常,兜满了阳光,也轻荡着喁喁细语。不用问,那是一伙做针线的婆姨女子。她们的眼前,或是公路,或是小道,那公路或小道就是她们的电视荧屏,荧屏上永远播映着总也看不尽的人物和故事。这时候,往往就有一队驴拉车走过,赶车的后生们,或跟着车,或躺卧在车上,都是那么知天乐命,逍遥自在;不知谁领先唱起一声悠长嘹亮的信天游,后生们的嗓子就都痒了,都你一声我一声地争争抢抢地唱起来了。那情景,就如一群蝉、一群蝈蝈、一群雄鸡的竞相争鸣。原本像黄土一般缺少表情的后生们,这时候,都像氢分子一般活跃了。他们一瞬间似乎都没了躯壳,都飘飞成一缕缕激扬的感情。他们也许是唱给婆姨女子们听的,也许是纯粹为了自娱自乐,但这些都无关紧要;紧要的是,不趁着年轻唱几年,在他们看来,那实在是枉在这世上走一遭了!

好像为了给这景致再添一点儿情趣,他们中间的一个穿红背心的后生,空着手,没拿鞭子,就走到路边,折了一段树枝,又跑着赶上车队。哦,一切都是这么撩人情思!

你如果走进谁家窑里去,尽管那窑里收拾得清清爽爽,那小媳妇还总会急忙上炕苫被子,总怕你看见哪儿不顺眼。她们真爱好。要是你愿意留下来吃一顿饭,这下,他们全家都高兴了,都忙活着做饭。要是你想吃荞面,而他们家又偏偏没有荞面,就是借,他们也要立即给你借一盆来。他们绝不希图你将来能给他们带来什么好处。不。他们只是出于人和人之间的互爱之情。在这儿,绝无冷漠,绝无忌恨,有的只是温存和爱抚。他们总是自谦地说,"我们一身土腥气。"其实,那土腥气,才是最难得的古朴民风。

和他们相处久了，你便会发现，他们虽然整日看起来总是乐呵呵的，其实，他们的心头也有他们的悲哀。八路军在这儿住过。北京知青在这儿住过。省上的下乡干部也在这儿住过。他们喜欢人，特别喜欢这些远道而来的男男女女。想起当年一起相处的日子，那是多么舒心，那是多么红火！"可是他们走了以后，再也不回来了，真教人想啊，真教人牵肠挂肚啊！"往往就有白胡子爷爷惆怅地说，"唉！我这辈子，怕是再也见不上他们啦！"不过，念叨归念叨，却没有任何责备的意思。

虽然有几丝阴云，但阴云转瞬即逝。久远的铺在这些庄户人心头的，是蓝天，是红霞。有人说，陕北人最贴近黄土，因而最具有人类的自然本性，因而他们是最乐观的，最豁达的，最喜欢把生活打扮得喜气缤纷的。是的，嫁闺女娶媳妇，逢年过节，他们总会大闹一番。他们绝不会轻易放过这样的日子。有唢呐就要吹，有彩绸就要舞。有红纸，就剪成窗花，贴在窗上。那些土生土长的乡野名厨，更乐于借此机会，亮出一手。这时候，他们丰富的内心世界，才充分地显露出来了。它填补了贫瘠的大自然的缺憾。面对此情此景，你不能不惊异于人的蓬勃精神的辉煌。那是黄土高原升腾出来的雄厚而凌厉的元气。与此同时，你不能不对人类充满了希望。曾经出现过的"世界末日"论调，完全是神经衰弱的表现，完全是无稽之谈。你看你脚下的黄土有多厚！因了这黄土，人类的底气是十足的，是可以越来越勃发出惊天动地的力量的！

李若冰

昆 仑 飞 瀑

　　我曾经漫游过不少名山大川，但不知为什么那巍然屹立于祖国西部的昆仑山，总也牵挂在我的心头，使我时常想着要回到她的身边。
　　我至今弄不明白，到底什么时候萌生了这种思恋之情。呵，人的感觉器官是这样奇特，也许第一眼的印象非常重要，以致影响此后的记忆、官能和感情。
　　我回想二十六年前，当我第一次和野外勘探者，踏入人迹罕至的柴达木,远远看到昆仑山的时候,它整个儿被飘流的云雾萦绕着,带着莫测高深的神秘风韵,只有绵绵蜿蜒而时隐时现的峰峦,在天空勾勒出了一线伟丽磅礴的轮廓。其实,等你靠近了才会发现,她是那么眨巴着乌黑晶亮的眼睛,袒露着宽阔丰润的胸脯,以其坚韧刚健的风姿,挺立在荒古大漠上。尤其在墨黑的夜晚,当你在沙漠里奔跑了一天,困卧在她身边的时候,仿佛觉得有双无形的强大手臂环抱着你,抚慰着你,促使你安稳而甜蜜地睡去。其时,你在朦胧中也会感觉到昆仑山的倩影,像安睡在它温馨的怀抱里。

但是,当我再度看见昆仑山的时候,却感到过去对它了解得很少。

这次,我来到这里,正是高原八月,天气凉爽极了。我和旅伴心情兴奋,一出格尔木城,就直往南面走去。沿途,我看到这荒凉无边的大戈壁,虽然仍有十年浩劫的痕迹,但已有新开垦的黑沃沃的农田,和将要收割的金黄的小麦。再往前走,那一丛丛自然生成的浓密的柽柳,舒展着颀长嫩绿的枝叶,散发出淡淡的清香。戈壁一见到绿色,就有了生机。各色的鸟儿欢叫着。那乖巧的云雀群,鼓翅在高空上下扑旋,唱着自由快乐的歌,一直陪伴着我们,飞上昆仑山。

等刚走到昆仑脚下,我的旅伴就感慨万端,喘着气说:

"昆仑山呵,是大戈壁生命的渊薮!"

我惊异了,他的诗情竟来得这般快当。

"你看见么,山上水电站的小屋子?"

我抬头望去,首先进入眼帘的是一条嶙峋层叠的深谷,而山口凛然座卧着一尊像猛兽似的山头,虎视眈眈地察看着过往的行客。只在穿过它的视线,绕了一大圈,我才看清几根凌空飞架的天线，通往嵌在高峡中间的小屋里。

我们一边往上爬，一边耳旁传来隆隆的吼声，这莫不是水电站机轮的运转声么！此刻，在谷口听起来，显得异常高亢宏亮，有种撼天动地的气势。与此同时，我还隐约分辨出一丝仿佛从昆仑山心窝里飞弹出来的音响，其声如行云流水，朗朗悦耳，和机轮的轰鸣声糅合一起，回荡着一种更具摄人魂魄的旋律。

我们越往山上走，越觉得呼吸急促，气不够用。而且风也越来越狂，有时不得不背转身倒走。等爬上深谷里的水电站营地，才算缓了口气。

我们先遇见一位姓郝的陕北绥德汉子，长得高大健壮，是水电站负责人。还有一位长得瘦削结实的老王，是专管水务的。他俩脸庞都像久经酷风寒霜洗炼过，闪射着褐红透亮的色泽，并肩站在昆仑狂风中，犹如两根铁柱子似的。我开口便说：

"你们这里的风可真够厉害！"

"风季早过啦！"老郝咧嘴笑着说："如果你们赶冬月或春上来，那才真叫飞沙走石，风刮得人连路也看不见，身子也站不定，栽楞爬坡的。这里是昆仑山的风洞嘛！"

我这才察觉到，我们已置身于昆仑山一条罕见的幽深的大峡谷中。搭眼回望，两边石山高高耸立，直插云天。周围悬岩倒挂，绝壁陡峭，既看不透前头的边缘，又摸不清后面的底细，俨然是条深奥狭长的天然风道。我简直难以想象，人们怎样在这陡壁险境里造就了这座水电站？难道他们是倒栽葱式的在空中施工么？噢，我猜得还有点门道。

据说，那些来自青藏高原的汉、回、撒拉族兄弟和支边青年们，正像山鹰般飞身登上悬岩，用绳子把自己吊起，在峭壁上勘察测量；正是在半空中搭起脚手架，一步步攀援而上，给大坝喷水灌浆。他们就是这样在无比艰险的峡谷里，在不同的窄狭的工作面上，一任狂风飞沙的扑打，一任严寒酷暑的煎熬，开挖着导流、冲刷洞，搬运着笨重的闸门机件，安装着电器仪表……

这一阵，我们已走上四十八米高的薄拱坝。

忽然，眼前涌现出了一泓碧绿如镜的大湖。呵，应该叫它做天湖，因为它竟奇迹般漂流在这远离人间的高峡里。天湖呵天湖，你是这样恬静地轻荡着涟漪，这样温存地拂动着浪花，清澈得照得见天上的飞霞，碧绿得映现着昆仑雪峰的影子，致使不远千里来到你湖畔的行客，依依不舍，留连忘返。

还是老郝提醒了我们："这座水库容量两千四百万立方米，是昆仑山雪水汇集成的。"

"那深山里还有不少条河吧？"

"嗯，上游有清水河、雪水河、干沟河。离这不远四十里，还有个昆仑桥，肚子很大，也在峡谷里，如果能早些开发利用，电容量冒估也达一亿多千瓦！"

"呵呵，你们这儿的前景很乐观哪！"

"我们如今是有多少水，发多少电，满发是九千瓩。"他矜持地笑了笑，却转过了话题："你们到这里来还适应吧？"

我说："适应，才上来有些气喘。"

老郝立即快活起来："这儿海拔三千米以上，目前是中国最高的水电站！"

噢，中国最高的第一座水电站！

我从他们谈吐里已晓得，这座水电站从设计到投产，时间竟拖沓了二十年之久。站在昆仑水电站身旁,我感到格外激动,也格外惋惜!如果不是"四害"横行,贻误了那十年春华,那十年光阴,这座水电站不是会早些出现在昆仑山上么?那么,在我国许多富饶的高山峻岭之上,不是还会出现比这座更高更漂亮的第二座、第三座水电站么?我想,一定会的。就在这昆仑深山中,不是还潜藏着个肚儿挺大的昆仑桥,早在等候着有识之士去开发么!我和旅伴们不由得欢呼起来。

就在我们沿着水波粼粼的湖边漫步,穿过坝头那间小屋子的时候,有种扣人心扉的声音,一直在我耳边鸣响。

这时,我惊疑地掉转身,寻声望去,蓦地只见在宽阔的大坝前面,深谷里白云翻卷,水烟升腾,一条飞银吐珠似的瀑布,发出唿唿的喧响,急速地翻卷滚动,直落万丈谷底。飞流荡漾的瀑布,仿佛拨弄着巨大雪白的竖琴,悠然在水云花浪中旋舞,欢奏着喷薄激情的英雄交响乐。起初,我们进山时,远远看不到瀑布,只听见隐约的哗哗声,轻柔的汩汩声,而此刻身在瀑布面前,它的声韵是这般豪迈奔放,这般壮怀激烈,好像昆仑山里埋伏着千军万马,正在浩浩荡荡地疾行,向着广袤的大漠挺进似的。多么宏伟壮观的昆仑飞瀑,多么摄人魂魄的昆仑飞瀑呵!

我们在欢腾的飞瀑声中,转弯下了条大坡,走进靠山的电气运行控制室。

瞬间,喧闹的瀑布声隐去,代之以静谧肃穆的气氛。这间大大的控制室是现代装置,在这里工作的同志似乎很轻松,也很悠闲。随即,我也发现,这儿每个人的眼睛却异乎寻常的专注忙碌,手脚也出乎寻常的敏捷麻利。这里管水管电,这里一举一动,牵扯着水电站的生计,关乎着山下格尔木城的命脉,而且维系着戈壁农田、工矿和草原的兴衰。我看见立在操纵台前,掌握水电命运的人,多是支边的姑娘和小伙子们,他们毅然摆脱世俗的羁绊,长年在昆仑高山上生活,在荒寂的峡谷中战斗,使巍巍昆仑焕发出了新的生命,新的血液,新的光华。我想,应该称颂他们是昆仑勇士,是可爱的昆仑山人!

从电气控制室出来,我们迎面又看到了飞飘迷人的昆仑瀑布。也许因为距离太近,又看得见瀑布的底部,使我感到眼前如同矗立着一座晶莹的万仞雪峰,流水和云天相连,喷溅着珠玉翡翠,闪烁着斑斓眩目的光点。我倏忽觉得,它仿佛是娇丽的云雀、天鹅和仙鹤群集的长阵,是这样潇洒自如地飞荡着,以气盖山河的流势,凌空呼呼欢叫,旋即俯冲而下。转眼间,它却宛如莫高窟飞天肩披的长长的飘带,飞落于幽深的谷底之后,霎时拍波击浪,掀起狂涛巨浪,继而在闪闪的霞光里,哼着自由悠扬的歌,跌宕有致地向大漠奔去。

我被这飞瀑震慑了,被它瑰丽多姿的景象迷惑了。呵,这飞瀑来自何处?它莫不是从天宇里倾泻人间的金波银流?它莫不是从昆仑胸脯里喷涌的奶汁玉浆?

我翘望着昆仑飞瀑,心如潮涌。

这飞瀑,发源于伟丽的昆仑深山里,和无数条大小溪流相溶合,于是铸就了一派势不可挡的巨流,永无休止地流向戈壁荒漠,流向城乡村镇,流向八十年代的今天,流向斑斓透亮的明天。

这飞瀑,始终鸣响着昆仑母亲亲昵的声音,有时像讷讷的甜蜜的呼唤,有时像声震寰宇的呐喊,它无疑是永恒的自然,执著的爱恋,生命的元素,它是这般源远流长,无穷无尽,飞载千古。

此时，我从飞腾不息的瀑布声中，倾听到了祖国大地心脏的激跳，也触摸到了中华民族向前奋进的脉搏！

我站在昆仑飞瀑面前，思绪驰骋。

我还清醒地意识到，我是这样无限热爱着自然的创造，然而也无比热爱着创造的自然。此时此刻，我怎能不惦念这昆仑山英勇的开拓者，和那荒古大漠艰苦的勘探者。

我想到，在祖国的名山大川里，飞荡着不少闻名于世的瀑布。但是，没有昆仑瀑布这么吸引我，这么使我留恋的了。这犹如搏击长空的海燕般的昆仑瀑布，正以无与伦比的滚滚洪流，穿过千沟万壑，跨越千难万险，向生活的大海奔去，向历史的未来奔去。

昆仑飞瀑呵，我愿意投身在你的怀抱中，化作你飞流里的一只云雀，随你飞去！……

莽莽的塔里木河

早晨，一骨碌爬起来，先看天气怎么样？

天空出奇的晴朗，经过昨夜一场暴雨，空气里没有了沙尘，而且带着一种新鲜的潮湿的味儿。

塔克拉玛干，我们今天可以飞往塔克拉玛干！飞行队长李培建像松了口气，笑哈哈地指挥着装运各种物资，看着我们登上直升飞机，螺旋桨飞快地旋转起来，我们起飞了。现在要去塔克拉玛干大沙漠，地面上还没有修出一条路来，只能乘坐飞机进去。看来，要征服这个鲜为人知的谜样的大沙漠，并不是那么轻而易举。

从飞机上望下去，沙雅城变成了个小不点儿，小得像是围棋的棋子似的。那边是什么？黄褐色的沙漠中出现了小小的绿洲，一间间被树木包围的农舍，屋顶上都像着了火似的，燃起红通通的火焰？噢，不是的，仔细看去，才是红红亮亮的辣椒角。真好看呢！一排排农舍后面，是一个个小羊圈。羊儿静静的，乖乖的，被围在不规则的土围墙里。此时，已是九点钟了，牧羊人还酣睡着呢。这可能是塞外边陲和内地的时差造成的吧。

塔里木河，从疏疏落落的村庄中跳出来，犹如没有套缰绳的精屁股野马，快活地奔向前方。没有遮挡，没有阻拦，在荒漠中任性地流淌，放肆地旋转，等会儿绕成了弓形的大圈，等会儿又顽皮地绕成个小圈，虽然弯来弯去，却也舒展着身子在塔克拉玛干沙漠上闯荡。

好不自由，好不自在！这条河是巍巍昆仑山的宠儿，她从慕士塔格雪峰上呼啸而出，流经塔什库尔干、莎车、阿克苏、沙雅、库车、库尔勒到罗布泊等十一个县地，流程达两千一百七十公里，是当今中国流域最长的内陆大河，是南疆人民赖以繁衍生息的生命大河，也是世界上赫赫出名的大河。还没有看见过这样放荡不羁的河，这样由着性儿自由流淌的河！

在塔里木河西岸，是无垠的河漫平原。稀有树种胡杨树葱葱苍苍，红柳、白刺灌木丛密密匝匝，随处可见草甸、河汊和沼泽地。沿塔里木河两岸，有罕见的马鹿、野骆驼、野猪和狐狸，有在河汊水域里生长的奇珍麝鼠、天鹅、鹈鹕和鹳鸟，还有专在沙漠里爬行的蜥蜴、长蛇、蝎子等等。凡是能见到流水的地方，人和动物都能找到活命的根，都能生存下去。

可是，在我的前面，在塔克拉玛干沙漠，塔里木河逐渐变得又细又长，显得异常单调，只有她的流水划出一条醒目的曲线，流向沙漠的远处。零零落落的胡杨树，点缀着波澜起伏的沙丘。一棵胡杨树就是一颗绿星，在它的周围形成了一个大大的沙圈。除此以外，再也没有什么了。塔里木河水在大漠里悄然无声地奔流，仍然是那么任性而却孤寂地流去了。

眼望着荒漠中的塔里木河，我不由得想起了人，人为了生存付出了怎样艰苦卓绝和顽强不息的搏斗啊！在那可悲的三年自然灾害的岁月，在那可憎的史无前例的十年动乱中，有多少人家破人亡？有多少人流离失所？人们为生活所迫，为厄运所迫，不得不离乡背井，四处逃亡，人总得要活，要讨个生路么！于是，在遥远的塔里木河两岸，在人迹罕至的塔克拉玛干边缘，出现了许许多多的"盲流"、"黑户"。人们来自黄河两岸，来自大江南北，来自辽河平原，来自沿海地带……

为了生存，为了活命，人们挥动起砍土曼，在荒野中挖出了一个个其格格热木（维吾尔族语意：野麻地窝子），挖出了一条条水渠，挖出了一垅垅农田。为了生存，为了活命，人们在陌生的边远的荒原落脚，在塔里木河汊中捕鱼，在胡杨树林中狩猎，在灌木丛中采药……正是这些"盲流"，冲破了千古沉寂的荒野，正是这些"黑户"，唤醒了千古沉睡的土地。人们在塔里木河边挖穴为家，胡杨树林里出现了农舍，荒野中出现了牛叫马嘶声。

人哪，人的生存渴望和活命的韧劲，在荒凉的原野上得到了最充分的体现。野性的塔里木河的洪水（1974年）淹没了一个其格格热木，再来一个其格格热木；捣毁了一个村庄，再重新营造一个村庄。很久很久以前，相传有个叫司马义阿吉的人，他曾幻想过在这亘古无人的大漠上，营造一个仓塔木（维吾尔族语意：粮仓）。他矢志不移，艰苦奋战，但是他的幻想没有实现，疯狂的沙暴摧毁了他的农田，连他自身也葬于胡杨林中，仅仅留下了一个美妙的传说。

难道司马义阿吉要在大漠中营造个仓塔木纯属奇思妙想么？不是的。你现在来看看，那些由"盲流"结成的队伍，已开始治服了大漠，在司马义阿吉葬身的地方，播种小麦、玉米、棉花和蔬菜。那些由"黑户"组成的农家，已在被称为仓塔木的地方，创建了八个居民村庄，而且有了小学校，有了医务所，有了面粉加工厂……甚至有个村庄，人均收入已超过千元，还正在向小康奋斗呢！

司马义阿吉的幻想实现了。这里不再有"盲流"、"黑户"的称谓，他们全部是来自四面八方的汉族，全部是仓塔木人。

仓塔木人，无疑是个光荣的头衔。

仓塔木人，已成为富裕公民的代名词。

他们从天南海北来到这里的时候，带着眼泪和贫穷，带着苦闷和忧愁，同时也带着一双有韧劲的手，生存的渴望，使他们用这双有韧劲的手，在荒漠中杀出了一条生路，生存的渴望，使他们用这双有韧劲的手，去和沙漠挑战，破天荒地创造了仓塔木，成为最先在这里落脚的人，成为开发塔里木盆地的先锋！

塔里木河在向前奔流，她看到了也听到了，她记载下了仓塔木人的悲怆、心酸、艰辛和渴望。

在塔里木河北岸，有一座艾吉娜木的古墓，相传为伊斯兰圣母之墓。

没有人知道古墓何年何月所造,也没有人知道死老的来龙去脉,只知葬者为一位"圣人"之妻。既然是"圣人"之妻,葬者必为"圣母"了。圣母墓约占地十亩,周围有数百株胡杨树,有高大肃穆的清真寺,有木栅栏和短墙,营造得辉煌而又简陋。这里地处偏僻,没有道路,平时寂寥无人,但却闻名遐迩。每逢祭日,信民们来自数百里甚至千里以外,不畏长途跋涉,穿过瀚海丛林,远自喀什、和田、于田,近自且末、沙雅、库车,都骑驴乘马前来这儿祈祷。他们这般崇拜,这般虔诚,不是祈求圣母娘娘排灾解难么,不是祈求圣母娘娘降福于民么?

但是,圣母娘娘征服不了沙漠,征服不了贫穷,也没有带来富裕。

征服荒漠还得靠人顽强的意志和勤劳的双手。在塔里木河两岸,有了一个仓塔木,就会有几十个仓塔木。人们像仓塔木人一样,正在把绿洲扩大,触角已延伸到沙漠的深处。人们在和贫穷告别,开始想方设法使自己富裕起来。

我俯视着塔里木河,此时她似乎变成了小小的溪流,在远处闪烁着光亮,一阵被沙漠吞没,一阵又从那边跳出来,仍然像没有套上缰绳的野马儿,使着性子朝着天边自由地飘去了。

现在,眼前只有茫茫无际的洪荒大漠,露出了博大而又凄凉的面孔。

呵,无比浩荡无比荒凉的塔克拉玛干!

哦,我想起来了,在塔克拉玛干沙漠的西边,塔里木河有一条支流叫和田河,在这里是看不见的,虽同在一个大漠之中,却离得很远。哦,和田河,在五十年代末期,不是有支石油勘探队带着帐篷和百十峰骆驼闯进来了么！和田河是一条映着绿色的河，可是从来没有人敢于涉足过，敢于从她身边走过，因为她身处大沙漠之中。这些野外勘探者为了摸清塔克拉玛干的地质面貌，为了探寻石油资源，竟然冒险闯了进来。他们遭遇到沙漠风暴的袭击，经受着酷寒暑热的熬煎，两个多月没有洗过脸，浑身沾满了尘土，头发胡子留得老长，终于横穿过了荒无人迹的塔克拉玛干，终于在和田河畔做出了有史以来第一张地质剖面图。

这些勘探者，才配得上是征服大漠的勇士！和田河记载下了他们的足迹，塔里木河留下了历史上辉煌的一页。

莽莽的塔里木河，狂放无羁的塔里木河，在你流经的绿洲和荒野里，人们编织了多少传说，演出了多少悲喜剧，又创造了多少奇迹呵！

塔里木河已经远去了。

我们飞向塔克拉玛干沙漠腹地。在广袤无边的大漠中央，有我们许多石油勘探者在活动。在那儿，又将会创造出什么奇迹来呢！……

扎拉嘎胡

蒙 古 马

　　蒙古马与蒙古人的缘分深厚。俗称蒙古族为马背民族。十三世纪初叶，蒙古民族从大分裂走向大统一。史称那是"蒙古马的时代"。蒙古马堪称蒙古人的朋友伙伴。蒙古马产生于蒙古大草原和蒙古高原。三五百为一群，每隔三四年分一次群。强健的公马带领众多母马繁衍生息。每到夏季，成群结队的马群，在绿浪翻滚的草原上奔驰起来如同海潮汹涌。每到冬季，在寒风凛冽中成批蒙古马仰天长嘶其声如惊雷震天动地。

蒙古马与蒙古人一样，生活在冬季高寒夏季高温地带。它在暴风雪中驰骋如飞，烈日炎炎中行走如流。它有耐寒耐热的奇特本领，因而具有强大的环境适应性。蒙古马体小而又灵活，眼疾而能避险，矫健而有力量，敏锐而又迅捷。在蒙古族著名英雄史诗《江格尔》中，有段描写英雄的战马诗句："如同离弦的箭一样快/像火花似的闪耀/气势磅礴/像万马奔腾/像万牛怒吼/让那公牛和大象吓得心惊胆战/人们一看那漫天红尘就可知道阿兰扎尔神驹来临。"

在古代，成吉思汗统率的蒙古军进攻或退守中，只要蒙古马一马当先便万夫难挡。蒙古马为蒙古大军赢得了时间，占据了有利的地形地物，使得成吉思汗的战事经常处于主动地位。在激烈的战斗中，蒙古马食宿简便易行，围追防范能力特强。它吃下任何一地牧草后，便不分昼夜冷热立着睡眠。它这特殊性能，体力恢复极快，在战争中始终保持健壮的体魄和充沛的力量。蒙古大军每次出征时，每个战士除乘马外还挎少则一匹多则三匹马。乘马跑下一段路程后，便丢给战争途中的专门养马人，换上另一匹膘肥体壮的战马继续前进。

古代的驿站，亦称"站赤"（蒙古语意为掌驿站者）。驿站是"通达边情，布宣号令。""驿传玺书谓之铺马圣旨，遇军务之急，则以金字、银字圆符为信。"可见驿传任务非常艰巨。这种艰巨任务，主要是靠蒙古马来完成。每个驿站均备有蒙古马群，一旦驿传号令或圣旨下来，驿传者不分昼夜飞身上马。蒙古马将驿传者以迅雷不及掩耳之势准时送到下一个驿站。有时恶劣气候使驿传者在破云除雾爬山涉水中迷失了方向。但驿站传者只要暗示好乘马，任马由缰，乘马便会不失时机地将驿传者带到目的地。

围猎是蒙古人老少娴熟的一项活动。古代蒙古大汗、王公贵族都喜欢围猎，如今许多地区仍保持着围猎习惯。围猎经常中上上下下一齐出动，是全民性活动。古代的围猎分为虎围、狼围、鹿围和鸡兔围。这实际上是一场蒙古马竞技表演和准军事演习。凡参加围猎者均要骑一匹精良的蒙古马。在围、赶、追、吓、堵、埋伏等围猎中，需要蒙古马与主人卓越的配合，否则不仅不能获取猎物，主人稍有不慎或乘马有所闪失，便有中枪弹、箭、布鲁（打猎工具）和野兽反扑的危险性。围猎者要想尽情发挥围猎的真正本领，那是绝对地少不了蒙古马的智慧和机敏。蒙古马不仅善解主人用意，更懂得围猎的奥秘与要领。在这一点上，蒙古马有惊人的记忆和超常的灵活性。主人在瞬息万变的围猎场上，有些难以精确预料的东西，这时便由蒙古马替主人加以补救而化险为夷。古代围猎者将自己的猎马视如生命视如神灵。

蒙古马通人性，对主人竭尽忠诚。它最有忘我的情感，遇事主动承担风险。这在蒙古民间有许多生动故事流传。十三或十四世纪的叙事诗《成吉思汗的两匹骏马》，在蒙古族中几乎是家喻户晓。叙事诗中描述的两匹骏马在参加成吉思汗围猎中超群出众，贡献巨大。但这样辉煌的业绩没有得到主人应有的赞扬，因而两匹骏马遁逃而去。在遁逃中，两匹骏马对成吉思汗的不同看法终于暴露出来。一个是倔强自信、桀骜不训，追求自由；一个是愿意忍受役使而眷恋主人。最终在"恩君"的感召下，重又回到原来的马群，受到成吉思汗的欢迎、问安和封奖。这一寓言诗以两匹骏马的人格化，反映出蒙古人与蒙古马的美好关系和蒙古马对蒙古人的笃实心态。蒙古民族对其后代进行爱马教育中,经常引用《成吉思汗的两匹骏马》作为教材。

蒙古民族英雄嘎达梅林义军与军阀和王爷军队激战中,嘎达梅林被冷弹击中落马。在敌军就要追上的千钧一发之际,嘎达梅林的乘马咬紧嘎达梅林衣角,将嘎达梅林拖到河畔密林中,使嘎达梅林死里逃生。

十九世纪的蒙古族大作家尹湛纳希从外地返回家乡的原野上,不慎落马昏厥过去,这时有两条狼扑了过来。尹湛纳希的乘马高扬四蹄和鬃尾与两条狼展开了殊死搏斗。尽管狡猾的两条狼轮番进攻,乘马一对二中一身大汗,但它仍然寸步不离主人。最终挡住了两条狼,迎来了尹湛纳希的家人。

蒙古马亲情很重,它多年乃至到死能准确认出父马母马与兄妹马并保持亲密的家族关系,有的马离群多日回到家族中间,以互咬鬃毛来表示亲热。蒙古马从不与生身母马交媾,因而蒙古人称马为义畜。蒙古马在动物中是最洁净的,它喝的是河水、湖水、井水,从不喝死水和脏水。吃的草也是找新鲜的,有时宁肯挨饿,不吃腐烂变质的草。在家畜中马的寿命最长,最高能活六十岁,蒙古人对马的年龄计算以双岁为一岁,如三十三岁马实际已是六十六岁。

蒙古牧人忌食马肉。马死亡后都将埋葬,以示报答马对主人一片深情。生过十个马驹的母马和年久的种公马,蒙古人视为他们的"功臣",给予特殊待遇。马鬃系上色彩鲜艳绸缎条,以区别不同于一般马。这两种马不但不能宰杀,死后还要厚葬。

蒙古人对蒙古马非常珍爱,对众多的蒙古马的习性和爱好了如指掌。按照蒙古马的毛色和雌雄不同,分别给予爱称和昵称。蒙古马群中大致分为红色（又分为枣红骝红）、白色、黄色（又分为金黄米黄）、黑色、紫色、棕色和斑马。按此毛色特点，许多蒙古小孩都能准确无误地讲出马的爱称和昵称。

蒙古人从古至今对乘马爱护备至，乘马用具也格外考究。如马鞍上镶嵌金银饰品，镂刻美丽图案的花纹。乘马中分颠儿马和走马，走马尤其受欢迎。走马价值连城，许多富户不惜重金购买走马。走马速度快，跑起来平稳，主人如同坐轿一般，赶远路更显走马之可贵。如今蒙古马已走出草原走出国门，到众多国家落户。

蒙古马在蒙古人心中如同日月星辰。呼和浩特为内蒙古自治区首府，在市中心博物馆和火车站有两座飞腾的蒙古马雕塑，似可看做城徽。不仅呼和浩特，内蒙古许多城镇都有不同的骏马雕象。在各种文艺作品中以骏马为对象的作品难以计数。蒙古马已成为蒙古民族的历史文化传承者。

蒙 古 松

蒙古松，生长在蒙古高原的山地和沙海之中。它叠立于大兴安岭西麓及北部山地和呼伦贝尔草原的沙漠地带。蒙古松独选海拉尔以南地区，从西尼河开始，沿伊敏河、红花尔基、辉河上游，巴日图到哈拉哈河附近是一条天然的樟子松林带，长约一百五十公里，宽处二十公里，窄处一公里，多为纯林，少量与白桦混居。它的学名为樟子松，但蒙古人常常不叫樟子松而昵称蒙古松。因为蒙古人特喜爱樟子松。久而久之，几乎蒙古松的称谓替代了樟子松。

樟子松的原祖是欧洲赤松，随地理变化迁移到了蒙古高原。它是蒙古高原的独秀奇珍。在冰天雪地它那高耸坚挺躯干上丛丛浓密的绿叶，使人不由得感到蒙古松故乡正经历着难得的冬天里的夏天。在久旱不雨的沙漠里，仅有的耐旱植物全都枯萎凋谢时刻，蒙古松却能天天推出轻云薄雾招来众多的鸟群和虫类。

五十年代初期一个夜晚，狂风暴雨劈雷闪电袭击海拉尔和海拉尔周围的山林原野。连续不断的闪电将海拉尔变得如同白昼，从草原深处滚过来的惊雷爆炸在海拉尔上空，使得海拉尔楼鸣窗叫。人们整夜没敢入睡。第二天清晨雨过天晴，人们到海拉尔西山观景，个个目瞪口呆：只见在众樟子松林中间最高最粗的老母松被雷击倒分成两枝，横卧在沙地上。人们痛惜失去了日夜相伴的神圣景观。严冬过去，迎来第二年春季时，意外的奇迹出现了，被雷击倒的胸径近一米、躯干高达三十米的樟子松，一分为二地重又耸立于大片蒙古松林里。在这奇妙无比的现实面前，人们的心灵震颤不已。蒙古牧民认为这是棵神树。

蒙古松是沙漠上的天才的王子，是所向无敌的英雄。它是乐观主义者，又像是苦行僧。它对无情的吞噬所有生物的沙漠极为鄙视，不断打退沙漠和风暴联合起来对它进行残酷的扫荡迫害，傲然屹立在荡荡的沙海上。春天它要全力投入保卫根须不致外露而遭风沙打击。夏天它要稳住根须周围的沙粒使其形成坚固的保护层，不使根须遭畜踏虫咬。秋天它要伸出坚挺枝桠和密集翠绿的健叶,抵御苦雨严霜袭击它变得脆弱的根须。冬天它收缩枝叶减轻对根须形成的重压,一致防范狂风大雪乘机来犯。尽管蒙古松时刻保护着自己的心脏——根须,但它还是顶不住外界日夜不停的进攻,加上沙漠的任性与不可靠性,它的根须终于赤条条地裸露在外边。看到此情此景,人们认定根须外露的这些蒙古松必死无疑了。然而,它不但不死,反而活得更加鲜活。一些蒙古松根须外露年深日久之后足有一人多高,就像捆绑在一起的银色立柱将粗壮的树冠送入了蓝天白云之中。每到夏季,这些根须外露的蒙古松个个葳蕤,棵棵艳丽。堪称蒙古高原一绝。

  蒙古松的生命力最旺最持久,它的再生能力在世界众树林中也应列于榜首,至少算前几名。那是一年冬季,大兴安岭大火,满山大片樟子松毁于大火之中。人们突然丢掉了珍贵的蒙古松,感到分外悲哀,绝望之情油然而生。但这蒙古松令人吃惊的是那种"野火烧不尽,春风吹又生"的劲头。多年过去后,在一场大火中烧尽蒙古松的那座山头上,重又生出了郁郁葱葱的蒙古松。站在蒙古松林中往下一望,满山次生林的辈分看得一清二楚:山顶最高处是昂然耸立的再生出来的蒙古松,山下是一片幼林。山顶山下高低分外清晰,就像匠人一刀刀刻下来的一般,顺山坡上周比下周均高出一截,从山顶到山下形成了极为壮观的梯形阵容。荒火烧尽蒙古松之后,山顶最先长出来的蒙古松到了成熟之年的深秋开始向山坡甩籽,第二年便长出一片茁壮的幼松。幼松成熟后它又向它脚下的山坡甩籽。一年又一年,蒙古松终于再次覆盖了曾经一度荒凉过的山峰。

  蒙古松的惊人之举,逐渐被世人所了解。如今全国已有十六个省市自治区三百多个旗县引进它的种籽，使它从樟子松母树林基地——红花尔基走出去到外地安家落户，它的子孙现已活跃在全国不同的山野。

许　淇

古道西风

　　古道西风瘦马。
　　马并不瘦，公家喂的好料，只是驯顺得发懒，几经催促，才肯撒腿跑一阵，所以旗政府办公室放心地借给我们。
　　草原上没有路。和我同行的考古学家却指给我看："就在这里，古道！"在哪里呢？草丛里只蚤吟虫鸣，都杂作车辚马萧，一条官马御道，直通往京畿商埠。
　　是西风吧，送来苦艾和棘蓟的气味儿。官道旁的"黄旗海"，汪汪一片，那湖的眼睛比暮天还明亮。"黄旗海，元代称做'鸳鸯泺'，多好听！南北有四十华里，东西五十华里。元始祖的贵胄们在这一带渔猎……"考古学家告诉我。于是我仿佛听到渔歌猎角，箭鸣鹰扑，狐兔乱窜……

湖畔长草没膝竟掩埋多少人兽的白骨？

考古学家牵马引路。在我看来并无异样的丘壑，他却划出了一个古城废址。"这是东门，这是南门，北门……"随着他的指点，似乎幻现了宫室殿宇，女墙迤逦。墙外的濠沟是护城河，早已干枯，只赒河底曾被岁月的逝水磨洗过的鹅卵石。唯南护城河附近有一水泡；城西河渠浇灌"八十亩滩"，因此得为地名，在我的同伴眼底留一片盈绿。如今只是旷废的荒原。这座古城在旗杆山东南；旗杆山原有二丈高的石头旗杆，"文革"中讲"树旗砍旗"、"不破不立"，硬是被砍掉了。

考古学家背着他的"万宝囊"，拨开蔽径的长莎、黄芪和蒿艾，蝎麻螫咬也不顾，在瓦砾堆间徘徊翻寻，频频地惊呼雀跃，只因拣到了一爿完整的瓦当或是元瓷、明盘碗的残片。古道连接城东门的废址上，半埋着扇形的大石块，据他考证是清代纸厂的槽碾，染坊碾布也可兼用。元朝繁荣之初，城中即启用工匠，发展手工业，软皮局、斜皮局、杂造鞍子局、毡局以及金属制品作坊都集中在城里，他意外地找到了炼铜的工场遗迹，坩埚的碎片，一些铁屑和铜渣，他小心地用手帕包好，装入"万宝囊"内。

伫眺间，我们恍惚看到脔炙羊肉的火光和炼铜的火光。裸身跣足的奴隶们，形容枯槁，汗流浃背。铁链响，风盒响。工匠故弄玄虚，口中念念有词。监守的兵丁举刀四立……

记得我俩昨日在旗镇访问一个百岁的老银匠，原籍山西，一辈子生活在草原上，会说一口流利的蒙语。他年轻时手艺高超，牧民们拿来银洋请他打马鞍子上的银钉和蒙古袍襟下的银扣，打佛龛、鞍桥、烟荷包和蒙古刀鞘上的装饰物，他凭一盏油灯，呼呼地吹氧，让火焰白热烧化银币，使一把小锤先锤成薄片，再炼再锤，然后精细地镂刻，制成牧民喜爱的工艺品，换取他们的马匹、牛羊和奶食。有一次，一个牧民拿几个盘碗和一只双耳陶罐来和他交换。从此，他宁要一匹陶马也不要真马。他既是个银匠又成了古董商贩。

每年秋季，他沿着古道来这一带草原用银器小工艺品换取陶俑、瓷狗、鱼形漆盘、晚清粉盒……他搜集钱币，"政和通宝"、"开元"、"五铢"，汉、唐、宋、辽的制钱。他得到过一枚黄铜的铜印，上刻"太平兴国六年"铸造。他卖掉后娶了一房媳妇。半夜里笑醒了几回。

整个冬天不见银匠，据说他到远方的大城市去了。

春风刮起黄尘，他蹒跚地回到镇边的小屋，瓦下长出狗尾巴草，木窗格被蛛丝封满，女人席卷了他剩余的银器和细软跑掉了。光棍汉的夜晚通宵亮着灯，时炽时暗；是他热火劳作，用纯熟的技艺镂刻绮繁的花鸟虫鱼的微观世界。

"造孽呀！祖宗的钱可赚不得。"他摇摇皤白的头，说。

他瞎了，据说在他和盗墓贼合伙挖见一二百具尸骨以后，挖出石人、石龟、石马和一罐完好的西瓜籽以后；挖出半瓮见了风和阳光便零散的丝织物包裹皮上写有神奇的契丹文字以后；挖到十多双可怕的女鞋；五瓮共二百斤色如黑酱的胡麻油；一罐秘藏的经书随风灰散迷了他的眼以后……他瞎了。

他瞎了。

也有人说是他在油灯下刻银器烘瞎了的。

"造孽呀!"他喃喃地自言自语着。

银匠孤鳏无嗣。如今他居然还能用原始的方法熟练地干银匠活,当然活儿粗糙多了。但旗残疾人福利基金会仍收购他的货,不让他自己做饭,供他吃喝。周围草原上的老牧民还时时来找他。

听了老银匠的忏悔,考古学家得到一张活的历史沿革图。我俩就是沿着他指的路程来寻访这草原古城废址的。

抵暮,野烟四合。不远处似有小兽的咻咻喘息。我俩小心地摸索着漫游奇境。考古学家领我找到了"文宣王庙碑",碑文字迹漶漫,用手抚摩,依稀能指读出刻署的"皇庆元年(即公元1312年——笔者按)春正月"的字样。

历史在我头脑里一片空白。碑的四周雾笼霭罩。我感到对无限的无端悚怖。"还是回去吧。"我催促满载的考古学家上马返归。

我在马背上似一丝游魂萦系,仿佛坦荡的官马御道,舆骑甚众,急驰而过。时近子夜,见城堞连垣,若阴山巍黑,楼舍窗映,焰烛昼明。近喧沸集市,有斗鹌者,有赌棋者,有叫卖者,有搦管而歌者,咏古凉州调,但皆不辨其面目,不识其装束。我在市上购得一鞭梢,策马入城,门被"文宣王庙碑"所堵。忽闻雄鸡三唱。鞭梢成金,而城廓杳渺……。

蹄声得得,胯下懒马不紧不慢地走步。我瞬间醒转,急揽了缰绳,四顾茫茫,旗镇尚遥。再看我那考古的同伴喝醉了酒似的在马背上晃荡,似乎也在做着同样的梦呢!

草原的精灵

和牧马人一起,去追赶马群。仿佛不是我们牧马,而是马群放牧我们。

游牧人的帐幕随马群移动,没离开那条时而宽阔、时而涓细的母亲河。一个春天,一个秋天,夏营盘和冬营盘,一年四季在草原上游牧。我们是草原的精灵。

我觉得马是草原的精灵,幻见肩胛两侧的翅膀,蝴蝶似的翩翩。它们奔驰时矫健的线条,怒鬃、尾舵、玲珑的尖耳、舒长的颈腰、四蹄关节的组合,是绘画,是音乐,是雕塑,是诗!

马爱黑夜。夜牧特别要紧。它们在夜间吃草量占全天的一半,仅靠白天,马是吃不饱的,而吃夜草,"魔鬼"们竟然不会妨碍睡眠,它们站着睡,吃着,吃着,头一低,眼一合,便睡熟了。往往天亮前,大地黑似漆,马群沉睡两个小时便足够了。

怎么驱赶瞌睡虫?跳上马背驰骋一阵,啸嗷几声!顿觉精神百倍。牧马人爱驰骋,爱套马,爱无缘无故地吆喝代替歌唱,爱和自己、和那美丽的精灵比试。震耳的风吼如军号,纷乱的马蹄如战鼓;臂和腰遇到了势均的铁的考验……

尤其是春季剪马鬃,真是牧马人的喜日。将马群集赶在一处,连续几天,牧马青年一伙一伙地赛擂台、显英雄,当着姑娘的面。多犟的生个子马挨次摔倒,扑上去剪鬃、烙印。大力士担任"拉步杆"和马摔跤相扑；力气小的负责点眼药，用"滴百虫"溶液灌药；打火印的老哥光膀子，活像强盗刽子手，举起刚从铁匠炉挪开的烧红的烙铁模子，朝马屁股上一按，吱——！冒一股青烟，烧焦的毛皮的腥臊糊味儿呛鼻，马腿痉挛，小腹皮肉急速弹跳着。经过这一番收拾，被剪了鬃的马像刚理发的赖小子，把赖劲去掉一半，规规矩矩、老老实实或竟是灰溜溜的了，所以傲慢的马不愿就范。列坐小山坡上的牧马人，犹如奥灵匹斯的众神，轮番下凡，制服那些精灵；尚武的竞技状态，力的较量紧张到顶点，收工后须要六十五度的烈性酒来缓解松弛。醉，这时候也具有一种野性的美。"众神"个个都是"酒神"狄奥尼索斯了。

早春三月，马群中骒马开始骚动，到草长花开的初夏，她们"起骒"、"反群"、恋爱、婚配了。许多故事于是发生了。一匹本地的蒙古马种，爱上了新疆外客伊犁马。蒙古马矮短，长脸缩脖，四肢粗壮，周身的毛浓密如驼，鬃尾拖搭在地。伊犁马和呼伦贝尔的三河马差不多，体高腰长，十分的英俊！倘若在故乡天山山麓的云杉塔松林前面的开阔地出现，那将会更加的得意，似乎听到驭手弹奏的东不拉琴音了；马虽然魁伟，性情却温驯得很，如今被这骝毛的蒙古马挑逗勾引，沮丧地追随左右。

三河马相貌修洁，皮肤细腻，毛发光柔，骨骼坚实，委实是个棒小伙子！可是妒火，使它发疯，耳朵前倾了，眼睛大了，鼻张开喘粗气了，不顾一切地向伊犁马冲去，先是撕咬，然后返身调转用后蹄猛踢。这是一匹胆汁型的神经质的马，性格暴劣却能耐苦，它的情敌是多血型的，仿佛忧郁的诗人，性格的冲突将导致悲剧的发生，一场搏斗是不可避免的。

马群中还有产于四川、甘肃、青海三省交界的河曲马，称为"西口马"的，神经比较迟钝也比较怠惰，属于淋巴质的马，它觉得什么事也没有发生，心平气和地贪吃禾本科和豆科的青草，有水腥气的莎草，留给那伙贪色的"登徒子"们。

马用什么言语相约黄昏后呢？在夏至短促的白夜里，也许是一声喷鼻，也许是恋歌般的轻嘶，总之，它俩心领神会了，一前一后，走向母亲河边；河边林檎花和白丁香似雪，纷纷地飘落，纷纷地飘落，浓烈的香气撩逗着它俩的情欲、潺湲的水声为新婚伴奏了……接着当然是幼驹的诞生。

幼驹的诞生是一件大事。

这个粘糊糊的、湿漉漉的、带着血迹的丑陋的小东西到这世界上来了，究竟有什么意义？它是谁？它为什么存在？它将经历什么？它要到哪里去？谁也无法解答，它不过是为存在而存在，它生下来了，这草原的小精灵！如此而已。

牧马人叫它：谢勒努德，蒙古话译成汉意是黄眼睛，这小家伙的瞳仁不像别的幼驹乌黑，确实是褐黄的，白睫毛，忽闪忽闪，楚楚可怜的样子。半小时以后，它便尝试着站立，挣扎，歪倒，又站起，又歪倒；四腿颤抖着、颤抖着，如果它终于永远倒下站不起来呢？不，它站起来了！

初乳浓稠而微黄。初乳是甜蜜的。唇和舌第一次接触母亲的香软的乳头，从那里犹如从大地岩层深处流泻生命的汁液，那汁液将化为自身的血肉，感觉到在血管里的流动，而肌肉随之渐渐发酵似的饱满丰盈起来。牧马人在马奶里加四汤匙石灰水，清除幼驹消化道中的储积物并予消毒。三个星期以后，以燕麦和油粉饲喂。

当小马驹子入群以后，母马乐而不思驹，母性淡薄，忘却了神圣的责任,甚而嫌孩子讨厌,不愿喂奶,每当驹子挨近,便凶狠地踢开。牧马人设法给母马备上鞍鞯,猛鞭着它跑以示惩罚,直跑得它大汗淋漓,于是解下那香牛皮上缝缘云头花的马鞯,包裹马驹子,让马驹沾满母马强烈的汗味儿。母马闻到自己的气味,知道是自己的骨肉,便感动地喂它吃奶了。

　　清霜白露,采采秋思。农田收获亦畜牧总结之时,牧畜的头数如此递增了。然而马的商品价值低落,用途渐渐减少。战场上不用马;耕地普遍以机械代替,拉车驾辕人们更愿意使唤骡子——草原上的精灵被驭使驾车已经是英雄末路了;赛马赌博在资本主义国家也只少数有闲阶层才玩……不过,买马贩马的人还是来了,牧马人告诉我识别良马的诀窍,当然,来人到马群挑选的时候你别吭声,心里得有底儿。

　　牧马人说:"好马骨腱和肌肉看得清楚,稍一着力,皮就绷紧,血脉也条条分明。看马有没有耐久力,用手摸腿的骨骼,皮毛迎手好像化了似的,就是千里马。一匹良马到跟前一站,很自如很舒展很有风度,和人一样嘛!抬脚轻快,抬得高,能瞭见蹄铁,在太阳地里闪眼,嚯,漂亮!脚举起,向上提,前伸,膝头弯曲身子展挺,脚再落地,稳稳当当,像流水平泻,飘雪无声;又有弹性。跑得多快,直直的,不向左右晃;膝盖飞节屈折,直直的,不向里向外偏……看头相呢,你记住,脸要瘦长,额头要阔;鼻孔大又薄,粉色,摸去湿润润的,从不流鼻涕。眼睛距离宽才好。耳朵刀削似的竖立,尖尖的,可不能搭拉,一有声响,如果耳朵没有反应,不向发出声音的地方转动,准聋!也不能转动过分,乱转一气,肯定是眼力不好。伙计,记住了吗?"

　　生老病死,是自身的规律。地震、雪崩、洪水和大火,这些大自然外力的暴虐，地球上的生物难以抗拒。草原上的马群最担忧"白灾"——暴风雪的袭击，冬营盘的马厩也被吹塌掩埋，最好马群赶到向阳的山坳暖坡去，那是天然的"避风港"。得到变天的气象预报，我们带足了干粮赶着马群出发抗灾，凛冽的寒流堵截我们，中途遭遇上了，只有冲杀出一条生路！这时狂风撕雪絮；鬃尾如旗帜，四蹄踢踏，迸珠碎玉。飞雪，奔马。奔马，飞雪。牧人的号角、吆喝；嘹呖的喇叭，无数的装饰音；呜呜地交响高潮……奔马，飞雪。飞雪，奔马。白烟白雾掩罩了马群，忽而又钻出来，如同风浪里出没的船队。在生与死的界限，我们总是站在生的一边！

当风静雪暗，马群赶进安全地带。我们用冻僵的手笼起篝火。马全身结冰，簌簌发抖，互相拥挤着，彼此以生息吹暖。我们也犹如站在极地的地狱的边缘。然而，我们凯旋了！火和酒，是胜利的象征。

王洪涛 摄影

红 柯

鲁迅西北行

1924年7月,鲁迅先生应西北大学邀请来西安讲学。那时,陇海铁路只修到河南陕州,入陕西须乘舟横渡黄河,数千年来,天下豪俊都是这样进西北的。先生在西安呆了二十多天,观碑林登大雁塔,看易俗社的秦腔戏,还能学陕西方言把张秘书叫张秘"夫"。同行的许多教授记者受不了秦腔的大吼大叫,先生却看得饶有兴味,《双锦衣》上下本,连看两晚上。

外地人不像西北人那么热爱秦腔,甚至有些厌恶;要惩罚某人，就吓唬他：叫你听秦腔。秦腔全是撕心裂肺的怒吼，历来都是《金沙滩》、《下河东》、《五典坡》这些金戈铁马大砍大杀的世界；先生长于吴越，那里兴的是淡淡的黄酒，软软的越剧黄梅戏，可吴越也是出勾践出龙泉剑鱼肠剑的地方，是唐人为之倾心的吴钩之地。"男儿何不带吴钩，收取关山五十州"。先生在秦腔中听到的就是这种剑的吼声，先生从吴越之地提取这种刚毅，写成有名的《铸剑》，讴歌复仇，倾心血性。绍兴自古乃复仇雪耻之乡，非藏污纳垢之地；南明奸党马士英亡命故里，被拒之门外；绍兴人不认他这个败类，他们只认勾践那样的复仇雪耻之士。

先生身上奔流的就是这种铁血精神。

先生崇尚汉唐雄风，他的笔下常常出现这种文字：真正的中国人在汉唐。宋以后，经蒙元满洲两度征服，奴性潜入中国人的血液，根深蒂固，后患无穷。

先生一生都在鞭挞奴性，弘扬血性。先生把他的文字称为投枪匕首，就是一种强悍的剑的精神。先生所崇尚的汉唐雄风就是铁血与剑。

在先生眼里，汉代只有一个文人，那就是司马迁。司马迁的大作《史记》被先生称之为无韵之离骚，史家之绝唱。《史记》全是孤愤铿锵之言，它礼赞的是"力拔山兮气盖世"的末路英雄项羽，它向往的是"风萧萧兮易水寒"的游侠刺客，它赞美的是箭矢穿石的飞将军李广。《史记》所散发的是一种高尚的灵魂，是一种贵族精神；世俗的皇帝刘邦在灵魂的天国里是十足的奴才小人，刘邦以及后来的刘备朱元璋统统被鲁迅斥之为流氓，写汉大赋的司马相如之流更为先生所不齿。

先生倾心盛唐，唐朝是中国人扬眉吐气的时代；那是青春与诗的岁月，皇族的身上流动着西北胡人强悍的血液，诗人们个个都是马背好汉，挎长剑骑骏马，出入军阵。大诗人李白就是流落西域，"十步杀一人，千里不留名"的剑客，崇山峻岭和烈性的酒浇灌了李白的灵魂，宝剑和明月成为他诗歌永恒的主题。更不用说高适、岑参这些统帅千军万马的封疆大吏了。连古板的杜甫，青壮年时也曾乘马壮游天下，只是到了安史之乱才把马换成了驴子，柔弱不堪，饱尝苦难。唐人的世界，骏马宝剑与笔是三位一体的；唐人的血液是纯净的。

鲁迅感叹蒙元入侵，不是鄙视蒙古人，先生鄙视的是赵宋王朝的腐朽与糜烂。金人灭宋，王室过江，江南的青山秀水也被污染了，出产宝剑和英雄的吴越之地成为淫乐的渊薮。用先生的话说就是："中国民族的心，早给我们的圣君贤相武将帮闲之辈征服了。"异族入侵是方便的事情。

先生把中国历史分为做奴隶的历史，和做奴隶不得而反抗争取奴隶资格的历史。

先生把中国文人归结为替皇帝打天下的帮忙文人和替皇帝解闷取乐的帮闲文人。

先生要一种什么文学？那就是投枪匕首，是一种强悍的生命意识和血性，是一种未曾屈服过的纯净的国民精神。

先生曾倾心尼采，尼采的生命哲学凝结着日耳曼人刚健强悍的民族精神。恩格斯就是典型的日耳曼人，《恩格斯全集》中有不少文章，赞扬日耳曼人的质朴贞洁勇敢；更重要的是日耳曼人是在罗马人的腐烂中崛起的，他们一直保持着森林中的强悍与率直，大胆勇敢尚武爱好冒险。尼采把它提炼成一种狂飙突进的酒神精神。柔弱的中国人缺乏的就是这个。尼采的超人和权力意志，是一个民族最纯净最典范的一个标准，是人的一个记录,是对生命的高度概括和抽象。

我们的文化中也曾有过这种血性的刚毅。孔子的学说有中庸的一面,也有强悍的一面,《论语》中有"三军可夺帅也,匹夫不可夺其志","君子不可不弘毅"。孔子本人也并非人们想象中的书呆子,而是一个身高八尺能开硬弓的壮士。孔子的后人孔尚任在清朝为官,那是大兴文字狱的时代,他却写了怀念亡明的《桃花扇》,主人公李香君就是一个不让须眉的烈女子;在男儿雌化的年代,这个风尘女子却成了壮士荆轲,血染锦扇。

日本人学的就是孔子刚毅的一面,朱熹那套在日本没有市场,日本人崇尚的是王阳明的心学。王阳明所谓"我未看花时花一片寂然,我看花时花才生动鲜明起来"。心里有花,花才存在;心中无花,花就不存在。推而广之,心中没有死亡,死亡也就不存在了。武士面对刀剑死亡,将其排斥在意念之外,死亡就不存在了,真正达到视死如归的境界。日俄战争,日本人就凭这种精神打败俄国。指挥那场战争的海军大将东乡平八郎,腰间挂一牌子,上书:"平生只拜王阳明"。武士道除刚毅的一面,也有野蛮的一面。日本人在文明的进程中,保留了最原始最野蛮的兽性,并把这种兽性提炼成一种文化,即武士道,成为花道茶道那样一种道行。

相比之下,中国的儒学太熟太烂,把民族天性中的勇猛刚毅全煮没了。我们的八大菜系不是猛火爆炒,就是文火慢煨,只讲色香味,不讲营养,更不习惯生猛鲜货,日本人吃生鱼片的习惯在中国大多数人中绝对行不通。

鲁迅留学日本多年,日本文化包括武士道自然渗透到他的笔端,先生的文字始终透着一股凌厉的杀气。

鲁迅曾跟萧军谈过，他不喜欢绵软的吴语，更不喜欢雌化的江南男儿，他死后宁肯让老虎兀鹰这些猛禽猛兽吃掉也不喂狗，叭儿狗吃了你的肉到处摇尾巴，很讨厌的。这种由生及死的猛士气概，只有汉唐先秦的人才有。

1924年7月，先生走下机械时代的火车，乘舟横渡黄河进入关西，先生一下子感觉到了大西北强悍的气息。孔子周游列国至潼关而返，关西成了孔孟的化外之地；华阴杨震横渠张载虽有关西孔子之称，但他们的儒学完全是西北化的儒学，绝无柔媚的气息。笼罩关中大地的是王气霸气和开天辟地的豪气！关中自古帝王州，周秦汉唐的雄风正是先生孜孜以求的真正的民族血性。那是孔孟和他的信徒望而却步的地方。先生跃上大船扬帆西进，于是唐诗里的长剑骏马和明月——浮出，澄清了黄河，荡涤了宇空，高原和风显得清晰而辽阔。

鹞鹰就是这样出现的。

天 才 之 境

李白是独一无二的，是被我们称之为天才的那种人物，以致于历代的学者不敢碰他，学术界所谓：注杜诗者汗牛充栋，注李诗者寥寥无几。连他的死也别具一格，他是被玉皇大帝请回天庭的，大唐王朝仅仅是诗人匆匆而过的旅店。

唐朝的诗人们无法跟李白相比，因为他是惟一出生在中亚的诗人。尽管唐朝的疆域囊括了中亚腹地，皇室跟胡人还有某种血缘关系，李靖薛仁贵们也曾跃马天山威震四方，高适岑参们也写下了名垂千古的边塞诗，整个大唐也是因为拥有中亚容纳异族而称雄天下。从低凹秀丽的中原延伸到第二台阶的高原，一直到第三台阶的世界屋脊，唐王朝沿着汉朝的足迹并远远超越了汉朝，在帕米尔以西闪耀王朝的光辉。人们以投身边塞为荣。抛开世俗的功名色彩，从唐人的心理意识中，我们可以感觉到：中原大地无法容纳他们强悍的生命力，人们下意识地向往异域，这是历朝历代所罕见的。唐人是率直的，没有宋朝人的理性眼光，他们凭直觉行事，往往比理性思维更有效。石敬瑭为了一个傀儡般的帝位，轻易地将幽云十六州拱手让于契丹，而后继的北宋又"实内虚外"地缩颈于狭小的鸽笼，始终处于胡尘的威胁之下。若干年后，在中原人所放弃的塞外荒漠，成吉思汗狂风般崛起。蒙古人一经统一，便冲出哈剌和林，进军中亚，越过天山阿尔泰山直达世界屋脊帕米尔，成吉思汗旋风就是从那里刮起横扫亚欧大陆的。在蒙古人之前，乌孙人匈奴人突厥人汉人鲜卑人就以他们的剽悍勇武，把中亚荒漠锤炼成了英雄之地，成吉思汗凝聚了所有部族的雄性之力，并远远超越了他们，骏马的龙骨一下子穿透了地球最大的陆地。

　　李白出生于此，并且度过了他的童年。在儒家的经典之前，他首先解读的是胡人的马群和宝剑，是中亚的群山草原戈壁，是沙之书风之书大地之书；任何经典也无法穷尽中亚腹地的天才之境，任何文字也难以描述这种生命最原始最本真的状态。胡羯之地的精悍之血滋养了诗人的任侠与狂傲。当年，他的父亲杀了仇家，被迫离开中原沃野远走西域荒漠，大概是情急之中对中亚血性之地的向往吧，抑或是那些粗犷野蛮的异族骑手应和了他的某种梦想。总之，那些敢于寄身中亚腹地的汉人，不是背一身血债，就是具有哥伦布气质的商人。他们都是中原汉人的精华，也是最有血性的汉子。父亲绝没想到他的儿子会把西域的粗犷和剽悍贯入文字，一跃而起攀上唐诗的顶峰，那也是中国文学史上最有力度最有生命力的精品。

有这样的血性汉子为父，又有这样辽阔而强悍的土地作家园，所以他才会一掷千金，所以他才会仗剑走天下，"十步一杀人，千里不留名"，所以他才会把知心朋友送别千里外，又把朋友的尸骨背回来；所以他才会蔑视权贵戏弄杨国忠高力士，所以贺知章一见之下才会惊呼"谪仙人"，以为他是天外来客；而最为人们称道的是诗人的酒量，那是中原汉人难以匹敌的。

在胡汉杂居的中亚荒漠，烈性白酒不是用盅而是真正的杯，几乎不用什么菜肴相佐，一把花生几颗蚕豆就能把酒兴提到头顶。牧人劳作的对象不是纤弱的植物而是有生命的动物，是奔驰如飞神力无边的骏马。奔马的神速是在血液的燃烧中产生的，人们很容易把自身跟奔马联系在一起，进而渴望一种足以与马血相匹配的液体。只有粮食的精华白酒才能启动他们剽悍的躯体。他们对酒的看法与中原大相径庭：酒是一种燃料，是大地上惟一可以兑入血液的东西；酒酣之后引发的不是女色而是勇力和豪气，醉酒后最大的快事是飞身上马，把躯体投入速度。胡人也有以酒浇愁的习惯，但他们的忧愁不是仕途，而是对生命和宇宙的叹息。

在李白之前，只有魏晋时期的竹林七贤是酒的知己，那是中国历史上少有的礼乐崩毁个体生命得以弘扬的时期。嵇康刘伶阮籍这些中原才子，最为倾心的也只是低度的黄酒；温一温躯壳里的血液，远远没有达到沸腾的程度，司马氏就把他们磔杀了。然后是胡人的铁骑，山崩地裂一般涌向中原，以飞矢和马蹄耕耘板结的大地，给苍白的河山以雄性之力。整整两个多世纪，自黄河长江的源头，一群群胡马呼啸而下，一队队剽悍的骑手冲向中原。中原太旱了，江河已经无法挽救她，格拉丹冬山便倾泻以血性之躯，以马和骑手来解燃眉之急。当硕大无比的隋唐王朝崛起于中原时，中原还没有彻底消化胡人的血液，杨坚李渊这些胡汉混合的豪门大姓就匆匆上阵了。正是这种尚未消褪的胡羯血液，驱动着隋唐王朝走向历史的辉煌。

"天生我材必有用"。李白之用并不是他孜孜以求的仕途，不是管仲张良们的军政大业。上天给他的大任是让他给汉字以魔力；而诗人的激情犹如沙漠中心窜出的一股狂风，横扫中原，给诗坛注入一种西域胡人的剽悍与骄横。匡庐的飞瀑，雄奇的蜀道，浩荡的江水，一下子生动起来；在中原人最为醉心的空灵中，增添了一种使人惊骇万丈的力度。李白与杜甫与所有唐朝诗人的区别就在于此：想象与力。高适岑参们因为客居西域，边塞诗仅仅是对西域风光的自然描述而已，他们不可能认同胡羯文化。李贺的想象瑰丽而丰富，却是病态的。他们没有西域人的大地意识。在中亚辽阔的土地上，天山阿尔泰山昆仑山以及锡尔河阿姆河额尔齐斯河，都是以前所未有的高度与速度横空出世贯穿南北，在偌大的群山河流与戈壁之间，人们只能借助于奔马。那种超常的空间感和速度感是中原人难以体会的。这也是李白艺术生命的所在。他所描摹的中原山水，何尝不是中亚旷野之力；他对朋友所倾注的真挚与豪爽，何尝不是中亚土人的热道衷肠；而他作品中那些迂腐可笑的东西，又何尝不是儒家道家经典的余韵。

中原文化中,李白最为倾慕的是春秋战国时代的游侠剑客,《新唐书》中说他:"喜纵横术,击剑,为任侠,轻财重施。"率真磊落,蔑视流俗,连皇帝都不放在眼里。他赞美神通之人荆轲,也赞美强暴的秦王;荆轲以利刃刺向秦王是一种壮举,秦王以他的大军削平诸侯同样是一种壮举。李白在他们身上看到的是一种大丈夫的气概与强悍。中原文人很少有这种气质。鲁迅很失望地说,汉唐以后再没有真正的中国人了。宋亡于元,明亡于清,两度为奴,人的血性还能剩多少?男人们不再挎长剑气贯长虹,甚至连胡须都不长了。那些执著于生命意识的艺术家们只能留一头长发,可惜那些毛发不能移植到下巴颏上,那种坚实浑圆的男性下巴,须眉男儿的丈夫气概已经成为遥远的古音,成为一种可望而不可及的东西。

没有稠厚而沸腾的血浆,生命何以为命?

没有寒光闪闪的利刃相随,骨头何以支撑躯体?

先秦和汉唐的士子们是以长剑为魂,以笔墨为器的;强悍的双股间夹一匹快马,威风凛凛走天下。当班固写他的巨著《汉书》时,他的兄弟班超挥起长剑,把汉王朝的威风和气度一下一下刻在中亚的群山与草原上,笔剑交相挥映,成为他们家族的双璧。当汉武帝一怒之下,捏碎司马迁的睾丸时,秦人司马迁的血管里发出炸雷般的轰鸣,泼在史册上的全是浓烈的血字,秦人吞并六国的气概再次得以弘扬。另一条血性汉子陇右人李陵,干脆寄身胡羯,做了游牧民族剽悍的酋长。强悍的西北大地不是吴越舟楫所能驾驭的,那个沛县无赖尚能抵抗西北劲风,他的后人就难以胜任了;不是嫉恨就是迫害,后来干脆迁都于潼关以外,在洛阳安身。这就是汉朝的结局。所谓楚有三户,可以亡秦,仅仅是一句豪言壮语罢了;吴越惟一的血性汉子项羽之后,那秀丽的河山雌了多少男儿!那是比汉武帝阉司马迁更为惨痛的大动作啊!

　　李唐王朝就平静多了,继周秦之后,胡汉杂居的西戎之地再次崛起,关陇政治集团远远超越他们的祖先,比汉朝有气魄,至少在文化上如此。白居易写《长恨歌》时,李隆基的后人还在做皇帝,皇帝不生气,也没有捏白居易的睾丸。

　　陇右人李白是否与皇室有血缘关系,我们没必要刨根问底。可以肯定的是,李白身上具有关陇集团的强悍与雄心,甚至超越了那个政治集团。他是单枪匹马的。他把王朝最有生机的部分,与中亚胡人的气魄成功地焊接在一起,从而成为盛唐之音中最绝妙最精彩的篇章。

　　薛仁贵立马弯弓,仅发三矢,死敌三将,使九姓铁勒罢战而降,军士唱出"将军三射定天山,壮士长歌入汉关"的豪情。天山,在李白诗中是"明月出天山,苍茫云海间。长风几万里,吹度玉门关"这样的雄浑而迷人。

　　那是个英雄时代,诗人比军人更凶悍;诗人李白的足迹比唐朝将军们的战马更遥远。他的血性父亲带着他,栖居在天山尽头,在阿姆河锡尔河浇灌的河中地带,那是胡马嘶鸣钢刀蔽日的英雄之地,那也是融血性激情与灵感为一体的天才之境。

周　涛

预言塔克拉玛干

二十几年前,当我翻越卧虎不拉沟渐渐靠近塔克拉玛干沙漠边缘的时候,和我当时的心情一样——这一带的那份荒凉、那份被人类社会遗弃的一无所有的样子,令人无比痛心并且难以理解。

一块如此广阔的地域怎么可能是这样的呢?沙丘像无尽的列布到无边的坟堆,流沙像一些盘踞在那里等待风暴的蛇。烈日之下,沙海死寂,只有一些枯黄的刺丛和发烫的鹅卵石在隐隐蒸腾起蓝烟,一切都绝望透了。世界的末日是什么样子,这里就是什么样子;地狱的边缘是什么景况,这里就是什么景况。没到过塔克拉玛干的人,是没有资格谈论绝望心理的。它以造物主嘴角恶意的嘲弄裸陈在这里,逼你对许许多多的信条发生怀疑。

准是什么地方弄错了!不是造物主弄错,就是我们人类弄错。一个被遗弃的地域比一个被遗弃的人显得更不可思议,更触目惊心,因而也更绝望。

当时我正是一个被遗弃者。

我被社会组织制定的一些政策所遗弃。它遗弃我的方式是突然间使我丧失任何选择的可能。我独行南疆,从塔克拉玛干的这个边缘奔向它的另一个更为遥远的边缘,我被抛向那里,没有任何力量帮我改变它。

沿途颠簸的六天里,我时刻都在注视着它、凝望着它,仿佛在审视着另一个更为真实的自己。我在酷热难捱的长途客车上看着塔克拉玛干,渐渐产生了一种认同,一种相怜,一种归属和不服气。我承认它和我一样,眼下是太悲惨了。它的毫无希望,它的自大无用,它的永无翻身之日的死寂,它的被某位外国探险家称为"死亡之海"的定性,使人不能心甘情愿地接受。我觉得它就是我,我不能接受一个无牵无挂的外国人对它所作的这种判决。

他的判决对判决者本身来讲毫无关系,但是对我就关系重大——我将托命在这个世界第二沙漠的边缘,也许终生都不能离开——我还年轻,我那时才二十六岁。我渴望生活在一个有希望的地方。所以我当时就预言了,我说:塔克拉玛干上面既然一无所有,那么它的地下一定有大量的宝藏,譬如石油!上天不会专门留下这么一大块毫无用处的地域，否则不符合自然法则。

　　我这么说的时候，不只是在说塔克拉玛干，其中也暗含了对自己的肯定。我不相信人类和人类社会组织对任何事物、任何生命的遗弃；我只相信不被认识的事物和不被理解的生命，它们以屈辱和宽容的态度等待着人们的觉醒。

　　我的预言不具备什么科学性，而且我的地质学知识少得是那样可怜，不及那位外国探险家的十分之一。我的预言未曾发表，并且永难证实。但是在二十三年前，在那辆破旧的长途客车上，我确曾充满信心地宣告过：塔克拉玛干是石油之海，因而也必将是生命之海！

　　结果怎样呢？我说对了。

　　去年我又去了一趟翻越卧虎不拉沟的老路。一切都在变，石油的开发者们已经使这座城市变得极其美丽。它的许多建筑令人惊叹，令人大开眼界。新疆的第二大城市，已经在塔克拉玛干边缘耸然矗立起来，远远望去，就已经闪耀着一派城市之光！塔克拉玛干成了生命之海。

　　中国石油蕴藏量的四分之一就在这里，一个不可思议的巨大的地下水资源也在这里，区域相当于一个德国的面积。可以想象一下，在即将来临的下一世纪，塔克拉玛干将会呈现出怎样的繁荣景象呢？

　　随之而来的是更大规模的开发，是国际性的贸易、旅游、探险和体育活动。最近，我的一个朋友正在筹办横穿塔克拉玛干的国际汽车大赛……瞧瞧，昨天的"死亡之海"现在成了一块具有极大吸引力的磁场。它正调动着更大范围的、更多的人们一试身手，发挥人类的创造力！如果再允许我大胆放言一下

韩 杰 摄影

的话,我敢说,今天的一切探险活动都和明天的一个奇丽联系着,那就是拓展人类的生存空间!

二十一世纪的塔克拉玛干,前景将不可估量。

我在二十多年前的预言虽属妄断,结果却一点儿不错。我为塔克拉玛干高兴。实际上,在今天的这一切事物发生以前,那个朴素的认识自然法则的道理早已经存在了,无非是人们还没有认识到它罢了。它哪里是什么"死亡之海","死亡"只是它的外貌,在它的内心深处,正涌动着对生命活力的召唤。

塔克拉玛干是一个值得预言的地方。

预言的实现,是一个了不起的胜利。

我们活着,世界变着。

旋动的肢体

——维吾尔民间舞印象

有人早就说过了：你在舞台上看不到真正的舞蹈。

这句话堪称一句名言。因为这句话在对一类被脂粉包裹着的事物充满藐视的时候，同时对另一类被生活的尘土遮盖着的事物表达了深切的认可。

如果舞蹈原本作为人体在情绪之手的神秘力量下的自然旋动，它的语言藏于开合剪动的步态，它的美质隐于难于言传的神韵，它的暗示在眉梢眼角，一颦一笑之间，它甚至就是在风尘之下、市井之肆、绿洲大漠之间呼吸着、生动着、旋转着的一种生命的姿态。

我但愿人们能够这样，专注于生活中的肢体的旋舞，迷醉于风的精灵拨动万物时的姿态，而不至于长期地被夸饰的华彩所迷惑。

因为虚假乃至愚蠢往往就是这么产生的。在所谓"艺术"的假象下渐渐麻痹，是损伤人类活力的办法之一。

而智者的巫术在于恢复人们的知觉。

行走着的肢体有一种美。

行走着的肢体有一种千差万别的美，独特的美，种族的或是民族的美。

血统、宗教、地域、文化、几千年的力量微妙地传递下来，传递在移动的肢体上，体现了无形力量的控驭。

这就是舞姿奇异的花所植根的土壤。

是风催动了森林、树木、花草的舞蹈；

是山势造成了河流的扭动、浪花的欢跃；

是生命的活力使得鸟在空中盘旋，兽在大地奔跑；

那么是什么，使生存在这一片地域的人们行动、旋转、进而爆发演变出这样质朴自然的舞蹈呢？

也许是沙漠吧——

沙漠是那么寂静，沙丘和流沙是那样一种休酣宁静了的起伏和律动。像静止的海却保留了海的波浪；也像沉睡了的风，却留下了风运行过的形状。

赤足的人们受到黄昏的感召，被内心的要求驱使，在海的模型上舞蹈。瞧那老人的专注吧（莎车县赛乃姆舞），可是为什么老人在沙漠里跳舞而不是在公园里打太极拳呢？

那么也许是叶尔羌吧？

叶尔羌河是一条永远也爬不出沙漠的蛇，它永远在爬，在扭，在向前流泻，可是它永远在沙漠里。

那些跳刀郎舞的人们，那些农民，粗手大脚，袷袢里灌满了沙子，胡须里和头发里也灌满了沙子，他们的舞本来没有观众。但是现在不但有了，而且名扬四方。人们是把他们的舞蹈当作一种奇怪的行动来看待的，却不能理谕。而且可能连他们自己也不理解自己的舞蹈，他们已经把这当成一种风习。

没有遗弃沙漠也没有被沙漠遗弃的人们。谁能够洞悉他们茫然的固执的内心呢？

那么剩下的就是艾提尕尔礼拜寺的呼唤了。诵经的声音从古代传来，还有唢呐上气不接下气的尖嗓子，达甫鼓的鼓面上汗渍的手指灵活移动留下的响声（萨玛舞）。

谁集合起这样众多的舞蹈者？

谁使这样浩大的人群顺从于舞蹈？

这一切，都是难以解答的。

舞蹈者的现象背后，隐藏着数万年的复杂原因，这难以解答的问题也许不必要解答，舞蹈——这历史悠久的人体现象还存在着，演变着，发展着，大概这就足够了。

舞蹈是劳动者创造的。

摘葡萄的劳动妇女创造了《摘葡萄舞》，田野上歇息的农民创造了表情滑稽、动作幽默的对舞，旋转的木轮车和织档使人们创造了欢快的舞姿和旋转的体态。当然，还有宗教精神的凝聚和渗透，还有山川河流的影响和塑造。

委婉的向上伸出的手臂从枝叶间穿过，那是喜悦、试探、体验过辛勤劳动的少女手臂，而不是阔太太或娇小姐的手臂。

做出各种怪相，摹仿各种可笑姿式的舞者，是那些每天被自然土地充给了活力的人，而不是国王或官吏那种呆板生硬的脸。

至于那些舞得十分专注、庄严的老人，他们能够对舞蹈倾注如此稳重深厚的态度，足可看出是一些对人生有过深入体验的人。

这一切使我们肃然起敬。

从衣衫褴褛的舞蹈者身上，从腰肢健美的舞蹈者身上，从沉浸于夕照大漠的舞蹈者身上，从置身于艾提尕尔广场的舞蹈者身上，我们认识的远不止舞蹈，远不止一个民族。

很长时间以来，我们习惯了舞台上、屏幕上的那些花里胡哨的俊男俊女们人为做作的姿势，那些夸张的、作态的、挤眉弄眼的病态表演，我们把那叫成了"舞蹈"。这使人们忽略了在生活中真实存在的肢体美丽的瞬间，这真是一种对美的麻木。

让我们恢复知觉吧——因为在没有被世俗的力量污染之前，我们每一个人本来都是一位审美大师！

你看你看，于阗县衣饰古朴的维吾尔妇女们从村外小路上结伴行来的姿态是典雅优美的三人舞；火焰山下手扶葡萄篮子的少女舒展的腰身是不需化妆布景的独舞；还有夏地亚纳，赛乃姆，纳孜尔库姆，刀郎这些民间群舞，其规模更是舞台上无法容纳的。

舒展的人体，有多么美！

旋转的身姿，有多么美！

朴素得像生活本身一样的未化妆的舞蹈者，又该有多么美！

在无耻重复夸耀的广告面前，在香波和脂粉汹涌掩饰的年代，真实的面容质朴的灵魂，该是何等珍贵的美！这一切，可惜都将成为最后的镜头，最后的因而也是最珍贵的。

旋转的舞蹈和缓缓展开的手臂，跨腿跳转和动肩，摹拟狩猎和战争的群舞动作，这些，迟早会像描绘了美丽花纹的土陶一样被现实粉碎。

那时，捡拾起来并抚摸着这些碎片的后人会说什么呢？

他们会这样说：哦，舞蹈——这是那些充满活力的生命对苦难的示威！

杨闻宇

千里驼铃动朔方

1

西临朔漠、东依黄河的银川平原，初夏时节柳青稻绿、水喧鸟鸣，景致是很迷人的，特别是那时时出现的一队队昂首阔步的骆驼，声声驼铃，徐缓、嘹亮、清婉，隐含着沉稳愉悦的节奏，为"塞上江南"的秀丽风光平添一笔动人的魅力。

驼队远行，拉骆驮的人坐在前面为首的驼上，队尾一驼总是挂铃者,特制的铃有铜的,有铁的,长方体,五磅暖水瓶那么长,正中悬一枣木旋雕的槌儿,槌下缀双穗如流苏的红缨,尺许长,鲜耀极了,惹眼极了。压尾的骆驼务必是全队里的佼佼者,驮同样重的货物,货旁系铃,铃儿又要依固定的韵律没明没夜地敲响着,没有强韧的腰劲是摆不开的。朔漠驼铃,叮咚千里,意在打破荒凉地域的渺渺空寂,提神醒意,鼓励那不容懈怠的艰难跋涉……

　　水源奇缺的沙漠万般静寂,骆驼的听觉、嗅觉极为灵敏,三里外有响动,二十里外沁清泉,它都能用开闭的鼻孔发出声音,告示主人。一生一世,只说从水源处经过上一次,不论时隔多久,下次远旅,准可以顺利找到。沙漠气候是恶劣的,酷暑炎夏,骆驼可以在摄氏60℃的沙面上席地而卧。当"黄白毛风"袭来的时候,沙丘生烟,风尘如晦,仰不见天日,俯不察路径,你倘若骑的是毛驴,它便惊慌失措,哀哀嘶鸣,在沙窝里团团乱转,想要拢住它是很难的;牛马这时节也不中用,古诗云:"车行沙中如倒拽,风惊沙流失前辙;马蹄半跛牛领穿,三步停鞭五步歇。"倘是身边有骆驼,则可以大大省心的。睁不开眼睛也不要紧,你只要用袍襟摸索着裹严自个儿的头脸,把手中缰绳踩之于右脚下,这一踩,骆驼就窝下头来了,你左膝弯架在它的脖子上,手掰前驼峰,凌空抬起的右脚就顺势伸进双峰中间了,尔后把缰绳随便丢搭到骆驼脖颈上去,这就行了,不用操任何心,骆驼会将背上的一切稳稳当当驮向目的地。

　　沙漠气候反常,旧社会,旅途上也不安宁。土匪多,豺狼多,关卡多,陷阱多;骆驼随同主人上长途,走天涯,风高月黑的夜里,一旦主人摘下叮咚的驼铃,中断了声响,众驼就竖直耳朵,明白这是要穿越危险地域了,那么长的驼队,那么重的负载,悄然无响动,安静极了,也迅速极了。倘能在这个时候就近些瞄其脊梁,如墨夜色中,仿佛移动着一长队巍峨的山峦……

"骆驼骆驼驮八百"。每当启程之前,骆驼伏在地上,由人们将沉甸甸的货物抬压上去,系搭停当,一声吆喝,只要能够一下子站起身来,这就可以日行七八十里,连走十天半月。就这样,在汽车、火车未通之年,在这绵延数千里的沙漠地带,作为一种全天候的运力,骆驼从兰州驮来的是布匹、菸叶及粮食,从包头驮来的是石碱、医药和京货。当地的人们,亲切地称骆驼为"旱船"。"旱船"之称,恐怕是与东侧黄河上那浮荡波面、骑渡乱流的皮筏相对而言的,因为兰州至银川间,黄河峡窄滩险,水势紧骤湍急,陆路凭驼,水路是依仗皮筏的。

无论在熏熏的热风里,还是在茫茫的大雪天,拉驼人骑缩在驼背上,一摇一晃,昏昏洋洋,最容易沉入梦境了。据说这是这驼背上的梦,因为旅程漫漫,因为有驼铃来点化,将那黄河皮筏上所载不住的梦幻也尽都摄到驼背上来了,所以馨香、酣畅,别有韵味……

2

水源宏浩,黄河则雄壮;骆驼筋力非凡,饮食上自然是不寻常的了。

这家伙嘴泼口杂,专食粗糙长刺的、木质化程度高的、灰分含量重的灌木、半灌木,那高扬的倨傲的目光,似乎是看不起小草,也蔑视别的畜禽所贪恋的植被、草甸,撞着那筷子般粗细的沙枣刺枝，启开有下牙而无上牙的大嘴，随便一掠，数尺长一段叶儿便净净光。有一度我曾疑惑：银川平原上笔直粗壮的杨柳槐榆，何以大多数是下裸空干，却将嫩闪闪的绿裙翠袖一并提捏得高高的呢？——原来就是骆驼多，体架又高，行进中顽童似地你逮一嘴，他逮一嘴，年深月久，驼队往复，大树们谁还敢妆饰下半身呢?！于是，由排排大树所构成的朔方之美，就高高地、齐蓁蓁地升之于半空了，与晴天阔漠相适应，与腾挪变幻的黄河正和谐。

骆驼的胃挺大，胃大食量大，一日要采食六七十斤草叶儿。一户人家倘是养上七八峰骆驼，割草运草，卧吃山空，看来圈在家里是折腾不起的。

七至十月，人们忙碌于田地，大漠边沿雨多草嫩，主人家就将骆驼"流放"到远远的草茂水丰之地去了，任它们群居一处，自食自宿，隔上十天半月，主人家徒步百把十里，赶往牧场看望招呼一下就行了。这远离人烟的生活，怎么个过法呢？塔克拉玛干大沙漠东部的罗布泊，是古代楼兰王国的旧址，曾几何时，沧桑演变，繁华兴盛沉落为一片干涸的茫茫盐泽。《佛国记》里记载此地多有恶鬼热风，"上无飞鸟，下无走兽，遍目极望，欲求渡处，则莫知所拟，惟以死人枯骨为标帜耳"。但在彭加木同志遗下的照片里，这里尚有二三百头亚洲大陆已十分稀罕的野生双峰驼。能野生在这么个环境里，善自谋生的本领是可想而知了。罗布泊这野驼，也难说就不是古楼兰那家驼的后裔哩。以此类推，这栉风沐雨的朔方骆驼，一切也就了然了。

独立生活，若是偶尔碰上个投越大漠的歹徒，见驼起意，想顺手牵走，会怎么样呢？实际上，生人近不了骆驼的，它会冷不防张大嘴巴，给觊觎者将碎草粘液"忽"地喷个铺头盖脸，糊得眼儿也睁不开来。你想想，从热乎乎的胃腔里来这么一下，那味道，那情景，歹徒能好受吗！骆驼食量大，这里草少了，它们会一群一伙地转迁到另外的绿洲上去。像浮云一样飘移得更远了，十天半月后，主人家拎着包儿仆仆赶来，没有了骆驼踪影，怎么办呢？很简单，他只需俯身看看地面就行了。自家骆驼，像自家的儿女，自小到大，行起路来有自己的走法，印在地上的蹄迹的宽长、浅深，每一步履的幅度、平仄，尽管遍地上蹄痕凌乱，杂沓万千，主人家一搭眼，心中就明白了。

　　畜类之适应环境，更真切地体现在遗传上。老母猪自在安逸，后代横竖也是个土圈里"享福"，所以一下崽儿就是十好几个一窝子。而骆驼志存高远，珍重骨血，一胎怀十四个月，为谨保质量，数量上控制极严，从来连个双胞胎也没有过。对此，切不可误会是公驼没本事。据说是发情期间，相当猛烈厉害，倘不强行套上皮拧的笼头，连人也敢撵着去啃哩。它的嘴那么大，居高临下冷不防来一口，后果是很不堪的。我没见过骆驼产育，闻说是"牛下麒麟猪下象，骆驼下的是四不象"。这"四不象"，就是封神榜上那个姜太公所骑的玩艺儿，八十多岁的老头子了，也不知是怎么个爬上去的？据传，姜太公曾在昆仑山跟元始天尊学过道，骑上"四不象"，手举杏黄旗，统率起众多的道术之士，腾云驾雾，南征北战，终于为周室打下了八百年江山。骆驼作为这个"四不象"的妈妈，照理说也该是很光荣的了。

3

　　运行在外,食宿在野,看起来,骆驼居家的日子不甚多,但它所作出的种种奉献,却像大漠上空的繁星一样,在塞上人家的简朴生活中,时时闪耀出璀璨、神奇的光芒。

　　暑天骆驼出汗,昂昂的胸脯会沁出牛皮纸厚的一层碱末,状若麸皮,附着于皮毛上。女人家将蘸湿的一大盆衣服在这胸毛上搓搓揉揉(骆驼觉得凉爽,纹丝不动),揉搓后的衣服放在清水渠里一漂一透,比施了洗衣粉还洁净十分。外人不解,以为是骆驼食盐过重,其实,这是大量采食骆驼刺、水篷、沙枣叶一类含碱草木的结果。

　　塞上不产棉花,一峰驼每年可蜕下八斤绒毛来,比棉花要高级许多。院墙外布满沙丘的人家,将集拢的驼毛平铺在沙地上,用红柳条子轻抽数遍,沙子就将毛里掺杂的脏屑草籽尽都吸下来了,轻柔而干净。城里人买得驼毛,施碱施皂,五遍六遍泡洗晾晒,将所含的火气都洗灭了,洗凉了,名曰驼毛,没多少实际的意思了。塞上孩童的衣裤里,装的也尽是驼毛,孩子倘是尿在了衣裤上,当娘的不用拆,在水里浸湿,就湿淋淋埋进热沙里,过上两袋烟工夫,就捂蒸干了,扒出后抖落沙子,无尿痕,无骚气,蓬松暄和、平整如新。河套地区被誉为"塞上江南",主要是地势低平,黄河水从古今各类渠道里漫溢上来了。冬日里孩子没处去耍,常常在水畔抛石子游戏,一不小心,就滑跌到深深的渠水里了,好在驼毛轻暖,最难濡湿,落水孩童仿佛被一只无形巨掌托浮似的,受点儿惊冻,轻易倒淹不死的。

驼油驼肉驼奶，也是难得的尤物。驼油炸油饼，鲜脆香酥，无与伦比。"紫驼之峰出翠釜"，千多年前，驼峰是列于八珍的。现在，自上而下，又转而垂涎于驼掌了。据说前掌为最。驼奶乃滋补佳品，但孕妇在从前是不能动的，说是吃了怀胎要怀一年，会多受两个月罪。这话一听就是迷信，所以现在的孕妇是推翻它了。骆驼尽管浑身是宝，可是在结婚过门的大喜日子里，花枝招展的新娘宁可骑那个在风沙里胡乱打转转的毛驴，骆驼万万是骑不得的。传言是驼唇有豁口，大喜的这一天骑了，养下娃娃也会是豁豁嘴，而今节制生育，就计划一个，纵然明知道这是迷信，也还是防着点儿为妥。所以，在小毛驴大出风头的这一天，骆驼就被撵到屋后的沙漠上去了，拉下的粪蛋儿干巴巴的，像是外贸出口中所优选出的金黄核桃那样，七零八落地撒落在沙丘间。北边的蒙古族人办喜事，喜乐阵阵，歌笑喧闹，就没有这么个讲究。

骆驼是驮运的行家，但这"塞上江南"没有水牛，可又广植水稻，插秧季节，温驯的骆驼也就下了水了。因为体壮力强，比起那一同耕耘着的骡子、黄牛，气象是大不相同。骡牛弓腰展背，吃力至极，泥浆溅污了下半身，窝囊得像个黄泥猴。而骆驼，任三个壮汉伏压在身后的耙耱上，它却像不经意地拉着个婴孩的玩具车，轻巧，自如。另一边，头巾鲜艳、妆束入时的女儿们排成一行，弯腰挽腿，嬉闹着插秧。天旷地绿，水清云白，骡牛人驼错落有致地衬托着，欢歌笑语随水花飞溅着，组成一帧雅丽风趣的塞上插秧图。

4

人世间多风云和雷电,分贫富与善恶,波及于漠塞,不能不影响到骆驼。

民国末期,马匪作祟,骆驼就倒过霉。"淳风今已破,征敛为兵戈",匪军行军打仗,要骆驼驮运枪炮子弹。有的给一峰驼捆绑上了四口袋豌豆(每袋一百五六),另外还要爬上两个歪叼烟卷、肥头大耳的军官去。高高在上的这伙强盗,"战绩"上无论成功还是败北、骆驼反正是有去无回的了。其实在更早的朝代,就有残害骆驼的先例。传说有一位官僚,因政局生变,祸起萧墙,危险急骤地朝他近逼,于是,就牵来一峰健驼,强行灌下铅块去,骆驼胃疼难熬,于是就驮上这位老爷星夜奔驰,时速竟逾六十华里,连越几十个驿站,穿云掣电地闪过一二千里,毒性大发,骆驼就倒架了,惨死了,而官僚抹一把虚汗,也脱了险了。在那没有汽车、飞机的时代,骆驼与其说是累死的、挣死的,不如说是烧死的、毒死的,而毒品归咎于铅块,不如归咎于老爷胸腔里那颗阴冷的心。

那一页陈旧阴森的历史,终于是翻过去了。在我们新生的祖国,骆驼是我们忠实、得力的助手。解放初部队进藏,朔方的骆驼也去支援了。它们的主人完成任务返回后,骆驼就留在了空气稀薄的高原上,为凿创青藏公路而尽力。前几年,驻地的部队进沙漠深处训练,骆驼也随去了,在望不尽的沙丘间,其行速不亚于汽车、履带车,而且没什么水箱"开锅"、轮胎"打滑"之弊端。北线若有战争,骆驼将是补给线上的一支劲旅,是搏击邪恶势力的"天敌"。

生活是欣欣向荣的,"塞上江南"风光锦绣,骆驼为之生色不少。对骆驼,人们也有多种多样的故事和传说。人类无分男女老幼,皆可归入十二属相,而骆驼一身,据说是将十二相全数囊括着:脸型像猴,耳朵像牛,脊梁像龙,嘴唇像兔,大腿像鸡……试着依照传闻去揣摸,惟妙惟肖,也还越看越像。有人据此引伸,沙漠残酷,而物性难泯,这是十二禽兽被无情沙漠吞噬之后,众魂灵云集于驼体,所以才在大漠之边沿产生了这光怪陆离的庞然大物。归因于造化,是玄虚的,而骆驼密迩于人事,倒是史实。作为特定环境下的特殊畜种资源,骆驼生态分布的地理规律正处于那些由草原向荒漠过渡的地带,但这并不能说,荒漠化程度越高,骆驼之数量会越多。倘若社会动荡,兵荒马乱,到处都惶惶然戕林毁草,骆驼只会是相应减少的。1936年,我国有双峰驼四十万峰,到解放前夕,急遽降到二十万峰了,新中国成立后三十多年里,才又稳步地增长为六十万峰了。揆度于半个世纪的历史流程,这是何等发人深思的变化啊!

最近,祖国又以深远的战略眼光号召绿化西北,种树种草,这本身就为发展驼业创造着条件,扩大着进军朔漠的力量和步伐。沙漠是疯狂的,残酷的,而人们与骆驼远征的步伐是顽强的,勇迈的。我们期望着千里驼铃日渐一日地向着大漠深处响去,朝瀚海之纵深进军,彻底结束"沙进人退"的历史悲剧。

宁静的喀纳斯湖

　　中国地形图像一只公鸡，喀纳斯湖则位于公鸡那一根翘起的尾羽梢上。将近立秋，这里的种种色调便一下子浓郁起来。浩茫的秋天似乎厌烦了溽暑与喧嚣，要早早寻觅个僻静地方栖身养性，这就相中了遥远的喀纳斯湖。

　　雁阵南翔，我们从哈巴河县向北挺进。翻山越谷，吉普车动不动是碾着清清溪水踢踏出的辙道朝前冲撞的。

　　坦荡舒缓的山坡上，铺满了崭新的细茸茸的淡黄色秋草，天净如洗，鲜亮的阳光似乎格外低，湿漉漉的云块自太阳下缓缓掠过，草坡上阴影相逐，其漏光着地处仿佛亮开了硕大无朋的丝织锦绣，光华夺目，璀璨万状，一块接一块往前推移……

　　大山逶迤，小车有时也在新辟的盘山道上驰骋。淡远的清风飘送一朵朵"白云"出山来，那是白生生的羊群，羊群的最后边才出现一个比羊大不了多少的牧童，悠游散漫，边走边唱，听不清唱的什么。三五成群的马儿，在谷底水草丰茂处自行盘桓，见惯不惊吧，全不以偶然驰过的小车为意。忽然间，从山坳里踅出的四峰骆驼出现在公路正中，冷不防瞄见冲撵骤至、"呜呜"急鸣的吉普车，一下子也闹不清是何等妖魔，撒开长长的四蹄，沿着长长的公路一溜烟狂奔起来，汽车喇叭声越是焦躁，奔跑之驼越是张惶，边跑边拧过长长的脖子惊视，十六只盆大的蹄儿"呱踏踏"乱响，滚圆的臀部抖抖颤颤，我们只看见四块褐色肉团触电似的剧烈抖动。倘若哪儿有投票活动，要评选世上奔跑得最难看的动物，我准定投骆驼的票。单线公路，车撵驼奔，一气儿追下去十多里地，直到车上有人叫出一声："当心民族关系噢（这里是哈萨克族、蒙古族地域，驼驼自然是少数民族的）！"司机这才倏地刹慢车速，四团肉垛就势朝边上一弹，跳离公路，蹦到山坡草窝里去了。

小车敏捷地一闪往前走了，四个傻大个还瞪圆惊悸的大眼睛从后边伸着头看，不哭不叫，不跳也不骂，毛茸茸的长脸上是一种十分怪异十分滑稽的神色，逗得车上各位前仰后合。

车旁边万绿丛中，时时闪出成片成坨绛红色的花草，草梢上是一簇簇上蹿的红色小花絮，底部娟叶如翠裙，腰际花谢处小荚炸裂，散发出绵浮轻暖的白色绒毛。这高可没人的花草自山底蔓延而起，推推挤挤地上山，远远地投林而去——那树林是清雅挺秀的白桦林。这不知名的草儿纤巧窈窕，连袂并进，忽然使我想到内地秋野上收摘棉絮的农家女儿了。这里的山区冬令长，九月中旬落雪，翌年五月才融化，这花草好像是为了早早御寒的女儿们，著红衣而收秋忙，抱新絮而入山去。美丽的花草要寻觅一个恬静的归宿，白桦林满怀怜爱地迎接她们。

"哦！"喀纳斯湖！仿佛是峰回路转的若耶溪畔突然逢见了荡波浣纱的西施，大伙禁个住"哦"了一声，拉直了眼光。

这是海拔一千三百七十四米的阿尔泰腹地，北畔宏伟的友谊峰积雪皑皑，仿佛纯银碾制的一架屏风，近处古木苍苍的一条条深沟巨壑以强劲的构架勒逼出一方月牙形的、比著名的新疆天池大八倍的湖泊，最深水位达一百七十四米。湖里是刚刚融化的、清纯至上的、满荡荡的雪水，仿佛掺和了云之精液，又仿佛染进了雪山之岚气,水的色气极佳,自近而远,浅翠、碧绿、湛蓝,层次分明而界限不清,不甚荡漾却变幻奇诡,仿佛是种种生力的暗相交汇,又仿佛是多种圣洁的天然聚和,我怀疑这是真正的刚刚泻离开九霄银河的天水。

　　阳光辉映,湖水是纯蓝湛绿,朵朵白云浮游于湖中的倒影沁做一朵朵的粉红,明丽而不妖艳的一种粉红。云掩了日,开阔的湖面立即有些晦暗,云絮投映在水中的影像,又幻化成一叶叶灰绿色的芭蕉大扇,随时都可以从湖底扇起非凡的波澜。雨天,月下,曙色里,飞雪时,这魔镜式的变色湖又会怎样呢?我思量,不管色调怎样变幻,总的气象将永远是深沉、端庄、典雅和幽静,这是多彩多姿的幽静和典雅,这是仪态万方的端庄和深沉……君临它的人们只有一个感觉:这儿的生命是一团纯净的火焰。

　　前些年,内地到处传说喀纳斯湖中有"湖怪"。其实呢?是体长三丈、重达三吨的巨型红鱼偶然出游。水至清则无鱼,湖水又长年寒冽,据说这鱼是冰消雪化之日从北冰洋里经前苏联境内逆着碧水闯进来的。攀在湖边栈桥上,我看到了一条被网住的十多公斤的红鱼,头小尾细,腹背饱满,银白透亮的躯体呈淡淡的水红色,鳞儿极细,细得辨不出层次,有人便说此鱼"无鳞无皮"。红鱼以绝世罕有的姿色在碧湖里成群游弋,上下远近的雪峰、杉松、白云,怎能不随同旋转、一齐舞动呢?

　　巨型红鱼不显形,湖畔林中草地上的骏马则姿韵天成,尾长,鬃长,毛色闪闪如锦缎,膘形匀称,无缰无鞍,那神态俨然就是"自由自在"几个字的绝妙化身。

　　骏马身旁便是荒野万状的原始森林,西伯利亚型的云杉、冷杉、红松、落叶松，巍列成阵，直插云霄。这里属自然景观保护区，一切树木禁砍禁运，"林高风有态，苔滑水无声"，空气里弥散着甜香和湿润幽秘的那一种魅力。这里的暖季又常起暴雨雷电，那么多巨木被雷火殛仆于地，魁梧的躯干仆倒之际，密集的根系揭地翻起，翻起的丈多高的根股蟒蛇似的纠结成团，竟然从雷电里死死地搂抱起尊尊斗大的顽石，泥土草根被冲洗净了，根已僵死，仍然与顽石紧紧地抠成一体，仿佛仍要将顽石挤勒个粉碎。生生死死，纠结不散，谁能说清楚这是爱呢，还是恨？有的大树是倒跌在众树的怀抱里，倾斜拗折，半倚而僵。毁坏，在自己的家族里毁坏得坦然；腐朽，在原始的摇篮里腐朽得自在。大凡仆倒折裂者，尽是巨木古树，而且常常是半边焚烙，火痕如墨，这是雷火闪电威猛的杰作，也是风雨狂飙舞动长鞭迅疾地打灭雷火的残骸。久经风雨剥蚀，枝梢尽销，唯余枯干枯根，那根干巨态狰狞，凶煞怪异，像是出自湖底的水怪山精。一脚踏进草丛，碗碟般大的木耳烂脆有声，溅起鲜嫩嫩的汁液。

　　在这人烟稀寥的遥远的边境，大自然从整体上仍只是显示出两个字：宁静！死亡是永恒的。静谧切近于死亡，一切生命的真谛便潜伏于静谧之间。呈现于这儿的宁静，不是精气活力的丧失，也不是生命之火的衰微，而是新陈代谢这一真理所衍化出的宁静，这是创造性力量的一种强烈体现，是巨大生命所固有的内在的静谧。

　　万类万物，宁静时才具有灵气，有了灵气方称得上奇伟与瑰丽——从内地来到这喀纳斯湖，我只觉得天然之色、自然之美愈外的迷人，非常的珍重！

贾宝泉

二十三丝动紫皇

在兰州开罢中国期刊首届理论研讨会,根据会议安排,大家搭车奔敦煌去了。

河西走廊于我始终是一个神秘的疆域,而敦煌便是神秘的台风眼了。中国文学史告诉我,河西走廊盛产戍边诗歌,李白的"何日平胡虏,良人罢远征",陈玉兰的"一行书信千行泪,寒到君边衣到无",王维的"劝君更尽一杯酒,西出阳关无故人",便是那片神秘疆域结出的果子。古时候那里还产生孤儿寡母,而孀妇的悲吟加剧了漠风的狂啸,魔鬼城阴森可怖的夜风是她们集体的控诉。很长时间了,想起河西走廊便要想起白草黄沙、白骨荒冢、蒙面大盗……这次跟大家坐汽车西行,一路说说笑笑,看到一片片美丽的绿洲,和蔼纯朴的当地人,寂寞自是没有,新感觉倒是有了。

不能不说到隋炀帝。过去只知道他的荒淫无耻,虽则也记得他决定开通大运河的好处,唐代诗人皮日休更说他"若无锦帆龙舟事,与禹计功不较多",但是,心理上并不想承认他的功劳;而这次西行,知道他居然还有另外的功劳:他曾经到祁连山下主持二十七国商品交易会,促进中外贸易,为丝绸之路通畅繁荣做了好事。

武威,张掖,酒泉,嘉峪关……想起这些地名就要想起那里的历史。时常,一个地名就是历史教科书上的一页故事,城早不是那个城了,故事却还保存在名字里,后人走在大街上,往往也是在故事的森林中穿绕;至于高老庄,晾经石,牛魔王洞,流沙河……都是跟《西游记》密切相关的。宏大的故事需要宏大的国土滋养。河西走廊历来物产丰饶,但人烟稀少,大漠一览无余,存不下秘密,人们不肯消停的脑细胞便要编造许多故事,无论世间有的没有的,都成群结队走出唇齿,作为大漠精神的果实,这是大漠历万古而不衰朽的真正的常春藤。读古今中外的历史,知道物产不丰饶的地方往往精神丰饶,因为不甘屈居人后的当地人要用精神的果实添补物产的匮乏,证明自己跟别人一样勤于耕稼,站在太阳下影子并不比谁短些。一路上我恍若看到沉甸甸的精神果实长满大漠戈壁,它们一排又一排地堆满在地,逼向地平线以外的人间,作为一种显示和挑战。

我由大漠雄浑的生命之歌听到另外的歌声。它柔婉,细腻,带着哲学的泠泠音调,闪光云锦般笼盖了山山水水,沟沟岭岭。我所以忍受大漠的酷热,干燥,西行千余华里,就是为了谛听那动人的音响。

终于,在莫高窟,我寻到了这动人的音响之源。这是只有神灵才能奏出的仙乐。

歌手是一位会飞翔的年轻女子,她不像西方的神灵,不必长双翅,仅衣带飘飘就表明在飞。女神的名字叫飞天。她丰腴的面容表明她生在盛世。她那衣带长过身体数倍,优柔地在蔚蓝的天上飘呀飘着,云在身下,城郭在身下,被她护佑的善男信女在身下;头上是天国,佛祖以慈祥的微笑带给世界平安。她仰望佛祖,她的衣带在浩浩天风里抖动,仙乐由裙边发出,弥漫开去,笼盖了大漠长烟,犹如太阳一般让世界温暖祥和。我想,在兵戈不息的战乱年代,她的使命便是提醒将士:止戈为武!她的乐声应该使入侵者止步,使守卫者愈发刚强。

她终于舞累了。可她又不愿离开她普度众生的位子,便要画师将她画在洞窟壁上,与她喜爱的大漠名泉长相厮守。虽然并无根据,我却坚持认为画师是她的父亲或爱人。她自己呢?则早已化作亿万化身,与她钟爱的祁连雪峰,月牙泉,鸣沙山,玉门关,商队,驼铃……融为一体。与大自然融合为一就不会寂寞。

唐才子李贺诗云:"十二门前融冷光,二十三丝动紫皇。女娲炼石补天处,石破天惊逗秋雨。"这好似专为飞天女神唱的颂歌。女娲的贡献在于她创造了一种精神:补天精神,"我不下地狱谁下地狱"的精神。至于她补天的效果如何,就不必详尽考证了。在敦煌时的两天一直下雨,可见天还没有补好。

但是,漏雨的天空人类与花草喜欢,牛羊喜欢;全封闭的天空决不如透下阳光和秋雨的天空。而飞天女神的飞翔也许是补天的一种方式?她是在替女娲氏做小工吗?

当初,我所以决意西去,因为心灵深处听到了歌唱;如今,我在海河岸边读书写作,时或临水而立,又听到她的歌唱了。何时再去看她呢?她是一只蜜蜂,只要跟了去,肯定要寻到古老的丝绸之路上香漫西域的开放的花朵。

柳 萌

京 包 线 上

两根冷漠僵直的钢轨,从北京延伸至苍茫的大西北,列车终止在包头的一段,铁路部门称为京包线。总有十多年的时间,我每年都要来往于京包线上,享受一年一度仅有十几天的探亲假,跟家人作长期分离后的短暂团聚。什么叫思念,什么叫惦记,什么叫团圆,什么叫离别,比起许多生活平顺的人来,我有着更为切肤铭心的理解。而帮助我深刻理解的,就是这条千里京包线。

这京包线上运行的旅客列车，那时大多是在夜间行驶，陌生的旅客很难分出方位。我毕竟多年在这条线路上来往，即便在黑得不见五指的暗夜，仅从疏密明暗的闪烁灯光里，我也可以毫不费劲地分出，哪里是城镇，哪里是农村，哪里是繁华的内地，哪里是萧索的边疆，它们在我心中激起的情绪，自然也就不尽相同，或兴奋或惆怅，情绪明显有着变化。那时我有着流放人的身份，政治上的重负，命运上的难测，常常地使我陷入苦闷之中，这条京包线上的两根冰冷的钢轨，在我看来无异于两行流不尽的眼泪，凝固在我青春抑郁的脸庞上。青年时代的美好愿望，个人本该享有的家庭幸福，全都被这隆隆的车轮，无情地碾碎在长长的京包线上，没有半点怜悯和恻隐之情。

我一直想忘掉这条京包线，确切地说，是想忘掉那段痛苦的流放岁月。然而却又总是不能完全地忘掉，有些零零散散的记忆，只要被什么事情偶然触动，就如同从门缝里透进来的风，总是让你觉得有点身心不适，这时就不能不想起相关的往事。这条京包线是我那段生活的见证。

我头次踏上这京包线，是在六十年代的初期。结束了北大荒两年的劳役生活，我们几个曾在北京工作的"荒友"，被通知到内蒙重新分配工作。这几位"荒友"都有家室儿女，好不容易有了久别重聚的机会，谁不想在家中叙叙亲情呢？但是他们又想早日了解工作安排情况，几个人的心情一时都很矛盾，谁也不好启口让别人先走。我当时是个无牵无挂的单身汉，虽说也想跟父母多呆几天，暖暖这颗被放逐多时的冷却的心。可是当他们把祈盼的目光投向我，我还是毫不犹疑地拿起背包，比他们先一步，踏上了当时比较冷清的京包线。

记得是个春节刚过不久的傍晚，背着跟心情一样沉重的行李，我走进西去列车的一节车厢。这节灯光幽暗的车厢里，旅客稀少，氛围压抑，可能是春节刚过的缘故，旅客多有恋家的缱绻之情，不然车上不会这样凄清。出于对眼前这种环境的陌生，再加之思虑未卜的前程，一种影影绰绰的莫名的恐惧感，顿时在我的心中油然而生，这一路上都久久挥之不去。

在我当时的想象中，内蒙该是个荒僻的地方，西北部边地更是像《走西口》歌中唱的情景，我此去将跟那里的牛羊相伴，说不定要在那里了此一生。想到这里心绪越发不宁起来。越这样想越睡不着，越睡不着越这样想。听着车轮单调乏味的滚动声，看着窗外夜色笼罩的四野，我的神经绷得紧紧的，情不自禁地流出了滚烫的热泪。这时我最想做的事情，就是扑在母亲的怀中，喊声"妈妈"，然后痛痛快快地大哭一场，可是现在我正在京包线上，越来越离父母远了，越来越距内蒙近了，我已经没有办法改变眼前的事实。我真后悔自己早几天离开家，在这时候能跟父母家人多呆几天，毕竟是人间最大的快乐，何必非要了解什么情况呢？再说自己的命运又何时被自己掌握过。一场突然袭来的政治运动，险些毁掉自己的一生，这会儿还这么想，实在天真，实在无知，我不禁怨恨起自己来。

列车到达呼和浩特正是早晨。我从车站出站口走出来。这个叫作站口的地方，其实只是个木板栅栏。守在栅栏口的人，穿着散发膻气的白茬老羊皮袄，头戴长毛狗皮帽子遮严脸颊，伸着冻僵的手一张张地收票，让旅客一下车就有种寒冷的感觉。走出车站站口一看，眼前尽是低矮的房屋，灰蒙蒙的一片一片的，没有一点城市的模样，卖吃食的小贩，在寒风凛冽的早晨，扯着嗓子不停地吆喝，却很少有人走近食摊，越发衬出城市的凄清冷落。我找了一辆三轮车，装上行李，坐在上边，悠悠地走在风沙飞旋的街道上。没过多久就到了自治区政府，这里倒是一栋六层楼房，而且很气派。我在这里报完到，就逛大街去了。从此，我就成了内蒙人。这一呆就是十八年，除了文革期间动乱的几年，每年都要回家探亲，奔波在这条京包线上。倘若不是在八十年代初调回北京，谁知这条京包线，还要消耗我多少宝贵时光。

从那个年代走过来的人都知道，那时的中国，城乡百姓都在忍受着饥饿的折磨，像我这样长年远走外地的人，在吃穿上就格外让父母惦记。只要是有机会回家，总要吃得肚子发胀，走的时候还要大包小包地带上，这样父母才好放心，好像不带上这些吃的就要挨饿，家里人怎么能不惦记呢？所以那时候一说要回内蒙，母亲总是抹着眼泪为我准备，买的买，做的做，吃的诸如大米，油盐，用的诸如火柴，肥皂，一样不拉地给我一一带上，以供我的单身生活之需。这条迢迢千里京包线，无形中成了我的生命线，拴着我对亲人的无尽思念。

有一年休完探亲假回去，母亲给我装了一提包吃食，我从天津扛到北京火车站，在北京站等待换车的时候，枕着提包在长椅上，不知不觉地睡着了。睡着睡着觉得头越来越低，醒来一看，枕在头下的提包被人划了个大口子，从这里掏走了我近一半的吃食。母亲和全家人从嘴里抠出的吃食，本想让我这远方游子饥饿时果腹，却不料被哪位聪明人给"借"走了，让我不禁想哭又笑起来了。我找出随身携带的一根绳子，把提包重新牢牢地捆扎好，抱在怀里上了火车，这一宿连眼都不敢眨，警觉地守护着剩下的吃食。事后同别人说起这件事，有人说，你也该知足了，要是你里边放着酒，小偷是个酒鬼的话，说不定割下你的耳朵佐酒。这件发生在饥饿年代的事情，一直留在我的记忆中，这会儿有时去北京站，我还时不时地想起这件事情来。真想为那个近乎滑稽的年代哭泣。

调回北京以后，这十几年里，我又到内蒙去过几次，重新领略京包线上的风光，那已经是今非昔比了。尽管客车依然在夜间行驶，但凭灯光已经无法分辨出方位，更难以断然分辨出，哪里是城市，哪里是乡村，哪里是内地，哪里是边疆，绵延几千里的京包线两旁，楼房多了，灯光多了，自然也就没有了过去的沉寂荒败的情景。我曾经居住过的呼和浩特和集宁，这几年的变化特别大，光靠记忆实在难以寻找往日熟悉的地方。这些年在京包线上来来往往的人，同样也没有了当年的恐惧感，许多人怀着对大草原的深情向往，愉快地到内蒙去旅游观光。

坐在这京包线飞奔的列车上，我在想，谁能说，在这些南来北往的旅客中，没有当年"借"我食品的那位聪明人呢？不知他还记不记得这件事情。不过我想这些并不重要，重要的是他现在生活得怎样。但愿他这会儿的生活比我好。我也相信他一定比我生活得好。

大 漠 绿 魂

应该怎样叫它呢？说它是树吧，它比树矮；说它是花吧，它比花高。干脆，就叫它树花吧。反正植物跟人一样，形象只是个识别标志。这是我初见它时的想法。后来问人才知道，它的土名叫"沙打旺"，一种冠形的绿色植物。生长在干旱的沙漠里。我想无须怎样解释，名字已经告诉你，它具有怎样的性格——沙子越打击，越生长旺盛。

认识"沙打旺"，是在内蒙赤峰。赤峰在内蒙古东部区，是国家林业局的治沙基地，也是北京的防沙屏障。今年几场沙尘暴袭击北京，使很少关心生态的普通人，开始注意起自己的家园。首都六十几位作家、画家、电视主持人，应全国政协和国家林业局邀请，一起来到赤峰翁牛特旗，参加"保卫绿色，关注森林"活动。

去过或未去过沙漠的人，都会知道或想象，沙漠的色彩是单调的。我们进入沙漠腹地后，天空是蓝蓝的，沙地是黄黄的，却并不觉得多么单调，因为在两色天地之间，有种蓬松绿色植物，星布在漫漫的大漠里，给人视觉以无穷欢悦。在沙漠里见到绿色，无异于黑夜看见灯光，我的眼睛立刻亮起来，就向邻坐的人请教，这才知道它叫"沙打旺"。

许多年前，我曾经到过腾格里沙漠，那里有种叫索索木的植物，只有光秃枝干，没有繁花绿叶，却以它顽强的抗争力，使茫茫大漠充满生机。所以看过它以后的这些年，在我见识不多的印象中，好像只有这种索索木，才是沙漠的绿色灵魂。这次突然发现这"沙打旺"，惊奇的同时有种不解，就请教坐在身边的当地人。这是一位年青人，赤峰市政府职员，他先是告诉我，这种植物叫"沙打旺"。正当我猜测它名字含义时，这位年青人又告诉我说："这'沙打旺'的最大特点，就是好活长得快，而且一点儿也不贪婪。沙漠里没有别的植物时，它总是拼命地生长吐绿，当别的植物生长起来，它就渐渐地枯萎死去，不再争夺水源和阳光。"

听了年青人的介绍，对于这"沙打旺"，有了深一层了解，不由地肃然起敬。再仔细地看看这"沙打旺"。它的身躯不算强壮，枝条密匝却不直挺，绿叶重叠却不杂乱，生长得自自然然。花是黄黄的小小的，像是夜空上的星斗。色泽鲜艳，绝不夺目；花朵不大，却很大方。一蓬蓬地爬伏在大漠，只靠存下的一点雨水，就生长得极为茂盛，好像从来就无欲望。尽管我的植物知识有限，但是总还是有一星半点，然而像"沙打旺"这样的，别的植物生成就让位的，却还从来未听说更未见过。有的人老了，应该退休了，还在恋栈哪，这"沙打旺"树，正在生长期，就自愿让位。真是了不起。

自从认识了这"沙打旺"，心情就再也不能平静，一直在想这种奇特的植物。

离开我们植树的沙漠腹地，途中经过一个绿色工程区，主人请我们顺便参观。这是个山峦叠嶂的地方，汽车气喘嘘嘘几次息火，好不容易爬上山的顶峰。在蓝天下极目环视梯形山，一层层的山地都栽着树，一株株地顺着山势排列，犹如一队队忠诚的卫兵，阻挡着北来的黄沙。热情的主人告诉我们说，这是在山上栽树，面积又是这样大，几年后片片都成树林，就会更有效地挡住风沙，保卫北京天津两大城市。我们除了感激造林的赤峰人，想的更多的是工程的艰难，我们在沙漠只植几株树，都感到很不容易很劳累，这样大规模地在山上造林，其中的艰辛就可想而知了。

赤峰人植树造林，除了美化自己家乡，更是要为京津两地，设置固沙防沙屏障。这种忘我的献身精神，很让我们这些人感动，却又找不出恰当的话语，表达我们内心的崇敬。这时我忽然想到"沙打旺"。赤峰人和"沙打旺"之间，好像有种相同的东西，紧密地跟沙漠连接在一起。沙漠里的植物，被人称为"大漠绿魂"，那治沙的赤峰人呢？这大概就是相同之处吧。

张守仁

大 漠 之 夜

一

　　青海湖、天峻草原、洁白盐湖,已被甩到身后。从德令哈到大柴旦,公路两侧除了碎石、平沙、红柳和芨芨草,除了偶尔出现的野驴、蒙古包和道班房子,看不到一个村落,尽是一望无际的大戈壁。从大柴旦向西行驶,戈壁过渡为瀚海。一个个土包土丘,如一排排黄色浪涛,奔涌而来。我仿佛来到荒凉月球上。过了南八仙,出现雅丹地貌。百里之内,寸草不生,不长一片绿叶,不见一只飞鸟。空气干燥,嘴唇皴裂。抬头望天,赤日炎炎。

汽车前行,一座座残丘呈现奇形怪状,如马如牛如羊如塔如坟墓如大蘑菇……有时看见土丘像骆驼群似的头朝西北、尾向东南斜斜地排列着。它们相似的姿态,录下了柴达木盆地大风的形状和走向。

拐了许多弯,才甩脱雅丹地貌,视野开阔起来。我们终于盼到了大漠深处的目的地——冷湖。

二

是晚,我一人离开住地,在戈壁沙漠上漫步。在广阔时空背景上,我只不过是一颗沙粒。面对荒凉不免隐有恐惧,甚至想逃离这种环境;但因此也感受特异的刺激,思想异常活跃和亢奋。摆脱了一切羁绊,各种思絮蒸腾、升华、延展,向无垠无涯挺进。

我曾想独自到大沙漠里呆一个夜晚,终于如愿以偿。

人的一生,应该有独自面对自然、独自面对宇宙、独自面对自己的时间,以静思自然和宇宙之奥秘,思考自己生命之真谛。只有这样的独自面对,你才会感到宇宙之浩大,自己之渺小;你才会有意想不到的顿悟,甚至会从翻滚的思绪中飞升出闪电般的灵感。

三

漫步大漠,仰望星空,天似穹庐,笼盖旷野。

两千多年前,屈原在《天问》中对日月星辰提出过一百多个疑问:"天何所沓?十二焉分?日月安属?列星安陈?……"童年时候,每当夏夜纳凉,蓝色流萤在篱畔闪烁明灭,我仰躺在老家院中方桌上,常向奶奶提问:月亮为啥那么亮?星星为啥那么多?牛郎织女星、挑石头星的故事是什么?人能飞到月亮上、星星上去吗?奶奶不懂天文,只能以人间世俗之情,向我解释天体万象。如今祖母早已去世,像一片黄叶落入她的出生之地。但她那些关于星星的故事,至今留在我记忆里,像沙漠上的脚印那么清晰、鲜明。

童年时飞往其他星球的梦幻,由于阿波罗11号在月球登陆,开始变成现实。

生命短暂,时空永恒,因此世世代代的人们都会仰天浩叹。

当代科学家发射旅行家号飞船,也是一种"天问"。他们把拍摄有地球上生命画面的录像盘、录有地球上各种声音的唱片送入茫茫天际,——虽然要过四万多年,这座人造飞行器才能飞出太阳系,朝离太阳系最近的恒星奔去;但我想,地球上的人类对外星世界、外星人的呼唤和问讯,不会没有回应。

四

正当我仔细观察天象之际,夜空中有一条闪烁的光带倏地曳过天际。这是流星在熔化、燃烧、陨灭。

茫茫宇宙，有着无数星系和星云。我们所在的银河系仅仅是已发现的十亿多个星系之一。银河系里，至少有一亿个我们这样的太阳系。我们的地球仅仅是太阳系里一颗不大的行星。它大约在四十六亿年前，从太阳星云中分化出来，并在运动中逐渐演变成目前这样的球体。地球上从无机物到有机物、从原始生命的蛋白体发展到植物动物再演进到有高级智慧的人类，更是经历了十多亿年的漫长岁月。

沧海桑田。

我的故乡在长江口的崇明岛。一千多年前，这里没有任何沙洲，只有一江碧水向东流，流入汪洋大海。直到唐代初年，淤积在江口的泥沙渐渐露出水面，变成沙洲，出现了江中岛屿。年深日久，冲积岛上长出茂密的水草、菖蒲和芦苇。于是，江南江北渔民驾舟到岛上捕鱼、打柴。从此岛上升起人烟，渐渐变成祖国第三大岛。

大自然处在永恒的演化之中。

五

一切事物都有矛盾着的两个方面互相倚伏。

沙漠的黄色，既辉煌、热烈、浑厚、典雅，又令你感到单调、枯燥、烦闷、荒凉。

人类由于科学技术和工业文明的发展，已能将海盗号飞船送到火星着陆，却又那么严重地破坏着地球上的生态环境。

大地上欣欣向荣的生命也无不经历着花开花谢、瓜熟蒂落的生灭盛衰过程。

苍茫星空下，只与自己作伴，我想起年迈的母亲。当我母亲还是小孩时，看见邻家死人都躺卧在门板上，便对死亡充满恐惧。她想，凡死人都躺着，将来自己年老时，即使睡觉也坚决坐着，只要不躺下，就永远不会死。但她老人家活到七八十岁，尝尽人间甘苦、做完能做的一切、儿孙满堂甚至曾孙绕膝之际，只希望无疾而终，不给后辈们带来麻烦。母亲如此平静地对待生命，使我懂得什么是老人的彻悟，什么是老人的慧德。

如今，我也已年过半百，我但愿当我将来离世之际，亲人在我枕边放一曲我爱听的音乐，让我的生命之灯在和谐中安然熄灭。

死亡原像生命一样自然、庄严。能勇敢正视便是大智大悟。

人之生命犹如山中溪泉，开始潺湲流淌，然后并入小河，流进大江，最后溶汇于汪洋大海，从而消失自己的存在——亦即得大自在。

六

沙漠地带，雨少风大，气候干燥，昼夜温差悬殊。夜深之后，我冷得发抖，双臂紧抱胸前，不让体温散失。野外呆久了，手指冻得红肿，便蹲下身子，把手插进黄沙，想让地温焐暖。突然，我触摸到一坚硬圆滑之物。掏出一看。微微泛白。打开手电细瞅，竟是骆驼的腿骨。可以想象，这里曾经有过动物，有过植物，甚至有过绿色草原；只因为严重干旱，灭绝了生物，才被黄沙厚厚地覆盖住这片大地。

抚摸孑遗的白骨,我强烈渴望蓝天、碧水和绿叶。

七

拂晓前,死静、奇寒,形单影只,孤独得几乎发疯。这时如果遇到一个人,不论是男人或女人,生人或熟人,将感到多么欣悦、亲切。人啊,离群之后,才会对互助、友谊分外珍视,对人世间一切加倍热爱,才会珍惜人际相处的每一次机缘,待人诚挚,善良宽厚。

曙色朦胧。东方渐渐发亮。云边开始镶上紫红、橙黄的彩带。地平线耀眼了。从地下迸射出万千支光之箭镞。浩瀚平坦的沙漠戈壁铺上了无边的红地毯。经过最焦急的瞬间之后,终于冒出一线炫目的银边。银边迅速提升,一轮硕大无比的发光体跃出地平线。原先瑟缩颤抖着的我,感受到了温暖,便张开双臂,向猩红的大漠旭日扑迎过去……

冯苓植

我从荒漠中来

骑驴、骑马、骑骆驼……

现在我已经迁居到草原青城呼和浩特市了,而且还到过北京、天津、南京、上海,甚至还出过国。所见甚多,五光十色,但我却收效甚微,始终是土头巴脑儿的。

我从荒漠来,身上沙子多。

我曾经给自己起过个蒙汉合璧的笔名:冯·土莫沁,意即:姓冯的放骆驼的人。据说有僭越德国贵族名号的嫌疑,吓得赶紧扔了。但苍天在上，我绝无这样的野心！我只是说：

我爱荒漠，我爱骆驼，我差点成了个土莫沁！

公元1959年，我从大学毕业了，自愿申请到内蒙古西部的荒僻地区，分配到一所以治沙为主的林业学校当教员，开始涉足于乌兰布和、巴丹吉林等大沙漠，从此和荒漠结下了不解之缘。随之，我被下放了，干脆来到腾格里大沙漠畔长期无条件地劳动锻炼。腾格里，蒙语是天的意思。好家伙！天大的沙漠……

就这样，海海漫漫的戈壁荒原就成了我的家，我开始和一些沉默的朋友打交道：牛、马、羊、骆驼，还有那些沙原兔、沙原狐、沙原跳鼠，以及遍地乱蹿的沙原蜥蜴……

当然，我的老师还是那些剽悍奔放的牧马人、美丽纯真的牧羊姑娘，更重要的还有那些魁梧深沉的土莫沁——放驼人。

沙海周围的戈壁荒漠，统称为阿拉善草原，集中着全国近一半的骆驼。这些放驼人可称为戈壁滩上的骄子，茫茫瀚海上的水手。他们整日里驾驭着沙漠之舟，冒着烈日酷暑，在风沙的狂涛恶浪里来去无踪。我发现，他们话少、心中的牢骚更少，仿佛正因为这样，胸怀里就为他人留的地方那么多。在墨绿色的骆驼刺丛旁，我虽然只能和他们挤在一顶小小的篷帐里，却觉得心里分外的舒畅和坦荡。这其间，我还学会了一种特殊的晒衣服方法。一件衬衣洗干净后，直接就摊开在明沙上，片刻就干了，一抖沙尘，即洁白无比。但我当时并不懂得沙子还有净化人们心灵的作用。

初到荒漠，我很幼稚，耐不得寂寞，也不甘于寂寞……

一开始，我骑马，从马背上摔下来；骑驴，让驴子掀翻在地；骑牛，又觉得有失身份。骆驼虽高，却很老实，而且背有双峰，抱一个，靠一个，跨在其间，其乐无穷。马善让人骑，人善受人欺，骆驼也不例外。当时我年仅二十岁，高高在上，自我感觉良好，颇有骑士风度。

但有一次穿过沙漠去驮盐，这种风度就随着沙漠的温度，发生了彻底的变化……

广袤的大漠，死寂的沙海。雄浑，静穆，板着个脸，总是给你一种颜色看：黄沙、黄沙、永远是灼热的黄沙。仿佛大自然在这里把汹涌的波涛、排空的怒浪，刹那间凝固了起来，让它永远静止不动。浩浩渺渺，起伏不断，人在其间，顿时显得那么渺小，我感到自己只不过是一粒沙。

沙丘、沙丘，眼前总是走不断的沙丘！一个比一个高，一个比一个陡。伙计，北京香山那鬼见愁算什么鬼见愁，来这儿试试。我跨在驼峰间在沙海里晃荡着，茫然间突然感到：骆驼才真正是大漠的主人！我这大个子朋友要是一发脾气把我扔了，我将会陷入什么处境？天哪！一种恐惧感，使我的骑士风度霎时化为烟尘。我赶忙反过头来谦逊地对骆驼表示友好，捧着炒米请它吃，捧着咸盐让它舔，甚至有点拍马屁——不，不！拍驼屁之嫌。

烈日炙烤，汗水刚刚流出来就蒸发掉了，身上只留下一层沙尘。太阳就像在贴着沙丘滚动，挨着你的嘴唇就撕掉层皮儿。舌干口燥，昏昏欲睡，驼峰变成了摇篮，骑士变成了婴儿。突然，我从驼峰间栽了下来，顺着高耸的沙脊飞流直下……好险！幸亏大漠的胸怀是柔软的，我尚且安然无恙，但心很惶恐。我望着沙丘上昂首屹立的骆驼，顿时产生了一种敬畏的心情。我一边往上爬，一边往下滑，还一边哀求地呼唤着：

"等等我！等等我！……"

后来，我偶尔翻开历史，总觉得一页页上仿佛都有骆驼的足迹。是它们连起了举世闻名的古丝绸之路，但它们却永远保持着沉默，心甘情愿地呆在戈壁荒漠上，吃着带针刺的柴草。我似乎明白了什么，话少了，却和沙原上那些土莫沁的心贴得更紧了，甚至自己也想作个放驼人。

就这样，在寂寥的荒原上，我又想起了写作，而且也试着动了笔。但是，我再不满足于捕捉沙漠里的各种奇幻景象，更不满足于猎取荒原上的各种奇风异俗。我看到了沙原人从深井里打水……

茫茫的戈壁荒原上是多么缺水啊！方圆几十里才能见到一眼井，而且是那么深，石头的井台上被井绳磨下了一道道深深的沟。据说过去打水是用马拽的，水斗子放下去了，猛地一鞭，骏马便拉着井绳跑去，跑啊，跑啊，跑出了老远，水斗子才从井里拉出来了。但这水是清的、纯的、甘洌的。

我喝到了，久久地品尝过……

后来，我带着一身沙子，调回了这个地区的一个歌舞团从事写作，但茫茫的大漠仍在我的胸怀中延伸着。除了演出时而来到这里，我还不断单独去探望那些土莫沁，只是在那场噩梦中中断了……我写了长篇小说《神秘的松布尔》，中篇小说《驼峰上的爱》、《沉默的荒原》等等，写了沙原人、沙原驼，还有探索沙原奥秘的科学工作者。这一切都是沉默的沙原给我的。

我在蘸着沙子写作，艰难、苦涩，总写不好，但《文学报》仍发了一篇有关我的专访以资鼓励。我很感激，也很惶然，因其中确有一些误记或溢美之处。如我从来就没当过内蒙古作协主席，只当过一个盟文联的副主席，而且不管事儿。我知道,骆驼的绒毛再密再美,一到盛夏必定脱得尽光!我就是我。特附一笔,立此存照。

写作真难呀!而黄浦江边的楼又是那么高……

我从荒漠来,还要回到荒漠去!我想念那浩浩渺渺的沙海,也想念那坦坦荡荡的荒漠,还有那些漫漫戈壁滩上丛生的沙蒿、沙柳、冬青、芨芨草和骆驼刺。我要回去,掘取那甘洌的清泉。

生活中更深的,也就更美!

啊!骆驼……

刘 芳

绿 的 拼 搏

在吐鲁番小住时,整天生活在绿色之中。头上是晶莹透明的葡萄;身旁是绯红艳丽的美人蕉;路上是喜色匆匆的行人,一种昂扬的生命活力在到处突奔……

其实这绿洲并不大,像是一块小小的玉盘突兀在沙漠里。在这稀疏的绿色对面,就是沸沸扬扬滚滚而来的沙浪,其势如摧枯拉朽,锐不可挡。但这些微弱的绿色没有被埋没,仍簇生着葳蕤,似在向着死亡世界庄严宣告:世上只要有生命在,地球绝不会变成沙的汪洋!

　　这时,我见一座高耸的沙丘上,正有一个小小的黑点在移动,那是一位戴着太阳帽、捂着大风镜的人正趴在沙丘上用钢尺量着一株小树的高度。他叫潘伯荣,是吐鲁番治沙站的站长。

　　"瞧见了吧?这就是治沙英雄——胡杨树。"他用手抚摸着离地面只有一米多高的枝头说:"你一定以为它长得很矮小吧?其实它的树干比这座沙丘还要高,不幸的是都被黄沙埋在地下了,现只剩下了一个树梢梢。"他像母亲一样伸出温柔的手,使劲地在树梢处挖了一个坑,露出一节被埋掉的树干,心疼地说:"这种树极为顽强,无论风沙怎样吹打,也不肯倒下,于是,便展开了生命的搏斗。黄沙天天来围攻它,它就在沙堆中天天生长,这就叫'道高一尺,魔高一丈'。结果黄沙不但没有埋掉胡杨,相反,这树却阻挡了风沙的前进速度。"

　　蓦地一下,我的心灵猛然间被震撼了。现在一些人都觉得自己活得艰难,想不到自然界中,还有更顽强的生命在与死神抗战。

　　老潘蹲下身,指着斑驳的树杈叫我看:"瞧,那上面连一丝树皮都没有了,几乎全被流沙所剥光,但它不屈服,不气馁,继续生长。"说着,他用指甲盖在伤痕累累的树干上使劲地刮了一下,几滴橡胶水一样浓浓的汁液粘在指甲上。

　　"这就叫胡杨泪。它是在极为痛苦中流出来的。"我用同样的方法也取一滴舔了舔,真的像眼泪一样苦咸。为了保护我们这个星球不遭破坏,连胡杨那样弱小的植物都在同邪恶抗争,而我们这个自以为无不能的人类,至今还无动于衷,难怪胡杨都在流泪了……

老潘默默地立起身，拍掉手中的沙土，面对脚下无边的绿色又说："其实，胡杨并不是治沙的惟一英雄。它只是像一个普通人那样尽了自己最大努力罢了。我们在建站的第二年，一下就在沙丘里播种两万多株胡杨，又在沙窝里播下沙拐枣、梭梭、红柳和老鼠爪。这些适于沙漠中生长的先锋树种，各显神通，终于控制住了流沙，在茫茫的瀚海中才出现一片新绿。"

　　说到这儿，他似乎动了感情。他从1973年建站就来到了这里，如今已在风沙中度过了几十个春秋。吐鲁番是个有名的风沙口，豆粒大的沙砾在每秒四十米以上的风速吹打下，像子弹一样把脸打得红肿。白天在野外作业实在受不了，就用破皮袄、工作服把头包上，继续在沙漠中育苗。

　　"你看到前边那道像墙一样的大坝了吗？其实那是我们在1978年栽下的一排沙拐枣。"这种树最耐干旱，十年不浇水也能靠自己发达的水平根系汲收偶尔流过的地面水，维持自己的生命。只有几行普通的沙拐枣，就能挡住猛烈的风沙，形成一座三米高地大坝，硬是把风沙顶了回去。红柳和胡杨都是沙漠中的骄子，最抗盐碱。在这些树的枝梢上，结满白花花的碱疙瘩。它们吃的是碱，吐出的也是碱，留给人类的却是一片绿色。

　　老潘动情地诉说着。这是一部震撼人心的沙漠战斗史；是一部鲜为人知的英雄赞美诗。这是一场绿色的大拼搏，是有生命与无生命之间的一次大决战。从不断延伸的绿色中，从被西北风吹裂的老潘脸上，我似乎已看到了绿色的未来……

郭 保 林

草原，一页绿天

——巴音布鲁克笔记

沉默的草原

　　福楼拜看到草原心里便涌出一种快感，希望自己变成一头奶牛，好去吃草。我走进天山南麓这片美丽的巴音布鲁克草原，真想变成一匹马，一匹孤独的马，我觉得这草原应该属于我……其实我应该骑着马，一匹白马，像童话中的白马王子走进情人的怀抱。

巴音布鲁克草原位于静和县西北部，在天山中部，伊犁河谷地东南。广袤无垠的巴音布鲁克草原是古代游牧民族的乐园，是牛羊马驼的天堂。秦汉以来，乌孙、月氏、匈奴、哎哒、铁勒、突厥、回鹘人游牧于此。清乾隆年间，卫拉特蒙古准葛尔部首领在此建鄂托克，乾隆三十八年（公元1733年）东返故土的土尔扈特渥巴锡辖南路四旗迁至游牧。巴音布鲁克，蒙语意为富饶的泉水，亦意称水草丰美的地方。

天蓝、地绿，构成大草原单纯而壮美的风光。我们的车子就在这阔大的风景里奔驰。车窗外是阳光的伊甸园，阳光在歌、在舞、在吼、在叫，却是无声的。只有我们的车轮轧过草浪，发出缠绵的情语般的呢喃声。

草原是宁静的。这是气势磅礴的静，大度豁然的静。这静里蕴含着一种精神，一种囊括万千意韵，襟怀风雨雷电而又沉默不语坚实的静。只有虔诚地膜拜历史，崇尚自然，坚信人生的哲人才能进入这种大境界。

不知是命运的注定，还是上帝在冥冥中的安排，我生命的坐标总是指向荒凉和空旷。我觉得只有大西北的旷野、戈壁、大漠和蒙古高原的大境界、大空间，才能容得下我一颗骚动的灵魂，铺得开我成吨成吨的情感。我喜欢草原，草原的辽阔，草原的舒朗，草原的纯净，草原的澧漫。那飞翔的云，那潇洒的风，那奔驰的马，那如云卷般的羊群，那山岭跳跃的线条，那河流动荡的旋律，都透视着一种生机勃勃而坦然自信的心态！再浮躁的人，再浅薄的人走进草原，也会变得雄沉和宁静。

在一片草场上，我们停下车来，坐在绿茵上，望着连绵而来的绿浪，波涌着，飞溅着，向天边荡去。那是一种墨绿，油汪汪的，把天的一角也洇透了，蓝天也变得绿蒙蒙的化为草原的一个组成部分。草原，一页绿天！是啊，草的叶脉里就有着太阳的基因，流淌着太阳的血液，是太阳的儿子，是天空的兄妹。

我想起十二世纪，当成吉思汗征战花剌子模国凯旋归来，马的屁股上系着国王的头颅，战刀上凝固着敌军的血污，当他率领部众踏进这片美丽的大草原，大汗惊喜地勒住马缰，打起眼罩，鹰隼般的目光扫描着绿草无边、雪山玉冠、静水如碧的土地，兴奋地叫道："巴音布鲁克！巴音布鲁克！有水草的地方就是我们蒙古人的家园！"于是爱你没商量；于是就留下一支军旅；于是大汗的马蹄就在水草丰美的土地上盖下一枚枚鲜艳的图章，偌大的巴音布鲁克便划入大蒙古帝国的版图。哈萨克、维吾尔语言的土地上，便播下蒙古语的种子。

我在草地上徘徊，眺望无边无际的草原，风拨动着浪琴，发出窸窸窣窣的声响，那是草原的语言，是大地的语言。而那牛群、马群、驼群，还有狼群、虎群、兔群，还有昆虫和飞鸟，河流和山脉，都展示了它们与巴音布鲁克草原的血缘关系，是那样和谐、自然。蹄鼓、兽鸣、鸟语、水韵，这一切都是从草原上生长出来的，和民族语言一样极其丰富，且具有动人的情韵。

啊，巴音布鲁克！

你是敕勒歌的旋律。

你是艾略特智慧的灵感。

你古典脉脉，现代盱盱。

你是现实主义和浪漫主义交媾分娩的情诗。

岁月悠悠，八百年了。谁曾想到，一代天骄成吉思汗的后裔的秉性发生了变异，化剽悍为温厚，化狂妄为谦卑，化激动为恬静，化狂躁为安谧。在天山脚下，绿草丛中，搭上帐篷，牧羊养马。丰美的水草，散淡的风景，陶冶了他们性情，也净化了他们的心灵。

乾隆三十六年（公元1771年）这里出现近代史"最光荣的事件"。早在一百四十年前，成吉思汗帝国的另一个部落曾移居在伏尔加河流域，他们忍受不了沙皇的残酷虐待，思念故邦热土，想东归祖国。但是沙皇政府派兵横截竖拦。十七万人口的土尔扈特蒙古在他们的首领、十九岁的英雄渥巴锡的率领下，男女老幼赶着牛羊，浩浩荡荡迎风冒雪开始了漫长的大迁徙，他们一边和堵截的沙皇军队作战，一边艰辛跋涉。渥巴锡骑着白龙驹，手持戟枪，高喊着："我们子孙永远不当奴隶，让我们回到太阳升起的地方去！"穿过冰雪覆盖的伏尔加河，翻越巍巍的阿尔泰山，回到了巴音布鲁克草原。清政府表示极大欢迎，得悉后，立即指派察哈尔蒙古部族积极参与接济土尔扈特部众活动，并捐赠牛一万头，羊一万只，皮袄两千件，于是广袤的巴音布鲁克草原，又出现新搭的帐篷，新点燃的牛粪烟。

土尔扈特蒙古部族的东归，反映了中华民族固有的凝聚力和强烈的向心力，反映了统一的多民族国家各民族互相依存、共同发展的血肉关系，连西方学者也誉为当时"最光荣的事件"。

前面出现一座帐篷，看到我们的到来，走出一个老人，他是典型的蒙古人，高颧骨，塌鼻梁，前额突兀。他用眼睛盯着我们，他脸上皱纹纵横，是一部风风雨雨、浩浩荡荡的历史，是整个巴音布鲁克草原的缩影。和老人攀谈起来，原来他爷爷的爷爷就是那次大迁徙中的一员。老人说，那次东归，有许多亲人死在沙皇军队的枪弹下。谈起往事，老人忧郁的眼睛饱含着一种深情。

我们听着老人的讲述，望着这苍茫碧绿的草原，伤感和豪气同时在心中升起。然而，这一切都融进了草原的历史，和草原牧人滚沸的血液中。我想起了古希腊的史诗《伊利亚特》，想起了蒙古族的史诗《江格尔》，想起成吉思汗的传说，想起许多美丽的神话故事，让人强烈地感到，为了爱的妒恨和仇杀，是非常悠远的，它属于神灵，更属于人类。

弥漫在草原上的大气是平和的，安谧的，没有声音，静默里甚至能听见草原思想的流动声，草原意识搏动的潺湲声。在这种氛围中，顿时会有一种精神褶皱被熨平的惬意感，人，也会变成一股青烟，一抹蜃气，一缕温馨的氤氲，一种忧郁的哲思，在这茫茫草原上横溢流淌……

草原是沉默的。沉默是歌，一支美丽忧伤的歌。

早晨的鹰

巴音布鲁克草原的早晨有着一种梦幻般的美。当太阳从东边的山包上升起时，整个草原便被霞光浸淫，漾溢着初潮的红润，变得妩媚、婉约、明丽、丰盈。青草、野花幸福地颤栗着，惊悸着，仿佛初恋的少女期待情人的到来。随着太阳的升起，磅礴的朝霞汹涌澎湃，轰轰烈烈地涌来，天空和大地都燃烧起来，四面八方红光闪烁，火星飞溅。然而早晨的风并不浮躁，也不激动，平静地掠过草滩、河流，摇起草的涟漪，水的波纹,花的笑涡,然后便悄无声地躲进那片蓝色的山坳中。我站在山包上,阅读巴音布鲁克草原壮丽的早晨,就在这时,我看见一只鹰,从霞光中飞来,从太阳的金轮中飞出来,像神话中的太阳鸟,像涅槃的凤凰,巨大的翅翼闪烁着毛茸茸的红晕,它悠悠地扇动着,飞得很低很低,一圈一圈地盘桓着,双爪踏云,两翅生风,俯仰自如,无拘无束,像一曲如歌的慢板,一支优雅的圆舞曲。我看见它那双苍老的眼睛蕴含着一种忧郁,一种眷恋,一种淡淡哀伤,像是寻找什么。蓦然,它好像受到什么昭示,飞速加快了,翅膀拍打着早晨,霞光和天空被割裂了,顿时划开一道缝隙;风被撕扯得发出哧哧啦啦痛苦的声音。那鹰昂首云霄,越飞越高,化为一点墨渍,融进无边无际的红霞中。我觉得这鹰是太阳的儿子,是苍天的骄子,它从哪儿飞来?又飞向哪里?它还会飞回来吗?

我不禁想起西藏神话中关于鹰的故事。藏人对鹰无限崇拜,鹰的形象在藏族宗教文化中无处不在,随处可见,山口路旁玛尼堆,村头屋顶悬挂的五色经幡,寺庙经院的雕梁画栋和曼陀罗壁画中以及他们制做的"唐卡"上,到处看到鹰的雄姿。在他们心灵的圣坛上,鹰自古以来就是一种神灵,它笼罩着一种神圣的光环。在西藏原始宗教——笨教中,就有鹰的创世纪神话:传说在天地鸿蒙之初,是一片空冥,后来生灵逐渐形成,光芒和光线在生灵中出现,光芒为父,光线为母,于是昏暗和黑暗也出现了,之后便出现了白色的冰霜,冰霜中又出现了一颗略呈白色的露珠,有了冰霜和露珠也就有了池塘,这片池塘便形成一层薄膜,并滚成一枚卵,从卵里孵化出两只鹰,一只白鹰,一只黑鹰,白鹰和黑鹰交合又产了三只卵,卵破裂了便出现神山和神灵,出现人和生灵……在这里,鹰可以说被视为笨教原始信仰中神、人、鬼"三界"的创世之神。在藏族人民的心目中,鹰还是战神的标志,是力量,勇气,生命的象征,笨教中的鹰还以"神圣大鹏"和其他许多神灵,被密宗大师称为"护法神"。至于天葬,将死者尸体切碎,和上糌粑,让鹰吃掉,那更是对鹰的无限崇拜,鹰被视为神鸟,人的灵魂被鹰带入天堂……

我第一次见到鹰,还是在帕米尔高原。夏天的阳光照耀在世界屋脊上,远处的雪峰冰川在阳光下熠熠闪烁。天空有大团大团的白云,野性的云狂妄得不可一世地独霸天空的广阔。突然,我发现一只鹰,它有点苍老,但仍不减雄健气度,站在突兀的峭岩上,昂着头,凝着神,敛着翅,风一阵阵扑来,羽毛被撩起,犀利的目光闪电般地极富穿射力,凝视远方,俨然像一尊雕塑,孤独、傲岸、雄奇、高古。它身后的雪峰冰川,凛然射出一束束白光,和阳光迅速交融,分泌出一种狞厉恐怖的透明体。这神秘的背景,更映衬出鹰的峥嵘、肃穆、桀傲卓然的风采。

它庄严得像宗教,像神,一尊战神和力神。

鹰,沉默着,是那种铜雕铁铸般铮铮钬钬的沉默。

突然,那只鹰张开巨大的双翼,开始起飞了,一声啸叫,穿过云层。天空是海洋,风是水,鹰翅是桨叶,我听见双桨击水砰然声,风的浪花四处飞溅,打湿了云彩,也打湿了它的羽毛。它依然自由地俯冲,腾翻,时而扶摇直上,时而低空盘桓。天空不再荒芜,白云不再寂寞。阳光也变得生动。它双爪向前伸着,翎羽抖擞,我清楚地看到它的骨骼、筋肉,雄劲苍健,展示着力与美,张扬着生命的强悍和动感。它的翅膀遮住一片阳光,地面上投下一团阴影。它开始降低了高度,越飞越低了,我听见翅膀撞击风的声音,悲壮得犹如铁骑敲击雪野的声响。我看见它那眼睛了,犀利,灼亮,像两颗燃烧的星。

这是一幅壮美的油画。

我曾见过帕米尔高原塔吉克人的鹰笛,那是用鹰翅膀上最大的空心骨做成的,钻上三个小孔,便吹奏出美妙动人的乐曲。塔吉克语称之为"那依"。鹰笛是塔吉克人的骄傲,是塔吉克族的乐舞的灵魂。牧人骑着马,口衔鹰笛,吹奏一曲民歌,排遣寂寞和孤独。在白云缥渺的蓝天下,在碧草如茵的大地上,他们吹着鹰笛,抒发喜怒哀乐的情感,寄托他们对自由和美好生活的热烈向往。鹰是帕米尔高原的神鸟,是自由勇敢的象征。过去,塔吉克人过着狩猎生活,家家都养着鹰,白天随主人狩猎,晚上给主人放哨,一只好猎鹰往往是传家宝,能活一百多岁,被称为鹰王。

……

巴音布鲁克草原的早晨变得宽广无边,晨光如水如浪漫溢草滩、岗峦,整个草原变得生机勃勃。帐篷里升起蓝色的牛粪烟,牧马的少年和牧羊的少女,赶着牛群、羊群、马群,游弋在绿草茫茫之中。

我渴望再看见那只鹰,但天空是纯净的蓝,是那一碰就碎的瓷瓶般的蓝。这广阔的舞台,失去了鹰,就会变得寂寞、平淡、平庸。

我听牧人说,那只鹰是老鹰,它要死了,它要进入天堂了。鹰死亡时不是在夜晚,不是在黄昏,总是在早晨,在太阳升起之时,它告别人间时,总要在它曾经飞翔、栖息的空间和土地上盘桓,那是一种痛苦的眷恋,一种生死离别的悲伤,一种庄严的告别仪式。现在世界上再不会出现它的雄姿了,它是太阳的儿子，已经回到太阳母亲的怀抱。

我听罢，油然产生一种揪心的痛苦，我怅然地凝视着苍穹，追寻远去的鹰魂。

地面上有一团游动的阴影，不是鹰的投影，是云。

中午的天鹅湖

我总有感觉，我的读者在警告我：且莫把这篇散文写成风景散文，那将是失败，这类散文比比皆是，碰头碰脸，躲闪不及，你再来凑热闹，岂不是东施效颦，令人讨厌了么？何况风景，是任何天才的作家都难以描绘得真实和传神。风景是什么？是天地万物灵魂的展示，是大自然精神的外在表现，是宇宙之神的杰作，任何文人的风景佳篇或画家的临摹，都是赝品，用时髦的话说，假冒伪劣。譬如湖吧，诗人绞尽脑汁，不就是打了几个比喻么？什么大地的眼睛啊，上帝遗落人间的宝石、珍珠呀等等。其实，湖就是湖，那静幽的一汪蔚蓝，犹如处女的期待，那风过的细波微浪是她的微笑，那喃喃的涛声浪语，是她向大地倾吐的情话……你看，我又犯了文人的老毛病了。

打住吧，我眼前就是一片湖水。她躲在草丛后面，躲在芦苇后面，躲在柽柳林后面。她害羞地仰面朝天躺在那里，像个睡美人眯着眼睛想心事。她在想什么？也许是一个千年的梦。

我不想惊醒她。可是我们车子的马达声破坏了这里的宁静，她一下子睁开了眼睛，眼珠在阴影中是黑色的，在阳光下却泛着一抹蓝，她整个躯体白皙像琉璃，像瓷瓶，闪着毛茸茸的光晕。湖滩上的水草是她的睫毛，风吹草浪，整个湖水变得生动，妩媚，一种富有魅力的动感。

中午的太阳给她带来温暖，风带来温熏，我想，她心里准装满欢乐，精神平静，肉体满足，不断地咀嚼梦中的甜蜜，爱的幸福。

这时有几只水鸟拍岸而起，掠水而去，也惊断了我的遐想。

这天鹅湖，实在不像湖，不像博斯腾湖波涛拍天，浩浩荡荡，横无际涯；更不像江南的湖隽秀典雅，烟波氤氲，波光浩淼，芳菲夹岸，堤柳成行，更无水榭楼台，仙山琼阁，画舫穿梭，当然也没有历代文人骚客题咏诗词歌赋。也就是说，她没有承载任何文化负荷，是一片野性的湖，一片荒芜的水，一片赤裸裸的自然，一片天姿丽质的纯净。一位哲人说："大自然不是精神，但它有精神？"然而这天鹅湖的精神也是单纯的，那就是高洁。我想，如果，这片水流落到江南或华北，还会这么纯净吗？她会由一个处女变成沦落风尘的妓女。明媚的眼睛会蒙上阴翳，变得昏蒙，她们的血液变得浑浊，感谢上苍，为天地间还珍藏着一片净丽。

这里没有可凭吊的历史，连民间故事和神话传说，也纯朴得不值得大书特书：

传说很久以前巴音布鲁克草原上有一位蒙古族英雄少年，为追捕一条毒蟒，少年在水中与毒蟒厮杀了九九八十一夜，仍不分胜负，后来，毒蟒化为一个美女，对英雄说："你敢在这里休息三天三夜吗？你能休息三天三夜，咱们再比个输赢！"英雄信然，睡了三天三夜，湖水结成坚冰，英雄冻死在湖中……

故事毫无新奇之感，说明了人类征服自然的幻想。

天鹅湖，没有湖的模式，实际上是几条平行的河流，或者把一条河裁成几截，排在那里，间隔着沙渚和草滩。在这阔大的背景里，显得寂寞、寥落、激不起诗情画意。虽时值盛夏，牧人并不多，偶有几点帐篷，三五群牛羊，漫漫漉漉，散散淡淡，出现湖畔草地上，不像古疏敕歌描绘得那种壮阔气派："天苍苍，野茫茫，风吹草低见牛羊。"

湖中沙渚上果然有天鹅，不多，有二三十只，时飞时栖，时而长颈朝天，鸣叫几声，时而拍翅而起，在水面上盘桓几圈。这里是鸟的天堂，天鹅的伊甸园。白天鹅形体特别大，体长可达1.8米，体重十五公斤以上。鸟类学家说，这种天鹅，在地球上已为数不多，濒临灭绝的危机。看到它，我不禁感到一阵悲哀，默默祈祷，愿胡大保佑，让它的子孙繁衍，家族兴旺。

当地牧人告诉我，当年成吉思汗西征归来路经这片湖水，曾经在湖畔搭起帐篷休整，是这片湖水洗净了他们的征尘，补充了水源，丰腴了他们的精神。那时候，这湖畔水草丰美，高过腰身，草丛里有狼、有熊、有虎，水面也深阔，天光翰翰，水光渺渺，蒹葭苍苍，是巴音布鲁克草原最精美的一页插图。

听罢牧人的叙述，我沉默了，我还有什么话可说呢？我凝视着湖水，就像阅读了一本厚达几百页的书：她的目光蕴含着悲哀，有鲜明的主题，有动人的情节，有催人泪下的故事……可是，现在一切都变得平庸、呆板、苍凉。是大自然的风沙戕害了她的躯体，这是人类文明奸污了她们的梦？我环顾巴音布鲁克草原，内涵丰富的草原，用富有哲理的牧草、阵风、马群、羊群告诉我，是人替它们创造了历史，同时，也是人类在扼杀着她的青春和生命。

夕阳中的树

　　智慧的所罗门曾下令制定树木间应有距离。这距离太大了,几百公里,不见树影。巴音布鲁克草原是起起伏伏、跌跌宕宕、平平仄仄的碧绿,但驰目八极,却看不到一棵树。那绿涌来荡去,色彩单调而缺少立体感。偶有野花,散散点点,被阔大苍茫的绿吞噬了。

　　整个草原荒凉得不可思议,不可理解。荒凉得深沉、坚实,似乎透着一种难以推翻的哲学原理,荒凉得有点疯狂、高傲、任性!

　　我毕竟来自草原外部五彩缤纷的世界。现在我们成了草原上的流浪汉。但是草原老了,满面皱褶,裸露出成片成片砂石的老年斑,成吉思汗时代青春的光彩,生命力的辉煌,已属于遥远的故事了。我怀疑草原的生殖力衰竭了,像个乳房干瘪的老妇人,已无能力孕育新生代了。

　　寂寞,沉重的寂寞!

　　我们的车子在草原上驰骋,嗡嗡的马达声使沉闷的空气颤栗起来,但转瞬间又恢复了死一样的沉寂。

　　夕阳在远处的地平线上跳荡,苍穹如盖,晚霞如血,淋淋漓漓,洒满天空,浸淫草原。这油画般色彩浓烈的黄昏,只有巴音布鲁克草原这壮阔的背景,才演绎得如此绚烂,如此生动,洋洋洒洒的赤橙黄紫,纵贯天地,横阔万里。

　　突然,我的眼前一亮,啊,前面草滩上出现一棵树,一棵化石般古老的胡杨树,那躯体粗有合抱,树冠庞大无比,孤零零地站在那里,流露出峥嵘与高古,也流露出悲怆、肃穆、寂寞和忧伤。它像一座久经风剥雨蚀而不失伟岸的神庙。

　　我不知道这棵树怎么会出现在这里，为什么只有孤零零一棵，是上帝的旨意，还是造化的创作？

　　从当地牧人的传说中，我知道：一代天骄成吉思汗西征凯旋归来，曾在这里驻跸歇息，无意间将马鞭插在这丰美的草地上，谁知第二天马鞭的木柄便冒出绿芽，第三天便长出绿叶，第四天便成长为挺拔英俊的一棵年轻的树……人们称这棵树为神树，也叫成吉思汗树。

　　还有传说，蒙古骑兵西征归来，在这草原撑帐过夜，发现一棵被烈日和干旱折磨得奄奄一息的小树，这个以"杀戮为耕作"的民族忽然萌发了对生命的爱心，他们打开盛水的羊皮袋子，将饮水浇在树苗上，于是这棵幼树便活了下来。

　　对于前者那荒诞不稽的传说，我是不相信的。那是人们对英雄爱慕的心灵幻化，是对偶像崇拜虚拟的张扬。而后者却有点道理。但是在这空旷的草原上出现一尊孤独的立体的雕塑，却是一个谜。

　　据有关资料说：这棵树至少生长七百多年了。边地多悲风，树木何修修？这七个世纪，它经历了大自然怎样炼狱般的苦难？寥寥长风，煌煌烈日，厉厉酷霜，怎样年复一年地残酷折磨它？七百多圈生命的年轮里录进了多少惊心动魄的故事和传奇？蒙元帝国的铁蹄从它身边踏踏而过，那气吞万里如虎的磅礴和恢宏，那气吞八荒、囊括四海的雄风，那撕肝裂胆的呐喊和狂啸，那刀光剑影血肉迸溅的壮烈和残忍，它是深藏在记忆中的，看到它，就像看到历史的一个章节。当然，它的枝头上也停泊过蒙元帝国安谧的清晨，也栖息过凄清的冷月，月光下，草地上，也曾燃烧过篝火，篝火也曾照亮一章章爱情故事，变得生动而鲜艳……

我抖抖一身夕阳飞红，走近树。只见那树皮斑驳，皲裂苍老，枝桠有断裂的新痕，裸露出白花花的骨碴，但枝叶依然繁密，圆圆叶子，犹如万千飞鸟振翅欲翔，向天地间展示着生命的顽强和坚韧。而树根更有一种震撼人心的力量：肌腱粗犷，蜿蜒遒劲，盘节交错，构成庞大的体系，和大地的血脉融在一起了。正因为它如铁锉般紧紧地抓住巴音布鲁克草原，才展现出一种狂勃傲世的雄姿，狂放不羁的浪漫，横空出世的飘逸精神。

树身的下部有一个黑洞，风吹进树洞，发出木琴般的嗡嗡之鸣，其声凄清寥落，其音悲咽苍凉。我想这是天籁，如同一架古老的琴瑟，千百年来，在这天旷地阔的草原上演奏着风雨雷电狂飚曲，生命英雄进行曲，历史的奏鸣曲。

这树是巴音布鲁克草原之魂。草原有了它，就变得庄严、神圣。它生命岁月的无数主题演绎着一个民族苦难的历程。我想，当年曾萌发救活这棵小树的士卒，是否代表了这个四处征战、八方漂泊的游牧民族有了"根"的意识，启悟了他们的家园观念？蒙古族的先人是匈奴，匈奴曾被李广将军杀得无处逃遁，悲哀吟唱："失我焉支山，令我妇女无颜色；失我祁连山，使我六畜不蕃息。"历史的教训，在他们心灵中留下深深的投影，我想，那流浪在伏尔加河畔的土尔扈特蒙古人，当他们思念故乡时，一定思念过这棵树，是这个树的灵魂召唤他们的归来，这是蒙古人的寻根意识。

夕阳中，这棵孤独的胡杨树变得更加伟岸和肃穆，巨大的树影铺了一地绿诗，绿歌，满树的绿叶闪烁着绿蒙蒙、红茸茸的光晕，是一种生命之光。它虹吸天地淋漓之元气，根植四极八荒之旷野,长成巴音布鲁克草原一部伟大的经典。

我默默地望着夕阳中的胡杨树,只觉得它有着浓缩时空的幽玄,使我蓦然想起高更那幅名画《我们从哪里来?我们是谁?我们到哪里去?》中的"宇宙树"。

黄昏中的马

草原最宁静的时候是黄昏,夕阳在天边颤颤惊惊地抖索着,仿佛一不小心就摔个粉碎,它没有摔碎,但被锯齿形的山峰划破了脸,鲜血淋淋漓漓地滴落下来,渐渐湿了草滩,河湾,连山包也被弄得斑斑驳驳的红。这时天边出现一道宽阔而耀眼的绛紫色的光带,迤丽蜿蜒着,散发着浓郁的血腥气,使草原增添了一种恐怖的氛围。

随着夕阳的下沉,天地间呈现出太初的框架,天圆如张盖,地方如棋局,混沌的暮霭弥漫开来,野花、青草的面影变得模糊了,草原进入一种天地合一的和谐和静谧中。

我沿着一条无名的河流慢慢地走着,呼吸着野草的青苍气和晚霞的血腥气,只觉得黄昏的草原四面八方都弥漫着一种淡淡的惆怅,淡淡的悲怆,还有一种无可言状的哀伤。

我看见河对岸有匹马伫立山包上,面对落日,头颅微微垂下,脚下的牧草黑乎乎的淹没了马腿,而马鬃、马背、马尾都有鎏金般的霞光,它沉思的目光眺望着远方,远方落日在挣扎,晚霞在狂舞,流动的风扬起马尾,更具有一种动感,一种雕塑感。

落晖冥冥,暮色苍苍,大原荒荒,天地间伫立着一匹孤独的马,像一首哲理诗,一篇宗教的经典,抒写在这天荒地老的阔大背景上。

我知道，这马叫汗血马，汗水透血的马，马毛蒸汗，马血腾烟，肌腱勃怒，奔驰如电，这是汉天子梦寐以求的汗血马，是波斯王视为国宝的汗血马，是唐太宗视为神骏天骄的汗血马。它踏踏的马蹄富有的金属般的声韵，从青铜时代、从编钟前驰来，从刀耕火种、栽满剑戟的血土上驰来，从烽火狼烟、冰河入梦、大雪满弓刀中驰来，走进两千年后的草原。强健、刚毅、剽悍、潇洒，历千年风雪，毛不褪色，志不衰减，是天池之龙种，古西域之神灵。而今，我看见这汗血马独立黄昏，这马的静默和天与地交流的神圣里，一半是殷红，一半是沉郁；一半是沉思，一半是憧憬。

我分明看清那马的目光流露出忧伤、悲戚，像这黄昏的草原，也像草原的黄昏，一种悲剧的氤氲，扑面盈怀，直透肺腑，这形象，这意蕴，使我蓦然感到我和马有着共同的壮烈和忧伤。

托尔斯泰说："马是有感情、会思想的动物。"那么这匹孤独的马在思考什么呢？像孤独的散步者卢梭？像追忆流水年华的普鲁斯特？

我多想走近它，和它进行一番情感的交流。那马不理睬我，无声地凝视着落日。我想，它可是汉天子"神骥"的后裔？可是唐太宗"六骏"的后代？可是成吉思汗铁骑的第X代谪孙？它们的祖先曾创造"马踏飞燕"的传奇，曾写下"脚踩匈奴"的神话；踢翻了一个又一个王朝的御座，闯开一道又一道历史的铁幕；"落日照大旗，马鸣风萧萧"的悲壮，"铁马冰河入梦来"的豪放，"朝登剑阁云随马，夜渡巴江雨洗兵"的潇洒，"角声一动胡天晓"的壮烈，都展示了先辈们的生命强

陈长吟 摄影

悍和力度,写下边塞诗中最壮丽的一行;即使"野战格斗死,败马号鸣向天悲",那种杀气干云,血肉横飞的场面,那种萧萧悲鸣,也使天地震惊,壮怀千古!

进入二十世纪的黄昏,汗血马的子孙背负的梦想下垂了,它的颓势像落日一样,只能追逐着祖先英魂,低吟怅叹;肩上的使命脱落了,虽然眼前这片舞台还广袤得很,壮阔得很,后现代社会文明的带着血丝的眼睛尚未注目这片空旷和荒凉,当然它的脚步,还未惊动这里的肃穆和神圣,但是没有烽火羽檄,没有伐鼓鸣金,没有画角连营,空荡荡的舞台只是一个静场,当然,汗血马的后代也失去了展示力与美、张扬生命力的磅礴和恢宏的背景。尽管它可以和风长啸、飞鬃扬蹄地放肆地展示它的傲慢与剽悍,它的刚毅和勇猛,然而毕竟是一种生不逢时,怀才不遇的悲哀,有着"马放南山"英雄无用武之地的痛苦,有着壮志难酬,"栏杆拍遍,登临意,无人会"英雄末路的忧愤。

战争让战马走开。这是悲哀还是辉煌呢?我想起一位哲人的话:当人的智慧企图超越造物主的智慧时,他们的末日就来到了……

汗血马,这伊犁河谷、巴音布鲁克草原上的汗血马,两千多年来在这片乌孙国故土绵延不绝的汗血马,现在它的名字已变得陌生和黯淡了,当然它的传奇和故事也早已画上了句号。汗血马的祖先能想到它的子孙的衰败和悲哀吗?

我正在遐想,忽听见那马扬起头,对着落日,长啸一声,像一吐胸中郁垒,接着如鼓的马蹄踏踏地奔驰起来,敲打着大地和草原,草原颤栗起来,晚霞被惊得四散飞去,宁静的黄昏被撕得支离破碎。那马向着落日奔去,很快与地平线融在一起,和落日融在一起。

落日沉沦了,黄昏走至尽头。

戈 壁 有 我

大草原的尾声便是戈壁滩。

戈壁滩是死亡的草原。

七月流火,我们的汽车在热风炙浪的夹击下,气喘吁吁地挣扎爬行。

　　大戈壁汹涌澎湃地席卷而来,车速很慢。我的目光在前后左右的车窗外,以三百六十度的大视角纵横驰骋——这是纯种的戈壁,没有一点杂质,没有山阿,没有河流,没有背景,旷达的蓝天,缥缈的白云,一目荒旷的沉寂,一目宏阔的悲壮,粗莽零乱的线条,恣肆奔放的笔触,浮躁忧郁的色彩,构成浩瀚、壮美、沉郁、苍凉和富有野性的大写意,一种慑人心魄的大写意。成片成片灰褐色的砾石,面孔严肃,严肃得令人惊惶,令人悚然。这是大戈壁面靥上的痔瘤,还是层层叠叠的老年斑?

　　沉重的时间压满大戈壁。戈壁滩太苍老了,苍老得难以寻觅一缕青丝,难以撷到一缕年轻的记忆,仿佛历史就蹲在这里不再走了,昨天、今天,还有明天都凝固在一起。

　　但是,我们并未停下。车子从戈壁滩僵硬的面靥上碾过,而它无动于衷,一阵风轻巧地擦去轮痕,前面依旧是起起伏伏、莽莽苍苍的戈壁沙丘,疯长着亘古洪荒,铺满百代旷世的岑寂。

　　据说,我们的车行路线是古丝绸之路。在人类历史上,影响最深、持续时间最长的四大文化体系——中国文化体系、印度文化体系、伊斯兰文化体系、希腊罗马西欧文化体系——的交汇点,就是这条古丝绸之路。它是历史的通道和罗盘,它导引过心灵史、文明史以至于生物史,至今,敦煌宝窟的画壁上还生活着两千年前用骆驼贩运丝绸、茶叶和陶瓷的商人。想当年,这路上骆驼成列,驼铃叮咚,车马喧阗,驿站如珠,该是一片多么繁华的景象啊!而今丝绸之路荒芜了,湮灭了,罗盘生锈了。

汽车在奔驰。

又是一片僵硬的雷同化的灰褐色砾石,大大列列,蛮蛮横横。星星点点的芨芨草和三两墩红柳,像垂危的老人,它的青春和生命被风沙和干燥榨干了,它的灵魂也扬弃得无影无踪。炽白的蜃气把地球表面固有的绿涤荡得一干二净。

大戈壁藐视生命,嘲弄生命。我不知道它吞噬了多少如花的青春和如雨的血泪,这漫漫古道咽饮了多少驼铃的悲怆和戍边将士的悲绪;这浩浩风沙摇落了几多闺妇的春梦和相思树上苦涩的青果;这重重叠叠的砂砾下面又埋葬着几多累累白骨?而今,这里是死神盘踞着。鸟雀罕至,人迹罕至,天空是阳光恣意的泛滥,眼前是风沙的狂歌,亘古的蛮荒肆无忌惮地坦露着它的高傲和雄悍——这一切都像野兽派画家的杰作,不,这是宇宙之神的雕虫小技,完全按照它意念的任意涂抹。我想,宇宙之神在创造这戈壁巨幅时,肯定是情绪惶惑,思想苦闷,而又体力强壮,精力过剩。

这惊心动魄的苍凉和浩瀚,可以驰骋想象,既无高山的阻挡,又无噪音的干扰。我放飞思绪的小鸟,穿越时间的屏帐——我看见飞将军李广,汉家大将军霍去病的萧萧战马,猎猎大纛,迎风踏踏而去;我看见汉武帝的使臣张骞,大唐一代佛宗玄奘的驼队,昂首行进在戈壁荒漠,风沙浩浩,星路遥遥,驼蹄踏碎星夜的寒霜,驼铃摇落戈壁的黄昏。一曲折杨柳的哀吟,三两声阳关三叠的古韵,使这寂寞的氛围更添一抹凄凉,几缕悲怆……生命的漩涡,人类的梦幻,而今都化为一种历史的难堪,和风沙卷逝而去又卷来的喟叹。

你看,那一丛丛骆驼刺,被阻拦的沙尘形成一个个小丘,像坟墓似的,莫不是那里真的埋葬着戍边将士的遗骨?"醉卧沙场君莫笑，古来征战几人回？"坟丘"排列成一个个方阵，没有纸幡，没有花圈，没有墓碑，只有萧条和凄凉相伴，只有漠漠的阳光的抚慰，只有浩浩长风的哀吟。风过草梢丝丝做响，那是一代代古魂在悲泣么？

汽车穿行在"沙坟"中，索索的骆驼刺向我讲述着一幅幅战争的惨景——甲戈森森，旌旆烈烈，战马萧萧，厮杀声，嚎叫声，呐喊声，呻吟声，血染砂碛，尸暴荒野……这里原是一个古战场，战争的悲剧曾轰轰烈烈地演出一幕又一幕。目睹这漫漫戈壁，谁说这里是不毛之地？戈壁滩曾长出二十四史一页页辉煌，曾长出唐诗宋词的悲壮，曾长出阳关三叠的凄怆，也长出过"劝君更尽一杯酒，西出阳关无故人"的黯然神伤……

前面出现一座古城的废址。我们停下车来，走进废城。只见一堵堵被蚀的沙墙，默默地矗立在阳光下，似乎向苍天昭示着什么，祈祷着什么，也许是回忆昔日的丰采，哀吟今日的冷落。我不是考古学家，但从残垣断壁上，也能读出几个世纪前，这里曾是歌舞声喧，车流人浪，爱的疯狂，情的轻佻，茶的香馨，酒的浓醇……眼前却是一片死寂。轻轻拂去浮沙，那墙垣下部还有烟熏火燎的痕迹，也许是戈壁驼队曾在这里躲避过风暴，孤独的戈壁之旅曾在这里做过几缕温馨的寒梦。那驼队遗落的驼铃呢？那胡琴丢失的音符呢？举目四望，依然是雄风浩浩，飞沙漫漫，依然是裸体的黑褐色的砾石，几棵红柳和骆驼刺点缀着古道一千七百年的荒凉。还有一堵被风蚀的沙柱，像纪念碑似地矗立着庄严和孤独，向历史宣告，这里是一处神秘、恐怖、狞厉而又以慈悲为怀的密宗天地。

一切都被风沙埋没了，被时间的巨浪吞噬了。

人类是难以征服宇宙的。人类只是在宇宙的缝隙中默讨着生活的偶然幸存。在宇宙面前，人类是孤独的。几千年来，人类在这里播种的文明和文化、繁荣和繁华、恩爱和仇恨、美丽和丑恶、善良和罪孽……都化为了乌有。只留下这类似月球地貌似的灰褐色宣言，只留下太阳孤独的鸣唱，只留下漠风唱给死亡的挽歌！

一位哲学家说过，人类的悲哀与宇宙的存在是两个极端，人类的意识大于他的存在，宇宙的存在大于它的意识。

宇宙之神啊，你对生命永远保持着那种高傲的淡泊，冷酷的仪表，和狂妄的自尊；在宇宙眼里，人类不过是粘附在地球表层的微生物，宇宙的尺度从来不须衡量人类的行程和人生的历程，即使对秦时皓月汉时关，对五千年华夏历史的辉煌也不屑一顾。但是，在这狂风的起跑线上，在这起伏跌宕瀚海潮头，在这无边无际的空旷和寂寞中，宇宙之神也是孤独的，是那种无法渲泄的悲哀和难以倾诉的孤独。

我在戈壁滩上漫步。太阳已西斜，热浪开始退潮。

前面是戈壁，身后是戈壁，左边是戈壁，右边也是戈壁。我浑身长满戈壁意识。我不是随着戈壁走，而是戈壁随着我走。

荒凉，荒凉！荒凉得残酷、残忍、残重！然而在这荒凉之中，我却看到一切都是平等的，废墟比之灯火辉煌的大厦，瓦砾比之繁华的商业区，穷鬼乞丐比之亿元豪富，庶民百姓比之达官贵人，体现出更多的平等精神和民主意识。这是一切都处于湮灭中的平等，是一种无可奈何的平等，是宇宙之神随意创造的一种平等。

蛮野的豪风,粗砺的阳光,宇宙的宏阔,史前的苍茫,构成大戈壁的庄严和肃穆,构成一种不屈不挠地创造无数激越与奋争的瞬间的永恒。

四维空间只剩下一维。不,还有我!有我在,大戈壁便增加成了二维。我正处在洪荒炽情的拥抱中,我正处在亘古沉寂的热恋之中,我和宇宙之神肩并肩地站在遥远的地平线上,四周弥漫着"古从军"乐曲的那种郁回悲壮。此时此刻,只有我和宇宙之神在谈心、聊天。宇宙之神伏在我的肩头,悄声说:"大戈壁最美的风景是晚霞,不信,你等着瞧——"。

宇宙之神并未说假话。当大戈壁的黄昏降临之时,的确是一帧美丽悲怆的大风景。且看,远处那一道道起伏跌宕的沙梁,那是夕阳点燃的一条条火龙。火龙在晚风中飞跃腾动,发出一种啸啸的鸣叫,给戈壁滩增添无限的生机和壮观。而遍地的砾石,红光灼灼,热烈动人,像是谁遗弃的无数元宝。至于那阔大的天空,则开满绚丽的血红的野樱罂花——那种美丽的带有毒性的花!那是献给大戈壁热情的吻么?大戈壁也似乎年轻了,到处是深深浅浅、迷迷茫茫的金碧辉煌,而那骆驼刺和红柳也开出星星点点的红花,结满星星点点的红果,更添一抹斑驳富丽的景观,给人以庄严、神秘的感觉。

夕阳沉去了。我站在暮色中,只觉得自己也化为一朵花,向大戈壁倾吐着爱恋之曲;化为一棵草,一棵树,向宇宙颂扬着生命之歌!

梅　洁

仅仅是"楼兰人来不及种树了"吗?

一位始终在关怀、忧虑人类生存的作家,曾站在被沙漠湮埋的楼兰古城遗址,心情非常沉重。当他从出土文物中得知三千多年前的楼兰,也曾有环境学专家向国王建议对"砍树者"实行"罚马"、"罚牝牛",当国王将此建议晓谕臣民时,一切都已晚了,沙漠、狂风、干旱已开始疯狂地吞噬楼兰。楼兰人来不及种树了。我们完全可以想象,曾经"马蹄哒哒,驼铃声声,商贾使节络绎不绝"、处在古丝绸之路上的楼兰城的富裕和繁华；我们同样也可以想象，当沙暴卷来并湮埋这座城市时，无处逃生的楼兰人的惊恐与绝望。

于是这位作家站在位于塔里木盆地南缘的楼兰遗址，面对强大的塔克拉玛干大沙漠告诉人们：一切繁荣倘不以坚固的生态平衡为基础、丰富的自然资源为依托，那么繁荣就是靠不住的，一阵黄风就能刮走。

楼兰被湮埋了。和楼兰同时兴起在古代"丝绸之路"上的尼雅、卡拉当格、安迪尔、古皮山等繁华城镇也都先后湮没在近代的沙漠之中。这是世界旧大陆的悲剧。

当我穿行在辽阔的西鄂尔多斯荒原，当我行走在沟壑纵横、山塬破碎的甘肃定西和宁夏西海固，当我站定在漫漫无际的腾格里沙漠之中时，我总在想，仅仅是楼兰人来不及种树了吗？世界旧大陆的悲剧就不再发生了吗？

事实上，中国西部因贫困而蒙昧、因蒙昧而无节制的生育、又因恐怖的生育而降临给生存环境的巨大的、灾难性破坏已经发生——

我在宁夏采访时，随处可以看到和听到贫苦的农民和他们的孩子生钱的唯一办法是挖甘草，即使我在同心县韦州镇，很优秀的老师在赞扬某某女童能艰苦读书是因为该女童能吃苦挖甘草，赞扬该父母能供女孩念书也是要领我参观满屋子的甘草。人们居然不知道这一代又一代的挖甘草已经把宁夏整个的生存环境给毁得面目全非……

历史上的宁夏不是今天这样被沙漠和秃岭紧紧包围，自古就有"天下黄河富宁夏"之说，"黄河两岸，沃野千里"。唐人韦蟾在《送卢潘尚书入灵武》（灵武为今宁夏灵武县）诗中写道："贺兰山下果园成，塞北江南旧有名，水木万家朱户暗，弓刀千队铁衣明",说的就是宁夏"粮果飘香耕耘忙"的景象;《山海经》说六盘山上"其木多棕"。棕是亚热带植物,大量生长在六盘山上,足见六盘山和它脚下的西海固气候多么温暖湿润;然而今天的宁夏已是"一年一场风,从春刮到冬",春天的风可以将禾苗吹死、掩埋,夏天的风可以将庄稼"青干"在地里,秋天的风常使成熟的农作物纷纷落粒;曾经青山葱茏的六盘山下的西海固如今万山秃尽,每年水土流失数万平方公里,每年损失一亿多吨肥沃土壤,成为黄河中上游水土流失最严重的地区之一;宁夏土地沙化面积已达一千七百平方公里,地处西鄂尔多斯荒漠区的盐池县因滥挖甘草而使土地沙化面积已达七百多万亩,占县内沙区面积的86%!

甘草,又称"药王",属国家保护植物。在宁夏这样的干旱荒漠区,保护甘草更是保护草原的重要手段之一,然而宁夏却在疯狂地挖甘草。最早的"疯狂"始于1984年,四个县七十多万亩草场全部被破坏。1985年中宁县药材公司在完成下达收购十万斤甘草的任务之后,又超收七十万斤。草原管理部门向药材收购部门打官司,要求交纳草原建设费,然而官司输了。官司都输了,以后还能管什么?于是人们又一次疯狂地拥进了草原,不挖白不挖。1987年,宁夏自区至县,又下达了收购三百五十万斤甘草的任务指标。1993年,数千人、上百辆手扶拖拉机浩浩荡荡开进了盐池县草原,埋锅烧饭、安营扎寨地挖起了甘草。七十位农民跑到银川上访,问"草挖光了吃什么"。于是自治区政府下文"禁止采挖甘草",然而疯狂的采挖者们依然挖了四个月,把所有有甘草的草原全部翻了个底朝天。

1949年宁夏有甘草资源一千四百万亩,那时年收购量为七十五万公斤,1993年宁夏甘草资源减少了一半,只剩下七百多万亩,但当年收购任务居然为五百七十二万公斤!有人收就有人挖!是什么人在年年下达如此之高的收购甘草的指标呢?从八十年代至今,宁夏仅挖甘草一项直接和间接损坏的草原达八九百万亩!每年因挖甘草损失的牧草达五千万公斤,断掉五万只羊的粮草!

现在,宁夏甘草已经不多了,人们须到五十里外、一百里外去挖,挖不到就三五人合伙,拿上被褥、镢头、麻袋和锅碗瓢盆,开上手扶拖拉机到内蒙、新疆去挖……

然而,1998年9月,我在宁夏采访时,无论在农村还是在城市,无论是书报资料还是电视节目,都依然在说:"宁夏有三宝,枸杞发菜和甘草"。

《汉书·地理志》云:天水、陇西"山多林木,民以板为室屋"。今甘肃天水、陇西、定西等地域囊括了甘肃中部十八个贫困县。"民以板为室屋"的甘肃中东部地带什么时候变成"万丈厚土、寸草不生"的呢?

甘肃中部地区从东汉中期到解放前的两千多年间,多次暴发大规模战乱,战祸绵延先后达六十多年,给当地经济和自然环境造成重大破坏。《定西县志》记载:"清代以前,森林极盛。乾隆以后,东南二区砍伐殆尽,西北两区犹多大树,地方建筑实利赖焉。咸丰以后,西区一带仅存毛林供居民燃料。光绪初年左宗棠提倡种树,东自会宁,北至榆皋,西至临洮,道旁杨柳浓荫蔽日,名左公柳。光绪二十一年,建筑营房砍伐殆尽。"

由于自然生态的被破坏,这一地区旱灾发生的频率越来越短,从清朝二百六十三年中的十七年一旱,到1892年至1946年4年一旱,1952年始,变为1.4年一旱。"人相食"这一自然界最残酷的现象,许多年来我们这一代人只是作为一种理念而不敢实信。然而这一现象在甘肃中东部许多县志上都有赫然记录:1528年,靖远大饥,会宁大旱;陇西大旱人相食;环县大旱人相食;秦州各县大旱人相食。1548年,靖远大饥,饿殍盈野。1628年,靖远、会宁、兰州、庄浪大旱;定西、通渭大饥;环县旱,大饥,人相食……1635年,临洮夏旱,饿死甚众;会宁飞蝗蔽野。1865年,靖远大饥;皋兰冬大饥,饿殍载道……1930年,定西大旱,灾民三万……

1960年,定西、通渭、会宁一带大旱,赤地千里,老百姓挖草根、剥树皮而食。通渭灾情严重,饿死者甚众……

笔者在甘肃采访时,甘肃"两西指挥部"调研室张振江先生说到1982年的大旱:1982年一年没有下雨,粮食绝收,人畜饮水极度困难。政府动员数千人往灾区送水,送水车队经过时,天上飞的鸟,地上跑的大牲畜牛羊、猪、狗都疯狂地跑过来和人抢水。定西地区一百二十万人全部靠汽车拉水度命,国家补助拉水费近六百万元。张先生说,以定西为代表的甘肃中部十八个干旱县六百万人近四百万人没水吃。"吃粮靠返销,生活靠救济,生产靠贷款"在这一地区持续多年,仅定西地区从1973年至1982年吃国家返销粮十四亿公斤。"吃的救济粮,穿的黄军装"就是那些年中部地区的真实写照。

"始于1982年的'两西工程'是中国共产党的一大德政。没有'两西工程'就没有今天的甘肃。"张振江说。这位1968年甘肃农大水利系毕业的知识分子,几十年来,为甘肃水利发展和'两西工程'建设付出了巨大的努力,做了大量的调查研究。甘肃中部的干旱，主要是生态环境遭到了根本的破坏……"

张振江说到，为了落实中央的重大战略部署，1984年甘肃省委省政府抽调了一千多名专家、领导和干部对中部地区生态环境作了一次规模空前的调查研究。调查结果怵目惊心——

定西县：植被破坏呈持续性、全面性、群众性。破坏的方式主要铲草皮、挖草根。全县铲草皮、挖草根的面积达70.3万亩，占全县三荒面积的40%；全县草场超载放牧达2.5倍以上，天然林木已荡然无存，新栽林木也已毁掉54%……大量的生态破坏，造成了极为严重的恶果。全县每年水土流失一百八十万吨，每亩达三千三百公斤，伴随泥土每亩流失有机质二十二公斤，由此造成全县土地支离破碎，沟壑纵横，土壤瘠薄，耕地严重缺肥；自然灾害频繁发生，1950年至1983年三十四年中，大小旱灾二十三年，平均1.4年一次，其中粮草绝收的大旱达十年，除此，冰雹、霜冻也频频发生。1963年至1983年二十一年间，定西一县吃国家返销粮1.29亿斤。

永靖县：史载，永靖灌木丛生、牧草茂盛、牛羊成群。明清以后移民开荒，人口俱增，林草面积已逐年减少。1950年以后，永靖县人口失控，所有的负载都压在了土地之上，大面积开荒使永靖陷入"越穷越垦、越垦越穷"的恶性循环。首先是滥砍乱伐，使森林破坏殆尽：据小原村群众回忆，四十年代，那里只有九户人家四十七人，二百多亩地，山草长三十多厘米高，到处有次生林。后来，人口猛增，扩大开荒，把毛刺林连根挖出当柴烧，1958年吃食堂，次生林全部挖光。到1983年小原村人口已增加到一百一十七人，坪沟乡也由1950年的二千零四十二人增加到四千三百九十人，于是，森林复盖率仅剩 3.9%；林木砍完之后，永靖农民开始挖树根铲草皮。全县干旱区农户 1.47 万户，全年共需要燃料八千多万公斤，其中做饭需要四千八百多万公斤，煨炕需要三千三百多万公斤。这其中 44% 的燃料是烧秸秆和畜粪，其余则全靠铲草皮、挖树根。小原村户均铲草皮一千五百多公斤，面积近三十亩；再就是全县到超载过牧，把秸秆饲料和仅有的草场全算上，只够一半的牲畜牧用，超载达 50% 以上，迫使草场严重退化。环境的急骤恶化使永靖县水土流失面积达 78.55%，八十年代初，人均口粮只有一百五十斤，不够半年吃，人均收入只有四十元，十几元，吃盐都不够。

会宁县：1949 年以前，全县荒山植被达 60% 以上，近五十年会宁的人口几乎翻了两番，1998 年会宁人口为五十七万。50 年代会宁每年调出粮食一千一百多万公斤，六十年代会宁依然可以每年调出粮食八百九十多万公斤。从七十年代开始会宁非但没有余粮外调，每年还要调进粮食少则三千万、多则六千五百万公斤。会宁从一个余粮县变为一个严重缺粮县，致命的原因是人口的增加使会宁的山河遭到严重破坏。如同定西、永靖和其它县一样，七八十年代以后，会宁大约每天破坏植被三千—六千亩！如果按半年烧草根、半年烧秸秆，会宁一年破坏的植被也达五十到一百万亩！

……

现在，我们再来看青海。青海是黄河、长江的发源地，黄河是青海境内的第一大河，过境干流长一千九百六十公里。青海的湟水河、大通河等九十条河流汇入黄河，占黄河水量近一半，所以说青海是母亲河的最大输液者。然而，八十年代以来，大量淘金者涌入河湟谷地，使这里的人口增加了十倍。加之生育失控、草原过度放牧，今日的青海南部鼠类猖獗，毒草、杂草丛生，荒漠化面积迅速扩展。据国家环保局卫星图片显示，荒漠化速率已由七八十年代年均3.9%增加到九十年代年均20%，加快了近四倍。生态恶化使青海自1992年以来几乎年年发生旱情，受灾面积数百万亩，黄河的干流之一湟水流域每年因水土流失丢掉耕地上万亩。1997年黄河上游水量降到历史最低点，至使上游的两大水库龙羊峡、李家峡水库蓄水量减少了近25亿立方米，成为建库以来最少的一年。1998年8月我在青海采访时得知，那个周长为三百六十公里、世界上最大的咸水湖泊青海湖，从七十年代以来每年水位下降十至十三厘米，至使一些地方如今已露出了沙丘，形成了半岛。十年前，我到达过青海湖。那时，望着湛蓝湛蓝的湖水，我把它比做大海退却时遗落的一滴伤心的泪水，抑或是地球在山崩地裂地自我嬗变时留下的一份蓝色忆念。那时，我很诗意也很浪漫。十年后我又一次站在青海湖边，望着一天天一年年减少的湖水，我就想，当这滴泪水彻底干涸时，当这份忆念彻底泯灭时，地球将怎样抖动它的愤怒呢？那一刻，我很忧郁也很恐惧。

　　当我即将结束西部的采访时，我来到了腾格里沙漠南缘的沙坡头。当我独自站立在这无边无涯的瀚海里面，当我向波涛般凝固的黄色走去时，我居然不是恐惧，我体验的是博大、是敬畏。科学告诉我们，沙漠是在人类到达地球之前的几千万年，已经完成了它的铺张的，所以当人类出现时它已非常傲岸。但那时的沙漠还是有自知之明的，它仿佛对人类说：我们相依相存吧。那时的人类对它是敬畏的、不敢轻易触怒的，因为它是"天赐"的。"腾格里"是蒙语，意即"天上掉下来的"。可是后来人类狂妄了，得意忘形了，在这个桀骜不驯的大物面前不小心翼翼了，于是这个大物肆虐了。我不是在这里讲童话，因为依然是科学告诉我们，地球原本留给我们的原始沙漠是很少的，现在地球沙漠的87%是人类后来的活动造成的。

沙坡头是腾格里大沙漠南端紧逼黄河的连绵沙山，东西长十几公里，在黄河北岸堆积成高达百米的沙坝，这里曾经流沙纵横，平均每十个小时出现一次沙暴，沙暴一来，地毁人亡。沙坡头一带年降雨量只有二百毫米，蒸发量却为三千毫米，是降雨量的十五倍！沙漠每年以八至九米的速度向黄河方向推移。我想，如果沙坡头不出现一个治沙林场，不走来一批献身于治沙事业的专家和工人，黄河在这里早已成为地下河！那条抻长的京兰铁路不知已被湮埋过多少次！

1957年沙坡头建立了固沙林场。走来了专家，走来了工人农民。他们在茫茫沙海里安营扎寨，开始与人类的暴戾搏斗。他们创造了1×1米半隐蔽式草方格沙障固定流沙，那些草方格的草用的是麦秸或稻草秸。然后，他们又抢墒在草方格里播进草或灌木。三十年不懈的努力，三十年生与死、成功与失败的搏斗，终于在沿铁路两侧连绵不断的沙山上布下了一张绿色巨网，这张网宽近千米、长近七十公里，形成纵横几万亩的固沙林带。昔日吞村毁舍、席卷大地的黄沙被绿色巨网牢牢捕获，再也未能逞凶。绿色巨网曾经历了百年不遇的大沙暴的袭击，但安然无恙。

在沙坡头沙漠边沿高高地耸立着一座碑。那上面记载着1994年联合国命名沙坡头固沙组织为世界五百家最佳治沙单位的表彰内容。仰望那座沙漠中的丰碑，我感受着一种悲怆和震撼：这是人类对命运抗争的纪念。回眸南望依然喘息着、挣扎着穿越沙漠的黄河，我就想，我们的"生存教育"应该添加的内容，我们的老师应领孩子们常来沙坡头看看。告诉他一个楼兰、尼雅……可沙暴只仅仅湮没楼兰、尼雅……么？让他们回去告诉他们的父母；让他们长大了，告诉自己的孩子……

雾罩窑山

窑山，是中国西部宁夏回族自治区同心县一个贫困乡。

1998年7月、8月我走过了甘肃、青海之后，9月我便到了宁夏。我在宁夏走了很多的路，从宁北走到了宁南。我站在了腾格里沙漠南沿的黄河岸畔，我进入了那个曾经神秘存在而又最后彻底消失的西夏王国萧败的墓陵，当我穿越了六百平方公里的西鄂尔多斯荒原、然后翻越六盘山到达和甘肃定西一样有"苦甲天下"著称的宁夏南部山区西海固时，贫陋的窑山只是我行程中一个小小的驿站，可是，我还是想说说窑山。

在我赴宁夏之前，宁夏在我心中的印象有三种定格：第一，宁夏是个沙窝子；第二，天下黄河富宁夏；第三，穆斯林人的顽韧与强悍。所有的印象都来自既遥远而又贴近的传说。应该说，在完成了宁夏的行走之后，这三种印象都有了感性意义的再现。

今天，纯地理意义的宁夏可以说是腹背受敌：腾格里沙漠从东至北步步围逼，西边的贺兰山已剥蚀得面如死灰，南边数百平方公里的鄂尔多斯高地和塬、梁、峁、涧、沟壑纵横的黄土高原寸草不生，这也许就是人们说的"宁夏是个大沙窝"的缘由吧。

多亏了黄河。黄河从贺兰山南麓入境，折东麓北流至石嘴山出境，流经宁夏三百九十二公里，黄河过境处，沃野百里，水肥土美，果花飘香，谷米殷积，早在十六朝时便有"塞上江南"的美誉，这就是我后来到宁夏时看到的银川大平原——黄河大灌区。我抵达宁夏时已是9月上旬，一望无边的稻地青黄相间，再有二十天就要收割谷米，路边街市，摆满了中宁产的大枣、苹果，又脆又甜……也许，这就是"天下黄河富宁夏"了吧。

然而，曾经连续十八年出生率达44%、居全国第一的宁夏，如今人口已接近五百万，就这么一块绿地，还能富饶多少年呢？

9月12日，我独自一人走进了距银川北三十五公里处的九百多年前一个王朝墓陵——西夏京畿皇陵，在贺兰山下的洪积扇上，方圆十里建有九座帝陵和一百四十七座陪葬陵，这被称为"中国金字塔"的皇陵是一个已经在中国消声匿迹的民族——党项族皇朝的陵园，这个王朝曾经把自己的疆域辽阔到了今日的甘肃、宁夏、青海、陕西，内蒙古河套的全境，与北宋和辽国分庭鼎立。直到十三世纪初，成吉思汗带领的蒙古人灭了这个王朝。在长达190年的统治中，它创造了完全属于自己民族的文字——那最少十一笔划的象形文字据说今天在全国只有3人可以认读，那是西域神秘灿烂文化。西夏国的兴灭不是我此刻要写的内容，我只是想说，那个曾经神祇般养孕福佑了匈奴、羌戎、鲜卑、吐蕃、党项、蒙古等游牧民族的贺兰山，那个南北绵延二百五十公里、东西宽六十公里的贺兰山，绝对不是今天的"面如死灰"，它一定是峰高林密，树木葱茏，水草丰茂，马鹿成群，这不仅有明诗可鉴，更有遍布贺兰山的古岩画作证。

明人有诗赞贺兰山："贺兰之山八百里，极目长空高插天。断峰迤逦烟云阔，古塞微芒紫翠连"这是何等壮丽的自然景观。而贺兰山岩画更为世界著名，那数百幅凿刻在岩石上的牛、马、羊、犬、虎、豹、狼、鹿，以及飞禽以及牾牛，以及人类的活动：射猎、交媾、战争、群舞……贺兰山岩画既是古人类的文化遗存，也是对贺兰山自然生态的真实纪录。

然而，这一切都消失了，贺兰山秃了，金碧辉煌的西夏皇陵也只剩下几座偌大赫然的黄土堆。

站在颓败荒寂的陵园我四下眺望，眼前是一片白茫茫的盐碱地，"莫非银川是因为这一望无际的、如同银屑般的盐碱而得名的？"我茫然地想。

北边的文明消失了，宁夏人本可以掉转头往南走，因为南边有土层厚达二十至九十米的黄土高原，有耸立在黄土高原之上的六盘山。曾几何时，那黄土高原水草丰盛，牛羊成群；那六盘山上森林覆盖，古木绕云。史载，长安三百宫、咸阳阿房宫均取六盘山林木建盖。丝绸之路经宁南固原州，六盘山下，商贾、使节、僧侣穿梭，马邦、驼铃声声，成吉思汗十万人马驻扎六盘山，忽必烈让其子在此盖行宫……

然而，这一切也都消失了，六盘山上的森林绝迹了，黄土高原上寸草不生了，文明消失在人类活动的进程中。

也许，我们有一百条理由来说明文明消失的原因，但我们无论如何也无法躲避它最强大的敌手——野蛮与蒙昧。

今天，宁南山区八县全部为国家扶贫的贫困县，一场艰苦卓绝的"扶贫攻坚战"正在这块土地上进行。"苦甲天下的西海固"世界闻名。

"我们去西海固。"我对宁夏教科所王建华老师说。

"那我们就走窑山。"王老师说。

也许，王老师一生也不再会忘记窑山，做为一个知识的启蒙者，他在那里辛苦了十年。1968年夏天，王建华由宁夏大学数学系毕业，文化大革命使分配延迟了一年，1969年10月王建华被分配到贫困的同心，接受了一年"贫下中农再教育"之后，他到县教委报到，县教委说，你到窑山公社吧。王建华二话没说，找了辆拉货的大卡车，行李往车上一扔，人往车帮上一坐，摇摇晃晃五十里就到了窑山，县里的电话提前打到了公社，一个老师赶着毛驴来到窑山路口接王建华。那时窑山公社只是一所小学，四名教师，王建华是第五名，半年后，这所小学成立一个初中班，此为戴帽中学，王建华教初中班。没有学生，一家一家去找，最后找来了十二个学生，窑山中学就这样诞生了。除了教书，王建华和学生们一起拾柴，一起翻山越岭抬水，一起在校园里种树，冬天到了，王建华又和学生们一起四处集雪，然后把雪抬到学校的水窖里，这是他们最好的饮水啊。王建华在窑山一教就是十年……

9月13日晨8时，我们出发到窑山。

出银川市往南，不到两个小时我们就进入茫茫无涯的鄂尔多斯荒原。流沙在这里滚动，稀落的狗蒺藜、骆驼蓬、和芨芨草干枯而萎缩，这是一片死亡之海。惟有十里一座的烽火台在向荒原深处延伸，惟有这剥蚀风化的烽火台像一位苍重的老人，孤独地站在荒原向你诉说千年的狼烟、诉说曾经的刀光血影。王老师让全师傅把车停下来，他陪我向荒原高处的一座烽火台走去，此刻，一幕奇景出现了——一个穿红花衣服的女子领着三个孩子不知什么时候已在荒原站定，在这吞噬生命的瀚海，她们在等待什么？守望什么？我望着荒原中的女人和孩子，心中充满了惊惧和怜悯，此刻，我感到原本沉寂的荒原更加沉寂，原本孤独的荒原更加孤独。

自治区教育学院全师傅开的老"伏尔加"已跑了十四年，行程已达四十万公里，全师傅说早该报废了，因为没有钱买新车，它只好超期服役。此刻，老"伏尔加"如一峰伤痕累累的骆驼，在荒原里艰难爬行，我们用了足足两个小时，才走出鄂尔多斯台地。

我们在古老的韦州镇回民女小呆了一天一夜，然后继续往窑山赶。

老"伏尔加"在黄土高原上山、下山，再上山、再下山，不知不觉中，我发现我们连人带车都已坠在了茫茫无边的雾海中，山路的能见度只有几米。全师傅说我们已到了大郎顶，大郎顶海拔二千八百米。

此刻，坐在全师傅身边的王老师不时地在提醒全师傅："开慢点，开慢点……"他声音很低，但我分明听出了他的紧张，王老师的提醒使人意识到老"伏尔加"已走进了悬崖峭壁，这时我才明白这大雾的来头。只见车窗外的雾白如棉絮，时而轻轻漫漫地飘拂，时而又波涛滚滚地翻涌。此刻，我想起数年前我乘机飞往格尔木时的心境，在万米高空望着机下白如棉絮静如死海的云涛,我产生了一种幻觉:若飞机坠落,这厚厚的云海会是一床棉被把我轻轻托住……无限的惊恐赐予我无望的寄托。在大郎顶,这种莫名的心境伴随着恐惧又出现了。"开慢点!开慢点……"王老师还在叮嘱,全师傅一声不吭。

几十分钟后,当我们"掉"在了一个沟底,我仿佛也从天空"坠"到了地上,长长出了一口气。"你老让我开慢点,我知道你是不信任我……"长着维吾尔人模样的全师傅说。"我主要是操心人家梅老师,这么远来宁夏出了事负不起责任。我倒不怕……"三人"卟哧"一笑。

一路进王家古窑小学,进田老庄小学,进胡庄完小,进岳家川小学,进李家山小学……几乎每一所小学每一个教室里,都有学生站着上课,因为他们没有凳子,到处都可以看到孩子们四个人挤一张桌子。岳家川小学三十六个一年级学生在教室外的土院里,用树棍和废电池的炭棒在地上写字,他们和三年级组成复式班,因为教室占不下,两个年级只好轮流上"露天课"……

正午,我们到达窑山。

我曾在下马关买了一百支铅笔,二十把削笔刀,我准备把它们送给窑山的孩子,因为我听王老师说窑山的孩子常常因买不起一支铅笔而辍学。

窑山是宁夏南部山区同心县的一个贫困乡。同心县和西吉、海原、固原三县(简称"西海固")同为著名的"三西工程"移民县。和西部黄土高原的任何县份一样,同心县境内地形十分破碎,山、塬、涧、川、丘陵交错纵横,干旱、风沙是这里气候的主要特征,年降水量仅为二百七十二毫米,而年蒸发量高达二千三百二十五毫米,是降水量的 8.5 倍;岁月已把同心的植被剥蚀殆尽，森林覆盖率仅为 1.3%；1949 年全县 95% 的人口是文盲或半文盲，儿童入学率仅为 0.63%，女童更是寥寥无几，当时粮食亩产只有十五公斤；1997 年同心县已有六万多名中小学学生，学龄儿童入学率已达 92.4%，女童入学率 83.3%，同心县是宁夏回族人口最多的县，对于一个回民高度集中的地区，这样的前行已经很是不易。也如同所有贫困的地方一样——越穷人口越是急骤膨胀，同心县人口增长的速度远远高于全国和宁夏全区的增长速度，1949 年同心县只有二万多人，1997 年同心县人口为 33.4 万人，其中回族占 80.4%，比 1949 年增长了 11.5 倍，平均年增长率为 5.7%（全国为 2.7，发达国家仅为 0.7），每平方公里已达四十八人，人口的压力已使同心破碎的土地不堪负重，教育也随之受损，"三西工程"同心计划移民十万人。我们权且认为那个 5.6% 的失学儿童的统计是准确的话，那全县依然每年有三千四百多名儿童加入文盲队伍，其中二千七百多名为女童。

窑山是同心县最贫困的乡之一，全县三十七个贫困村窑山的 13 个行政村全部包括在其中。解放前，窑山没有一所学校，也没有一个识字的人，结绳记账，画渠渠子记帐。1952 年窑山办起第一所小学，又过了二十年于 1972 年窑山办起第一所初级中学，也就是王老师来后办的那所中学。又过了二十五年，即 1997 年窑山学龄儿童入学率仅为 73%，女童完成小学五年学业的不到 5%，全乡一千零七十八名学龄儿童有四百七十多名失学，窑山至今十二岁以上的回族妇女文盲仍高达 89%。窑山极缺老师，民办老师、代课老师占了 58%，女教师尤其缺乏，全乡九十八名老师只有二名公办女教师，另有四名代课女老师。

我见到了窑山自己的第一个女教师——窑山小学五年级班主任杨梅花；

我也见到了第一个回窑山教书的女大学生——窑山中学生物、物理老师杨英。

这是窑山顶上两棵绿色的树，这是窑山天空两颗希望的星。

窑山学区年轻的学区校长马景海对我说，窑山乡现在有36所小学，一所中学，实在是因为贫困使这里的许多孩子上不了学。年成好点，上学的就多，年成一不好，马上大批地失学。1996年受灾，全乡一千四百名适龄儿童，只招了三百个学生，一千一百个孩子失学；1998年收成好些，招了六百零五人，贫困地区教育也是"靠天收"。马景海说，孩子们主要是交不起书本费，如果国家把课本费免了，孩子们全能上学。每年开学，怕新华书店不给课本，全乡九十八名老师（其中包括五十多名民办、代课老师）把两个月的工资四万元全部交给新华书店，先垫上把学生们的课本买回来，等慢慢收起学生们的钱再给老师们发工资，有的学生始终也交不起，老师只好给垫上。民办老师一月只有五十元工资，一年还只发九个月，再给学生们垫上课本钱，有的一年也拿不到二三百元钱。民办老师、代课老师实在是太廉价的劳动力。马景海还说，窑山人均收入不足二百元，口粮每年不够吃，一点生钱的法都没有，只靠抓发菜、挖甘草维持个油盐钱。过去甘草能挖到，挖一斤甘草能卖一元多，一天能挖个十几斤，发菜抓一天也能抓个半两一两，能卖十几元。现在甘草挖光了，发菜抓完了，生钱的法儿眼看也没了。现在挖甘草要跑四五十里远，最远的二百多里地。现在有不少人到内蒙、新疆抓发菜，拿上粮食、锅、破皮子，自己做饭，白天抓，夜里睡露天地……

做为一个基层教育工作者，马景海真实的叙说已经使我们看到了窑山生存的艰难，应该说，窑山是整个西部的一个缩影。也许，马景海忽略了另外一面，那就是成千上万的西部人一年又一年、一代又一代的挖甘草、抓发菜，最终彻底破坏了西部的生态环境，西部今天之所以万丈厚土寸草不生，不能说与挖甘草、抓发菜没有关系。可是，不挖甘草、不抓发菜他们会活得更加艰难。

这是一个生存陷阱。

人类什么时候就掉进了这个陷阱的呢？

如果我们少增加一些人口，如果我们早一些办好教育，如果我们更早一些懂得人类和大自然须臾不可分离……也许，我们就不会掉进这个陷阱，或者这个陷阱浅一些，我们挣扎一番还能爬出来。

然而悲哀地是在陷阱出现之前，没有人能告诉人类这些"如果"。

即使天宇间曾经出现了智者的大音，最终也被愚昧和狂妄席卷了……

愚昧将使人类遭受大罚。

王宗仁

传说噶尔木

　　任何一个渴盼生存并企望生活过得美好、舒心的人，都不会把到繁华都市居住的机会拒之门外；恰恰相反，物资匮乏、气候恶劣、连吃氧气都定量供应的高原小城噶尔木，却让我如痴如醉地苦恋了几十年。

　　噶尔木如一片黄叶，飘在昆仑山下冷冷的荒漠上。它给我留下了刻骨铭心的印象。那是一个让我恨之不起爱之不够的地方，恨与爱交织在一起，噶尔木便成了我人生风雪旅途上最初的一个驿站。

说起我对噶尔木的情有独钟，总会想起一位朋友在那里写下的诗句：高原的美丽属于缺氧／万物在严重缺氧的日子里／展示着苍凉宏大的妩媚……

用"缺氧"这两个可恶的字眼来透视高原的美丽，这绝对是独到发现。我敢肯定，只有被高山反应折腾得死去活来却又忠贞不渝地爱着这块高地的人，才会吐出如此有气派的诗句；也只有在缺氧地区踩踏过的人才能理解这位诗人的胸襟与感情。

所谓恨到极处便是爱。果真如此！

噶尔木的位置在柴达木盆地的南沿，南行四十公里便是昆仑山，北走二百余公里就到祁连山，与它毗邻的是察尔汉盐湖，是中国乃至在全世界上都算得上最大的盐湖了，其盐的储量在六百亿吨以上，可供全世界人口食用二百多年。噶尔木这三个字系蒙古语，意为"河流密集的地方"。噶尔木河从小城的边沿缓缓淌过，它是由昆仑河与舒尔干河汇流而成的，河之源是昆仑山的雪，积雪封冻的季节正是小河亮肚皮的日子。昆仑山因为雪，白到一无所有。自然缺水是无疑了。但是，如果没有它的雪，就不会有山下的河了。在我的印象里，噶尔木并没有因了这条雪水河而变得湿润、温柔起来，它的干燥、苦涩贯串春夏秋冬四季。

一场罕见的大雪偏偏叫我遇上。我讲的故事就与那场雪有关……

噶尔木的那个飘着大雪、一切都被雪雾笼罩着的早晨，对十八岁的我来说，是这辈子都无法忘记的触目惊心的时刻。我是第一次眼睁睁地看着一个如花的生命在无可奈何地挣扎了一阵子后枯萎而去。"我再也不看人是怎样把最后一口气咽下去的了！"三十多年后的我仍然心有余悸地这样感叹那个早晨那件事对我情感的恶性刺激。

我记忆的银屏上清清楚楚地显示着：那是春节放假的第三天，正月初三，满世界都旋转着雪花。飞雪使昆仑山失去顶点，使噶尔木河断了喘息。我晨练散步来到噶尔木转盘路口。雪雾浑沌，寒风哭嚎，路口的所有景物都被雪抹平了，掩埋了。只有一块路牌滴雪不沾地裸露于皑皑雪原，上面标明："西至芒崖三百八十五公里，东至西宁八百零六公里，北至敦煌、安西六百六十公里，南至拉萨一千二百三十七公里"。每次，一到这个转盘路口，我就觉得自己的目光一下子投向了祖国的四面八方，有一种从谷底跃上峰巅的感觉。可是，那天早晨，我在噶尔木转盘路口除了看到弥漫的风雪，还是弥漫的风雪。四方的路上断了行车，路牌寂寞而冰冷地面我而立。我断定，鸟儿在黎明前已飞去，野狼还懒在窝里。我正要走开时，突然看到从路边的一顶帐篷里闪出来一个人影，疯了似地朝盐湖方向跑去。接着就听见帐篷里的杂乱无章的吵声，我便走了进去。就这样，我看到了那个生命在最后挣扎时的凄惨情景。

死者是个年轻的女军人，往大处想也就是二十岁刚出头。看不出她是战士还是军官，也无法辨认她服役于哪个部队。当然，事后我是得到了只言片语她的情况。她是随一支去边防某地执勤小分队进藏行至唐古拉山下的雁石坪时，实在难以忍受高山反应的猛烈折磨，只好留在那里了。部队临走前把她交给一位藏族老阿爸照料。当天，女军人的病情就急剧加重，老阿爸慌手慌脚不知如何处理，他只得背着女军人站在公路中央拦了一辆车，将她送到噶尔木。当时噶尔木还没有一家成形的医院,她被老阿爸和几个路人抬到转盘路口的一顶军用帐篷里,由兵站的一个卫生员给她作最后的抢救治疗……我在散步时碰巧遇上了她。直到今天我在写她时还没有足够的勇气回忆当时我看到的她的那张脸。那是一张犹如我们常见的猪肝那样的紫色脸膛。她的嘴唇像一片干渴的沙漠,唇边裂了许多血色细缝,却无血流出来。她已经没有多少力气说话了,只是每隔一会儿用近乎哀求的、微弱的声音喊道:"我的头要爆炸了,救救我吧!"涉世尚浅的我当时并不理解她的话,心想,怎么会有人炸她的脑壳呢?在以后我生活于高原穷山恶水间的漫长日子里,当高山反应袭击到我身上时,我才真的体会到了"爆炸"的滋味。那种剧痛使你的一切信念在顷刻间泯灭,脑海里就留下了一个字;死!死比什么都幸福。死可以摆脱一切痛苦。

女军人始终喊着那句话,声音一阵比一阵微弱,直至最后停止了呼吸,嘴仍在微微地张着。我读出了那已经凝固在唇上的声音:救救我吧!

她走了!从昆仑山下的噶尔木路口起步踏上了她远行的路。那一刻,她衣领上的领章格外艳红、耀眼!

我已经完全没有散步的雅兴了,正要转身回军营时,听到一个司机模样穿戴的人说了一句话:"哪怕有一口氧气,也许会救下她的命!"这是我第一次听说因为缺氧使一个人被置于了死地,实在可怕。我在原地站了许久,思忖着今后该怎样在这个地方生活。

高原空气里的含氧量只有内地的一半。缺氧时刻都威胁着人们的生命。

这就是我初到噶尔木所见的一件事,算不上辉煌,却很悲壮。噶尔木就这样用一个独特的见面礼把它那本来就非同寻常的风韵烙入了我的脑际。

我相信,那一刻女军人家乡山坡上的映山红含满了泪珠;其实,我并不知道女军人的姓名,更不晓得她的家乡在哪里,但是,我相信她家村前或村后会有一片映山红。

现在回想起来,我对了解女军人的死留下了许多的遗憾。最不该出现的憾事是我没有打听她的遗体是如何处理的。当时,她的部队没有人在噶尔木,她的亲人也不可能在身边,噶尔木没有她一个熟人、战友,她是孤身一人踏上了远行之路的。她将走向哪里?不知道……

我的粗疏,或者说我的幼稚,在我的高原生活中留下了很大的空白。有空白才能产生想象,才有驰骋的空间。这使这个故事后来一次又一次地延续了下去。

那年正月里的那场雪不歇气地下了半个多月。整个青藏高原都被白雪覆盖了。

没有一条路是通的。

雪停了的那天早晨,我又外出晨练,散步。我仍然从噶尔木转盘路口起步,向郊外走去。

无边无际的雪原很亮,很空,深远而寂静。我走出去不久,就不辨东南西北了。但是,我知道我的脚下就是察尔汉盐湖。我也知道我不会迷路,留在雪地上那一行歪歪扭扭的脚印的顶头,就是我们的营房。

我可以断言,在这个偌大的雪原上只有我一个人在这个寂静的早晨踏雪而行。我不知道我会到什么地方去,但是我坚持朝前走着。低着头,闭着眼睛,我也不会走出昆仑山的怀抱。踏雪散步绝对是一件非常惬意的事情,我觉得自己腹腔内的器官被整个地掏空了,纯白而圣洁的雪将我的胸脯与雪原十分妥贴地交融在一起,整个雪原犹如一片白衣襟似地挂在我胸前,潇洒、爽心!我的脚步由开始的急促赶路逐渐变成了缓慢地欣赏雪景。我专心致志地倾听着那绵长、清脆的踏雪声,分明是从我的脚下发出,我却感到它来自遥远的天畔。这种听觉上的错觉,使我的踏雪声荡满了整个宇宙。我的心随着这独特且美妙的声音荡悠,一会儿升空一会儿落地,一会儿飘到很远的地方一会儿又牵回脚下。我真的被我自己陶醉了!

不知走了多久,在我的"白衣襟"里突然出现了几个黑点?黑影?极小,极小。最初,我还以为是有人也像我一样踏雪寻乐——在那样一个广袤而坦荡的雪原上,人影与小黑点确实是难以分辨的——后来,我顿脚细瞧,才看清原来是一片一片的脚印。其实,说成足迹更确切,因为那只不过是留在地上的一个个圆坑,弄不清是人或别的什么动物踩踏出来的。不可思议的是,它为什么猛乍乍的好像从天而降地出现在雪原上?当然,我不排除这种可能:那踏雪者留在前面的足迹被狂风暴雪扫平了,后来雪停风止,其继续行走,足迹便留住了。

总之,这足迹奇特,玄妙,我无法弄清它的来龙去脉。索性,不管那么多了,权当它是我散步路上遇到的一道风景。

这时候,茫茫雪原更空寂、阔远,连刚才极目可望的昆仑山的皑皑雪峰也与雪原融汇为一体,消失得无踪无影了。只有那一行足迹显露在我面前,一直延伸到望不到边际的雪平线上。我散步的悠闲全无,心被一个愿望牵着。

什么愿望?

我莫名其妙地相信这行足迹的顶端会有一个什么故事。

诱惑也是一种力量。我迈着快捷的步子走着,像彩云追月，追的是投入到记忆中的一道影子。不久，额头就冒汗了，身上也粘糊糊地渗出了一层汗泥，我把皮帽掀掉，拿在手中，这样走起路来轻松了许多。这会儿，如果旁边有人看到我，一定会发现我的头上像刚揭锅的蒸笼冒着热气。我走得酣畅、开心。

时间被我有节奏的踏雪声踩碎，又被悠悠多情的晨风衔接在一起。约摸一个小时过去了，我回头一看，火球似的太阳从身后的东边天畔已经升起了一竿高。阳光的碎片给雪山镀上了一层美丽的金粉，昆仑山罩上了一件桔红的彩衣，原先那洁白的雪也变成了似金似银的颜色。我真无法用文字形容出那一刻我是在多么壮丽、温暖的氛围里行走，只想骄傲地告诉我的读者：昆仑山的美丽超过我所见过的每一座名山。

美丽的时刻总是不会持久的。在我行走了不到千米的时候，随着太阳的逐渐升高，大地的彩衣流星般消失。雪原又恢复了一望无际的白亮，辽远。一切都变得如前一样的单调，寂寞。

我听见了阳光碰在雪地上的声音，微弱，细碎，蜜蜂在花蕊上忙碌时一般。

这之后，我走了最多不到半里地，遇到的一件事就成了我这一生也很难解开的一个谜。一直被我追随的那行足迹突然断线了，是在一池水前消失的。

我茫然地止步在水池前。我确实觉得这水里储存着复杂的故事，说不上是风雨、暴雪还是涛声，也弄不清是雪原的故事、冰川的故事还是战友的故事。我一时手足无措，思绪恍惚。在我的脑子稍有清醒后，才仔细地打量起了这池仿佛从天而降的水——

水池如澡盆般大，其开头并不规则，周围是参差不齐的冰碴、冻雪，水面上浮游着许多大小不一的冰块。给人的感觉水池下似乎深埋着什么活物，鱼？水贼？或别的什么？我站在原地静静地观察了约五六分钟，才猛地发现它并不是水池，而是从冰河上砸开的一个冰窟窿，河下未冻冰的水便从这窟窿里冒了上来。从冰碴上可以推知，河冰相当厚，一寸到二寸。能想象得出砸冰人费了相当大的力气。

昆仑山很大，噶尔木河太小。我有预感，冰窟窿里翻卷着的冰块绝不是笑，也不会是歌。我满脑子的疑团。

是谁砸开的冰洞？雪原上那行足迹来自何处？足迹与冰洞之间有什么必然的联系？

大西北荒漠上的每一块坚硬的戈壁石也许很温暖，但却是读不懂的故事！

一只苍鹰飞过了昆仑山。天地变小了。

……

那天，我回到军营给战友们讲了我的这次奇遇，他们没有一个人相信我的鬼话，都说我中了邪，看花了眼。我一遍又一遍地声辩也无济于事。战友们一口咬定我是被类似白蛇精的什么魔精缠了身。其中一位还说，自古昆仑山就是出魔魂的地方，你看那吃尸的鹰鹫天天在山顶盘旋，食人肉是它的嗜好，还能不算鬼魔么？

我无话可说。

两天后，噶尔木大街上疯传着一个消息：昆仑河畔发现了一位藏族老人的尸首，死者身上没有任何痕迹，惟有杈子枪的枪托是破碎的。

又过了些日子，地上的积雪消融，人们在那位老人尸体的旁边看到一只死狼，狼的身上千疮百孔，显然老人死前与这恶狼有过一场生死搏斗。按一般推理，狼很可能丧命于老人手下。可是老人是怎么死的，却是个谜。

藏族老人和野狼倒下去的地方，正是在我看到的那个冰窟窿附近。

我的心头一颤，却不知该说些什么……

冰窟窿、藏族老人、野狼，这三者之间似乎应该有什么联系，有一个故事。但是，我无法琢磨透。

夕阳落下山，阳光依然灿烂。世界上就是有这样让你不能理解的事情。其实，并非不能理解，而是你未找到钥匙，有了钥匙，只需轻轻一撞，就会轻而易举地看清它。

我在以后的几十年间，总是努力地回忆着那个雪后的早晨，想着是否当时有个什么人或者什么事被我的粗心漏掉了或淡忘了，才让我的心里留下了一个难解的谜。

心中没有底，我却牢牢记着。

我一次又一次追寻，一次又一次失望。

完全是个偶然的机会，一个意外的线索给了我一个惊喜，令我豁然开朗。也正是这个惊喜加重了我的心事，因为它把我心里的另一桩昏昏欲睡的往事撞醒，那个因为缺氧而死去的女军人……

1996年夏，我重返昆仑山。

噶尔木路口的变化是与这座城市日新月异的发展同步进行的。我再不敢小视它为荒漠小镇了，当然这种飞跃性变化也体现在了转盘路口周围。昔日坑坑洼洼的路面以及通往西宁、拉萨、敦煌、芒崖的沙土路，早在十多年前就被铮亮闪光的柏油马路所代替。转盘路的中间是一个很大、很壮观、蓬勃着几乎在内地都可以看到的各种花卉的大花坛。四周的楼房高高低低地绵延到远方,一直与昆仑雪峰相衔。

我是个抱着过去岁月不肯松手的固守者,越是看到眼前的这些现代化情景,就越是想追寻噶尔木当初的简陋与质朴。于是,在我被安排住在一个很讲究的军人招待所的第一个清晨,我便拉上与我同行的一位小青年,坚持我的每日散步之旅。当然是从噶尔木路口开步的。

没有落雪,满眼都是冰。

当时,我确实没有怀旧之外的别的想法。仅仅是散步——怀旧,如此而已。但是,如果说我把当年从这里起步晨练时的奇遇遗忘了,那也绝不真实。往事是在脑海里一闪而过地浮现了一下。也许正因为没有意追求什么,只是闲淡地散步,才使我又有了一次奇遇。这次奇遇和上次的奇遇相隔三十余年,可以说完全是两码事,但是,我把它们牵在了一起。

是的,一脉相承……

我俩沿着噶尔木河走,向南,对面就是昆仑山。说是对面,可是走了好久也没有走进它跟前,反而有一种越走越远的感觉。望山跑死马。在戈壁滩跋涉的人对此体会尤深。

风是在荒原上少见的和风,但因为是逆我们而吹,它的力度无形中增大了。我们踩起的沙土被风扬起,在空寂的山野飘成一条条烟尘,很是美丽。走着走着,噶尔木河拐了个90度的死弯,我们也跟着拐弯,继续沿河而行。方向变了,向北走。就在这时候,我发现前面天地衔接的地方,腾飞着一缕一缕的尘土,最初我还以为是有人也像我们一样在戈壁滩上赶路。后来,走近了,才看清是一个人铲着沙土。他的面前是一个土堆。

我止步。面前站着一个藏族老人,他拿着一把木锹,望着我们却不说话。老人的那双眼睛很有穿透力,我觉得他的目光渗入到了我的体内。藏家人的警惕性蛮高,特别是对汉人。

空间骤然变小了,我感到胸闷。

为消除他的疑虑,我赶紧说明我俩是游转戈壁滩的闲人,就住在噶尔木。他信了,点头。他也告诉我们,他是来扫墓的,家住在乌图美仁乡。他的汉语说得这么流利,这是我没有想到的。

我这才想起清明节快到了,同时也明白了他身边的那个土堆是个坟包。

我问:这里埋的你什么人?他说,不是我的什么人,也不知道是谁的什么人。我惊讶地望着他。他不语,又举起木锹给墓堆上铲了一锹土。

我们都静静地站着,不知该说些什么。戈壁风的呜呜声在耳旁疯狂地叫着。我留意起了他手中的那锹,为什么是木锹呢?这东西在内地早就绝迹了。

藏族老人的警惕令人折服,他显然也注意起了我在注意他手中那家什,便说:这是特意找来的一把木锹,怕伤着了他!

可见这个不知道是何人的死者在他心目中的分量是很重的。我期待着,相信他还会有话对我说。

戈壁风连身都不转地旋转着。

后来,他果然拔出嘴里的烟斗,讲了下面这个故事。

他说,这是噶尔木的一个新传说,却也有几十年了。我问:几十年还算新传说吗?他说,从几十年前传到现在,常传常新嘛!我说,也是。那一定是个很有内容的故事了。

他接着讲了下去。据说，埋在戈壁滩这个坟里的人是在一次与野狼搏斗时丧命的。当然野狼也被他捶死了。狼的遗骸早已被岁月风化，变成了戈壁滩上空挤不出水滴的干云。这个人不是无缘无故地斗狼，为的是保护一具尸体。尸体倒是保住了，他也变成了尸体。

那个年代，噶尔木其实就是一片荒滩，狼很多，且凶。人烟稀少的地方，任何一种野兽都有可能占山为王。那天夜里，当噶尔木河畔猛乍乍地躺着一具尸体时，一双绿电灯泡似的狼眼穿过沉沉夜幕，从昆仑山的方向射了出来，狼是被尸体的腥味引诱出来的，它很灵敏。但是，它做梦都没有想到，眼看到嘴的一顿美餐因为遇到了一个难以对付的敌手而告吹。这个敌手并不是它的同类，而是一位藏族老人。后来，人们相传，那老人是守尸人。至于他与死者是何关系以及他从何处而来，一概不知。另一种说法是，那晚老人夜行路过噶尔木河畔时，碰巧遇上了吃尸的野狼。总之，老人在发现野狼要碎尸饱餐时，便勇敢地迎上去与狼厮拼起来。当时野狼已经叼起尸体拖拉了一段路，老人追赶上去从狼嘴里夺过了尸体。野狼自然不会甘心，便反扑，再去夺抢。俗称：狼是铜头铁背豆腐腰，外加四条麻秆腿。老者深谙此道，只见他一个狠拳砸在狼腰上，狼趔趄了一下，几乎倒地。老人乘胜又给了那狼一个黑虎掏心，狼就懵了，后退几步，蹲在地上，与老人对峙起来。狼在寻找或者说在等待机会。老人的机智聪慧就在于他总是先发治狼，绝不给狼喘息的间隙。他又主动扑上去与狼搏斗起来。狼已经发现自己今天遇上了难缠的敌手，还不等老人上来它就退了。退至一二米外，狼又蹲卧在地，继续对峙。

不给狼喘息，老人便赢得了时间。这当儿，藏族老人很麻利地背起地上的尸体,坠入噶尔木河中,让水漂流而下。藏家自古就有天葬、水葬,天葬为上。那夜老人只能给死者实行水葬了。令人生疑的是,当时噶尔木河结着厚厚的冰,滴水不流,不知老人是怎么把尸体放入水中漂走的?

就在老人将尸体投放河中时,野狼怒冲冲地冲上来与他争尸。那凶残的样子分明是要拿活人作替代,以报他放走它一顿美餐之仇。那个夜晚的那个时刻,人与狼拼搏得很激烈,狼虽然被老人的铁拳砸得遍体是伤,但是它并未被降服,始终顶着野劲与敌手厮斗。老人进一步,它死守不退。老人给它一拳,它还来一扑。僵持许久,难分胜败……

"那么,最后的结局怎么样?"我按捺不住急切的心情,问了一句手拿木锨的藏族阿爸。

他摇摇头,说:不知道。

过了片刻,他将木锨插在沙地上,才讲了如下一番话:

老人死了!但是,人们看到他时他身上没有伤痕,这起码说明这样一个事实:狼在他之前已死去了。据大家分析,他是挣死的。我忙问一句,何为挣?他说:你不知道,这地方空气稀薄,氧气很少,老人纯粹是用超人的意志斗恶狼的。力气耗尽了,他的生命也就走到了头。如果有氧气,他不会死的!

这话,我听过……

数十年间,我多少次闯荡青藏高原,见到过因缺氧而丧命的人可以说难以计数。可是,土生土长的藏家人因为缺氧而丢了生命的事,我确实是第一次听说。可见高原缺氧对人们的摧残乃至残杀是六亲不认的。藏族老人死了,野狼也死了。然而,缺氧的土地孕育出来的故事却是鲜活活的嫩。高原人要生存，要有所爱或有所恨，就必须在这种缺氧环境中顽强地表现自己的智慧，同时，还要不断创造智慧。

戈壁里的胡杨才最像真正的树。藏族老人手中的木锨如果插在戈壁滩，定会长成一棵胡杨大树。我这么想。

噶尔木的传说引起我的极大兴趣是因为我把它引伸到早年间我看到的那具女兵的尸体和冰窟窿周围的现场，我莫名其妙地觉得它们之间应该有一个穿针引线的内在故事。可是，我无法找到这个故事。

缺氧的日子很苦涩。

缺氧的土地能长树。

我并不茫然。

气喘喘的我仍然要寻找不死的故事，编写我的著作。因为我的战友包括我自己还要生生不息地在这里创造新的生活，繁衍子孙。

我从藏族老人手中接过木锨，给那墓堆上添了一锨土——没有新土，戈壁滩上所有的土都缺乏水分。

愿这个墓包不死，不老。

我继续前行。

骆驼草茂盛，高过我的睫毛。

我回头望去，那墓堆变成了一座山峰屹立于地平线上。

这时，一个赶着羊群的藏族少女经过我的面前。羊蹄很干枯，少女的脸蜡黄。我的心也干了。忽然，我听见了水波声——噶尔木河！

一看见河，我心里就咕咚咕咚泛起了涛声。

我和牧羊女一路同行。

昆仑山还是那么遥远，戈壁滩依然热气晃眼。

比山远的是路,比水绵长的是我们的生活。

戈壁滩有了牧羊女,还愁这缺氧的土地不会再长出新的传说?

高原的美丽在于它缺氧。

缺氧的日子也能滋润美丽的故事。这样的故事也许不开花,但是它有果实。

墓堆比山高。

从昆仑山巅的白云处飞来一只鸟。

我看清了,它不是鹰。比鹰大。

周彦文

青冢随想录

在呼和浩特南郊的平畴沃野上，兀立着一座山包似的大坟，人称昭君墓。昭君墓何以建在此处？怕只有天晓得了。传说地上的名人在天上都有星宿，也许天上的"昭君星"陨落在这里吧。

这座高约十丈，占地二十亩的大圆丘，确也如塞上草原一颗绿色的星。史载：每逢秋冬，百草枯衰，独有这昭君墓青青葱葱。这也便是"青冢"的由来了。

我常扶着栏杆,顺着盘旋的石阶登临墓颠,远眺淡淡烟岚笼罩的迤逦青山,近睹风景如画的田畴上紫燕翻飞。不过,兴致最浓的,还是在这个便于发思古之幽情的圆丘上漫步,驾起联想的翅膀,在那古远的天地中神游。

我常想,历史上和亲的使者并不乏其人,而且,大都是位高身贵的宗室公主。如隋文帝的安义、义成两公主,唐太宗的文成公主,唐肃宗的幼女宁国公主……然而,她们的事迹大都淹没了,为后世所不多闻。却独有平民出身的王昭君,以和亲之举,留芳千古,有口皆碑。多少年来,因她而产生出多少美丽的传说和悲怆慷慨的诗文呀。自从西晋石崇的《王昭君辞》开哀怨的滥觞,后世便一发而不可收。有的把她写成受贪官迫害、昏君冷遇的怨妇。有的把她写成为民族慨然献身的女杰,但也充满了悲凉的情调。有的把她当作标榜伦理道德的工具。而在五四时期的话剧中,昭君扮演的是反对封建专制制度的悲剧角色。各朝各代的文人名士对这位南国佳人的和亲盛举进行不同的解释,洋洋洒洒,舞文弄墨。借他人酒杯,浇自己块垒。他们哪里是写昭君?他们其实是在写着自己呀。昭君倘若还活着,要亲自动手撰写《昭君新怨》了。

关于昭君出塞,史籍记载却颇为简单:

> 昭君字嫱,南郡人也。初,元帝时,以良家子选入掖庭。时呼韩邪来朝,帝敕以宫女五人赐之。昭君入宫数岁,不得见御,积悲怨,乃请掖庭令求行。呼韩邪临辞大会,帝召五女以示之。昭君丰姿靓饰,光明汉宫,顾影徘徊,竦动左右。帝见大惊,意欲留之,而难于失信,遂与凶奴。(范晔《后汉书·南匈奴传》)

从这样简单的史料中，竟能繁衍出那样丰富多彩，甚至于互相抵牾的版本，难道是仁者见仁、智者见智吗？莫非历代文人、名士们的笔墨是廉价的吗？不过，无需乎替昭君打抱不平。昭君的形象并不是被肆意地涂抹了，倒是被丰富了。一个有价值的历史人物，其遭际大抵如此。

　　如同一本有价值的书，读者可以驰骋自己丰富的想象，用若干不同的方式阅读它；如同一面镜子，各种人都想从中找到自己的形象。《红楼梦》"单是命意，就因读者的眼光而有种种，经学家看见《易》，道学家看见淫，才子看见缠绵，流言家看见宫帏秘事。"再如，黑格尔的哲学，不是一方面被推崇为普鲁士王国的国家哲学，一方面却作了十九世纪德国革命的前导吗？

　　我以为昭君却是一位补天的女娲。她的和亲消弭了西汉王朝的边患。社会制度较匈奴优越的封建的西汉王朝，经过文景之治，武帝开边，已趋向衰落。昭君和亲的效果自然是表现出浓重的政治色彩，但是她的主观动机却是出于一位少女对美好生活的向往。与其在汉宫磋跎岁月，何不到异域殊地一亮风采，施展抱负呢？匈奴在秦汉时十分活跃。呼韩邪单于在逐鹿漠北，五单于争立中得以取胜，不愧是一位强有力的政治家兼军事首领，而决非汉元帝那样的好色之徒，昏庸之辈。昭君平素在汉宫不修边幅，而在会见呼韩邪单于时却"丰姿靓饰"，着意打扮。这说明什么呢？在封建统治下，少女的心是单纯、善良和满怀憧憬的。她们的愿望和追求常常代表人心的向背。恐怕当时愿嫁匈奴的女子还有人在，只是不敢表白罢了。而昭君虽身处黑暗的汉宫，却勇敢地喊出了自己的心声。那昭君冒着扑面的风沙，顶着掠地的惊飙，跋涉在塞上荒野，内心委实是有个春天的。

想着这些，盘桓于墓颠，看着那些上上下下的游客，听着他们信而好古的言谈，你以为这大冢真是埋香葬玉的地方了。其实，只不过是一个附会。试想，昭君身为单于的妻子，又从胡俗，死后能按照汉墓埋在汉朝的土地上吗？有人考证它是与突厥和亲的隋文帝女儿的坟墓，倒也不无道理。中国的习俗，死者必须在生前准备寿衣和棺木，若临死才现备，便认为不属于死者了。皇帝们生怕自己光着身子走了，在即位的第二年，便动用国库，大兴土木，修筑陵墓，尽管有的皇帝当时才是一个乳臭未脱的孩童。但是，历史无情，人民公正，把隋文帝女儿的墓无偿地"调拨"给昭君了。由是观之，活着的人们又何必为自己的后事操劳呢？

我立于墓颠，遥望茫茫的鄂尔多斯高原，似乎看到濒临黄河南岸那座昭君坟了。它比这座更雄伟，更挺拔，历尽世纪的沧桑。如今，底部已变成流沙和泥土，只有峥嵘的山石，冠于墓顶，承受着八面来风。十几年以前，墓腰还有座昭君庙，常有香火。坟的西边是白土梁粉土厂。那洁白无瑕的粉球，大大小小地埋藏在沙土中，也不知经历了多少朝多少代，如今，被不断地挖掘出来，粉刷着远远近近住户的墙壁。人们说那是昭君的粉盒惠及子孙。我说倒像是昭君纯真的思想、洁白的品行在净化着世界。

这坟的对岸便是黄河的支流昆独仑河，史称石门水，正是当年匈奴和汉朝来往的通道。考古工作者从那一带发现了"单于和亲"、"千秋万岁"的陶片、瓦当。这座昭君坟也不一定就葬着昭君的香魂，但它位于这通道口上，想必埋着昭君的芳踪。

中国的昭君墓不下十几座，大都是她足迹所到的地方。人们还把昭君浣纱洗衣的小河叫香溪，行走过的便桥叫琵琶桥。并且，多处为她树碑立庙。于是，我以为青冢常青的记载是确实的了。你想想，中国的土地这样辽阔，这里一座昭君坟，那里一座昭君坟，这座枯了，那座绿了，如此接递不绝，青冢岂不是常青的吗？我还在早、午、晚不同的时候来瞻仰青冢。走下坟山，小立远观，体会民间关于青冢"晨如峰，午如钟，晚如枞"的说法。一天中，由于早午晚气候不同，阳光照射的角度不同，青冢在人们的眼里自然不同了。这也正如政治气候不同，朝代不同，人们对昭君的认识不同一样。

我徘徊流连在这花木掩映的大冢上，看断碑残碣，赏名人字画，尤其当漫步在啤酒花搭成的长廊时，嗅着那浓郁的花香，真如进到一种微醉的颠狂境界。简直像闯入那悠深遥远的历史的隧洞，看见古人，窥见了他们的思想和情感，发现了历史诸多的奥秘。原来，这昭君墓并不是埋葬昭君的地方，却是珍藏和寄托着历代人民美好心愿的所在……

啊，这座多么发人深思的昭君墓！

傅宁军

草原,生命的歌

说草原像什么的比喻很多,我总觉得有人喜欢用海浪形容草原最贴切,草原看上去确实像海浪一样的开阔,也像海浪一样的浩荡。

缓缓低垂的谷地和缓缓隆起的斜坡,犹如起起伏伏不安分的波涛。波涛的幽绿曲线凝固状展开,切开了蔚蓝天幕低垂的边缘。

清早就有风。熏熏的风悠远吹来,拨弄着雪白雪白的云朵,似乎和绿草们嬉戏逗乐,抖落去晨霜凝结的微寒。

一层层的,绿海里溅起醉态般的涟漪,把无边的和煦无边的明媚推了过来。

马蹄声声,零落而有韵味,敲碎草原睁开惺忪睡眼后的宁静。

弯弧跌宕的山坡面上,竖起象征吉祥的多彩的幡幅,幡幅下渐渐聚集了四方赶来的剽悍的马,以及马背上的哈撒克少男少女们。

草原聚会,却有个巾帼豪气十足的竞技项目:姑娘追!

姑娘追不同于追姑娘。平常的追姑娘是小伙子们大献殷勤,晕头转向地讨好对方;这里的姑娘追则是女孩子家的主动出击,给小伙子一个下马威。

所以被草原姑娘追,也是不亚于马上叼羊那样的壮举,也得有点真本事。一个火辣辣的追字,足以使内地的娇小姐吓退两里半去,何况姑娘骑着快马追,闹不好你就被追了个人仰马翻!

像默默不起眼然而坚韧的草们,这里的女人忍受着生活太多的苦难和艰辛而毫无怨言。险恶的生存环境,无形中助长了身强体健的男子汉们固有的骄慢。老辈子传下来的姑娘追,允许在这个聚会里阴差阳错,把生活中的位置倒它个儿,或许正是让她们能有个出出气的场合吧。

山坡上人欢马跃,仿佛并不进入正题。这也怪了,既然是难得的姑娘追,怎么姑娘家不抓紧时间追赶一番,小伙子也不赶快骑上他的马逃呢?序幕的前奏也太慢悠悠的没个边际啦。

别急,别急。急的都是外乡人。殊不知草原的规矩,这个规矩是小伙子们数着指头盼到的,哪里肯随随便便地轻易放弃掉?

约定成俗,正式的姑娘追开始之前,是谈情说爱的好时光。谈也罢说也罢,都是男方这会儿独占上风的特权。小伙子不管如何调侃揶揄,贫嘴讥笑甚至粗俗无羁,姑娘家只能洗耳恭听,来不得反唇相讥,也不能有恼怒的表示。

于是,身穿哈撒克民族服装的小伙子春风得意,兴高采烈地大声嚷嚷,好像要把能开的玩笑都开上一遍似的,平时哪敢如此放肆哟!

浓妆艳抹的姑娘家此时格外温顺,一个个红着脸,不是摸弄黑乌乌的发辫,就是低下头扯着手心攥着的鞭梢,嘴唇抿得严严实实……

马鞭一响,四蹄撒开,姑娘们直腰吐气,"复仇"的时辰到了。

你再瞧姑娘们吧,她们英姿勃勃,像换了个人似的,在马背上趾高气扬,一手揽紧马缰,一手高高地扬起了马鞭。

鞭绳在云空里急剧扭动,甩得叭叭直响。姑娘的鞭子,甩去了腼腆甩去了娇羞!

小伙子们大势已去,只有逃的份了。

快快地逃和紧紧地追,一匹马咬着一匹马,一个姑娘家追着一个男子汉。

姑娘们绝对地扬眉吐气,整个的阴盛阳衰,巾帼英雄大长半边天的威风!

跑在最头里的这几对,姑娘的鞭甩得溜圆,忽上忽下炸成一轮花。声势夺人,犹如节日里放的炮仗。那姑娘杏眼圆睁,大有追上小伙子拿他是问的架势。绝不轻饶，绝不通融。

小伙子好汉不吃眼前亏。壮壮实实的他们，只可惜了五尺男儿，忙不迭地抱头夹紧马肚赶紧跑，生怕挨上一鞭子，一幅狼狈不堪的逃遁状。看这神情，十有八九是小伙子刚刚没遮没拦地说滑了边，惹得红颜大发怒了……

且慢一概而论，外乡人也看出点门道了。中间的那两对追马明显地不同，小伙子也作出貌似胆怯的模样，缩头缩脑地扬鞭驱马，然而偶一转过脸来，眉眼间分明洋溢着欢喜。

那眼神传递的目光热辣辣的。

再看后面骑马的姑娘，鞭子甩得老高老高，放开嗓门叫喊严厉，落下来的鞭子却是很轻很轻，鞭杆上仿佛颤颤地系着对小伙子的那份情爱。

心中有意，才有手下留情……

还有一对更有意思。马蹄得得里小伙子骑的马起伏有致，颀长的马鬃呼呼飞扬。身后的姑娘挥马紧追不舍，简直是马嚼子挨着马尾巴。

飞舞的鞭绳撕裂空气，时而落在小伙子座下狂奔的骏马尾巴旁边。小伙子策马离了弦的箭簇一般射向草原的远方。

哪里是什么追和被追哟，与其说她是在赶他撵他，不如说她助他一臂之力，帮他跑得飞一样。她的马盯着前面的马，寸步不让，寸步不拉，跃起又落下，落下又跃起。小伙子骑马更为奔放，仿佛进入了一种忘我的境界。

风卷残云，两匹难舍难分的流星似的马……

牧民们好客，外乡人也能乘兴加入这种娱乐。几位金发碧眼的外国游客在小伙子搀扶下，跨上相对老实本分的马也算尝尝草原风味。

马驮着异邦的小姐女士和上了年纪的老头老太，颤颤巍巍在草原踱步。老外们大呼小叫，美滋滋地紧张而兴奋。

此时旁边的姑娘骑着马沉着稳重，俨然保驾的守护神。那鞭子绕成个圆圈握在她们手里变得柔柔的，和马的碎步一样令人宽心。

外乡人是不会吃马鞭的，何况人家大老远的来自异邦呢。

老外们小溜几圈纷纷下了马，你一言我一语围着女骑手竖大拇指，热情的夸赞倒使少女们不好意思了……

也就在人们不经意之间，草原尽头腾起一阵烟云。

先是灰突突的若隐若显，犹如极淡极淡的薄雾，继而摇漾开来，似乎欲把绵长的地平线都淹没了。

人们的脚下都感到了震动。草原整个的变成了硕大无朋的鼓面，你就像站到了喧嚣的海岸的边沿，等待着翻滚而来的汹涌澎湃，等待着天地之灵的沸腾信息。

当地人习以为常见怪不怪，然而所有刚刚踏进草原的人，不能不瞪大眼睛，不能不屏住气驻足，不能不被牵魂夺魄！

灰蒙蒙烟云在蓝天和草原的契合的地方逐渐显影，那是壮阔的跃动不息的马群。

马群在迁徙。马群在奔涌。马群充满着活力和生机，充满着阳刚之美，草原伟岸的躯体在惊颤，似乎打个滚就会翻过身来！

那白马灰马黑马枣红马赤褐马，成百成百地高昂着头，成百成百地潇潇洒洒奔跑。作为一个群体，马的形象似曾相识却是重新陌生。

狂奔的马鬃们闪着亮相叠，马背曲线悠扬相叠，鼓点般起落的铁蹄细密相叠。还有，那放开喉咙的马鸣声此起彼落相

王 蓬 摄影

叠。

　　一切的相叠纷至沓来。

　　一切的相叠灿烂夺目。

　　无牵无挂，无拘无束。想撒野就狂奔，想高歌就开喉。草原啊，惟有坦荡的草原，展露出博大广袤的胸襟，给马们以欢欢实实的活力，给马们以蓬蓬勃勃的生气。没有草原，恐怕千里马也难逃退种的厄运。

　　那么马呢，不论大自然是先造就了草原还是先造就了马，马是离不开草原的，草原也离不开马们。草原是马的骄傲，而马又是草原的自豪！

　　不是吗？是马的家族，才使草原拥有了大自然的这些灵物。草原告别了孤寂，不再是一个只有风声雨声狼声的荒原。生命以奔腾的形式在这里张扬，草原上滚动着的是活泼泼的大潮！

马群掉头朝东，一大片浓云似的急疾向天陲涌去。人类有关气势的所有语汇都在这里黯然失色。沸沸扬扬的蹄音浑响如雷，草原回声厚重明亮，衬起了蓝天白云马群的远景图画。

前景仍是愉悦的"姑娘追"。前景和背景交相辉映，一种生命的大气和生命的快意在碰撞在流动……

尽管青年牧人坐骑的蹄音几近淹没，但他们和她们仍然兴致不减你追我赶，好像远处马群只是为骑手们助威呐喊，这使人更加信服乐天顽强的民族个性，什么也改变不了扎根在人们内心深处的生存轨迹。

骏马悠悠地长长嘶鸣，呼应着牧马人的洒脱，呼应着远处那一片同类的雄壮。马群远去，分不清是白马是灰马是黑马，还是枣红马棕色马赤褐马，仿佛所有的旺盛的活力都注入了草原，草原的意境为之深远为之辉煌。

难怪草原如此年轻。

难怪草原如此醉人。

林佩芬

成吉思汗陵

虽然人类历史上最光辉灿烂的一个名字——成吉思汗的遗骨究竟归葬何处，至今已是个永远解不开的谜；但，具有象征意义的"成吉思汗陵"却是一座实质的建筑，它不但是每年一度祭祀成吉思汗大典的所在，更是许多人心目中的圣地，常有人不远千万里来此朝拜……

成陵的所在地是绥远的伊克昭盟东胜市伊金霍洛旗，距离包头市不远，交通还算便利，谒陵的人们络绎不绝，尤其是在农历三月二十一日，成吉思汗的"养祭"大典之日，赶来与祭的人群更是形成了壮观的人海，一起缅怀追思成吉思汗的丰功伟业。

翻开史书，成吉思汗这个不朽的灵魂也将在篇章中细说着他一生的奋斗；他与环境搏斗，一次又一次的奋勇前进；终于，他战胜了一切……他的故事和他的奋斗，与自己的命运搏斗的精神，是一种伟大的启示。

西元1162年，成吉思汗诞生于鄂嫩河畔的一个蒙古包中，初生之际，他的父亲也速该为他取名为铁木真。

当时的蒙古分裂成许多小部落，也速该的祖先世代都是"蒙古部"的领导人，也速该的祖父合不勒领导蒙古部时，为了争夺牧地，与"塔塔儿"部结下了仇，常有争战发生；本来，塔塔儿部的实力远胜于蒙古部，却因也速该骁勇善战、富有领导能力及善于运用战术而使蒙古部获得多次的胜利，实力也开始逐步扩增。

但不幸也速该却在为铁木真订亲返回的途中被塔塔儿部的人下毒害死了，他留下的孤儿寡母从此便陷入了悲惨的境地；先是族人四下逃逸，改投别部，接下来降临的便是饥寒交迫的生活；那年铁木真九岁。

幸而铁木真的母亲月伦夫人是个伟大的女性——早在铁木真襁褓之时，她就开始了他的教育；蒙古的孩子都是几乎在学会走路的时候就开始学骑马，铁木真不但不例外，还被要求得分外严格，因此，铁木真从小就精于射术。同时，她常为铁木真讲述祖先英勇的故事，养成他英雄崇拜的心志；在她的教导下，铁木真从小就养成吃苦耐劳、忍耐、勇敢、坚强、果断的种种美德，以及发扬祖先的志业和以天下为己任的志气。

也速该死后,月伦独自抚养铁木真等五个孩子,日子穷得只能以拣拾野菜和百合根来果腹,她仍不忘激励孩子们的心志:

"影子是我们惟一的朋友,马尾巴是我们惟一的鞭子!"

于是,处在这样的困境中,铁木真更加地勤练骑射,到了十一岁时,他已能打猎、捕鱼来改善生活了。

十二三岁的时候,他的骑术已精良得如同成人一般,箭术更是百发百中。

可是,厄运并没有远离,即将步入成年的铁木真开始面临比生活穷困还要严酷百倍的挑战,那就是其他部落族人的迫害追杀。

首先攻击他的是泰赤兀部,铁木真先是被擒,好不容易才趁隙逃脱……而后在一次追赶盗贼的途中,他结识了博尔术,开始有了第一个朋友——这个朋友不但成为他终生的好友,也在日后成为开国功臣四杰之一。

同时,博尔术也似乎为他带来了骨牌似的连锁反应,他身边的人增加了起来——先是他迎娶了也速该为他订下的妻子孛儿帖,接着,草原上一些也速该的旧部、足智多谋、勇敢善战的人们在听了他几次"大难不死"的故事之后,开始对他产生了信心,陆续地前来归附;他开始聚积起力量,一生的英雄事业便逐步地展开了。

首先,他取得了父亲义兄弟王罕的援助保证,接着,他更加积极地招兵买马。

然而,就在他刚开始起步创业的时候,无情的命运再一次严酷地袭击他、考验他——这一次是蔑儿乞惕部。

篾儿乞惕部联合了其他几个小部对他发动了拂晓攻击,羽翼未丰的铁木真只有率领着不多的人马暂时逃逸,而他新婚的妻子孛儿帖却很不幸的在这一次的事件中被敌人掳获。

脱险后的铁木真对这件事当然是悲愤填膺，于是，他向天立誓要夺回妻子，也立誓要让自己的子子孙孙永远不受人欺凌……他再一次去拜访王罕，向他借兵；王罕信守诺言地借给了他两万人马。

铁木真攻打他部的第一次战役于焉展开，他大获全胜，并且夺回了妻子。

从此之后，铁木真开始了东征西讨的生涯——统一蒙古诸部是他第一个阶段的目标，在他二十八岁的那年，他完成了这个使命；在克服了无数个艰难困苦之后，他终于被推举为蒙古诸部族联合的"汗"，奉上"成吉思"的尊号。

"成吉思汗"的意思是强盛皇帝或宇宙皇帝。

尽管如此，他却没有因为受到了这样的尊奉而自满而固步自封——他的生命才刚要踏出第二步而已。

往后的道路更加艰困，战役的规模愈来愈大，挑战更是愈来愈多，他的战斗意识也就越来越强……当然，每一次战役的胜利，都会使他在蒙古草原上的势力和领地都快速地扩充；归属于他，或者被他消灭，这两种方式成为草原上不变的定律。

塔塔儿部、乃蛮部……乃至于曾经援助过他的王罕，都逐一的成为他麾下的一部；他成为草原上真正的成吉思汗，统有了整个蒙古大草原。

但这还不是他生命的最高峰，统有整个蒙古大草原，只不过是他踏出第三个步骤的开始而已。

他仍然不停地东征西讨，开疆拓土……长城以南的中原当然也一并列入他的目标之中，于是，蒙古的铁骑开始攻入长城——成吉思汗的领域从长城以北扩增到黄河以北；接下来，他又完成了西征的美梦。

西元1219年，成吉思汗率大军征花剌子模……1223年，与俄罗斯军大战，大胜而归……1227年灭西夏……一次次的战争、地名，融合起来附归在成吉思汗的麾下，形成了一个空前绝后的大帝国；疆土横跨欧亚两洲，成吉思汗遂成为人类历史上永垂不朽的名字。

当然，帝国的建立都只不过是历史的烟云，蒙古帝国的建立自也不会例外；但迥异于其他帝国的是蒙古帝国的重大影响——由于它的起源地在本属交通不便的蒙古草原，经过多年的征战，竟贯通了欧亚之间原本闭塞的交通，开启了往古未有之盛，而造成文化上的大交流，火药，印刷术传入欧洲，随着蒙古军队的入侵，竟使欧洲的历史产生了重大的改变……

西元1227年，成吉思汗去世，之后，他的子孙继承他的遗志，更加地拓增蒙古帝国的领域，此后的几十年中，南下灭宋，并继续西征——

七百多年后的今天，成吉思汗陵静静地矗立在这一片辽阔的山林大地上，伊金霍洛旗，这里没有葬着他的遗骨，但却住着他不朽的灵魂。

那金黄镶着蓝色图案的琉璃瓦的穹庐式的屋顶，大红圆柱和白玉栏杆所组成的建筑物显现着浓郁的塞外风味——穹庐式的屋顶，应该是沿自蒙古包"天人合一"的构思吧！

成陵的正殿正厅上矗立着成吉思汗雄武威严的雕像，后殿是寝宫，排列了三个蒙古包，分别安放成吉思汗家族的灵柩；西殿则是兵器排列室；陈列着复制的兵器；正厅两厢的走廊上绘有巨幅的壁画，东廊壁画的内容是成吉思汗一生的事迹，西廊壁画的内容则是元世祖忽必烈统一中国后，工、农、商、航海等各方面发展的盛况……

然而，合上了页页的史书之后，我却忍不住要发出长长的叹息声，心中的感慨不但无法拂去，反而是日复一日的加浓加重，乃至于沉重不堪。

成吉思汗的功业已经成为历史上的一页光辉，七百多年过去了，仍然以人类为主导的世界日新又新的更换了面貌，蒙古大帝国、蒙古骑兵的骑射和战略，对现代人来说，几乎只余下了供史学家做研究的资料；然而，成吉思汗一生所秉持不移的奋斗精神却是现代人所最缺乏的。

坚忍、勇敢、奋勇不懈地向恶劣的生活环境挑战，向自己坎坷的命运挑战；与野兽搏斗以维持生活，与来犯的敌人搏斗以寻求生存……终至于战胜了一切，开创了一个新的世代，建立了一个空前绝后的大帝国，写下了人类历史上最光辉灿烂的一页。

而这种奋斗和开创的精神与毅力，我几乎不曾在周遭的现代人的身上看见过。

研读历史的目的是在规划未来，每每我读着成吉思汗的故事，心中最深刻的感触并不是当时的蒙古大帝国的规模，那些年代、地名或者成吉思汗那传奇式的英雄事业——毕竟，那一切都已经不可能再重现了。

我总是仰天叹息，一次又一次地问着，成吉思汗那最足以为后人楷模的奋斗与开创的精神，什么时候才会在芸芸众生的心中复苏呢？

九十年代的人们似乎都以金钱游戏和两性关系做为生活的重心；磅礴的英雄气概，坚忍的意志，奋斗的精神，开天辟地的志业，创造大时代的伟大使命感……这一切，都只有在史书中才能找到了。

面对着成吉思汗陵，我不禁怆然而涕下！

毕淑敏

苍 茫 之 悟

很久以来,面对苍凉的荒漠,迷茫的雪原,无法逾越的高山,浩淼无垠的大海……我的心胸就被一种异样的激情壅塞。骨髓凝固得像钢灰色的轨道,敲之铛铛作响。血液打着漩涡呼啸而过,在耳畔留下强烈的回音。牙齿因为发自内心的轻微寒意,难以抑制地抖颤。眼睛因为注视遥远的地方,不知不觉中渗透泪水……

当我十六岁第一次踏上藏北高原雪域,这种在大城市从未感受到的体验,从天而降。它像兀鹰无以伦比的巨翅,攫取了我的意志,我被它君临一切的覆盖所震惊。

它同我以前在文明社会中所有的感受相隔膜,使我难以命名它的实质,更无法同别人交流我的感动。

心灵的盲区,语言的黑洞。

我在颤栗中体验它博大深长的余韵时,突然感悟到——这就是苍茫。

宇宙苍茫,时间苍茫。风雨苍茫,命运苍茫。历史苍茫,未来苍茫。天地苍茫,生命苍茫。

人类从苍茫的远古水域走来,向苍茫的彼岸划动小舟。与生俱来的孤独之感,永远尾随鲜活的生命。寰宇中孤掌难鸣,但不屈的精灵还是高昂起手臂,仿佛没有旗帜的旗杆指向苍穹……

痛苦的人生,没有权利悲哀。

苍茫的人生,没有权利渺小。

陈长吟

陕 北 意 象

窑 洞

黄土高原刮风的时候,大地都变了颜色。面粉似无边无际的黄尘,在大自然中肆意抛洒,凡是裸露的地方,它会毫不留情地进行彻底覆盖。

路断人稀,生灵们都躲到窑洞里去了。

尽管窗外风沙横行,可窑洞里稳稳当当,因为窑洞本身就造在黄土里，藏在黄土里，它与高原没有分家。

人离不开土。生要落土，死要归土。脚踩着土心里踏实。陕北人创造了窑洞，窑洞为他们提供了依赖和生存的保护。

窑洞里冬暖夏凉，地气充足，切合自然四季变化的规律。

窑洞的顶端光滑饱满，仿佛圆通的苍穹，有无尽的承载力、亲合力、应变能力。

顶着土，踩着土，立于土；土养人，土聚气，土生万物。陕北人的坚韧和耐性，与窑洞息息相关。

住过窑洞的人，心性绵实，脚步稳健。干事只要上劲儿就不会放松，走路只要向前就不会后退。

李自成从陕北出发，一路打进了京城，创造了农民起义的辉煌。毛泽东曾在南方游击多年，没找到坚固的根据地，后来长征到陕北，住进窑洞，迂回在连绵纵横的黄土高原中，得到掩护、得到补充、得到营养、敛得了大气，成功了革命。窑洞和陕北给了毛泽东的，不只是豪气，还有诗情（他在陕北的窑洞里写了不少意满乾坤的诗篇）。物质和精神是人生的两股气，缺一不可。

红枣补气虚，小米润肠胃，窑洞暖身子。

一切都得益于黄土。

窑洞聚敛了黄土的精华，黄土凭借窑洞而传神。

沙　　柳

黑夜行车于陕北高原，常常看到小河边、沙地上，耸列着一柱柱狰狞的黑影，就像战场上的勇士。

这是沙柳，一个不屈不挠的自然形象。

当地人叫它砍头柳,别具一种震撼的力量。它稳稳地扎根在沙地中,身材威武粗壮,头顶往上张开的枝杈,似伸向天空的手爪,在做无声呐喊。是表示抗击风沙的意志,是呼唤天堂甘露的降临,还是伸展征服了大自然后的雄姿?这些,只有残酷无情的沙漠知道。

还有一种弯弯曲曲的是毛柳。它们身材单薄,细细的一根高挑杆儿,身上长满柔软的短枝儿,似乎发育不良。这是由于沙下少水,地面多风造成的畸型现象。但在平顺绵密的沙地上突起一片细长弯曲的毛柳来,那色彩和对比,那种扭曲之美亦让人动心。

最绚丽和绰约的要数红柳了。它们形似长草,一丛丛蓬结在沙地上。身条儿是那么纤细单纯不枝不蔓,颜色是那么油红闪亮具有金属的质感。沙漠因红柳平添无数风情,戈壁有红柳生出女性的秀媚。远行客看到这些生机勃勃潇洒玉立的条儿,狠不得伸出风尘仆仆的双臂去搂住它们。

另一种独见风姿的是小疙瘩柳。它们身杆不高,但分杈繁密细长,枝条上结出许多小疙瘩儿,仿制凝固的音符,在天地之间弹奏抒情乐曲。

沙柳随年月和季节的变化也有所更新。像那砍头柳,冬天被砍尽枝干,但过一段时间又会长出细密的枝条儿来。那些枝条子挨挨挤挤,看上去简直如同藏族姑娘梳留的满头小辫子,柔软顺可爱。

沙柳,是塞上的精灵,是陕北土地上生生不息的风景。

毛 驴

毛驴在信天游中经常出现,它与陕北人民的劳动生活紧密相连。有一首民歌这样唱道:

> 一条条的那个毛驴哎,
> 一条条的那个鞭;
> 赶上了毛驴哎嗨,
> 上哟上了山。
> 毛驴儿欢跑鞭声儿脆,
> 信天游声声满山川。

毛驴深入人心。

陕北人耕地用它,推磨用它,丰衣足食用它,逃荒避难也用它。

毛驴身板不高,与马比起来,它显得矮小;与牛比起来,它显得瘦弱。但毛驴的适应性不同寻常,既有耐力又显得柔顺听话,能在许多场合贡献力量。

比如婚嫁喜事,主人为它洗净皮毛,又在头上系起红绸,它便成了驮送新娘的工具。那时节,穿着花红柳绿艳衣艳裤的新媳妇骑在它的身上,由它碎步颠簸在山路上行走,它的脊背与姑娘苗条的长腿磨擦配合,于它于新娘子都是挺惬意的吧?我想,在牲口的群落中,毛驴此刻一定引人注目,它也一定感到骄傲自豪。

再比如与教书先生走在一起,驮着青衣黄卷,它会显得文气十足。与吹鼓手走在一起,驮着锣鼓唢呐,它会显得乐感充盈。当然与小孩子们走在一起,它亦会露出灵巧活泼的样子……

二十世纪六十年代末期,听说有一位京城大领导的儿子来陕北插队,见到毛驴亲切不已,又搂又抱,又亲又吻,还剃了个光头,与毛驴在一起照相。然后为了奖赏毛驴,将自己从京城带来的罐头饼干喂它食用。

那年月,农村人很少能吃到罐头饼干,不由地眼气毛驴。

毛驴通人性,自觉低下了头颅。但受到如此厚待,不是它的过错。

毛驴与陕北人形影不离。有窑洞的地方就有它,有庄稼的地方就有它,有烟火缭绕鸡犬相鸣的地方就有它。

一想起毛驴,人的心里就涌起温暖。

山东文艺出版社　编选

山東文藝出版社

西部风景

下 卷

陈长吟 摄影

晏 苏

关城怀古

看到关城,你不由地想到了两个字:职守。

关城就是职守。千年百年,巍然矗立着,始终钉牢在那片绿洲上,展示难以磨灭的生命价值。

这才悟到,生命的价值,是一种多元的构成;而职守,当然是构成的一元。

请仰视这座关城吧!

关城是壮美的。你要探究它的审美价值吗?你会得到一系列的艺术灵感：关于形象，关于意境，关于中国传统的气韵，等等。

关城是博大的。你要探究它的生存价值吗？你会得到一系列的人生启迪：关于生命意义，关于人生追求，关于生老病死，等等。

你尽管去探究吧，只要你用心，你会得到很多很多。

这座巍峨壮观的关城，默默无语接纳了你，让你在它的城楼上踱步，让你在它的城圈里徘徊，让你驻足角楼极目旷野大漠。你应当感悟多多的。

而你此刻，执着而持久地，咀嚼着两个字的一个词汇——

职守。

一

人们是深为这座关城自豪的。在312国道上，你可以看见一面石碑傲然挺立，上面赫然书写着六个大字：天下第一雄关。

这石碑有理由倨傲，几百米之外，昂昂然屹立着雄伟身姿恢宏气象的嘉峪关。有这等景象和气势做背景，再小的石碑，也给你气宇轩昂的感觉。

更不必说，十几公里之外，隐约可见的一座现代化城市，同样也衬托着关城，衬托着石碑了。

那座城市，就是以这座关城而命名的。

作为古代关城的嘉峪关，作为现代工业重镇的嘉峪关，十几公里，浓缩了千年百年的历史和人生啊。

嘉峪关,天下第一雄关!
你已经充满景仰了。

二

走进这座高大宽旷的关城,你的第一印象,是浓郁的生活气息。戈壁大漠深处的这座关城,除了金戈铁马,原来还是一些大漠人生息休养的地方。

你看到了戏台,高高的,朱漆台柱、彩绘装饰的戏台,与中原地方的各种集镇闹市的戏台毫无二致。台两侧照壁上的彩绘壁画,台上顶部横梁的风俗画,也是各地戏台上常见的内容,浓艳甜俗,几多安闲散漫,几多热闹。

你可以想象当时台下人头攒动的景象吗?你不妨试一试——

你仿佛置身于一个热闹哄哄嘈杂喧哗的人群中了。你的前后左右,是披散头皴、敞胸露怀的汉子们,是裹腿齐整、青衫净爽的后生们,是身披铠甲、怀抱头盔的军士们。闹嚷嚷的声浪,是由台上的戏中人牵制着的,叫好也罢,倒彩也罢,叹息诅咒也罢,全由这一群人无拘无束、野性十足地宣泄出来。

对啦,还有一群群的农夫农妇和村姑,花花绿绿地围站在远处,仰脸观望戏台,张口凝神戏文,更给这孤零零的边塞关城,凭添了一份世俗的悠闲与自在。

只要是有人群存在的地方,就有着欢歌笑语,就有着辛酸泪哭。这个道理,你懂。

而此刻其实是寂寥空旷的。你站在这高高的戏台下,伫立良久,心头漫过一阵阵悸动,如漠上吹来的细风,虽然微弱,

陈长吟 摄影

却在身边鸣作呜咽之声，声声感人。

三

现在，你登上高高的城墙了。

你可以体会到什么叫作雄伟了。

放眼四野，十里沙漠，十里戈壁，尽归脚下；风，也似千百里来仪，爽然围裹着你。

你便听见了铁器的铿锵。

瞩目前方，城楼巍峨，与巍巍祁连遥相对峙，在关城角楼中傲然耸立，一派肃穆庄严。

沿着城墙廊道一步一步走着，从南向北，由关城廊道走向中门城楼。东照的阳光正是红艳，土黄色城堞尽皆金光灿烂。你长长的影子，在城堞间迤逶游走，时动时驻，宛如你的思绪，蹒跚移行。

这里，你所想象的世俗的情趣感觉，倏忽不见了，代之而袭上心头的，是一份严肃、一份庄严的情绪体验。

总有游客与你擦肩而过。各种喉音，各种声调，飘散在城堞间，也有浓浓淡淡的香水味缕缕飘散。

你不由地皱了皱鼻子。

你当然不能习惯这种情景，凭吊关城缅怀先辈，你想见到的绝不是欢天喜地大呼小叫的时髦游客，他们花花绿绿的身姿，装点的仅只是商业色彩的旅游景观。

你能嗅到生冷的铁器的气息吗？

你能嗅到酸腐的汗腥的气息吗？

你能嗅到斜挂在胸前的干粮的气息吗？

庄严宏大的城墙，高耸森然的城墙，让人不禁想到的是什么？

当然，是战争。

当战争的风云笼罩在城楼的时候，这里，便是一道强硬厚实的屏障。

你便能嗅到冷峻的战争的气息了。

你知道，那些在戏台下嬉笑取乐的士兵们，只要站在这城墙上，全无一丝活泼，换了一脸严峻。他们或缓缓踱步，或默默伫立，总是面色阴沉，满目凶险和警觉。

这不足为奇，在他们有限的生命历程中，蜘蹰关城的生命阶段，最是让他们刻骨铭心。在这里，他们目睹了死亡和残酷。

城墙的外壁上，有斑斑血迹吗？那是失败了的攻城军士喷溅上去的。那上面，写下了攻城军士的遗恨和失落。

其实，一摊一摊的鲜血，都湮灭在戈壁中了，风吹雨化，了无踪迹。但你知道，这里，本来几乎是血的湖泊啊。

有同胞的血。昨日，他还与弟兄们同在戏台下笑语；今日，他把所有的血灌溉了戈壁。

有敌人的血。同样年轻的脸，在遥相对峙时阴郁而凶恶地瞪视着的脸。此刻，望着那张脸浸在血泊之中，险情解除，惊恐消逝，你长舒一口气，然后，才有丝丝缕缕的同情缓缓拂心头而过。

你似乎很清晰地感受到了这一切，你的心灵和身体，与那古时代的士兵一脉相通，你恍惚如那士兵心感身受着这一切。

你的眼前，红男绿女倏忽飘逝。你仿佛正站在古代的时空里，载着你的，是这座巍巍关城。

嘉峪关，天下第一雄关，难道是神秘的时空运载器吗？

四

那么，你就是一名远古的士兵了。

你的身体倏忽感到沉重了许多，俯首细望，铠甲在身，佩剑挎腰，头上……唔……头上也戴着重重的头盔。你伸手摸摸，尽是粗砺冰凉的铁器。

你是一名远古的满身铁器的士兵。

脊背上掠过些微的轻痒。你不由地耸了耸肩膀，蹭蹭痒痒。

你恍然忆起，昨晚，你从内衬夹衫上一只一只地择下肥胖的虱子，丢入火盆，叭卿，轻炸一声，便有焦臭如丝如缕。

你知道，此刻是那择余侥幸逃生的肥虱们又在作祟了。待晚上——捉了，烤光！你恨恨地想着，便有些解气。

这些细微的心理活动，从外表是看不出来的。浑身金属披挂的你，身体僵硬，面相冷漠，犹如站成了一尊泥塑。

惟有一双眼睛一眨一眨，显得有些活气。蓝天白云，在你的眸子里一闪一闪的。

你是一个兵，你在这城墙上徘徊着，你的兵器抱在胸前，你的洒鞋踏在坚硬的砖石上，噗噗噗，就是震得城墙微摇，声音却是不响。恰如你的心情，震颤得厉害，却做不得声。

一旦踏上城墙，你便缄默不语。城下的喧嚷声，被风送到很远很远的地方，从你的哨位望过去，前后左右，各有一个如你这般踟蹰游走的身影。你们相距不远，却像是隔开十万八千里，你们的目光总也交接不起来。

你们被各自的心事笼罩着。

惟有城墙之上的楼宇，岿然挺立，默默地凝视着你，威严而阴鸷。就像那端坐楼中的将军，不语，却让人敬畏。

你想象不出，那将军在城楼里做些什么。你曾经在走过城楼时，探头张望过里面。你看见笨重的桌案，桌案上蹲踞着厚重的书籍图册，如怪兽，阴鸷而威严。因而，每当你再望那城楼，你总摆脱不了满心的敬畏和好奇。你常琢磨，坐在那里面的将军，究竟会想些什么呢？

如你一般，想到猩红的血的吗？

风，把厮杀得癫狂的呼啸送了过来。你仿佛又看见被阳光耀得眩目的血了。

同伴的血……

敌兵的血……

额头如瀑的血……

胸腔如注的血……

腹部如流的血……

许多次的战役，糅杂在一处，重重叠叠的血的景象，全部浮现在你的眼前，蒙上一层眩目的光，亮得清晰。

只有在静穆时，这景象才如此醒目地涌到你面前，你倍感清晰。在每一次战斗中，你身陷重阵，挟裹在兄弟同伴中间，嘶喊着，举枪擎剑，左右斫砍，前后突刺，总觉懵懵懂懂，你的身躯，你的声音，完全不由自己控制，无形的冥冥之中，像有一种什么力量驱动着你。

此刻，在满目清晰的景象之前，细细审视一帧帧场景，回味一个个细节，你蓦然明白，驱使你的，是本分。

本分，于你是再清楚不过了，那就是忠实地守住关城。

是将军的本分，是你的本分，是所有兄弟们的本分。

守住关城，才能保全你的性命，或者以你的性命保全别的兄弟的性命，才能有暇坐在站在戏台下，听中原来的戏班子唱念做打。

守住关城，才有返回家乡的可能，才有平平安安扶犁耕作的可能；盼儿归去的母亲，会有儿子侍奉床前的一天。

守住关城，才有希望一刀一枪博取些功业，而坐进那城楼，而住进那将军府，而进京受赏，封妻荫子。兄弟们都知道，功名盖世的李广、霍去病，本也是一介武夫，靠的是驰骋沙场而晋身受爵的。

起初的懵懂之中，你怕死了血光剑影，只想着逃离开去；而今，你明白逃也逃不开了，漫漫大漠，处处刀光血影，既然被带到这里，就已经无逃去的路了。

那么，就剩下两条路了。一条是死路，为国捐躯，让家中亲人伤悼，但毕竟死得其所，不致因作逃兵而使家人蒙羞受辱；一条是生路，保命，立功，荣归故里，置办家业。

便常常不能自已地想家。

想家的时候，嘈杂的沙场嘶喊铁器撞击，如流云散去。是漠上的风，将它们吹远了吗？

想家，是每一个军士永远新鲜的话题。

家乡的山，总是青翠悦目。

家乡的水，总是温柔缠绵。

家乡的空气，总是清新怡人。

家乡的饭菜，总是香甜可口。

家乡的人们啊，总是在军士们的亲切思念中。

五

你沉浸在想家之中。

此刻,你不由地闭阖眼帘,满目沙碛便被挤了出去,一片绿意悠悠飘来。你顿觉一种舒畅的酸涩。

又有一缕熟悉的香味飘了过来。哦,是母亲端来的饭菜。粗糙的米饭,咸鱼小菜,让你口里生津,肠胃也开始咕咕叫着蠕动起来。虽然,你已经吃饱了羊肉大饼,喝足了羊肉汤,能打得出香喷喷肥腻腻的饱嗝来,想起家里的饭菜,再单调粗劣,都让你不由自主地咽几次口水。

是的,你的心不时地被想家的情绪揪得痛楚。这痛楚,从你的胳膊上拴上麻绳,与许多同龄伙伴串连在一起,一步一挨地走出家乡,就开始了。

你曾经不止一次地想到过逃回家中,但你自己把这个念头一次次压了下去。漫说大漠荒僻,难以走出去;漫说路途遥远,你逃不过关卡,即使你回到家中,你也难安宁。官府缉拿,乡保搜寻,你东躲西藏,惶惶如丧家之犬,哪里有回家的感觉!

你的逃逸,给你的家庭,带来的全是灾难。出使应征,是家里的一道难关,而出了一个逃兵,被官府乡保踏断门槛,则是家庭大不幸。你不敢给家人雪上加霜。

至于保家卫国的大道理,你也朦朦胧胧懂得一些:假如关城那边的军队踏过关城,国将不国,而国家破败,家,就被那些胜利者的铁蹄任意践踏着。战争的烈焰烧到哪里,哪里的百姓就家破人亡,这是亘古难变的规律。

孟姜女哭长城的故事，最初，能让远方的游子泪湿征衣。你的心头，就曾袭来阵阵悸动。而这个故事传唱得多了，你便觉茫然漠然了。你以为自己的心，被漠上燥风吹得生冷干硬了，但你细细思量，终于还是疑惑：那女子哭倒了长城，敌军没有了强有力的抵御，岂不长驱直入？遭殃的，首当其冲的，不正是孟姜女等平民百姓吗？

为了家人的平安，为了和家人一样的天下众生的安宁，你倒是想，各尽本分吧，你平安，他平安，人人平安，天下平安。惟其如此，你的思念才不致无谓地折磨你，因为你是满怀着希望的啊！

所以，你倒担心脚下的城墙坍塌。你下意识地跺一跺脚，城墙坚实稳固，你舒了一口气。

你心里踏实了许多。

既然来到大漠之中，既然站在城墙之上，且尽一个兵士的本分罢。

你便沉稳地踱来踱去，目力向四外旷野逡巡，耳听八面来风挟带的声息。

有驼铃叮咚叮咚隐隐声播，你极目望去，夕阳之中，一支商队逶迤而来。

你想，下哨以后，托商队捎回一封信去，禀告家中老母、孩儿好好活着，说不定立下些战功，让父老乡亲欣喜呢。

身上的虱子，还得接着捉。

扪虱听戏，也是一种乐趣呀。

你难得地咧一咧嘴，是笑吗？

没有人看得见，惟有你知道，这种无声的笑，只有站在城墙上才笑得出，它比戏台下的开怀大笑，含义要丰富得多。

六

耳过一阵咔嚓咔嚓的连续响声,清脆而细碎,你不由转身回望。

一位摄影师,站在三角支架旁,捏着连动快门,像机的镜头,对着夕阳中的高大城楼。

夕阳,更沉着的灿烂和辉煌。

不知不觉中,你在这关城盘桓了整整一天。

你觉得身上猛然轻松了。铁器啦,铠甲啦,头盔啦,统统不见了。

嘉峪关,神秘的时空运载器,又将你送了回来吗?

你一步一步走下阶梯,下几级,回头望望。

你一步一步走出关城,走几步,回头望望。

回首处,是空寂的关城,默默无语的城楼,似乎一直注视着你。

这城楼望着你走到远远的石碑前,你蓦然觉得有些遗憾:站在城楼上时,怎么没有看看,这石碑,从关城上望过来,究竟是怎么个模样。

而此时你闭上双眼,关城里的种种,又浮现出来,你想起那时你是一个兵,兵的眼中,没有这当代石碑,有的只是茫茫旷野,偶或逶迤而行的驼队。

哦哦,你相信你真的做过一回兵了。

做过兵的你,与这关城便心息相通了。你明白,从今往后,你会时不时地感念关城,咀嚼铠甲在身兵器在手的滋味。

渥洼池思马

蓦地，眼前掠过一排巨浪，飞扬的鬃，飞扬的身躯，挟带一团烟尘，腾空而起。

当巨浪喧腾而去时，烟尘依然弥漫。

你在这弥漫的尘雾中怔愣着吗？

你却分明感觉到自己心跳怦怦，浑身被搅起一阵阵的躁动震颤着。

这是生命的躁动啊，活泼泼的生命躁动，全因了这一群躁动的生命。

马，沙漠戈壁骄傲的生命。

马，世人钦敬的魁伟的生命。

一

来到渥洼池，就是为了一睹马的风采。

应当是纯种的汗血马。肌腱紧绷，毛色油亮的汗血马。气宇轩昂，姿态高傲的汗血马。

是的，高傲的马，它还有一个高贵的名字：天马！这名字，让它气宇轩昂了数千年。这名字，也让你满心的向往，穿过沙漠，走过戈壁，站在了这荒漠旷野的大泽之畔。

这不算什么。当年那个威名赫赫、声震寰宇的汉武帝,不也对它向往不已感念不尽吗?面对剽悍倨傲的汗血马,这位曾经横刀立马的将帅,以帝王之尊,赋诗赞颂,充满欣喜与敬畏,冀望这生于渥洼水中的神奇之马,为其帝业巩固国泰民安带来好运。

令人神往的马啊,你想。来这么一趟,远也罢,累也罢,应当。渥洼池,毕竟是汗血马腾空出世的地方啊!

渥洼池水色闪烁,向远处草滩伸延,水草相间,无行无状,无规无矩,在晴朗的蓝天下,显得散漫自在,宁静安逸。与你在大漠中见过的任何一个海子大致相似,没有出世过天马的任何迹象。要不是泽畔立有一面标示牌,倒让你疑心是否走错了地方呢。

你是不是有些失望了?

二

暴利长就不止一次地失望过。

已经记不清是多少个日日夜夜了,暴利长趴伏在芦苇丛中,眼巴巴地望着渥洼池。

闪闪烁烁的水光,把他的眼睛晃花了。他闭一下酸涩的眼睛,立刻,满眼窝子金星跳跃。他用干枯的手掌揉一揉,一阵舒畅的酸痛,渥洼池的水波,又清晰可辨了。

水波是曲曲弯弯一道一道的。

暴利长眼球上的血丝,也弯弯曲曲一道一道。

佩剑也像是生了锈,抽拉起来有些滞涩。锈就锈了吧,反正也使它不上。暴利长长长地吁一口气,像是要把这些日子的失意和焦虑一股脑儿吐出来。

蓦地,暴利长屏住了气。芦苇支支,忽然伫立不动了;粼粼水波,猛一下凝结住了;风呢,风是站住不走了。暴利长只听见自己的心在怦怦跳动,他知道,它,来了!

它来了!苦苦等待了无数个昼夜,几乎到了让暴利长差点儿熬瞎眼睛的时刻,它,终于来了!

暴利长欣喜不已,他认定它是从水中飞起又从天而降的,他仿佛看见它鬃发纷飞,四蹄腾空,周身光亮烨烨,晃得他睁不开眼睛了。

暴利长跪起双膝,连连叩首,喃喃地默念着:神驹啊!神驹啊!

传闻已久的天马,终于被暴利长盼等到了。

未久,暴利长的套马索,给他带来了一世的富贵和荣耀。

那剽悍的汗血马,以天马的倨傲和无邪,未能识破暴利长的诡秘招法,落在了这个边廷小吏的套马索中。暴利长的招法,在今天已经很老套了:暴利长在池畔立一草人,披挂上自己的衣裳,待那天马松懈了警觉,再换下草人,一举手,套住了马……

其实你一直在疑惑,或许,是这汗血马本想在人世上走一遭,才将就了暴利长的?要不然,以它的剽悍的神力,怎么会让暴利长这么容易地得手!

你知道,暴利长,这受刑发配边廷的汉朝小官吏,是敌不过汗血马的神力的。

三

也许，这故事本来就是个象征。

神采飞扬的马，姿态伟岸的马，大约就是以汗血马灵光闪耀的降临为标志，昂昂然走入我们的人世之中了。

你宁愿这么想。尽管你完全清楚，在此之前，马，已经与人类相当稔熟了。

马儿哟，你慢些走！

难道这只是字面的表层含意吗？也许，这里面也道出了人与马的深刻的依存？

昂然走入人世的马，给人类的生存的活力和生机，几乎是方方面面的。人类借助马儿的神力推拉和四蹄跃动，物质的精神的驱进，明显地加快了速度。

比如战争。

——马的嘶鸣与人的呐喊交织成一片。战场，也是马儿驰骋的广场。更多的时候，马的健硕与矫捷决定着战斗的胜败。军中将士的威仪，是靠战马的神勇英武来衬托的。一个民族的生存，是以马儿的旺盛精力和强健体魄为依托的。开拓疆域，占有财富，保卫家园，没有马的支撑，人的征战焉能威猛强劲！马，往往支持着一个民族的兴旺。

比如通驿。

——漫长的驿道，被马蹄缩短了。马儿载负起物资运输、讯信往来的重任。中原，西域，大陆，海岸，不再那么遥远了；寂寥的天地，凭添了几许喧响；空茫的视野，亦充实着，丰满着；世人对于远方的揣想，渐渐地由苍白黯淡变得色彩斑斓了。

比如农桑。

——繁重的劳作，由于马儿的加盟，开始饶有趣味了。马，几乎解脱了大部分人力的苦役，使得劳作的效率大大提高，收益也大大丰富。农桑稼穑，从仅得温饱而至略有盈余，以盈余作为交换成了可能，物质生活渐渐有滋有味了，滋养得人的聪明才智发扬发挥，农桑劳作，收益愈益丰富。

人类绵延几千年，从上古到中世纪，再从中世纪到近代，这漫长的人类发展的进程，倘若没有马，可能还得滞缓千年。

风驰电掣，龙腾虎跃，万里驰骋，信马由缰，这些词组，形象地描画出骏马奋蹄的神采，也道出了马儿给人类的惠顾与启迪。

马儿哟，马！没有马儿的疾步奔走，人类何时才能进入二十世纪的现代文明呢？

所以，马，是一个响亮的名号！

所以，渥洼池，祁连山的雪水涓涓汇成的大泽，荒旷大漠的海子，因为汗血马的出世，也变得闻名遐迩！

你的眼前，粼粼波光格外明亮，天际本来辽远，但一池碧水，映蓝天白云于其中，天上人间，恍如一体。这时候，天人亲切，万物融洽，或许，再有一匹天马款款而降，也是自然平常的事？

你能有暴利长的幸运吗？

四

暴利长是幸运的。那个时代以马而身荣的例子成千上万，暴利长是所有个例的缩影。

这个西域边廷小官,附骥天马的圣光,升官加爵,光宗耀祖,为多少博取功名的男人们所钦羡啊。大丈夫当报效国家,尽忠皇上,以求得功成名就,封妻荫子,这些,得靠沙场血战,一刀一枪地拼搏,九死一生才能挣来。而暴利长,仅一根套马索,就把这一切统统套来了,怎能不让人嫉羡交织呢?

而且,凭借这傲世惊俗的汗血马,历史,尤其是口口相传的民间传说,让暴利长也鲜活生动了数千年。

这是何等的幸运啊。

全是因为马儿。

那么,马的荣耀更应当是无以复加了?

数千年的荣耀,在马,并不只限于一个地区一个民族。回顾我们人类的文明进程,说马的荣耀是整个地球的,丝毫没有夸张。

在其他星球上,可曾有过这种生命的辉煌?遍布地球各个区域的辉煌。在其他星球上,可曾有过如人类对马的崇拜和敬仰?一种生命对另一种生命的崇拜和敬仰。

在我们赖以生存的这座星球上,马,曾经为民族的图腾;马,曾经为人类的侣伴;马,曾经为地球生命的雄浑赞歌!在人类生命的绵延发展中,马,闪耀着光彩炫目的生命价值。可以说,没有马的生命的辉煌,就不可能有人类文明的辉煌。

小小一个暴利长,所得到的荣耀和实惠,实在算不得什么。整个人类,都从马儿身上得到过巨大的惠利。

因此,人类给予马儿什么样的礼赞和美誉,都应当是情理之中的事了。

五

然而，暴利长的幸运，你注定不会有了！

尽管你对巍巍汗血马的崇仰，比暴利长纯正得多，尽管你丝毫没有功利的欲念，马，天马，不会再次横空出世了。

渥洼池空空蒙蒙，陷入深深的沉吟了吗？

你也沉吟，默默地念叨：马儿，马！

曾经炫赫的马，曾经辉煌的马，曾经荣耀的马，可曾想到，当它将人类文明送入二十世纪，它自己，竟也走入了一出世纪的悲剧。

工业时代的烟囱，浊烟汹涌，烟云缭绕着二十世纪的天空。新的能源自地壳汲出，流成了机械的洪流，火车如龙，汽车如水，装甲摩托如排浪，浩浩荡荡而来，蒸腾着燥烈的废气，与空中烟云交织成一团，滚滚翻卷。

马儿许是被呛着了，暗哑了嘶鸣。

人类许是被呛着了，模糊了神志。

机器的轮子飞速旋转，文明的进程倏忽跃动起来。

人类欣喜的目光，被各种机器的构件牵引着了。人类欣欣然缩在机器的各式匣子里，陶醉着，兴奋着。

马儿，终于被摈弃在人类的视野之外了。

假使真正遗忘了倒也自然。但是人类却用另一副目光，估量着，盘算着，在马对人类的价值已逊于机器之后，人类在重新发现和寻找马的价值。

渐渐的，人类变得自私而绝情了，至少在马看来。

各种役使，冷酷苛刻。田陌里，道路上，马儿身架上的灵光被鞭子抽得精光,只剩无尽的劳役,被人榨取每一分脚力。

臧克家的《老马》虽然表现的是人的苦况,从马的角度看,亦苦堪哭矣!"眼里飘来一道鞭影,它抬起头望望前面。"欲哭无泪苦更苦。

前面?前面有什么?

前面是更大的悲哀!

终于有一天,马儿,连劳役的价值也为人类不屑了。

居然,有人在食用上打马的主意了!

哦哦,人类啊!

如果人类现代文明,是以吞啮掉曾给人类以巨大恩惠的生命的皮肉为标志,那么这文明,还有多少值得荣耀的呢?

一种生命,对相依存的另一种生命,能够保持永恒的尊重和感念,文明,才具有了真正的意义。

有风兴焉,一池碧水,水波涟涟。池畔芦苇起起伏伏,似要滤尽风所挟带的沙尘,护侍渥洼池的清纯洁净。

现代工业文明,把喧闹繁荣,笙箫歌舞,灯红酒绿,带给了城市,而核污染,能源废料,工业垃圾,则被推向了旷野荒漠。渥洼池,能逃此劫难吗?

反正,汗血马,那曾经炫赫千年的天马,不会再来了。

六

暴利长倘若生还今世,会作何感想呢?

你分明听见嗡嗡嘤嘤的哭泣,随风而来。

是暴利长在哭泣!白发苍苍的暴利长,衣冠不整,佩剑曳地,浑身的泥浆沥沥滴滴,哭泣,哭泣,哭泣得腰背佝偻,脚步踉跄。

你讶然伫立，惊诧于这暴利长竟这般苍老，全不是你想象中的精壮汉子！

哭泣的暴利长仆然倒地，他撑起身子，仰面望天，无力地擂着瘦削的胸膛，一下，一下……你心生恻隐，急忙趋前，却不见了他的身影。眼前是一座土丘，几缕蒿草在风中摇曳。

这时节，暮色四合，天地昏冥，渥洼池阴沉沉收敛着一缕缕亮色。

你禁不住长叹一声。

是一种与你的年龄极不相称的喟叹。

倒像是如暴利长般苍弱的喟叹。

你被这一声长叹，怔愣住了。

七

当你启程返回你的城市的那一刻，你禁不住挺直腰板，翘首西望。

渥洼池已经隐没在遥远的西方了。可你知道，你的胸腔里已经盛下了那池水泽，大片大片的芦苇丛，搅得你心绪难宁。

暴利长呢，就让他随风流走吧，你说不清究竟该把他放在心目中的什么位置。

惟让你欣慰的是，天马不再固然令人神伤，但渥洼池还在，现实的渥洼池，心中的渥洼池，生动地荡漾水波，诉说着马的辉煌和荣耀。

这至少证明，人类对于马，这个曾给予人类丰厚贡献的辉煌生命的感念，尚未泯灭殆尽。这份感念，闪烁着的，是文明之光。

蓦地，你看见一大群马儿奔腾而来了，龙腾虎跃，鬃毛飘逸，辉煌的生命依然飞扬！你在屏幕上看到的这一切，是幻觉吗？

不，不是幻觉。

当人类走向更文明的世纪，马儿，这矫健的牲灵，当脱了缰绳，卸下鞍佩，远离了马鞭的啸叫和刀斧的斫砍，归隐山野，与日月相伴，逐水草行止，肆意徜徉，纵情嘶鸣，找回一个鲜活自由的生命的本原。

那时候啊，每一匹马儿，都是天马！

那时候，当马类与人类阡陌相逢，没有敌意，没有亲昵，只是充满新奇陌生，默默无语，遥相瞩望。

是一种生命对另一种生命的瞩望，平等的、自然的瞩望。

或许，马儿会想起些什么？

人类啊，当然应当想起与马为友、与马为伴的生命历程，理所当然，要向马类亲切致意。

马儿领受得起这份致意。

一种生命向另一种生命的真诚致意，将为人类更文明的世纪，增添几分亮丽。

你禁不住笑了。也许，你的儿孙不用借助屏幕，来欣赏马的雄姿了。

你相信这一天总会到来。因为你相信，人类总有一天会走入文明的世纪。

匡 燮

桥 山 听 籁

　　石砌的台阶，叠印着历史和现实的无数朝拜者的脚印，一阶一阶地砌了上去，使曲折着忽隐忽现起来，使本来不高的山，也叫这条石阶路砌得很深很神秘了。

　　山的古柏哲人似地矗立着，问山川，问江河，问天问地，问月问日。而那轮日正在中天，阳光从柏叶的密缝里射下来，落一阵金黄的雨，是哲人闪光的思维。

　　心弦被挥动了一下，听到了那声音。

那声音很神奇,似起于青萍之末,若断若续,待谛听之,却又没有了,只有一阵清风轻轻地在柏树间游走。可是,又要举步在石阶上踏响时,那声音便又来了,而且,渐上渐大,渐深渐响,就隐隐地如黄河低吼,如远天沉雷一般,汹涌着漫卷过来,竟又有了逐鹿中原,金戈铁马之声,杂踏踏从心灵上奔涌过去了。天籁、地籁、人籁吗?我栗然一惊,就匆匆地奔上汉武仙台。这仙台却还不是桥山之巅,一周的古柏从台下长上来,围护着一台的翠绿和阒寂。便又急急地奔上那座山尖上的瞭望塔,呵,桥山尽在眼底了,端的是一个立体的海。但没有风,也没有雨,阳光正灿烂,正凝固着五千年的肃穆和庄严。

我从桥山之巅下来从这位老祖宗的墓前肃立的时候,树丛里有了鸟鸣,山风也的确起了,柏林中也就渐渐地起了涛声。这回我听清了,这涛声该是这位老祖宗甜睡的鼾声了吧,那么,也就是桥山的天籁、地籁和人籁了?

可是,我终不明白,我听到的那种神奇的声音呢?那种中原逐鹿、铁马金戈、如黄河低吼、远天沉雷、杂踏踏从我心灵上奔涌而过的声音,是什么声音呢?我依然肃立着,在黄帝陵前。

关于磻溪的情愫

是一条浑黄的河,河水打着旋涡,旋涡上抹出明油似的亮点,这亮点一闪一闪的,一河的碎银。落日就悬在河的上游,老大老大的红彤彤的一个圆,垂垂的就要掉进河里去,河也极细了,像一条银色的线,仿佛火红的大圆是个溶化的铁块,这河就是那铁块的溶汁呢。寻幽人美滋滋地想,不断地完善着他心中的那幅古老的现实。一定还有呼呼的河风吧,因为河滩太空旷了,一眼望不到头的黄沙,河风吹过了一个土台,这土台和见过的秦宫汉城的土基一样,颓圮得像一个不显眼的柔和的沙丘。但当年,那位清奇的钓者,斜斜地举着钓竿儿,就在这里日复一日,年复一年,从明到黑,从早到晚,等待着命运的召唤。凝固住,一尊雕像。

现在,当寻幽人面对幽静翠绿的山谷,而不是空旷苍凉的沙滩,那一双修长的眼睛,立时瞪圆了,说不出一句话来,只好用连连"啊——!啊——!"的感叹来表示他的兴奋和惊奇。他足足站了几分钟,他好生奇怪,他再也弄不清,他心中怎么就挂的是那一幅垂钓图呢?

他开始寻根溯源。他依然站着,被山谷里吹来的凉风戏弄着额前一绺散乱的头发,眼睛就迷成了一条缝,盯住着前方。前方是障目的大山,层层叠叠的,压在了眉睫上。好沉重的苍绿。但是,他似乎什么也没有看到,视线只盯住虚空中的一点,盯住一个久远的梦。他从小就喜欢作梦,作许许多多五彩斑斓的美梦,也作惊恐万状的噩梦。是梦的杰作么?他想,要不,那幅古老的垂钓图,是哪儿来的呢?但他随即摇摇头,笑了。

梦是模糊了,眼前只有沉郁的山。

这是个春天的早晨,落雨的春天的早晨,雨丝又轻又细,是那种毛毛的罗面细雨,刚刚能弄湿衣裳。现在住了,周围湿湿的，草尖上顶着圆圆的水珠，没有太阳，看不出它的闪光，默默地作着阳光的梦。脚踩下去，立即弄湿了鞋面，梦也成了残梦。他赶紧把脚提起来。

近处一颗柳，像笼起的一团烟，远处一树桃花，像凝住的一片雾。他就忽然记起了苏东坡的一句词："牛衣古柳卖黄瓜"。于是，他学着山里人的样子，把嘴嘬起来，拉长声对着大山呼啸了两声，便甩着胳膊，大步向着那个神秘的地方走去了。

湿润的黄沙小路，软软的。

一只鸟停在河的石头上，红脯黑翅，尖尾巴一翘一翘的，他记起了一幅扇面小品，赵佶画的，也有这样的鸟。一河的石，大大小小，水在石间跳。青的石，白的浪，灵动的鸟，一模一样。寻幽人一声喝采，跑下河去。一方石片就从他的手中掷出去，石在水面"砰，砰，砰"的飘，那鸟儿就一愣，倏地飞走了。

寻幽人一惊，也就跟着跑。这是条奇特的谷，寻幽人忽然杜撰出一段故事来：一只阔口、细腰、圆肚的瓶，是仙瓶，观世音的，山头上放着，咕咚一声倒下了，一股灵水便淙淙流出来。

追上的却是一块巨大的石。

好一块灵石。他叫了一声，打住脚，立即静下来。他开始打量这巨石，圆的，锥形，足足两间房的体积大，样子妙极了，就简直是秋后的一个莲蓬了。这石上刻着四个朱砂大字：孕璜遗璞。

哪一家笔意？石门颂，龙门十二品？

他又琢磨石。

当然，飞来峰那是文人的附会，青梗峰下的五色石，那是小说家的想象。这块孕璜遗璞呢？他固执地想，是不是日月之精华，山川之灵气呢？这个人有点神经脆弱，他被这块巨石的神韵要弄得巅倒了。

寻幽人回过身来，这地方终于有了人。方方正正的照相棚，像童话里的小木屋。凉皮儿摊摊上的红木盘，盘中的洞，洞下的炉，炉子上的锅，孤孤的直直的一道青色的烟，连同坐在红木盘后的那位屈背如虾的人，也一同是童话中的物事了。他于是又想起这么一句诗："幸有我来山未孤"。当他经过那个凉皮儿摊摊时，他觉着自己也是画中的人物了。

路边的草很嫩，他犹豫了一下，不忍踩下去。草里没有花，花是在崖上开着的，那儿向阳，一串一串的小黄点，像凝住的一串串阳光。他把目光落在河水上，又看见了那只鸟，那只红脯黑翅的鸟，停在水中的石头上，一动也不动。他脸上便堆下诡秘的笑，轻手轻脚走过去，他想包抄这只鸟，和这只沉思的哲学家开个小玩笑。这里有一座水泥小桥，贴在水面上，像张开的鸟的翼。是不是这只红脯黑翅鸟的翼？他胡乱地想着，却在中途改变了心思，结果，他就从小桥上绕开去了。

河水便忽然宽了许多，"孕璜遗璞"石也镜头一样推远了，脚下的水有些凶险。寻幽人心里发了一下怵，却立即站定了。这是块很大的青色的石，伸进河中去，像一个小小的半岛，被风雨琢磨得十分光滑了。石壁陡立着，布满着青色的苔，湿漉漉的，下临深潭，潭水深得发绿发黑，河水在潭中打出微微的旋，旋。拣一块石子扔下去，咕咚一声，好幽冷，溢出的波，就在潭外的石板上摊一片平平浅浅的白。

寻幽人大叫一声，目光凝住在布满青苔的石壁上不动了。

"钓鱼台"三个字,已经叫青苔弄得斑驳了,但是,寻幽人还是认出了它,便立即不知道是梦是醒了。这湿漉漉的石壁,这发绿发黑的深潭,这又光又滑的石板……

他木立着,许久许久,才又看清了挂在石壁上的那个像框。他很快就弄明白了那相框就是广告,照相的广告了。一个呆头呆脑的家伙,长衫斗笠的装扮着,长长的举起了钓竿。钓鱼么?他很有兴致地瞥了一眼,他想笑。不是笑广告,广告是应该的,他是笑广告以外的东西。什么东西呢?寻幽人一转身,看见了那只鸟。那地方水很浅,能看见游动的鱼。那只鸟才是垂钓呢。他想,好一个古老的钓魂。表情很庄重。

于是,寻幽人就又出现在那个童话中的小木屋前边了。他想向照相的年轻人寻找些什么。照相吗?不。那你要什么?要传说,传说,有么?多得数不清。书上读来的?老辈人传的。传说那钓者祖居这里吗?不是。殷纣王荒淫无道,残害忠良,他也是朝中的大官,是忠臣,很有学问。现在话说,他是全面继承了老子的传说。实际上呢,他要比老子早得多。但是,你不是要听传说的么?

也许这就是幽默了。

小伙子身后的那姑娘,就一脚踩在门槛上,扶住了门框吃吃地笑。去年今日此门中,人面桃花相映红……想到什么地方去了,荒唐!寻幽人嘟囔着,很不满意自己。

这样,殷纣王就让姜子牙去修鹿台,期限是三年。鹿台是个公园吧,三年根本修不起,关于这一层,纣王很清楚,他这是设计要害姜子牙。姜子牙也很清楚这一层,但他对纣王说,三年太长了,应该再短一点。纣王很高兴,就问,那么,三个月怎样?姜子牙说,还太长。那就三天吧。纣王说这话的时候，以为姜子牙是让死命催着了，三天后必死无疑。姜子牙说，三天可以。

山头上一团白色的云，云中有鸟在叫，不知道是什么鸟，叫得很好听。

于是，姜子牙就逃到这里来隐居，认识了一个樵夫叫武吉。武吉担着柴从这里经过，姜子牙说，你这担柴准能卖上好价钱。比方说，能卖到两块钱，外加两个蒸馍，一壶烧酒吧，武吉想，卖到卖不到还不由着我，这老头。第二天，武吉到周文王的都城去卖柴，价钱就只要到一块八上，他要让姜老头的话不能应验。他把柴送到买主家，买主家正在等柴用。卖柴的，能不能到后院帮着把柴砍一下呢？武吉看看天，日头还高，行啊，就到后院去砍柴。砍完柴，吃饭的时辰到了，主人赠给他了两个蒸馍一壶烧酒，临了又给了他两角钱，作为砍柴的报酬。武吉高高兴兴收下了，路上一算，哟，一块八加两毛，正好是两块，加上两个蒸馍一壶烧酒，这老头还行。

寻幽人迷起眼睛笑。接下来呢？接下来就该是武吉惹祸，文王访贤，我拉你八百单八步，我保你八百单八年。寻幽人也知道这故事，也是老辈人传的。他想，从古到今的老辈们，大概都向后辈人讲到过我拉你八百单八步，我保你八百单八年，一代一代的讲，像一个生长着的梦。不过，许多老辈人不讲磻溪，却是说渭水。寻幽人忽然明白了他心中为什么挂的是那一幅古老的垂钓图了。

寻幽人有点得意了，他正要笑出声，就看见了远处的两座庙，修在山崖上，南边一座，北边也一座，都是新修的，神像也正在准备塑起来，毁了修，修了毁，几次了？庙的梦也在生长么？大殿里空落落的，一副对联贴在廊柱上：四口圆图内口皆归外口管，五人共伞小人全仗大人遮。寻幽人嗅到了一股无聊的道气和禅气，皱皱眉，从庙里走出来。

云彩有点散，出现了蓝色的天，像一个云中的洞，一大把新鲜的阳光漏下来，山门立即辉煌了。他便无端地想，怎么没有那位钓者的庙呢？照相的小伙子告诉他，就要修起来了。寻幽人哦了一声，便向着谷外走去了。

寻幽人记住了一个奇特的谷，记住了一条幽清的水。

湿润的黄沙小路，软软的……

吕锦华

总想为你唱支歌

走一趟大西北,忽然觉得像走在一块失去平衡的地块上。中国,我该怎样勾勒你呢?

东南部低低地沉下,西北部高高地翘起。低低沉下的东南每一平方公里的土地都挤满了人,蠹满了楼,停满了车,横横竖竖布满了道;高高翘起的西北则几百里地无人烟,风卷起一阵阵黄沙,沙扑打着一片片丑树,树发出凄厉的啸叫……这是一个怎样倾斜了的世界呵!

来来往往的列车,在补缀着繁华与冷落,富丽与肃杀之间的失调;来来往往的旅客,在叹息着丰厚与贫困、文明与愚昧之间的距离。粗犷苍凉的大西北呐,你果真那么荒芜岑寂得让人心寒吗?你果真留不住一颗颗热血沸腾的、坚韧不拔的、聪颖明智的心么?

深夜临窗独坐,在一片虚与清中,用心去重温西行的日记。我不寐的感觉是一支画笔。画着画着,我连自己仿佛也迷失其中了。

夕阳里"左公柳"干粗皮皱默默伫立着。大漠的风沙在它们身上刻下了斑斑驳驳的伤痕,秋风里说不尽它那苍凉的妩媚。我曾见到一幕震慑人心的壮观。那是一株在狂虐风暴中被击倒的"左公柳"。这老柳并没有就此而死亡。在它倒伏的身躯下,庞杂的根系一半裸露在地上,一半残留在地下。于是,残留在地下的根系便顽强地负起了生命的全部使命。我看见茂密的枝叶在倒下的躯体上依然生长得非常美丽,每一片叶子都绿得发蓝,在阳光映照下好像一串串晶莹发光的绿宝石。

"大将西征久未还,湖湘子弟满天山。新栽杨柳三千里,惹得春风度玉关。"——百年前"左公卿"从西安经兰州一直通到新疆,气势磅礴的七言诗描绘了当年大将左宗棠乘用兵机会,开辟了一条两旁遍植旱柳的三千里大道的蔚为壮观的业绩。历史对这位清末湘军首领在新疆的功绩曾给予极高的评价:"1875年督办新疆军务,率兵讨伐阿古柏,收复乌鲁木齐、和阗(今和田)等地,阻遏了俄英对新疆的侵略。"

如今"左公柳"已成为稀品。如今稀少的"左公柳"仍在讲述着左大将军收复新疆的雄才大略不朽贡献,讲述着左将军一个个感人肺腑的故事。倒伏的和永不倒伏的"左公柳"还在大西北土地上顽强挺立着,像是历史馈赠的勋章。

去民勤县拜访苏武山,公路有一半被流沙所拥没。民勤被喻为沙海中的孤岛,四周为浩瀚沙漠所包围。苏武牧羊的故事听说就发生在民勤已经干枯的北海边。

时值黄昏。瑰丽的晚霞布满了西天。霞光中苏武山像一座雄伟的金字塔,高高挺立在色泽单调、空旷沉寂的沙海上。出奇的静穆,出奇的安宁,又出奇的荒凉与悲壮。满目皆黄沙。没有一只飞鸟,没有一只走兽。几百年几千年了,亘古不变的一片黄色。有话流传:"民勤无天下人,天下有民勤人。"一曰民勤之艰苦,外乡人都望而生畏不肯前来安营扎寨;二曰民勤人肯吃苦,敢于外出闯荡安身立命。在民勤,常常能见到这样的画面:一个农人,一匹骆驼,一辆小板车,在泥沙的路上踽踽走着。落日将他们的影子拉得很长很长。那农人裸露的脸和手是黑的而且皱裂着;那农人转动的眼珠是迟缓的却是渴望的。他们就在这一派灰黄的鸿蒙中往返着。由于降生在这样一个巨大的空间里他们已无所谓大。由于生存在这样一块没有生迹的土地上他们亦无所谓无。他们知道属于自己的只有一个:要想活下去,只有向命运抗争。

听说大西北许多边远地区都有民勤人的踪迹。他们从事着那里最艰苦最繁重的职业。无论是大漠深处垦荒种地,无论是内蒙雅布赖盐地挖盐采盐,还是山丹牧场放牧马群,他们都任劳任怨干得十分出色。勤劳勇敢的民勤人总使人想起流传了千年的苏武牧羊的故事。苏武的气节和精神正滋润着四处为家的勇敢的民勤人。在沙丘中掩埋死者,在泥屋里接生婴儿;死去的躯体肥沃穷薄的土地,新生的生命接过父辈的业绩;把生命的泉水注进这块干渴的土地。他们相信,和煦的春风定将吹来他们心中的绿洲。

在戈壁上赶路,还能经常看到这样的情景:一片片疤痕累累、粗壮结实的胡杨林,因缺水而死亡了。仿佛是一个刚刚经历了恶战的古战场,死亡的胡杨林死后仍高举着一条条痉曲的干枯的丑陋的胳膊一齐对着蓝天,仍挺立着身子不肯倒下。密密麻麻粗粗细细的胳膊汇成了一个可怕的方阵一片呐喊的海洋,为活着的伙伴和为死去的自己。荒漠戈壁上随处可见被榨干了最后一滴水的枯枝败草的尸体。惟有枯死的胡杨林的方阵总使我热泪盈眶。

一次去大漠中参观一个千佛洞,途中迎面扑来一片拔地而起的火焰山。山呈暗红色,赤裸而荒凉,全部往一个方向倾斜,形成45度的锐角。驶得近了,又发现每一座峰峦都刀劈一般的锋利,有一种百折不挠的力度。没有一棵草。没有任何生命的迹象。犹如一群赤身裸体的勇士,刚从地层深处挣扎出来,抱成一团,默默跪在天地间。气势浩大的峰群吞星吐月般俯仰天际,带着亿万年前那天崩地裂移山倒海的伟力,也带着一份被大漠风沙折腾得十分焦渴十分绝望的冷漠,跪在每一位途经它脚下的旅人面前。它仿佛时刻都在想挺起来又随时会倒下去。令人望之又一阵激动不已。

在戈壁大漠中赶路,满目皆是这巨大的悲壮,严峻的荒凉,满目皆是这寂寞的生命,和生命催人泪下的顽强进行曲。走一趟大西北人会坚强几分;走一趟大西北,长不大的孩子会长大。

从大西北我曾拣还一枚戈壁石。谁也无法读出它的年龄。谁也无法估着它的身价。它体不盈握状若鹅卵,但通体的赤红中沁着几缕淡淡的乳白,红白相间的石纹如涌动的江潮,似薄暮的流云，像古银杏纵剖面的年轮。记得那天就是这石纹吸引了我，从此我们没再分离。

月光溶溶罩着它，珠圆玉润般生辉，沉鱼落雁般美丽。多少夜我与它默默对视，静谧中总听见一个声音在喊我。那声音很苍凉很低沉，那声音很真挚很动情，那声音很遥远很神秘，那声音从不可知的地方飘来，又消散在不可知的地方。每每从沉思中醒来，心潮里便涨潮似地多了一层情思在涌动。

也许有一天，有这样一个夜晚，人们不约而同在同一时刻抬起头，一瞬之间，面对深邃而邈远的星空，大家忽然猛然醒悟：南方的天地太狭小了，太玲珑剔透了，太经不起摔打了；而这狭小的天地里又挤满了人蠢满了楼停满了车。人们会发现，大西北正在呼唤我们。尽管那里的风是干燥的，水是咸涩的，但那里有一片片小鸟展翅翱翔的广阔的天空，人们不会因挤在一起而折断翅膀；那里有一块块生命茁壮生长的全新的绿洲，人们不会因挤在一起而活得太累。也许，有一天，人们还会发现，沙漠正在虎视眈眈威逼人类，沙漠可以吞噬世界上最雄伟的城池最美丽的生灵，可以制造世界上最悲惨的一幕，而贪婪、愚昧、畏缩和平庸比沙漠更可怕。人们忽然明白，开发建设大西北，正是振奋中华民族、也是二十一世纪的中国人为自己寻找的一种最明智的选择。也许……

会的。一定会有这一天。它会像大西北的海市蜃楼一样美好一样诱人。到那时，倾斜了的世界会重新平衡，来来往往的列车是一首春风荡漾的诗；到那时，人们将同心协力去建设一个更广阔更和谐更美好的新天地。

——大西北并不苍白并不无奈的黄土地呵，总想为你唱支歌。

黄颂民

卜辞，伴我走进那片圣地

那年，我同朵嘎从藏北那曲出发去敦煌莫高窟。与朵嘎同行，是一桩很有趣的事儿。朵嘎自幼当过几年小喇嘛，读过不少藏经，能讲许多藏经中的哲理故事和古藏文学方面的典故。他的汉文水平也很棒，能够准确地把那些神秘而深奥的神话传说乃至寺庙中繁多的壁画故事原原本本翻译出来。这对我的采风来说，是极难得的好机会。

出发前，我们特意不坐汽车，从部队里借了两匹好马，带上足够的食物和马料,踏着青藏公路向北走去。朋友说我们这次远行颇有探险的意味,因为我们要经过高寒缺氧的沱沱河、通天河、五道梁、唐古拉山昆仑山脉,虽说已是深秋季节,可变幻无穷的高原气候会给行程带来意料不到的困难。不过,我在藏区生活了几年,什么恶劣环境都闯荡过,况且有朵嘎同行,这次旅途定会颇具特色。

我们出发了。这时,正值人们去拉萨朝圣的季节,大批善男信女从北往南,而我俩却自南向北而去,好的是一路上有不少经商的人与我们同行,他们虽然与我不曾相识,可他们把同路都视为知交。所以,一路上大家说说笑笑,都觉得十分畅快。

越过昆仑山口前,朵嘎见万里晴空里出现了一条灰白色的云带,那条长长的云带像飘忽不定的白练在空中随着风儿摆动,细细看去,云带的尾巴镶着薄薄一层的暗红色的气雾。朵嘎便预测说气候会骤然变化,那条飘忽不定的云带是个不祥之兆。我却不能苟同,说天空中万里无云,怎会是不祥之兆呢?朵嘎不理会我,从衣兜里掏出了三颗洁白的石骰子,双手一合,频频摇着手中那三颗石骰子,半闭着双眼,口中念念有词,他把三颗骰子掷到地上,然后数着三颗骰子显示的数字,便背诵卜韵:"牛赎在劳累中长大,本想上山耕地,山谷却要发大水;本想去羌塘驮财宝,腿肚无力走不成。驮上财宝磨破脊背,望着天空长叹气……"我一听,这准是个不吉利的卜文。朵嘎说,糟啦,咱们今天别上山了,还是休息吧。我不信邪,坚持要赶路。朵嘎却把我拦住,指着天上那片云带对我说,瞧呀,那片云像是一头躬着腰的老牦牛累得没法走动;那云彩四周有一层灰暗的光泽,那就是暴风雨的前奏。这时,有几个上了年纪的赶路人听到了朵嘎的话，抬头望着那云带，连忙走到了上山的岔路口那座玛尼堆前祈祷着。不一会儿，那条云带变幻着，时而变成一头曲身的老牦牛，时而散开，仿若一条巨蛇。渐渐地，云带呈暗灰色，洒向大地。顿时，晴朗的天空变得灰暗，一阵狂风从天际袭来，把玛尼堆那一串串经幡刮得四下飘落，天呀，朵嘎的话儿应验了。我们连忙跑到山下那座水碾房里躲避起来了。外面的风越刮越大，碾房顶上的石瓦被冰雹打得震响。那几位同路人躬着身子喃喃念着经，求上天保佑一路平安。这时，我发现朵嘎以胜利者的目光瞟着我，很明显，朵嘎在责备我不相信占卜的力量呢。

　　风停了，我们继续赶路。到了昆仑山口，天空又放晴；我们站在高处眺望山下无垠的沃野，心里格外畅快。朵嘎建议吃点东西，好有足够的劲儿赶路。于是，我们取出了熟牦牛肉和糌粑饱饱餐了一顿。我问朵嘎，你是怎样从占卜的数字猜出是吉还是凶？他神秘地对我笑了笑，便从衣袖里取出了一本巴掌大的小摺子。我好奇地拿过小摺子一看，小摺子与我以前在博物馆里见到过的那种小型古诗的韵摺子一样，我把摺子展开，足足有两尺长，里边写满了密密麻麻的藏文卜韵。这是一本十分精美的卦书，那一行行工整的藏文排列有致。据朵嘎说，这小摺子是他在寺庙里当小喇嘛时花了一年多抄录的，他根据古藏经典《掷骰子戏论》、《丹珠经》和长诗《格萨尔王传》中有关占卜的章节抄写下来的。至于那本珍贵的《丹珠经》的孤本原来藏在敦煌莫高窟，本世纪初，英国人斯坦因、法国人伯希以及到敦煌的许多外国所谓的"探险家"们先后劫走了大量古藏文献，其中有经书、藏医学古本、哲学、法律、天文自然、民俗专著、文学艺术等方面的宝贵藏书数千册。而现存的《丹珠经》则是僧人们从前辈一代一代传抄的手稿，几十年来，全藏民间流行的占卜活动就是沿袭广为传播的《丹珠经》手稿进行的。

　　我颇有兴趣地请朵嘎为我介绍占卜的方法。朵嘎说，在《丹珠经》关于占卜的章节里记载着怎样掷骰子，如何从骰子所显示的筹码对照这本卜文找出卦底，卦底就是卜文。每个石骰子有六面，不同的六面可以得到六十四个不同的组合码；而每一组数字都有相应的卜文，卜文一般是四、六句，也有十到十几句的，每句韵文由六个音节组成，语言十分简练，卦底就是一首诗，有的卦文后面附有十言八句短短的散文式的卜辞，它起到了加深理解或辨析卦文本身含意的作用；卜辞的每两句必须押韵，这与汉文古诗一样有严格的韵律一样，它往往成了人们熟悉的歌谣，可以随口背诵。卜辞，是藏语古言文，经常掷骰子的上了年纪的人都能背诵上百首韵文，他们按骰子显示的数字便可以把卜辞的原文背诵出来，或是把卦底的主要意思进行解释。朵嘎还说，卦文大致分为三种：吉卦，凶卦，吉凶相并，文化较高的僧侣或上了一定年纪的人对吉凶相并的卜文较容易辨析出其中所含的实意，文化差的只能求助于懂卜文的人解释了。

　　真有意思，以前我曾结识过几位很有社会地位的开明土司、中年活佛，他们热情地向我介绍过藏传佛教的经哲、历史传说、格言和口头文学，使我初步知道古藏文化渊源流长，在世界上也具有一定地位。听了朵嘎介绍，走下昆仑山时，他在马鞍上兴致勃勃地背诵了几首十分美丽的卜辞；以前我以为卜卦纯属迷信，听到了朵嘎详尽的介绍，我觉得，占卜是浩瀚的古藏文化一个不可少的组成部分，它往往使人们通过占卜活

陈长吟 摄影

动,把美好的愿望寄托其中。

几天后,一个晴朗的下午,我们纵横驰骋在丹东大雪山下的草原,涓涓流动的沱沱河展现在面前,草原上那色彩斑斓的帐篷和一群群牛羊与雪山、蓝天构成了一幅天然美景。那天夜里,我们在附近的喇嘛寺内歇息。朵嘎认识庙里的主持,因而得到了主持的盛情款待,高僧带我们到藏经楼参观。经过朵嘎的请求,高僧把一本手抄卜文古卷拿给我们看。这本古卷把占卜的种类分得很详细,比如预示人生命运、机遇、婚姻、疾病、事业等等,分成了许多章节,有的章节是用金粉写成的,虽然有些已经脱落,但每行文字仍清晰可辨。经过高僧的介绍,我才得知,谙熟卜辞的人,可以从骰子所示的筹码屈指一算,就能诵出卜文。现代的西藏占卜是八世纪藏东北占卜的延续,卜辞分成了"风女神"、"星巴尔"、"曲达拉"等类,掷骰者所在方位十分重要,就像汉族的风水先生那样讲究东西南北,根据地形、方位以及树木、山岗、河流走向判断吉与凶。

第二天清晨,主持亲自送我们上路,分别时,朵嘎取出那三颗骰子交给主持,请他为我们卜一卦。于是,高僧掷下了骰子,他的眼睛突然发亮,连连称道:"噢,吉卦吉卦呀!我不解地问这卜辞的意思。主持却对朵嘎示意,叫他解卦文。朵嘎数完了骰数,便熟悉地背诵起来:"黄雀在金湖里浮游,四处一片静寂;白天里没有人迹,夜间见到了白度母;水晶般美丽的草原上布满牛羊,野羊躺在涓涓细流身旁……"高僧向我解释道:此卦乃卜射运,你们一行有神保佑;您的家运将幸福美好;事业上所谋必有成就。

次日,我们越过了通天河,向五道梁进发。我与朵嘎在马背上遥望前方远处,不觉前面天空里出现了一条彩虹。彩虹下混混沌沌地隐约看到了一座城堡,城堡周围是缓缓流动的氤氲气体,它在彩虹映照下显得格外神秘。这时,朵嘎兴奋地朝着那海市蜃楼张开臂膀呼唤着:哦呀!看呵,那是天上的神殿,天神赐福啦!随即他双腿下跪,朝着海市蜃楼方向五体投地膜拜起来。

我从来没有见过如此壮观的海市蜃楼的景像,莫非高僧为我们占卜应验?顷刻,那城堡在变幻着,我仿佛见到一片湛蓝湛蓝的大海,那绸子般的海水缓缓涌动……

我感激朵嘎一路上为我背诵了那么多的美好卜辞,让我增长了不少藏文化知识。那些日子里,我们经历了一生中难以忘怀的旅途,我爱西藏这片美丽的圣土,更热爱西藏的文化。后来,我把朵嘎翻译成汉文的卜辞抄录下来,就像读到好诗一样得到了一种别具风格的享受。是呀,卜辞本身却已超越了宗教,她同藏族民谣、格言、长诗一样成为古藏文化中一朵奇葩。

马丽华

灵魂像风

1992年,夏季。西藏。
一次为灵魂而举行的盛典

一

正如同物质文化先史中,全人类无分种族人群尽皆普普遍遍地经历过石器时代一样,在精神文化先史中,全人类无分种族人群，也尽皆普普遍遍地经历了泛灵的、泛神的、巫术的时代。那一派精神的汪洋曾经何等轰轰烈烈并为时甚久地恣肆于全球，在广大而漫长的时空里弥漫着巫风巫雨，诸神众灵。而今，它已久久地退潮于世界的边缘角落，只有依稀涛声偶从现代人耳边掠过，如低低的叹息。

现代人类学的奠基人泰勒曾指出：人类伟大的宗教教义之一，就是深信灵魂在一个生命体死亡后的继续存在和生活，而这种对来世的信仰可以分为两个主要部分：第一是灵魂的转世论；第二是死后灵魂的继续存在。

余脉尚存于西藏。泛神主义和灵魂转世观念几经辗转流变，已融合于这片雪山草野之间。这里的人们固执地认为山川草木皆有灵性，历经无以计数的生老病死，我们每一人所秉有的灵魂仍是那个来自上古人之初的老旧不堪的无形之物。

在这里，对于灵魂的观念和安排，不仅成为一种思想方法，也构成了一种生活方式，一种群体行为。

但灵魂究竟是个什么样子，它来自哪里，去往何方？

被询问者，僧人，尼姑，老人，都友善地笑起来了。

二

藏传佛教诸教派，依据其服饰及较之服饰更重要的特征，被俗称为红、白、花、黄、黑五教派。每一派各有其历史传承、本尊宗师、所擅之道和传说故事。此番于藏历猴年六月在西藏墨竹工卡德中山谷仲吾如坝子上为生者灵魂举行特别仪式的直贡噶举派，即是藏传佛教中被俗称为白教的噶举派的一支。

噶举派曾经十分地兴盛过。噶举派的分支曾多至两支四大八小两派三巴之繁。噶举派的祖师之一为西藏古代著名的苦行僧米拉日巴；该派遂以苦修和藏密气功而著称于世。直贡噶举大约创建于公元十二世纪下半叶，元朝时曾被封为藏地十三万户之一的直贡万户，宗教势力也一度扩展至全藏尤其是以阿里三围为中心的西部西藏，包括今克什米尔、尼泊尔北部等地。当历史的烟云散尽，当代噶举派仅止于噶玛噶举、主巴噶举、达垅噶举和直贡噶举了。直贡噶举在历史上累遭挫败：十三世纪时与萨迦王朝争夺西藏政教领袖地位，被打了个落花流水，主寺直贡堤寺惨遭洗劫；十四世纪时，又与继萨迦派之后所建立的帕主王朝争夺权力，复遭失败；十五世纪后，作为后起之秀的俗称为黄教的格鲁派如日上中天，各古老教派许多属下寺院纷纷改宗倒戈投奔而去。以致直贡噶举派势力衰微，今在藏地及阿里和拉达克虽仍有分属，但声望及影响大不及前。位尊主寺的直贡堤寺于近十年来一举修复，但使它名震四方的，不因其规模不或信徒众；使它名震四方的，是它拥有着藏地最著名的天葬台，是超度死者灵魂所经由的最佳途径；同时，它还拥有着藏传佛教诸教派中唯此派所独有的为活人灵魂开窍的仪式——"直鲁噶举"的"抛哇"仪式。

"直鲁噶举"可直译为"猴年噶举"。藏历每逢猴年的六月初十对于直贡噶举来说是个于一切神圣之中最为神圣的日子：本尊佛莲花生于某猴年的六月初十自莲花中诞生；据说直贡堤寺第九任住持多吉杰正式开辟德中圣地时也在某猴年的六月初十；到直贡堤寺第十七任住持（活佛）仁钦平措创建德中寺，并开创"抛哇"仪式时，又是在某个猴年的六月初十。后者发端于十六世纪。即从十六世纪始，每逢猴年的六月间，都要在德中山谷深处的当年仁钦平措修行过的仲吾如坝子上因灵魂和为灵魂举行为期八天的活动。

"抛哇"是经文的音译,意指对于灵魂的导引和转移。与藏密气功有关。由具备特别法力的高僧活佛持诵,在活人,能够打开关窍;向死人,则是超度。此前曾有人多将此一译音录记为"破瓦",令人忽觉头颅如瓦瓮猝然被击碎之感,实在不妥。推敲再三,用"抛哇"二字可能不至引起非非想。

听民俗学家廖东凡先生(系使用"破瓦"译音者之一)谈道听途说来的该仪式:将头顶覆一纸,在主持活佛诵念经文毕、以"呸呸"之声发气七次,那纸于刹那间便被冲得翻飞——天灵盖正中几片骨接缝处,汉语称"囟门"、藏语称"仓古"、学名为"矢状线"、道家作"百会"的地方刹那间豁然开启。自此,据说便确保了灵魂的未来走向:径往西方乐土。

德中寺尼姑贡桑的哥哥、当地牧民平措罗布边为妹妹缝制新衣边说,格外敏感的人,当场便有的昏厥,有的鼻血不止……接受了"抛哇"的人,临死时的超度经可念可不念……"抛哇"那天,一匹马走十八天路程范围内的人都可受益。

直贡堤寺一老僧则说,是鹰飞十八天路程范围内的人都可受益。不仅如此,如果心生敬信的话,无论你身处何方,无论你属于哪一教派,都如同身在现场利益今生来世……届时,持续八日之久的经文将发出"亿万之声",感天动地;历史上规模最大的场面达十万之众……

这又是一个难以验证的结果!我提问说,怎样证实我的灵魂已经开窍,如何得知灵魂在我身后所往何方呢?

堤寺的学问僧格龙(噶举派不设格西等学位制度,格龙是发愿遵守一百五十条戒律具德行者)贡觉桑旦说,是可以验证的!比如,你接受了"抛哇",可从你死后的头盖骨上看到已开启的缝隙,那缝隙的宽度可以插花插草——藏语称其为"抛哇加玛",所谓加玛是那种可用来扎扫把的一种细而长的草。

三

"直鲁噶举"的"抛哇"仪式理当每隔十二年举行一次,唯有此次距上次的1956年逾三十六年之久。信徒们翘盼已久,我们也等待有日了。此刻,是该走进德中山谷,走向仲吾如圣地了。

墨竹工卡县城东距拉萨八十公里,出县城北行约六十公里处,德中山谷谷深壁陡,山青水秀。前不久特意询问过一位刚刚踏勘过此地的地质学家,得知德中不同凡俗的地貌之地质结构果然不同寻常:德中山谷一线为欧亚板块所属较小板块之间的结合部,是一深大断裂带。其大者,东起横断山,西连岗底斯长达数百公里;其深者,自地表之下纵切全部固体地壳直至岩浆层。地质学家提示说,凡断裂带上,必有热泉出露。这个山谷已发现温泉十数处;继续提示说,凡断裂带上,必是地震频发区——不幸而言中:结束"抛哇"后未几日,我们在直径不及百公里外的拉萨河对岸查古村那个凌晨,被轰轰地摇醒;又未几日,电视上便报道了震中正在德中附近,一些房屋被震毁,死了七头牛,伤了几个人,云云。

德中山谷谷口景观已显现出它的超绝凡俗。巨大浑圆的灰色岩石叠相垒加,直逼碧蓝苍穹;石崖间覆以青松灌丛,其下涧水淙淙。由于名满四方的德中温泉对于胃病及关节炎之类据说具有相当疗效,每年前往洗浴者甚众,汽车路已于去年就修通了的。靠近德中寺的达雅地方，临时做了前往仲吾如的僧俗人等的转运站：凡汽车运抵的粮、柴、搭帐篷的木料之类，皆由此处改由牦牛队驮了去——公路只通到温泉，余下的山道须靠徒步了。

达雅之名即马与牦牛。从前这山坡两侧各有一自然形成的石马和石牦牛。一则古老预言宣示：当石马和石牦牛相撞之日，便是宗教毁灭之时。"文革"中炸毁了它们，据说把碎石扔在一起。当地人在解说这一公案时也解嘲地说，虽然它们以这种形式"相撞"了，宗教还是没有毁灭啊。在原址，有人拿石头又仿造过，非马非牛。

这条山谷之成为圣地，传说比比皆是，盖源于祖师莲花生。当年他应藏王赤松德赞迎请，降伏并役使鬼神们修建好桑耶寺后，便乘坐白马以白云包裹飞往北方。行至德中温泉上空发现此处虽为圣地，但为孽龙盘踞，温泉里毒气蒸腾，有鸟飞过上空，便垂直地殒落水中。于是，莲花生便以手中金刚杵掷向孽龙，遂降伏并使成为保护神，并使毒水化为药水。随后，莲花生在此修行多年，山谷里遍布其脚印之类圣迹。

又说，南瞻部洲有七圣地，德中便是其中之一；有一亿神女聚集在德中的神山上。这也许是在此建立尼姑寺的依据之一。

德中温泉这儿，海拔大概足有四千二百米以上了。由于小气候的缘故，温暖而湿，多有藏地罕见的小蛇出没。尤其是，分隔成两个圆圆石圈的男女露天浴池中，随时有柔滑蛇身在石缝、在水面浮游。那些蛇们从未伤害过人，洗浴者与之同沐于水习以为常。但去年我来这里时，经人百般劝说也终于未敢下水。此番前来连同伴们也没再下水：数以万计、数十万人次地路经此处的人们都以一洗为快，通宵人流不息，而浊流滔滔了。

我们的摄制组是在仪式进行的第二天，藏历六月初九这一天的黄昏时分赶往现场的。雇了两匹马驮我们的行李沿德中河淙淙涧水边的山道上行。周遭百姓僧尼连日来赶修的山道不免窄了些，因为那些把帐篷扎在德中、达雅和邻近村庄的人们在转完神山、听罢讲经、接受了活佛摸顶而心满意足地凯旋的农人牧民们和马匹们都迎面涌来，我们就迎着那一张张笑容可掬的脸，并忙不迭地回答着每一声问候还不时地问候着那些年老的人、背着孩子的妇女："嘎来卡松暧（辛苦啦）！"听说在仲吾如地方已聚集了大约三万人，他们分别来自藏北的那曲、藏东的昌都、西部阿里、南面的林芝、山南，来自拉萨一带的农民或者城里的人。全西藏的人都来了。我亲见有孝子从很远的地方背着年老的父亲一步步走到仲吾如，还有一位垂死的病人被用担架抬了来，我亲见他就死在了第二天的"抛哇"现场。他荣幸地在临终前接受了"抛哇"，使灵魂即时往生西天乐土，这样的人有福了。

地势越走越高，灌木丛就越矮小，而两壁山就更加高大陡峭不可仰视。青灰的金属般的山体上有土黄的岁月流痕，如锈迹斑驳，愈显刚硬挺拔。夕阳照射于山尖，温和富丽。这条狭长的山谷做圣地日久，被称为此地"松玛"护法神的阿吉曲珍就一定是位前佛教时代的本教女神，因为她是被莲花生降伏过了的。千年以来的佛教时代里，这山谷又被宁玛派的、噶举派的僧人们做了修身之所。不仅修行洞依然可寻见，高在危崖上的莲花生修行洞成为朝圣者必去之处，更何况眼下仍有僧尼在人迹罕至处幽闭密修。这一条神圣的山谷，古往今来栖居过多少自甘寂寞的灵魂。

仲吾如地名是野牦牛吼叫的意思，极言此深谷之荒凉。然而圣地总有圣迹，左右远近的四座山都为传说所累，例如左前方的这座山被称作"噶举颇章"，意即噶举派的宫殿。而居中的一山，名为多吉帕姆，猪头金刚亥母，她长坐于此，右腿曲，左腿伸，丰硕漫长的左腿从山腰下穿过"抛哇"会场一侧，直延伸至草坝子末端山涧水中。仲吾如寺就建在她的怀抱里，我们的营地，红、黄、紫三顶艳丽异常的尼龙帐篷就扎在她左膝上。

三百多年前，直贡堤寺高僧活佛仁钦平措在此间一小小山洞内修行，忽发奇想，怎么就首创了为活人灵魂开窍之举呢！藏传佛教教派众多，何以噶举派独钟此道，请格龙贡觉桑旦解说一下可以吗？

——各教派对于灵魂的说法确乎不一，直贡噶举自有其独到看法；我们向以宗师之一的罗珠的灵魂而灵魂，以堪金布德萨多的行为而行为；对于你们这些未入门道的俗人来说，我们对于灵魂的独到看法还是秘而不宣为宜。

四

海拔约在四千五百米的仲吾如草坝子果然沸沸扬扬，由各色帐篷搭成的临时城镇晚炊弥漫。帐篷城自下方沟谷漫延，上方触角伸向多吉帕姆巨大山体两侧狭谷地带德中河的两个上源。山坡的小叶杜鹃已被新鲜地砍斫或被连根拔来作了燃料，遍地厕所；人们汲水要穿越整个帐篷城去往上方洁净处。往年孤寂如世外的圣地，忽然就烦嚣凡俗不堪了。我们在此一住三昼夜。

　　每天凌晨,就有几个年轻僧人在紧挨着我们帐篷的小山梁上吹起召唤的法号,声音高高低低,若断若继,间以时隐时现的锣声。信徒们就全都起身了,坝子中央大帐篷前的草地上迅速铺满了各种占位子用的座垫物品,然后纷纷启程按顺时针方向沿山路环绕右侧神山一周,这件事情约费时四五小时。上午十时许,人们便陆续返回,各就各位端坐于会场。来自全县及少量外地的大约十七八座寺院的僧人及七八位活佛轮番来场内念经,猩红色袈裟的方阵。活佛每天所讲经文不尽相同,我们弄到一份日程安排及经文题目,苦于难以翻译。概括说来,是劝人向善及长寿之道之类。例如,由根布活佛宣讲的《古如西瓦》(似可译作《善相莲花生》)就是讲长寿之道的。经文冗长,大意是:

　　人寿有长达六十岁、八十岁者,也有早夭者,概由前世的因缘决定。如果前世曾杀生害命,此生寿命必得缩短。若得今生长寿并来世幸福,须做两件事情:其一为多行善事,赎命放生;其二为一心向佛,尤其要崇信次巴梅(无量寿佛)和莲花生,因为这二佛虽为二身,实为一个性质。

　　夏季西藏,烈日灼灼。今年干旱,雨季姗姗来迟。草坝子上无有一株乔木可以聊避骄阳,晒得昏头胀脑也无以藏身。终于不耐的我们丢下摄像师在场地中央任他曝晒,撤回营地,撑开五彩巨伞做了遥观者。但干燥暑气仍从四面八方蒸腾扑面。白日永昼里,人们自太阳东升至夕阳西斜一直就一动不动。尤其令易于满足的人们喜出望外的是,往年需念经七日,直延至第八日即藏历六月十五才进行的"抛哇"仪式,由于今年的特别安排,将初八、初十,据说后来又格外加了一个十三都成为举行"抛哇"的日子。主持者由各寺活佛轮流。

藏族人认为,人身上下共有九个孔窍(女性十二个孔窍)。人死,灵魂倘从上部孔窍逸出,则可往生三善趣,即六道轮回中的天、人、阿修罗;倘从下部孔窍逸出,则将沦入六道轮回中的三恶趣,也即地狱、饿鬼和畜牲。而念诵抛哇经文的过程,正是逐一关闭全身孔窍、打开头顶天窗的过程。

在莲花生的佛诞日的初十这一天,我们怀着兴奋的、好奇的并掺杂着复杂种种的急切心情,等待了大半天,在五彩巨伞下密切关注着讲经场的动静。场地中央一大片猩红色的僧尼的几番集体诵经已毕;法号腿骨号的吹奏已毕;主持活佛的讲经说法也已毕,看看表,下午三时了,忽见场内骚动,摄像师拎了摄像机疲惫不堪地走来,方知不经意间已被开过窍。忙问那一关键镜头是否已拍上,那一关键动作是如何操作的,答曰,在县干部的密切提示下,终于抢拍到手:不注意的话肯定会忽略,所吹七口气动作幅度并不大,且声音也小,难怪你们没有感觉,我在近距离内也无动于衷,也无动于外。

大家面面相觑,心下遗憾起来,疑心是精诚未至,有所简慢,所以既未晕倒,也未鼻出血。

事后打听过,是否有当场晕倒者,人们满意地回答说,有的,有的。

这一天的摸顶仪式从正午三时许开始,直到晚七时。直贡噶举的摸顶仪式与别处不同,不是活佛端坐于宝座,使信徒排队依次自宝座前经过,接受活佛以手或以宝物的摸顶;而是让百姓们仍坐于原地,手持长寿宝瓶和达达彩箭的二活佛在随员及众铁棒喇嘛的陪同下,一圈圈每次只解决最前排。不仅要使圣物触及数以几万计的脑袋,同时还要触及几乎每一人每只手中所擎的以各色线绳及红布条缠起的"松退"——经活佛圣物触摸加持过了，尤其累经八次的加持，这些绒线布条便就被输入了神圣的信息，从而珍贵无比：系于脖颈，具有特别的护佑功能；馈赠乡邻亲友则是上上佳品。

从事摸顶仪式的活佛们很辛苦：从下午三时直到黄昏的七时。

五

灵魂真正是一神秘而奇丽的字眼，以往总是诗意地看它，不作它为一种实在，而今该确实地想一想它了。便就随时随地地询问，灵魂究竟是个什么样子，它从何而来，又去往何方？

被询问者，僧人，尼姑，老人们，都友善地笑起来了。

——僧人仁钦宁阿说，地、水、火、风四种元素形成了世界和人体，灵魂也随之产生；待万象绝灭时，灵魂便自然消亡；等到世界重新生成，灵魂又将再生。

——灵魂无影无形，看不见摸不着，我们的谚语说，灵魂像风。

——接受了"抛哇"的灵魂，将从此结束生死轮回之苦，直接进入西方极乐世界"德哇坚"，在那里，将由乌巴梅（无量光佛）接引。

……

由此说来，这便是佛教净土宗的世界了。我无师自通地想到这一点，不免心生隋唐以来就已存在的疑惑：那么因果报应呢？难道作恶多端的歹徒来此抛了哇，也能脱胎换骨，往生西天吗？

经说,向西方,过十万亿佛土,有世界名曰极乐。净土宗又称阿弥陀宗,为一上圣下凡共修之道,或愚或智通行之法,下手易而成功高,用力少而得速效的捷径。经说,至心念阿弥陀佛一声,灭八十亿劫生死重罪。

据说,藏传佛教中的"德哇坚"只是佛界天国五极乐界中最低的一个层次。进入西方极乐界并非成佛,只不过是在佛的怀抱中能够毫无干扰地潜心修行而已,将来还要返回人间,传播教义,普渡众生。只有成佛是脱离轮回之道的最终的和唯一的途径。

那位衣衫肮脏但气派高贵的来自藏北草原的老尼姑,边用手指搅和玻璃罐中的糌粑糊糊,边沉静地解答我的疑问:因果报应是绝对的。经历了抛哇并非一劳永逸,它只不过是给灵魂指明了一条向上的路径,能否到达西天,主要依据今生所为。

于是我便拿这一问题去烦人。连有学问的僧人也一时语塞,沉吟半晌方才说,抛哇也是学习,为灵魂照亮道路;因果报应是有的,但只要拜佛念经,虽然做过坏事,最终还是能往生西天的。

但是空行母康珠啦却认定,接受了抛哇就能洗清罪孽,纯净灵魂。她说,这就是为什么有那么多的人不远千里、历尽艰辛前来接受灌顶的原因。

更多的人认为经"抛哇"者灵魂可免下地狱,或者虽经地狱但可尽速通过,起到减刑作用不至于长期受苦。有人则认为"抛哇"的功能在于推荐灵魂,使它较之因果报应得到略好些的待遇。还有人认为,这些都是广告。

六

灵魂与无以穷尽的今生来世相关。这使我永远地感到新鲜并时常浮想联翩。我像祥林嫂一样不厌其烦地询问我所能询问的人以期明晰这一哲学。年轻僧人反诘说,你们汉族人把死人埋在地下,还要陪葬许多宝贝和生活用品,那是什么意思呢?

汉族人也是承认有灵魂的,由于佛教的影响,也承认有来生,问题在于,我感到这些过程不可思议:围绕这一问题的所有解释都是片断的,未成体系的,难以自圆其说的并且都是无可验证的。

格龙贡觉桑旦最耐心,且试图同我认真探讨这一问题,就从理论上阐释轮回观念:

我们得承认,我们一般记不得自己八岁之前的往事,这说明人是有忘性的,对不对?但忘记了它不等于往事的不存在。人是有前世的,只不过我们把它忘记了而已;至于来世,正像我们很难得知明天或明年我们将做什么一样,对于来世我们就一无所知了。我这样解答你的疑问不知你是否赞同,如果不同意的话可以反驳;总之是可以讨论的。

格龙说完,静待我的回答。面对对方期许的目光,不胜惊奇的我脑海顿感一片空白。我无言以对。不仅如此,后来不论怎样沉思冥想,也还是无言以对。我思想僵直,不能讨论。

但这类解释致使浮想越发的联翩,而魂飞天外了。沿这一思路走下去,我将何往呢?

七

其实格龙贡觉桑旦大可不必与我认真探讨——轮回观念在佛教中早成定论,不言自明:是释迦牟尼创立这一宗教的根本缘起。这位伟大的佛陀觉者也根深蒂固地接受了他所身处的社会中有关人生即苦、无限轮回的观念,佛教的最高理想正在于休止这种无穷尽的循环往复从而达到寂静涅槃。格外急切的人们还异想天开地创造了诸如密宗、净土宗之类即身成佛的方便法门。

然而成佛之后又怎样了呢?

释迦牟尼在世时,对于这一问题的解答始终语焉不详,是故佛界乐土及生存其上者的状态终是迷茫。且通往彼处之路歧途纷繁,各家各派之论众说纷纭,令人无所适从。

"直鲁嘎举"之后的几个月中,我因拍片工作遍访了西藏中部地区。灵魂问题困扰了我。凡遇智者高人,必追问其对于灵魂的看法。却无法追寻本土灵魂观念的原貌:大同小异的说法来自佛教。但各教派的解释使我明白了一个道理:殊途可以同归。其中以居住于直贡堤寺山下村庄的还俗僧人贡觉培杰的交谈最为具体。

问:它出现于何时,它来自哪里,它是什么样子,它居于哪个部位?

答:灵魂生成于生灵出现之时。生灵并非神造,生灵与神共生。生灵的存在说明灵魂的存在:一块肉不会动,一块骨头不会动,有了灵魂骨肉才会动。父精母血形成胎气,灵魂附着才成其为人。灵魂像气,也像风,实际存在而无形。心即灵魂，灵魂即心。它居于心脏部位，六识（眼识、耳识、鼻识、舌识、身识、意识）如六门，灵魂居于六门之间。现代科学认为大脑支配行动，宗教认为灵魂支配大脑，再由大脑支配行动。例如，你从拉萨来，你马上可以想象拉萨，即是灵魂在支配思想。

问：灵魂为何不告诉或不暗示我们的前世呢？

答：由于我们宗教造诣不够，所以我们不知自己的前世。我们今世为人，只说明前世积了一些德而已。众佛悉知自己的前世，成了佛即无所不知。

问：灵魂有性别属性吗？有智力的或职业兴趣方面的遗传吗？

答：经书上并无灵魂性别的记载。今生怎样看前世，来世怎样看今生。转世为男或转世为女是因果报应的结果。一般说来，投生为男身要好一些，投生为女身要差一些；但无论男女，转世为人总是好的。这是你的造化。

转世不存在职业遗传问题，你今生写作，来世未必与文学有关。

问：成佛之后灵魂怎样了呢？佛是怎样生活的？

答：那时候，灵魂就停止了转世，再不会投生到这个世界或其它世界去了。成佛是我们的最高愿望。但我现在没成佛，就不知佛在干什么。他们总不会下地干活吧（笑）!

八

这个扰人的问题肯定烦恼着全世界的人，所以从现代原始部落直到西方文明社会的全世界的宗教都急于对此作出解释和安排。所不同的只是，诸如基督教伊斯兰教的灵魂，是个体所有的灵魂。它们与生俱来，当肉体消失，它们便或天堂或地狱，直到世界末日，面对上帝最后的审判。而佛教徒的每一灵魂，则是以往和未来不计其数生命体所共同拥有的灵魂。

对于有机会选择宗教信仰的人来说，是否同时在选择灵魂的属性和归宿。

长劫轮回，人生大梦。拿佛教观念看待我自己，首先提出的问题居然是——我是谁？

我和我的灵魂——不对，是暂栖于我身的这一灵魂——也不对，或者说，灵与肉，究竟谁是我，是那个叫作马丽华的人，我是谁呢？

这个灵魂，不仅经历过许许多多的人身（或男或女，好人坏人，各行各业，各种面孔，重复地为人父母，为人子女，爱恋和仇恨过成千累万的别的灵魂），也一定做过牛马，野兽，虫豸，苍蝇蚊子小昆虫之类，做过无痛苦的神，易怒的阿修罗，受过地狱的熬煎。也许还有宿仇未报，前缘未了——谁知道呢！我只是这个灵魂无边际生命流中的一点幻象，转瞬即逝；是这个灵魂无数次存在状态过程的阶段之一；是这个灵魂无穷尽生命之链上小小一链环：这条链可真长啊！

让我说及佛教的时间观。假如灵魂与世界共生，让我们来计算一下，暂栖我身，或者说，我当下正使用的这个灵魂，它到底有多大年纪了。

世界也在生死轮回之中。每一次轮回为一大劫，大劫中又分为成（生成）、住（安住）、坏（破坏）、灭（毁灭）四中劫；每一中劫由二十小劫组成，每一小劫的时间是以世界生成时的人寿最高数的八万四千岁以每隔百年递减一岁的速度减至人寿最低数的十岁，此后又以同样的幅度由十岁增至八万四千岁……

这是一个难以遥想追忆的天文数字。我费神地计算不出我之灵魂的高寿，无法得知它所经历的生命流变，它所经历的生命与在下的我有什么关系，对于我及遥遥来世的作用和影响，哪些债务是前世所遗，或，我已在享用的福泽中，哪些并非现世现报——这一切我如何得知！我真希望有高人指点迷津：我的前世，前前世以及来世复来世。

也许最可怖的倒是在于：有人洞悉并告知说，你今后百世将如何。

不免忧虑地想到，经历了如此如此漫长的岁月，如此如此众多的生命，这一灵魂还能完好如初吗，抑或是，它已被打磨得珠圆玉润光可鉴人，还是创痕累累，充满使用痕迹。尤其是，此生终不肯安分，必定是此一灵魂使然。看起来，想要改变也难——它早已被规定。

九

灵魂像风。
灵魂如歌。
灵魂疲惫不堪。
灵魂无处逃遁。

当明月升起在东方山顶

——六世达赖喇嘛仓央嘉措的诗意人生

> 亚大黄叶在山崖顶上招摇
> 阳光下看来多么快活骄傲
> 孤独落寞的叹息有谁听见
> 风吹雨打的煎熬有谁知晓
> ——作为题记

> 在那东方的山顶
> 升起洁白的月亮
> 未嫁少女的面容
> 显现在我的心上

爱情作为人类生活古老而永恒的主题,一直作为文学艺术殿堂上的主供。所以这首写自差不多三百年前的情歌,犹如一粒宝石那样闪射着历久弥新的光芒,我们与三百年来的岁月一道倾听着,依然感动并感叹。

若论这首歌的来历,不免就有许多反差很大的概念组合在一起。词作者是谁?是六世达赖喇嘛仓央嘉措,三百年前他用竹笔在藏纸上写下了心迹;藏族青年作曲家边诺谱了曲,藏族流行歌手亚东则为之一展歌喉。瑰丽诗情超越时空,在古人今人的心灵激起共鸣;不管外部世界发生了怎样的改变,心灵所固守的美好之物长存于世;古往今来,情发一心。

这首歌另有多种版本,民间传唱的民歌风,现代音乐家的现代风。何训田与朱哲琴合作了一个仓央嘉措情歌系列,歌声伴随着西藏艺术女神央金玛已飞越大洋,传向世界。

其实仓央嘉措的情诗在许多年前就被译成各种文字,世界早已熟知他的名字和事迹。

拉萨八廓街有一座粉刷成黄颜色的楼房,据说那是当年仓央嘉措与心上人幽会并写下情诗的地方,房主人以此为荣耀,黄房子三百年金色不改。现在那里已被改造成一处咖啡馆,招牌上用藏、汉、英文赫然书写着店名——"未嫁娘"。

仓央嘉措一生,就是一个不朽传奇,一首千古绝唱。

这个人只活到二十五岁。作为人生,何其短暂,就如一抹过眼烟云,只向人间停仁片刻,便就飘然而去。

但这一闪即逝的烟云何其绚丽,光耀人间。仿佛就为昭示一个爱心,诗心,昭示人性之美。恰恰是黑暗的年代和多舛的命运造就了一个杰出的诗人。

这抹彩色烟云升起在最美丽的地方,由喜马拉雅的雪峰云蒸霞蔚。仓央嘉措出生在门隅地区的夏日部落乌金林地方,房前有柚子树绿荫遮蔽。皑皑雪峰和密密森林环抱的一片谷地上,"谷里拉萨作物十三种,谷中门隅作物十三种,谷外汉域作物十三种"。门隅地方青山常在,绿水长流,至今也以风光秀美著称于藏地——多年前的一个春天,通往喜马拉雅南麓的山口仍被厚厚的积雪所覆盖,我们曾徒步翻越雪山,一路下坡,在青翠的山林中穿行,在杜鹃花丛中穿行。山脚下门巴人居住的村庄里,杜鹃花在巨大的树干上盛开得仿佛燃烧起来。当地人遥指下方云遮林掩处的门达旺,自豪地告诉我们,那儿就是仓央嘉措出生的地方。但我们没能到达,那儿已在非法麦克马洪线以南。

与其他转世灵童不同,由于历史的阴差阳错,仓央嘉措并非自小被迎请入宫,因此他是在天籁中长大的。虽然藏史声称两三岁时就将他隐秘地转移并教授佛法,但民间的说法则让他一直在家乡成长到十五岁。我们宁肯相信后者,不然何以解释那个自由的性灵和人间情怀缘何而来。有自然风光的熏陶,有民间文化的滋养,仓央嘉措属于土地和人民。

门达旺是门隅地区的首府。在门巴人的传说中,太阳名叫"达登旺波",意谓七匹马拉的车,达旺就是达登旺波的简称。七匹马的太阳车辚辚过处,还生长着门巴人起源的爱情故事,说的是明镜般的湖水中走出一位美男子,怎样以月亮为弓,以流星为箭,将定情的靴带射向美丽的姑娘;生长起卓瓦桑姆的美丽传说,说的是天女化身的贫家姑娘卓瓦桑姆怎样与嘎拉王一见倾心,后来又怎样遭致反面人物王后的迫害,最终善战胜了恶,美战胜了丑。仓央嘉措就是在这样的故事环境中长大的。他的父亲是藏族人,母亲则是门巴族人。在这藏族和门巴族聚居地,两个民族的文化相异而又交融。仓央嘉措也是倾听着这样的门巴民歌长大的——

高耸的雪山万物相聚会
洁白的雪狮赴会最珍奇
我们今天相聚贵如金
但愿相聚永远不分离
如若分离祈愿再相会

> 可爱的家乡万物相聚会
> 亲人挚友的相聚最珍奇
> 我们今天相聚贵如金
> 但愿相聚永远不分离
> 如若分离祈愿再相会

歌声传达着对于人生盛筵不散的渴望,一定给予了少年仓央嘉措最初的感染,虽然这种渴望到后来对于他而言已是不可企及的奢望。

还有一首《东山顶上》——

> 金色太阳升起在东方山顶
> 脚步匆匆正走向西方雪峰
> 惟恐雪峰消融我急步前往
> 只见新雪纷纷而积雪尚存
> 还有雪狮欢悦地卧在峰顶
>
> 北部羌塘忽起弥天的狂风
> 脚步匆匆正涌向南方树林
> 惟恐旃檀折断我急步前往
> 只见檀枝未折新芽又绽放
> 还有孔雀翩然在檀香林中
> ……

就觉得门巴人似乎感情更加细腻,有一些怜香惜玉的温情。从这首民歌的起首我们或许得知,"东方山顶"的意象何以总在仓央嘉措的情诗中出现,而且总在他最美的诗中出现了。山川钟灵毓秀,淳厚多情的民风加持了儿时的仓央嘉措。如果不是命运的变故,按照一般的人生轨迹,或许他将在这仙境般的家园手抚琴弦,做一个自由的歌者吧。尽情地抒发对于自然、对于家乡、对于生活的无限珍爱之情,然后和心爱的姑娘成亲,生下一大堆可爱的孩子,再然后回归于这一方水土,多好!

然而生不逢时,出生之际正赶上五世达赖喇嘛圆寂。一个名叫第悉·桑结嘉措的摄政王正当其政,出于政治需要的考虑,那个人上对朝廷下对人民隐瞒了真相,长达十五年之久秘不发丧,只在私下里秘密查访转世灵童。这一事件改变了仓央嘉措人生的轨迹,揭开了他悲剧命运的序幕。

翩翩少年被迎请到拉萨,在布达拉宫举行了坐床盛典,登上布达拉宫高高的红宫阳台,俯瞰为这一佛门盛事举行的小召会仪仗。那是热闹非凡的一天,拉萨倾城而出,三大寺、四大林、上下密院及包括格鲁、宁玛、萨迦、噶举四大教派数十座寺院的僧人和拉萨的僧俗官员、贵族平民等,尽皆整装列队而来。在布达拉宫下的乃顶岗舞台,各寺轮番表演了护法神舞。这次小昭会的仪仗阵容被保存下来了,一幅长卷,现存西藏自治区档案馆。这份彩色卷轴画长度为二十七米,宽仅十三厘米,所绘人物达一千七百三十二人。从中我们看到了穿戴不同、所持法器和乐器不同的各教派僧人;看到了宫庭卡尔舞队列,卡尔舞历来由十多岁的少年人表演;还看到了吉祥白伞盖后的穿着奇异的人群,据说那是以五世达赖喇嘛生前梦中所示的形象装扮的……

初尝作为佛子的至高无上,少年的心也许有些诚惶诚恐。拉萨的繁华也让少年感到眼花缭乱,犹如进入佛界天国。他新奇地在布达拉宫的墙堞间信步走去——巡视他的领地。那时他还想象不到这座巍峨的高墙深宫对于自己意味着什么。

盛大的庆典只是昙花一现,随即现实就恢复了它的本来面目。对于一个自由奔放的灵魂来说,那是一连串无休止的暗淡日子。窗外就是阳光灿烂的世界,而经堂幽暗沉寂。眼前只有长条的经书,耳边只有经师的教导,年轻的心便觉得不耐。这还不是最重要的。重要的是随着年事渐长,仓央嘉措初识政治风云的险恶莫测,而自己,正置身于风暴的中心;渐渐明白了自己的角色——一个受制于人的角色,一个身不由己地扮演着的角色。

其时西藏上层统治阶级内部关系错综复杂,明争暗斗:位高权重的摄政第悉·桑结嘉措与朝廷册封的蒙族汗王的藏蒙之间,以及蒙族人内部矛盾冲突日益白热化,局势动荡不安,正值一次政治大地震前夕。无心于政治也无心于佛身的仓央嘉措被迫参与其中,满心的厌倦与失望。他看不到未来,一切都无从逆料。心灰意冷,彷徨无倚。任凭第悉好言规劝或严厉申饬,年轻的活佛只是不思学经。

> 用墨写下的字迹
> 一经雨水就洇湿了
> 没能写出的心迹
> 想擦也擦它不掉

仓央嘉措的眼睛和心都迎向了外部世界,"杜鹃从门隅飞来,大地已经苏醒",他在欣赏春花秋月,他在聆听鸟儿啼鸣,正可谓感时花溅泪,恨别鸟惊心。那颗敏感的心在丰富地体验着,深深地感伤着。深夜的雪地上开始踏出一行脚印,从布达拉宫一直伸向八廓街;一个名叫宕桑旺波的高贵儒雅青年出现在街头的酒肆中。虚幻的物质世界多么诱人,假如真有来世,我愿生生世世为人,只做芸芸众生中的一个;哪怕一生贫困清苦,浪迹天涯,只要能爱恨歌哭,只要能心遂所愿。

> 若以这样的精诚
> 用在无上的佛法
> 即在今生今世
> 便可成佛的吧

戒律森严的环境和多情的内心世界、角色和天性的冲突,终于在二十岁那年不可遏止地爆发了。

曾为少年仓央嘉措落发授戒的五世班禅大师,五年后又该再次为之授一比丘戒了。仓央嘉措依约去往日喀则扎什伦布寺,满脸的乌云密布。我们无从得知一路上他想了些什么,我们所看到的只是他的决心已定。经由五世班禅自传我们得知了结果:班禅大师祈求劝导良久,仓央嘉措沉默以对良久,然后毅然站起身来,夺门而去。他双膝下跪在日光大殿外,给大师磕了三个头,反反复复只说一句话:"违背上师之命,实在感愧",念念叨叨黯然而去。在后来的许多天里,不仅没有转机,甚至变本加厉:不仅拒受比丘戒,反而要求大师收回此前所受的出家戒和沙弥戒。说这番话的时候,仓央嘉措痛彻肺腑:"若是不能交回以前所受出家戒及沙弥戒,我将面向扎什伦布寺而自杀。二者当中,请择其一!"

这就是仓央嘉措,唯一不再的仓央嘉措,无可奈何的仓央嘉措。他从来就身不由己,他的命运全由别人来安排。他甚至不如一个农奴还有逃亡的自由,甚至不如一个小僧也有还俗的自由。他是藏传佛教第一人,他拥有的是最多的不自由。说那番话的时候,他的心在流血吧。

按照藏传佛教的说法,一应转世活佛一脉相承,从一世达赖直到当下的十四世,此即彼,彼即此,面目各异而本质相同。但我们知道,分明不是那么一回事。

自那时起,年轻人愈益放浪形骸,公然换上世俗衣冠,佩戴弓箭,从龙王潭到郊外的林卡,处处留下他的足迹,回荡着他的歌声。而他的诗歌,也在此时炉火纯青了。

> 守门的狗儿呀
> 你比人还机灵
> 别说我黄昏出去
> 别说我清晨才归

对于仓央嘉措的情诗,从前和现在都有许多人依据自己的立场作出不同的诠释。有人说从中体现的是宗教的体验和感情,有人则说是有关政治的抒情诗。那些说法不免牵强,我们所见到的,确凿无疑是真正情诗,属于人类感情的,对于人性之美的顶礼和讴歌。西藏人民深深理解并认同这一点。为答谢诗人给予人间的丰厚馈赠,人们也亲切地回应他一支歌,三百年来传唱不歇——

赵燕明 摄影

> 喇嘛仓央嘉措
> 别怪他风流浪荡
> 他所追寻的
> 和我们没有两样

　　陈述这个人短暂的人生经历也许意义不大，仓央嘉措诗意地存在着。我们知道他必然地走向了他悲剧的终结：随着第悉·桑结嘉措被他的政敌拉藏汗所杀害，仓央嘉措作为政治牺牲品，也被朝廷废立。解往京师途中，在青海湖畔，他永别了他所倾心热爱的自然和人生，乘上七匹马驾驭的车，与太阳一起飞升。此前还有一个细节也许能够说明他彼时的心境：离开拉萨前，哲蚌寺僧众曾把仓央嘉措强抢回哲蚌寺保护起来，拉藏汗闻讯即派重兵包围了寺庙，双方剑拔弩张。在即将发生的流血冲突面前，是仓央嘉措主动走进了蒙古军中的。

此时的仓央嘉措一定心如止水，一定比得道者更彻悟。他已看淡了一切，平静地接受了一切，他感到自己已经在星空中灿然地划过，所以在他走向青海湖畔时，他的心情一定是喜悦的吧，他的脸上一定是挂着微笑的吧。

> 天际洁白仙鹤呵
> 请借双羽给我吧
> 不到远处去飞
> 只到理塘就回

仓央嘉措隐入了化境，他身后依然纷争不息。内忧外患，血流成河。政治的翻云覆雨也使六世达赖的认定再费周折。继他之后，拉藏汗拥立了一位名叫益西嘉措的，报请康熙大帝再颁一回金印；此人更为不幸，虽在位十一年，一样地作为殉葬品献祭于政治斗争；依据上述箴言般的诗意，人们从理塘寻回了一位转世灵童格桑嘉措。康熙大帝着实费神地第三次为"六世达赖喇嘛"颁发了金册金印。但僧俗人众都把格桑嘉措认作仓央嘉措的转世，俗称和史称都为"七世"。到后来，连朝廷也不再追究，就此默认了仓央嘉措作为六世达赖喇嘛的身份。

六世达赖喇嘛的情歌：人性的张扬，灵魂的歌唱，与人类生活同在，传唱千古而不朽。

诗人远去了，他所引颈眺望的东方山顶，总有诗意的显现——

> 东方的山顶上呵

一缕白云在荡漾
那是美丽的仁增旺姆
为我燃起祝福的高香

巴 荒

走 进 阿 里

看上去它一派荒凉、颓败，被淹没于浩瀚的黄色泥沙之中，但它依山叠起的残宫遗穴如一座经千年雕琢的巨型雕塑；这是一座蛀空了灵魂、没有生命的死城，却凝聚着过目难忘的深远和厚重，是一个宏大的"历史的风景"。

我感到一个残酷而诱人的，是我长期以来无形中为之较量的那个熟悉而看不见的世界，突然如此具像、如此丰富的展现在天边，同那一幕"历史的风景"奇妙的结合起来……

每一双眼睛都在等待我说"不去了"，而进阿里这个久久潜入我心内的强烈愿望已势不可挡。我觉得西部荒野的大自然，潜藏着我最隐秘的生命之源，一种秘密的呼唤正等着我去回答和验证些什么。1987 年 6 月 29 日便悄悄地载入了个人的史册。

而真正的阿里荒原（泛称无人区）是从拉孜起数的二百三十四公里桩后的岔口伊始的。车子行至此，正如音乐曲调一转，爵士乐接古典乐，在一块插入泥土的铁牌处——生锈的铁牌上白色的手体藏汉文写着：向前：仲巴二百零三公里；向右：措勤二百三十六公里——离开车道往右边翻浆的干泥坑地"哐啷"、"哐啷"，我激奋的心也随着它的"哐啷"声开进雨水和洪水侵蚀后又被太阳蒸干的荒滩，开进无垠的阿里高原，就像一只小船驶进波涛汹涌的大海。

它总使我联想起"母亲"这个亲切的词汇，它把高原自然中野性的粗犷、苍劲甚至忧伤像梦一样一并索绕在我的记忆里。让我一触及到"原始自然"这几个字，一种喜悦，一种渴求或一种骚动就涌上心头……

我感觉到一种与自然的独特缘分，它的生、它的死、它的喜怒哀乐，它跳动的脉搏直通我的千万缕神络。阿里这条最颠簸、最荒凉的陌生之路竟让我觉得这么熟悉这么真切，一跨进这片广袤就有一种回故乡的感觉。

有时，一头独狼在深沟隔断的对岸高台观望，尔后，像擦肩而过的陌生人调头悄然消失于远处的山脊；有时，一只孤雀在茫茫草原上飞行，落在一根偶然出现并早已枯死的麻柳枝头，摇摇晃晃像个疲惫的流浪儿，不知道从何处来向何处去？

自然界中的动物不仅仅是为生存而竞争，也为荣誉和尊严而竞争。而黄羊之死则并不为领取奖赏，它死得那么痛快、那么凛冽、那么单纯！

我想起幼年时代就装在脑中的那则轰动于世的关于"狼孩"的传闻，多年之后，我才读到了由 J.A.L. 辛格牧师二十年代所作的《狼孩》——对卡马拉和阿玛卡的抚养日记一书，证实了这个并非耸人听闻的事实……

一

我要去阿里。
这个梦是何时形成的？它像一个远古的梦串连起缥缈幻觉，在生命的底层时隐时显。

第一次认识阿里,是通过几张图片和一篇介绍考察古格王国遗址的短文。

那时,我正在一家美术专业报社做执行编辑,碰巧这份来自国家文物局的一则消息落到我的手里,处理完稿件,千把字的文字虽言简意赅却没有给我留下什么印象,倒是那几张不大、洗印得也很一般的图片,把一座处于七十二万平方米的古代遗址中的城堡废墟从一个陌生而遥远的领地突然抬举到眼前——古格王国。

看上去它一派荒凉、颓败,被淹没于浩瀚的黄色泥沙之中,但它依山叠起的残宫遗穴如一座经千年雕琢的巨型雕塑;这是一座蛀空了灵魂、没有生命的死城,却凝聚着过目难忘的深远和厚重,是一个宏大的"历史的风景"。

在我十一平方米的斗室里,我站起来又坐下,在我用木板搭起来的工作台上,我把它们拿起来端视又放下平铺在台面。

它的来到,就像是一位似曾相识而又完全陌生的来访者在轻轻地叩门;我同它(他)交谈起来,越谈越熟悉,甚至我既不能肯定也不能否定我在何时何地曾经和它(他)见过面,有过共同的经历和共同的感受?

1986年7月初的那个夜晚的确是有些特别,我照例是要工作到凌晨一点以后,而临睡前我照例是习惯性地要环视一遍我的工作间,但这种环视往往是一种告别性的似是而非的看,颇有自恋的嫌疑。而这一次,我觉得我凌乱的工作室比往常任何时候都更亲切。手工搭的书架以及用包装箱垒起来的书柜和衣柜所承装的什物满满塞塞,白底黑字的印刷品越攒越多,新的压旧的,旧的压新的;装上架又掉下来的或没有完全塞进去的杂物，工作台四周收拾停当又被抽乱的杂物，一些曾以为有用而常常是十年都不会光顾的东西……晃眼看去，从书架、书柜和工作台上流泄出来的千奇百怪的堆积物，是一些由黑色和白色为基调，间以各种灰色和杂色的"建筑"，它的意义在人与它的关系的变迁中时起时落，我发现，时光的流逝也在它们身上雕琢着、打磨着，把它们铸成一种时而熟悉时而陌生的"现代的废墟"。

我不知道这里面是否有什么共同的东西——遥远的古国的"历史的风景"和眼下"现代的堆积物"？为什么对我具有同样的亲近和异样的感受？我和它们有什么关系？

我推开窗户，挡住了视线的那座同等高度的大楼又黑了好些窟窿，但总有几个亮着灯火的窟窿在提示着些什么；那里面演出的历史也是正剧、悲剧或喜剧，如果把它们的内容都掏空之后再遗弃，它们也会渐渐演变成历史的风景。但这一个"风景"却没有那一个"风景"所具有的特别内容，它毁灭了曾经创造了影响于世的人类文化和历史，那个人类环境遗留下来的躯壳就更具有了某种神秘性。

眼下这张图片，铺天盖地的将人类文化和生命原始化的宏大场景，有着一种莫名的力量，它来自于形体——生命全无的躯壳：我觉得它不可替代的神性潜藏于里，正在等待某种无限的填充……

阿里，阿里，从没听说过西藏有个阿里？1986年7月14日经我手刊出的这一则消息《古格王国艺术宝库》，没有引起人们的注意，却无形中成了一个模糊而潜藏着隐秘的使命的路标，插在我的行程，在悄悄地引导着我。

第一次认识曾在阿里工作的人是在鼓楼西街西藏驻京办事处。

1986年的夏天,我处理完手中的一批稿件,骑着自行车穿出柳荫街,沿着什刹后海拐进人烟稀疏的鼓楼西街,撞进西藏驻京办事处,再经人指点走进卓扎多吉主任的家时,我还不清楚是什么时候,援藏的想法开始侵入我的大脑,也不知道阿里会在我的人生中扮演什么角色。

因为工作,我采访过几位到过西藏的艺术家和在西藏工作的艺术家,促成我写下了《西藏热》,也是千余字的短文,一个纵观新中国画家数度涉足西藏从事艺术活动的现象,分析和观望其思想和情感的行为轨迹,理性之极,愣是把数千字浓缩为千余字,不足以抒情,也把我累了个半死。其文发表后,《文摘报》转载,有了反响,我却放弃了原想继续深入调查的计划,停了笔,自己走进了西藏……

其实,我至今也分不清,一个行为的过程里面,有多少部分是为理性的思考和哲学的关怀,多少部分是为对文化的关注和情感的宣泄,多少部分是为神圣的职责和义务,多少部分又是为身不由己的命运的驱使和对生与死的放逐。

我对卓主任说:我要到西藏去工作。

……

而我第一个认识的阿里人,是在阿里落户的异乡人小H。

这个从新疆转业到阿里,有十二分天资的愣头小伙子以阿里人自居,并且我们一见如故,他几乎是以恳求的口吻对我一字一字地说:

"到—我—们—阿—里—来—看—看—吧,你来了就明白了……"

他想说什么,他想说的很多,但他最后只讲出这一句话来。我觉得,他说这句话时他的瞳仁里传达出来的神秘和孤独、苍凉和迷念,以及无法摆脱的对不可知事物的惶恐和永无可战胜的某种力量,参杂着对他那个已视为家园的领地野心勃勃的精神占有和超越一切的被诱惑。

我感到一个残酷而诱人的,是我长期以来无形中为之较量的那个熟悉而看不见的世界,突然如此具象、如此丰富的展现在天边,同那一幕"历史的风景"奇妙的结合起来……

二

我要去阿里。

由拉萨到阿里地区政府所在地的狮泉河要途经藏北"阿里无人区",一千七百六十四公里的路程没有交通车,只能求人在拉萨的阿里办事处找运送物资或送人进阿里的车辆,搭上车的机会却很少。没有闲人前往阿里,即使是得天独厚在拉萨工作的美术同行们,去过阿里的人也屈指可数,更不用说女人无伴独行。

我要一人进阿里。

提及阿里,聚集在西藏大学的同行及熟人们竟谈虎色变,争相向我提供荒凉绝伦、风险离奇的阿里传闻。原来自告奋勇要陪我前往的朋友也退了,似乎我今生此去就难返回。

那个烛灯惚悠的夜,长长而低矮的案桌四周,围满了新的和已可算是老的朋友们,人们轮番说了一圈话,突然一个长时间的令人心寒的冷场,每一双眼睛都在等待我说"不去了",

而进阿里这个久久潜入我心内的强烈愿望已势不可挡。我觉得西部荒野的大自然，潜藏着我最隐秘的生命之源，一种秘密的呼唤正等着我去回答和验证些什么。

1987年6月29日便悄悄地载入了个人的史册。

告别拉萨时，我又兴奋又忧郁，好像在与我生命中的某些部分告别。

尽管我幸运地搭上了去阿里的车，并且还是号称"巡洋舰"的越野车，启程后约一百公里的路途中，我都神不守舍。直到车离开北面逆向奔流的雅鲁藏布江，驶上海拔四千七百九十米的岗巴拉山口，我才从冥想中拔足，同车内的藏人们一起呼喊："嗦嗦罗——"。

藏人们一边喊，一边把随身带来的小纸片向车外山口的空中抛撒。那些薄薄的印有水红色的经文和图像的纸片像雪花一样在半空中飘荡着，散落在马路上，落在山脚或摩尼石堆上；风刮来，又在半空中扬起来，飘着移落它处；一些旧的粘有尘土和雨痕并被太阳晒败了色的小纸片散落在石堆隙中或车辙里，在渐渐地被日月消融像飘落的雪花渐渐被融化一样——这一切也正像是被一种神力在慢慢地吸收。这种与神祇交流的方式或许比之风马旗来得更方便，更普及，而我更觉出其行为的参予中所具有的诗意来。这是一种多么轻松的自我调节，我相信人们无论选择何种形式来与神对话，不过是获取心理秩序的途径不同而已。

两位藏族妇女要下车给山口的摩尼堆献哈达，车子正好停在俯视"圣湖"羊卓雍错的山道旁。我第一次看见西藏的高山湖泊，就是这座喜马拉雅山北坡湖盆苇中最大的淡水湖，约八百平方公里的高原湖泊，平躺于蜿蜒绵亘的群山。从高出湖面几百米的山口眺望，它确如镶嵌在群峰之中的蓝宝石，那种纯粹的色彩和宁静感以及湖畔的水草、牛羊马群、密集的白色水鸟所带来的悠悠生息，使人如此的赏心悦目。至今我仍认为羊卓雍错是西藏最俊美的湖泊。

去阿里的路沿羊卓雍错行，经过浪卡子进入日喀则的江孜地区，远远就可看见江孜宗山上的旧城堡垒。江孜宗城堡因1904年江孜人民抵抗英帝国"远征军"的侵略而在历史上闻名。而宗山下的白居寺，我在一年之后才得以有机会一览寺中白居塔别具一格的艺术风采。那座集西藏八种佛塔于一身建筑杰作，除了它一层层随塔上升的小殿和佛龛中那浓艳、粗犷而流畅的壁画以外，最令我难忘的是塔身上的一双巨大的佛眼，它使整个塔身看上去像是一个巨大的佛面，而我一闭目就感觉到那双佛眼至今还印在我的额头上，在看着我。

我们的车子在后藏的首府日喀则市仅作了极短暂的停留，我也只能随车经过坐落在城西日光山南侧十五万平方米的札什伦布寺，遗憾地在三百五十五公里桩的地方告别日喀则市。那时的日喀则真像是一个梦中的场景，或像是一个巨大的舞台布景，我跟随着车中的藏人穿进那像密集的道具一样的藏式民居，在墙头和柱身涂以彩绘的藏式小楼上喝了一道道酥油茶，然后又梦幻般地消失于这个场景。但我没想到几个月之后，我竟作为日喀则地区师范学校的一名美术教员，就在离这块三百五十五公里界桩约一公里外的地方开始了我的援藏生活，并常常往返于札寺宫墙外随山势迤逦的转经道，在城市的高处遥望年楚河，以后又多次从这块公里桩脚下经过，去纳唐、萨迦和定结，去定日、聂拉木和樟木，并再次经过这儿去阿里……

车行一百五十一公里的路程之后，在拉孜渡口与东去的雅鲁藏布江重逢。由东往西的车辆都得在此等候浮船过渡。车子从南岸到北岸后就在江边的阿里物资转运站落脚过夜。为了赶路，我们的车子第二天凌晨四点天不亮就出发了。司机是个汉语说得不错的藏族青年，但车中的闲谈，仍是藏语为主，一车六个人，只有我是第一次涉足阿里的外来客，每公里的路程对我都是未知而孤独的，这倒给了我更多的机会来领会黑夜和白天里的每时每刻所发生的一切。

三

车子离开拉孜渡口二百多公里之后，已临近中午。有人说："马上就到二十二道班了！"说到二十二道班，车中的人们有一种不易察觉的兴奋，眼睛有了微闪的亮光。

我是第二年从日喀则偶然地搭上由青海开往阿里盐湖的车队，再次进出阿里时，才体会出二十二道班所独具的亲切感的。那次结伴同行的四辆东风牌卡车，在二十二道班地处荒野的破墙围子里露宿。全车队六个司机和一名机修工没有一人进过阿里，和他们在日喀则偶然的相逢之后，我便成为整个车队精神上的向导，在司机台中度过的第一夜里首先饱尝了二十二道班所给予的精神鼓舞。

这个地属日喀则却由阿里行署所设的驿站在阿里荒原与日喀则乡野的汇合处，它是人们走进阿里荒原和走出阿里荒原的一种象征。

而真正的阿里荒原（泛称无人区）是从拉孜起数的二百三

十四公里桩后的岔口伊始的。

车子行至此,正如音乐曲调一转,爵士乐接古典乐,在一块插入泥土的铁牌处——生锈的铁牌上白色的手体藏汉文写着:向前:仲巴二百零三公里;向右:措勤二百三十六公里——离开车道往右边翻浆的干泥坑地"哐啷"、"哐啷",我激奋的心也随着它的"哐啷"声开进雨水和洪水侵蚀后又被太阳蒸干的荒滩,开进无垠的阿里高原,就像一只小船驶进波涛汹涌的大海。

阿里,阿里。

我终于跨进了地球上高高隆起的这块三十六万平方公里的土地,在东经 78°30′00″至 82°00′10″、北纬 30°00′00″至 34°20′00″之间,在平均海拔四千至五千米以上的阿里藏北高原之上,在脚下这片向西北延伸,一直到新疆昆仑、到青海可可西里的二十万平方公里藏北无人区之中……

而关于阿里,我在踏入这块神秘区域之前对它的了解甚少。我读过的那一则关于阿里札达古格王朝遗址的考察报告,仅仅是因那几张图片把一座依山叠起的风化古堡深深地印记在我的脑海里,"阿里"这个地名才第一次跃入我的心中并和西藏有所联系,但札达离此地还太远;有关西藏的书都告诉我关于冈底斯"神山"和玛法木错"圣湖"的故事,它们也发生在阿里,但"神山"和"圣湖"在我的脑海里仍然只是一个不明方位,等候填充的空白,它们离此处还太远太远。

我读过海因利希·哈雷的《西藏奇遇》。这位当年德国著名的登山运动员,奥林匹克的滑雪冠军,他在印度考察喜马拉雅山登山路线时遇第二次世界大战爆发,而被印度的英军扣押入狱成为战俘；这位后来在西藏生活了七年之久并成为十四世达赖的老师、旧时噶厦政府的官员，通过当年他从阿里边境数度逃入西藏避难的艰险历程和他顽强卓绝的生命意志，使我初次触摸到阿里现代历史中的生息和原始中的自然。

而与他那段奇缘息息相关的西喜马拉雅山之桑楚拉山口、卡米特峰，西藏西部边寨的杜尚村、查帕荣、桑兹、费旺，以及斯匹提河、丘里克村、楚石岗、噶尔镇、狮泉河……一系列山名村名地名重重叠叠的烙印在我的脑中——我带着从他的书中摘录下来的笔记，曾想沿着他当年从西藏西部到拉萨的路线倒退着走进阿里，而当我们的车子在经过日喀则的桑桑以后，在二百三十四公里桩离开通往仲巴的公路向无人区插进，司机告诉我不走南道时，我还颇为失落，但广阔而崎岖的无人区之道和高原阳光发射出强烈的原始的磁力，很快就使我将哈雷抛到九霄云外。

我还曾读过一篇涉及到青藏高原的小说，它总使我联想起"母亲"这个亲切的词汇，它把高原自然中野性的粗犷、苍劲甚至忧伤像梦一样一并萦绕在我的记忆里。让我一触及到"原始自然"这几个字，一种喜悦、一种渴求或一种骚动就涌上心头……我感觉到一种与自然的独特缘分，它的生、它的死、它的喜怒哀乐，它跳动的脉搏直通我的千万缕神络。阿里这条最颠簸、最荒凉的陌生之路竟让我觉得这么熟悉这么真切，一跨进这片广袤就有一种回故乡的感觉。

不知道究竟是在梦中常常与它相逢，还是我的始祖把生命之初水乳交融的泥土气息和它独特的影像，通过不为人知的信息传递储藏到我体内的冥冥深处，使我就生活在其中，吮吸它慷慨馈赠的甘露，栖息在它铺满阳光的温床上；我在它广博的胸膛自由驰骋，像荒原中的任何一只野生动物，也像寻找金子的第一个孤独的开矿人，在它最苦涩、最贫脊的寂寞深处行走和敲打……

四

的确，在我所走过的地方中，再也没有比通往阿里这种骤然阳雪骤然阴雨又被太阳蒸干、这种既寂寞荒凉又生态悠然的风尘之途更令人亢奋而亲切的路了。

离开二十二道班的岔口穿越阿里东部三县的一千余公里路途中，时儿沟壑纵横时儿又平滑如鱼脊的野坡，时儿无穷无尽起伏的荒滩时儿又一马平川的草原，到处散落着灵性的石头或风干的动物尸骨，到处伫立着逶迤而冷峻的高山，横卧着平静而幽深莫测的湖泊。

在天还未启明地还未解冻的凌晨，赶路的车灯射出两道雪亮而让人感觉冰冷的光柱，引起散布在山岗土道的野兔阵阵惊惶，它们立起身子，竖起长耳，逐又向黑暗逃窜；等太阳把夜寒驱散，成千上万只忙忙碌碌的土拨鼠在蜂房般的泥疙瘩铸成的土原上，一丝不苟地窜上跳下，在开裂的土堆上来回穿梭，好像要把整个大地都认认真真地翻上一千遍；而正午，在池边沼泽地里养息的旱獭，在水中嬉戏的黄鸭、丹顶鹤与白色的水鸟缓缓地扬起悠闲自在的头；还有在草原上成双或三五成群驻足窥视的黄羊，它们或角逐汽车，或调情似的奔向隐蔽的野岗。

有时，一头独狼在深沟隔断的对岸高台观望，尔后，像擦肩而过的陌生人调头悄然消失于远处的山脊；有时，一只孤雀在茫茫草原上飞行,落在一根偶然出现并早已枯死的麻柳枝头,摇摇晃晃像个疲惫的流浪儿,不知道从何处来向何处去?何处又是它躲避风寒的巢穴?

而喜欢在盐湖边成群狂奔的野马(当地人称野驴),扬起烟幕般的尘土犹如古战场冲锋陷阵的军队,并且总会有两名"勇士"冲出阵地和偶尔来到高原的汽车赛跑。它们扬蹄向还相距几百米远的汽车靠拢,直到和汽车并肩相距不足三米,急促而洪亮的蹄声压过汽车马达的轰鸣。这时的草原真像一面紧绷绷的战鼓,蹄落地面敲出饱满的"催战"鼓点,把整个草原敲得激奋而壮烈。它们还在继续向汽车靠近,一米、半米……眼看着它们就要和车头相撞,犹如一场你死我活的白刃战已不可避免,然而它们总是奇迹般地冲撞,扬起马鬃恰似斗牛士扬起的披风对准牛头而而与奔驰的汽车相切,然后与地面形成60°斜角的四蹄和身躯在阔大的草原上划一个巨形的弧,才在遥远的山麓收兵歇息……

司机告诉我,曾经有与汽车角逐的黄羊,超过汽车之后就因心脏破裂而死。

何等的英雄气概!

自然界中的动物不仅仅是为生存而竞争,也为荣誉和尊严而竞争。而黄羊之死则并不为领取奖赏,它死得那么痛快、那么凛冽、那么单纯!或许将来有一天,我们能够更全面的了解和认识动物所具有的修养和品格,而使我们人类少一些自诩。

我想起幼年时代就装在脑中的那则轰动于世的关于"狼孩"的传闻。多年之后,我才读到了由J. A.L. 辛格牧师二十年代所作的《狼孩》——对卡马拉和阿玛卡的抚养日记一书,证实了这个并非耸人听闻的事实：一只把曾经当作自己孩子食物的二个弃婴先后叼进洞穴的母狼，不仅没有将两个人婴当作一顿家族的美餐，反倒以自己的母奶养活了弃婴；当围剿它们的猎人发起进攻，而大狼们逃窜的时刻，这只不肯离开她奶大的两只小狼和两个"狼孩"的母狼，竟守候在洞口向进攻的人群发怒，最后无辜的被人活活射死。那是一个多么牵心断肠的故事，它使人不能不惊讶于母狼所具有的高贵气质。

辛格曾对此谓之"具有崇高母爱的母狼"。

吃人的狼曾养活过人，而创造文明的人类却制造了无数的战争和死亡。

人类战争的阴云还在地球上蔓延，但战争能够避免吗？它似乎成为人类自我完善中必须付出的惨痛代价。如果你一口气把人类的历史读完，你就会感觉到人类自创的包袱太沉重了，正像眼前重重叠叠、纵横交错的山包，如一个个不断发育增生的癌包，压在高原的胸脯上不能铲除……

冈底斯的朝圣

冈底斯像一次次迷梦中重叠的幻影，终于在我遥远而模糊的意象中渐渐清晰起来。就在我到达狮泉河的这一天，有人告诉我：一位由英国来朝圣的老太太，昨天死在冈仁波齐转山的途中……据说，能死在冈仁波齐身旁,是一种福气。

一条古老而永恒的朝圣道,经过信徒们千人万人亿万人的踏行,在阳光的梳理下,已成为一条发光的道路。冈底斯,自从人类发现了它创造了它,把心中最高的希冀寄予它,把转世轮回和通往天堂的幸福途径赋予它,它就成为人们心中的一块"点金石",给信徒、也给所有平淡无奇的人生注入灵性的圣光,惟有围绕它而顶礼膜拜……

这首我小学时代唱得烂熟的民歌,而我跋涉了近五千公里的遥途寻到这西海边,才知它唱的就是阿里……

等你一步一步向它靠近,冈仁波齐峰便依稀裸露出它阶梯式的岩石,像一座埃及大金字塔,显示出它男性般雄浑的身躯,在神奇的自然界和信徒们的心灵中散发出巨大的磁力……

在到达山口的最后大约百米长的浮石坡时,别说经过朝圣之路长途跋涉的香客,就是我自己,也是在爬三步倒滑二步,在毫无把握之中手忙脚乱地爬上这世界"脊梁"的。

两拨在等待和企盼中交换的香客在山口相汇,有多少相互的理解,多少难以言喻的情感想表达,人们在语塞中相互凝视,相互握手……有几个相识的香客拥抱起来,有人激动得喊叫、流泪……

年复一年,新的大旗在"神山"下放倒又竖起,人们从四面八方拥来,沿这条古老而发光的环道,围绕着冈底斯"神山"旋转,围绕着他们心目中的"宇宙之中心"旋转,踏得阿里的山川湖泊天空、大地草木砾石触目生辉……

一

冈底斯像一次次迷梦中重叠的幻影,终于在我遥远而模糊的意象中渐渐清晰起来。

就在我到达狮泉河的这一天,有人告诉我:一位由英国来朝圣的老太太,昨天死在冈仁波齐转山的途中,死者的面部表情非常安详。一年后我再来到狮泉河时,又有人告诉我:去年有位英国来的小伙子,死在要三天时间才能转完一圈的冈仁波齐转山道上。据说死者因感冒引起肺水肿,病后还爬行数里,路途中曾有转山的信徒将糌粑布施给他……

信徒、旅游者,遥远的异国异乡人,他们千里迢迢来到神山之下,就如此匆匆地带着终身的夙愿走进归宿之地——据说,能死在冈仁波齐身旁,是一种福气。

冈仁波齐,是什么使这冈底斯山的主峰——海拔六千六百五十六米,峰顶终年积雪的冈仁波齐具有如此招魂般的向心力?

没有一个佛教徒会不知道冈底斯山。"冈"即藏语意"雪","底斯"即梵语意"雪山","山"为汉语,三种文字合得一学名——冈底斯山。而"冈仁波齐"藏语意"宝贝雪山",梵语意为"湿婆的天堂",即印度神话中"神的天堂"。这是座充满了宗教神话故事和历史传说的"神山",对于佛教徒来说正如麦加对于穆斯林,是世界性的宗教圣地。

关于这座神山及它周围的各个山峰有着说不尽的故事和传说。按密宗的说法,冈底斯是胜乐大尊的圣地,胜乐大尊为了开创佛法,普渡众生,降除了原来占据此山的妖神魔怪,因此尊胜乐为本尊的佛教噶举派历来把此座雪山作为他们的修行地,至今围绕着圣山还有许多修行洞的遗址。而当地的老百姓大多数仍然信奉白教(噶举派)。按显宗的说法,冈底斯是十六罗汉中"出支罗汉"的圣地。主峰冈仁波齐山夜上有胜乐轮宫,宫下有五百罗汉,穴居山腰修行。据说,当年古印度高僧阿底峡(公元982~1054年)一行入藏传教,行至圣山脚下,依稀听到山上敲击檀板的声音,当是罗汉休息午餐之时,便对众人说:"罗汉敲午钟了,我们也吃饭吧。传说自此以后,凡来冈底斯山朝圣者,如是有福人,便可听得见檀板敲击之声。

在圣山修行过的诸大师中,最著名者米拉日巴(公元1040~1123年)恰恰是我最熟悉的佛教大师,初踏雪域圣地拉萨时,第一次拜望药王山,我就被刻在崖壁上他那苦涩而枯瘦的模样所打动,进而寻找关于他流传民间的故事。这位出生在阿里芒域贡唐(今日喀则吉隆)地方的苦行僧,传说是少年丧父,家中财产被亲戚霸占,为复仇他前往卫藏学得咒语,咒来冰雹致使人畜伤亡,庄稼殒毁,从而造下深重的罪孽。后来他从噶举派大师玛尔巴苦修,历尽艰辛,才终尽前身罪恶。

这位经历过可怕的肉体和精神折磨的苦行僧,当僧人们在为利益和权势相争,到中原寻求官位敕封的时候,他却放弃了自己生存唯有的房屋土地,浪迹在村边野岭,面壁在荒山的洞穴,以灵芝度日苦修,思考着人性的终极和佛法的正道……这位日后惯以诵歌形式传教并广收门徒的噶举派第二代祖师,代表着西藏佛教界苦行僧的典范,也象征着一个时代的苦行精神。

说到米拉日巴,我眼前就浮现出衣衫褴褛,形容枯槁,满身伤迹溃烂的他,正在吃力地搬运着沉重的石头,按照师父的命令将他一遍遍耗尽体力所修建到一半的碉房拆除,一遍遍把泥土和石头再搬回原处,又按师父的命令在它处重修一座十层碉楼……为了获取上师传授密法,可谓受尽非人的折磨,验证得非凡的出离心。

作为米拉日巴重要的修行之地的冈底斯山,最为广泛流传的却是米拉日巴与本教徒斗法获胜的神话传闻。世纪初前后数百年间的冈底斯一带原是古象雄故国的势力范围,也即是象雄国教之本教的势力范围。据说米拉日巴大师当年在此地向弟子讲经时,有个信奉本教的青年教徒纳若奔琼,自称法力高强要与米拉日巴斗法。他择十五黄道吉日与米拉日巴比赛登山,约定谁先到冈仁波齐峰顶谁便为圣山之主。十五日晨,纳若手摇单钹,腰别皮鼓向峰顶奔去。而米拉日巴却稳坐洞中继续与弟子们讲经,到了日上三竿才出洞,望见纳若拼命绕山而上,米拉日巴悠然回洞对弟子们说:"此人乃无能之辈。"过了一阵他才扇动袈裟,扶摇而上到山顶。等到纳若精疲力竭到达山顶,见米拉日巴早已在此诵经修行,十分羞愧而双腿瘫软,连人带鼓滚下山去。今人将冈仁波齐雪山一侧的一道冰雪不能淹没的深沟,视为当年斗法的纳若从山上掉下来的残迹。

"神山"之争正是以米拉日巴的胜利确立了佛教在"神山"

的地位,但"神山"也依然是众多教派共同的信仰之地。据说本教徒纳若甘拜下风后就曾向米拉日巴求得一块修行地,今之"神山"东南侧的本日山便是本教的修行圣地。

由于米拉日巴与纳若斗法那年是藏历的马年,延续至今十二年一次的马年朝山盛会便人山人海,虽因教派的不同而信徒们转山的方向不一,但却一致认为,此年世界所有的"神"均集中于此山。因此,是年来此朝山一次,等于常年朝山十三次。

冈底斯山的神话传说不胜枚举,并且每一种神话都可能会有种种不同的叙述。对神话的收集和罗列,我其实毫无兴趣,冈底斯山之冈仁波齐的美,通过古代诗人或学者们的浪漫手笔也早已被渲染得淋漓尽致。它已不在乎是否还有更多的历史或神话的附会,以及超然的赞美,经过人类千百载亿万次的神话叠加和历史与文化的积累,它已经成为一个为广大信徒和旅游者约定俗成的精神符号,不论是数千年来信徒们络绎不绝的朝拜,还是现代人的寻觅,仅仅是这围绕着它的众生的"走"——人类的脚步千次、万次、千万次、万万次的叠印,就已使它的神彩光耀眩目,令我感动……

二

我见过一些虽然质量拍摄得实在是不能称赞,但却使我为之一怔的照片:

蓝天下,阳光普照,往冈仁波齐的朝圣者们在前人踩出来的碎石道上走着;寂静的山谷里,断断续续的人流如一条窃窃私语的小溪,随金色的山岩和砾石,随草簇或涧水蜿蜒起伏。

一条古老而永恒的朝圣道，经过信徒们千人万人亿万人的踏行，在阳光的梳理下，已成为一条发光的道路，人们把美好的心灵注入这条光道，也一次次在这条光道上通过对冈仁波齐的膜拜和凝视获得心灵永恒的慰藉；看上去，这被信徒们踏过千年的光道，似积累了无穷的能量形成以冈仁波齐峰为磁心的场，无论是僧人还是百姓或是旅游者，一进入这发光的场中，似隐藏在其间而来自宇宙冥冥深处的奇异魔力，就在同心灵的撞击中迸发出超乎寻常的灵性之光。

冈底斯成为一方远离尘世而充满灵性的静土，让人畅游于东方独具特色的精神时空，无论是朝拜它观望它或是浸润于它……

山间的溪水成涓涓细流从山岩石缝中涌出，又消失在远处的砾岩卵石滩，也恰如断断续续的人流在年复一年地汇集之中；正是这些不起眼的小水小流，接受着冈仁波齐融化而来的雪水，不倦地流淌着，汇聚着，在东南西北某一处便渐渐汇聚成了大河，出落为创造世界文明的河源！恒河流域的印度人、尼泊尔人、孟加拉人寻河源会寻到冈仁波齐，印度河流域的古印度人、巴基斯坦人寻河源也会寻到冈仁波齐，还有雅鲁藏布江及布拉马普特拉河流域的人们，都会在冈底斯山的冈仁波齐找到了他们养育之水的源头……

走近冈仁波齐，通过呼吸和视像倍觉它凝固的寒气和神圣不可侵犯的尊严。

从结构地质学上讲，冈底斯主峰山体岩层平缓的上部，由第三系砂岩和砾岩组成。看上去，它质地坚硬的水平纹理岩层，构成十分诱人攀登的金字塔式阶梯；那塔形王冠坚实地嵌入它雄浑的身躯，在它那冠顶上万年浇铸之晶莹透明的冰川白雪覆盖下，裸露的岩层，疏密错落黑白相间，把它的冷峻、刚硬、雄浑和人类赋予的圣光一并呈现给世界，这大自然的神奇创造酷似神的刻意雕琢。

二十世纪二十年代中，曾有外国的登山者来转过"神山"后企图登顶而没有成功；有世以来定不下数亿万人来朝拜和瞻仰过"神山"，而冈仁波齐，它至今仍是一座处女峰，处处喻意着它的举世独尊。神的驻地，只有天界之神灵可行，而凡夫俗子芸芸众生，只能围绕它雄伟的身躯旋转……

冈底斯，自从人类发现了它创造了它，把心中最高的希冀寄予它，把转世轮回和通往天堂的幸福途径赋予它，它就成为人们心中的一块"点金石"，给信徒、也给所有平淡无奇的人生注入灵性的圣光，惟有围绕它而顶礼膜拜……"神山"就这样地成为了人文化的自然，一个从古到今的巨大的人文景观。

冈底斯山的朝圣之道是神圣而艰辛的。过去，信徒们从西藏各地和四川、青海、甘肃、云南等地，从印度、尼泊尔、不丹和巴基斯坦来冈底斯山，有的要提前半年甚至一年启程，他们有的沿途乞讨，甚至死在半道，他们有的朝拜了冈底斯山后再也没能返回家乡……但那些来此山朝过圣的异地人和外国人，回到家乡之后，不仅处处受人敬仰，亦自视高人一等。因此，过去在印度、尼泊尔和不丹，教徒和喇嘛们来朝山时，在国内还可享受乘坐车马不用付钱的待遇。过去，有钱势的人家或居住在冈仁波齐附近的百姓，将尸体送往冈仁波齐，以祈死后福大易转世人间。因此，居住在冈仁波齐附近的阿里藏民是幸运的，他们拥有冈底斯就已拥有了一种至尊和财富；阿里的藏民到尼泊尔、印度或青康藏区去，只要一说是冈仁波齐附近的居民，就会受到礼遇。

一个佛教徒一生最大的夙愿莫过于去冈底斯山朝圣。信徒们认为，围绕冈仁波齐转一圈（约七十公里）可以洗尽一生罪孽，转上十圈者，在五百轮回中免受地狱之苦，而转上百圈者，便可以升天成佛了。冈底斯山是信仰者、崇拜者和赞颂者的顶峰，是高悬于圣人、圣徒和百姓心灵中的精神之巅，人们认为：朝过冈底斯山，其余的山就都不用朝拜了。

我虽没有能在冈仁波齐转上一圈，但也真好像是翻了九百九十九座山，走了九千九百九十九里路，才来到冈底斯的足下来朝拜它和瞻仰这米拉日巴的修行故地。

在狮泉河找车去普兰我耗了好几天时间，由于没有够级别的上级机关部门的介绍信，地区派车便没有了指望，我不得不从军区到地方，左右打听顺路车。巧逢新疆军区专车送两位北京的摄影记者下来，拿的是国务院下属机构的硬介绍信，到了阿里军分区自然有车继续派送。地方行署特把这个消息告诉我，让我搭他们的车走是顺理成章的事了。

不料我却碰了个软钉子，最后还是行署的副专员杨松下普兰视查工作，才顺路捎上我前往普兰朝圣。

离开狮泉河向南行经过噶尔县的门士时，我打听到门士尚存一座本教寺院，在本教的故乡阿里寻本教寺院，这事颇具吸引力，但车没有闲时可以前往，目睹本教寺院的愿望终未了。当地人告诉我阿里本教惟一的活佛丹增旺扎正在狮泉河，可以前往拜访，我记下了这件事，但事后当我结束普兰和札达之行返狮泉河时，往拉萨的车正要开拔，竟没有时间访丹增旺扎；而第二年我在狮泉河再次打听他时，他去了拉萨；我回到拉萨后曾去藏医院打听他时,藏医院的占堆又告诉我:他上北京去了。

真是一错再错,两年中三次和这位被当地人亲昵地称作"麦格隆"的神秘活佛相错,终无缘面晤。留下一桩遗憾,也保留下一分神秘。

狮泉河往普兰的路之颠簸也不亚于藏北。车子在喜马拉雅山脉北麓、冈底斯山脉南侧的盆谷地带穿行,时值夏季,常遇洪水断路,车子也随时像开在河里。但沿途却不显得那么荒凉了,保住了水土的野草簇像绿色的绣球织在山坡或野滩,牦牛群也多了,遇上几个徒步跋涉的印度香客也不足为奇。

三

喜马拉雅山脉西段海拔七千七百二十八米的纳木那尼峰与冈仁波齐峰南北相望。这是除珠穆朗玛峰之外我最熟悉的喜马拉雅山系的山峰名字。1985年中日首次合登纳木那尼峰成功以后,中国登山队的办公室门上,贴的就是纳木那尼的标志,那段时间里为跟踪报道一位扬言要独自攀登雪宝顶的艺术家,我出入于登山队的办公室,听得登山队的人几乎三句话不离"纳木那尼"。雪宝顶虽未登成,纳木那尼却变成了我亲切的印记。

八十年代初时的纳木那尼还是一座处女峰,当地老百姓曾反对登山者上山,认为"神山"不可侵犯。而国际上,百余年来,欧洲的登山者和旅行家踏访此山,均未如愿。据载:1864年,试图征服此峰的几位欧洲登山家到达过纳木那尼的六千一百米处;1907年,欧洲著名旅游家斯文·赫定也曾踏访此山;

1926年，几位欧洲的登山家来此地几乎绕山一周，想寻找理想的登山路线；1930年，英国登山队突击登顶仍未成功……直到1985年，中日联合登山队首次攀登纳木那尼一举成功，异地的人们也才对它的名字熟悉起来。

由西北往东南去普兰途中的门士一带，看上去是风景平平，我怎么也没意想到阿里古代的历史和这个地方有着什么千丝万缕的瓜葛。而纳木那尼峰段一出现就气色不凡，白雪覆盖着的山顶与山脊，如千万条素裹的哈达，在流云中飘动。西喜马拉雅成为天然的国境线，在阿里延伸有四百公里，平均海拔六千米以上，超过海拔七千米的山峰有七座，然而在普兰仅纳木那尼一座。我曾在登山者的手中观赏过纳木那尼的冰川——纳木那尼具有我国西喜马拉雅山的最大冰川群，围绕峰区的冰川有三十三条——那晶莹透明的冰塔林和登山者红色的帐篷就像一座座童话的宫殿，这是只有登山者才能企及的世界，为此，我渴望过成为一名登山人。

纳木那尼在阿里虽然名气不如冈仁波齐，却也是一座神山，在神话传说中还是冈仁波齐的母亲，而辉映着冈仁波齐峰倒影的圣湖玛旁雍错则是冈仁波齐的妻子。据古代民间传说，释迦牟尼曾亲临过此山一带，唐玄奘西行也曾途经此地。因此，冈底斯山作为宗教圣地，也包含这纳木那尼的一分尊严。

人们也说神湖玛旁雍错与它相距约十公里的鬼湖拉昂错是夫妻关系。鬼湖看起来却比神湖更神，从纳木那尼峰后腾起的云雾犹如把阳光都吸走了，湖面上笼罩着一层潮湿而诡秘的气氛。鬼湖中有一个小岛，据说岛上有一小寺，每年冬天，湖面封冻结冰，寺中的喇嘛才与外界有所联系。"圣湖"与"鬼湖"却都是鸟的天堂。据专家考证在地质第三纪时，两湖原本同为一体,自然的变迁将它们一分为二,命运对它们也才开始分天划地。原流通两湖的干迦河也断流了,仅留下干涸的河槽。

但传说,两湖的湖底至今还是相通的,而"圣湖"为淡水,"鬼湖"却出落为咸水。

四百平方公里开阔的神湖清澈透明,碧蓝的湖水泛起鳞波,随风送来一股股凉爽而略显刺骨的寒气。听说神湖鱼可以治百病,并且常有鱼蹦上岸来之事,老百姓把拾到的神湖鱼晾干后当宝贝带走。我便死死地盯住"神湖"边透明的水域,但我的运气不好,没有看到鱼,更不用说从水里蹦出来的鱼。浅色的卵石在随波漂动,而直面扑来的寒气让我无法长久地在湖边伫立。

神湖玛旁雍错在冈仁波齐东南约三十公里处,水面海拔四千五百八十二米。当地有人说是唐玄奘所著《大唐西域记》中称之为"西天瑶池"的地方。据佛教经书讲:玛旁雍错是世界上的"神湖"之王。湖水由冈底斯山冰雪融化而来,极为清澈,可见水中鱼群,湖水甘洌,被教徒们视为胜乐大尊赐给人类的甘露,因而是"圣水"。这"圣水"不仅能清洗肌肤上的污垢,清除人们心灵上的烦恼,洗掉"五毒"(贪、痴、嗔、息、妒),喝了"圣水"还可以消除各种病痛,益寿延年。而朝拜的人只要绕湖一周,捡得一条鱼或一粒石子,甚至是湖中鸟禽的一根羽毛,都是广财龙王的赏赐,会一生财源不断。因为佛经说:"神湖"底下有一百零八个泉眼,上有广财龙王的龙宫,宫中聚集着世界上众多的财宝。而宫前长着高大繁茂的"赞布扎西"神树,可以覆盖凡天下界,给人们带来吉祥与欢乐。

冈底斯的另一注释，就是"众水之源"。冈底斯山是雅鲁藏布江、恒河与印度河的发源地，亦即是阿里的四大"神水"之源。它们是：北坡流出的狮泉河（森格藏布），今印度河的正源；南坡流出的象泉河（朗钦藏布），亦为印度河河源；东坡流出的马泉河（达却藏布），即雅鲁藏布江（流入东印度后称布拉马普特拉河）的源头；而南坡另一侧流出的孔雀泉河（马恰藏布，后称孔雀河），则是恒河的上源。藏布为藏语大河之意，然这四条"神水"原名却并未有水之意。如马泉河原称为"达秋喀浦"，达意为马，秋为良好之意，而喀浦为口中落下，就是说从好马口中落下之意；正如象泉河原叫"朗钦喀浦"意为大象口中落下，狮泉河叫"森格喀浦"⋯⋯至于这些河流据《底斯山湖志》讲，东南西北流出的河沙是"银粉"、"金粉"或是"合金粉"或是"金刚石粉"，这并不重要，有意义的正在于它们都是极富盛名的古文明之水的河源！

这三条著名大河的上源又均切穿喜马拉雅而出西藏，无论它们流经何处，也无论它改何种称呼，最终都归入浩瀚的印度洋⋯⋯真是造物主一厢情愿的安排。

若以"神湖"论美，我认为实不及羊卓雍错——据当地人讲，仰望玛旁雍错得用上一年的工夫！否则你无法想象它千变万化的琦丽景色，自然我无法有机会目睹它的全部美色了——然而论神论灵玛旁雍错则为西藏首屈一指。印度信徒坚信此湖是大神湿婆和他的妻子乌玛女神的沐浴之地。他们认为神湖的四边有四个洗浴门，东为莲花浴门、南为香甜浴门、西为去污浴门、北为信仰浴门。来朝圣的善男信女，如能到每个洗污门去洗涮一下，能消除各种罪过，得到不同的福德。每年来此处的朝圣人，尤其是生活在恒河流域的印度教徒，赤足徒步，背负行李，风餐露宿，沿湿婆的踪迹，来此面谒大神，必以湖水沐浴，然后再将圣洁的湖水装满随身带来的容器，带着大神的启示返回家乡。

冰凉透骨的湖水却令我难以想象沐浴。我虽不信神湖水有那么大的法力，但寻了这九千九百九十九里路，亦觉得深达六十米的清澈湖水充满了魅力，捧起湖水来喝了几口，的确有清甜之感，便高高兴兴地灌了一水壶带到普兰。

当普兰宾馆的年轻服务员问我要不要开水喝时，我举起随身携带的水壶摇晃着，告诉她们我有神湖水喝，而她们那种不屑恭维的样子弄得我很扫兴。五十年代初出生的人，人人皆会唱：

这首我小学时代唱得烂熟的民歌，而我跋涉了近五千公里的遥途寻到这西海边，才知它唱的就是阿里，心中自然情曲难短……

据《冈底斯山海志》描述：冈底斯为雪山之王，高不可攀、直插云霄。山脉雪峰林立，天寒地冻。山上，时常可见到挂着成排晶莹发亮的冰凌山洞和挺立着透明的冰笋、冰蘑菇的水晶宫，也可在两山峰之间见到巨大坚冰凌空的"冰桥"。冈底斯山，除了巨岩重叠，大石垒垒外，就是冰雪的世界。主峰冈仁波齐则像国王的座床，周围群峰像顺从的臣民，向主峰低头围绕。东边的万宝山，传说是佛祖释迦牟尼脚踏过的山，西为度母山，南为智慧女神峰，北为护法神大山……

而从神湖看冈仁波齐得碰运气，那"神山之王"的头上总是盖着厚厚的云层，但一等晴空万里，炽烈的太阳把湖边的沙石滩晒成淡柠檬黄色，万顷碧波的湖面尽头便展现出冈底斯山连绵起伏的峰峦和那高出四周白雪覆盖的峰峦一筹的冈仁波齐。等你一步一步向它靠近，冈仁波齐峰便依稀裸露出它阶梯式的岩石，像一座埃及大金字塔，显示出它男性般雄浑的身躯，在神奇的自然界和信徒们的心灵中散发出巨大的磁力……

四

冈底斯山的朝圣之路无论对于信徒还是旅游者来说，既充满了离奇的艰辛又充满了神秘的诱惑和喜悦。在普兰，我有幸跟随朝圣结束后准备返回家园的印度香客去强拉山口。强拉山口也称里普列克山口，距普兰约三十公里，海拔五千七百米，是过去开放的众多山口中相对较好行走的最大山口之一，并且通行时间长，冬天还可以牦牛探路行走。因此来往普兰朝圣和经商的印度、尼泊尔和巴基斯坦人大都由此山口出入。这是一条被信徒和商人们，被边民们以及形形色色的各类人物踏了千万遍的路,也是一条隐伏在喜山深处历史悠久的古商道。

我跟着旅游局的翻译和随从人员夹杂在香客中,随车跨过孔雀河,经唐卡国际市场西北行,再骑马跨过湍急奔腾的赤德渠,走上一条向河西倾斜而弯曲的山崖羊肠小道。我没骑过马,人们便分给我一匹文弱的白马,也许是高原反应之故,那马走起来慢极了,以致于在晃晃悠悠的赤德渠窄窄的木桥上行走时,我觉得从头到脚的失控,不敢相信我不会掉下桥被奔腾的河水卷走。而在过桥后紧接着是一个人独行都得十分小心的羊肠小道,我亦难以相信我不会被失蹄的马摔倒再滚下山落入河。只因前面有人骑在马上,我也只好咬着牙在马背上想:一切交给上帝!

但温顺的白马毕竟又忠实又可靠。我们一行马之队渐渐步入雪峰环绕的喜马拉雅山脉西段的群山。有传说当年唐玄奘西行取经,由西域翻喀喇昆仑山后是由普兰去印度的,若以此假说为是,便十有八九走的说的就是脚下这条道。然这种说法则令一些考古专家或历史学者一笑。

这雪峰环绕的喜山西段山脉跌宕起伏,冬季里,冰封的白雪素裹群峰和大地,古道上,万籁俱寂;只有到了开封解冻的季节,山巅下和坡谷中才偶尔露出深褐色的岩石和坚硬的山脊,露出积雪的山道;山谷里才有了清脆的马铃声,也有了在马背上偶尔失去平衡的女人们所发出的尖叫声,但山谷依然静寂如空,依然寒气凛冽……

在雪山环绕的深谷里,除了像一条细线般的马队,在山道上迈着细碎的步子,整个山谷鸦雀无声,渺无人迹,而山之石雪之壁如此地贴近,好像吐一口气都是在同山岩积雪对语,能感觉得到它直面扑来的呼吸和亲切的应答。

这时，冰封的白雪正露出深褐色的岩石和远处的山脊，如梳如洗，从山脊后缓缓升起的云烟慢慢蒸腾向山顶飘散，置身于此确如置身于西天仙境之中。有时，天空突然飘来一片乌黑的浮云，山谷刹时黑了半边天，巨大的阴影随着层出不穷的云影在雪坡和山岩上快速滑动，隐隐伏伏像妖魔降临，似一种不祥之兆笼罩着时明时暗的山谷，威胁着这一小队朝圣人，恰如撞进《西游记》中妖云怪雾出没之境。一会儿，妖云怪影又逃之夭夭，确如有仙人神灵在叱咤风云。行至此，我觉得两个月来的紧张甚或是一生的疲劳都在这透明、纯洁而宁静的自然中洗涮掉了。但路却十分难走，车行十余公里，马行十余公里之后，剩下的几公里是必须徒步跋涉的大雪坡和陡斜的乱石道。在到达山口的最后大约百米长的浮石坡时，别说经过朝圣之路长途跋涉的香客，就是我自己，也是在爬三步倒滑二步，在毫无把握之中手忙脚乱地爬上这世界"脊梁"的。

山口上的摩尼石堆旁有一些败了色的经幡旗，在霍霍风声中摇曳不停，我站在山口向西面那神秘世界眺望，一条宽宽的雪道在东面山腰一侧向远处延伸，渐渐坠入曲折的雪谷低处……北印度隐入高高耸起的雪山屏障，白茫茫一片，既不见平原，也不见村庄人畜烟迹。所有站在或坐在山口崖壁下避风处等待印方接送的香客都在咳嗽，而这一次，上帝却特别照顾我，我身体状况良好，在海拔五千七百米的强拉山口全无高山反应。当印方的边防人员和接送香客的民工带着新的一拨香客来到之时，两拨在等待和企盼中交换的香客在山口相汇，有多少相互的理解，多少难以言喻的情感想表达，人们在语塞中相互凝视，相互握手……有几个相识的香客拥抱起来，有人激动得喊叫、流泪……

由此道穿越喜马拉雅群山回家园的香客们，脸上挂着一种幸福与满足的喜悦向我们挥手告别了，而新来的香客们又将由此开始他们艰辛的朝圣之途。

护送和迎接香客们往返普兰成为一桩神圣的职责，无论是接送的官员、翻译、民工或是香客，人们总是亲密无间地相互搀扶着，跌跌撞撞翻下山口和穿过雪坡。

新来的一拨香客中竟有一位走路说话都颤颤巍巍的老太太，她和印度的边检人员都把我错当作接香客的服务人员，下山时，自然而然选中了我这个此刻惟一的中方女性。护送香客们回普兰也就成了我神圣的义务。这老太太紧紧抓住我的肩，她的手有一种僵死的力量，如同她的眼睛一样固执。她太老了，使我想起那个在冈仁波齐安息的英国老太太或是年轻人……我们走得非常艰难，她僵直的身体总是失去平衡，直到旺青翻译赶来把这位重点"照顾对象"领走，我才松了一口大气。

过雪坡时，香客们似乎有一种极度艰险而生死之交的自我暗示，总是摔倒，这时眼前向下倾斜的雪域看起来的确像个滑向黑色深渊的白色通道。似乎只有将生命交给这未知的希冀，只要虔诚和小心地穿过这个"黑色的深渊"，生命就永远寻找到了依靠——是冈底斯山的诱惑赋予这强拉山口的香客之道无穷的魅力，是冈底斯山的诱惑给阿里创造了丰富的历史和文化、创造了无穷尽的动人传闻。同在一条朝圣路，而往与返或者不同的心愿却得来完全不同的生命体验。

我发现了下雪坡不摔倒的窍门：用脚后跟稳稳地倒插入雪中再往下踩。

我居然没有摔倒一次，还搀扶了几位一身防风寒罩衫从头到脚武装到只剩两只眼睛的中年男子。而下山返普兰的马匹不够，我不得不继续步行，时而陪同那些在马背上容易失去平衡的女人们，直到旺青翻译骑来一匹壮实的枣红马，才捎上落在队后的我。已升任普兰宾馆副经理的旺青格勒有一口流利的英语和标准汉语。他告诉我，他曾在西北民族学院就读，后来在北京外交学院又读了四年，毕业后分配到拉萨外事办公室工作，最后又被派到了阿里。作为这次接送香客的领队，也作为一个精通藏、汉、英三种语言的翻译，他为全队人马的安全和顺利跑前看后，那朴实厚道劲和博学与涵养，好像造物主把所有藏人和汉人的优秀之处都集中在他一人身上。

就这样，我们这支小小的香客之队走在阿里深山之中的朝圣古道上像个目标一致的整体，有着共同的心愿和行动。

第二天，我在普兰通往国际市场和"尼泊尔大厦"的路上碰到这拨已换装束的朝圣人，他们发现我时高兴得手舞足蹈，捧出一把把糖果给我并愉快地邀我与他们合影。但我没能与他们一道去转"神山"、走"圣湖"，致使后来我总觉遗憾。

人人心中都有冈底斯，我的冈底斯是无穷尽的高山、江河、湖泊，无穷尽的寺院和辉煌灿烂的艺术，是一座座伫立在山之顶、原之中的"荒城"，一座座幡旗飞舞、牛羊穿行的民村，是一个个生活在高原、打上了太阳的烙印的人，是所有正在艰苦跋涉的香客，我就是来朝拜他们的……

五

"神山"南侧的塔尔钦寺（有称大金寺），据说过去是每年藏历年四月十五萨葛达瓦节时开庙门，十月关庙门。塔尔钦即藏语意大经旗，每年开庙门时的竖大旗是一件极为隆重的仪式：人们将一根长达二十六米余的旗杆放倒，换上新的经幡重新竖起；在喇嘛的颂经声和号声中，人们向大旗朝拜和绕着大旗转步，在塔尔钦的大旗下踏出一个发光的圆环道来。塔尔钦举行的竖大旗仪式标志着每年的朝山活动的开始，旧时举行仪式还要由不丹派头人主持，阿里噶本、宗本等前往参加（历史上因曾有不丹噶举派的喇嘛来冈仁波齐周围修建寺院，因而留下了管理寺院的不丹人）。而在狮泉河，我听说竖大旗已改在阳历八月一日。距今还差二十天，我没有时间可以等待，终没能目睹这一壮观的场景，"神山"周围的八个寺院也没能一一足行。

塔尔钦是我在西藏看到的最壮观的露天祭坛之处。垒成几乎与人等高的摩尼石堆形成一个个长方形的台基，上面放着许许多多凿有经文的牦牛角，把冈底斯山的力量宣泄得充满了神秘的诱惑。

我问一个正在绕着摩尼石堆转经的本地妇女："我想要一个牛头角，把它带到拉萨去，可以吗？"我告诉她，我从拉萨来。

她笑笑，她的笑中满是憨实与和善的内容，她说了些什么我听不懂。但我觉得她没有反对的意思，便欣喜若狂，选了一个最端庄最完美的牛角，双手捧着往驻地走，我觉得这冈底斯山的牛角吸附了千年来僧侣、圣人和苦行者的精灵，正如加持之后的法器，格外神圣。

在穿过老百姓的一片帐篷住区时，一个肤色棕褐透红的汉子用口音极浓的英语冲我嚷嚷追上来，我对他重说了一遍我的想法。他很不高兴地又"哇啦"、"哇啦"嘟囔一阵,拿走了我手中的牛角。我听不懂他说了些什么,我想他可能是个不丹人或者拉达克人。玛旁雍错湖周围的朗保那工巴,曾因活佛转世到拉达克,而由拉达克人管理;普兰的门士据说历史上曾被拉达克的"门巴"部落入侵,藏军打败拉军后有部分门巴后裔没有返回家园而留住门士,门士的地名据说也与此有关。这普兰尤其是"神山"、"神湖"一带便也有拉达克的宗教势力。而且他显然是个头儿,是个"本波纳"(藏语的官或干部之意)。

我想起在山南的雍布拉康时,我坚持要爬上雍布拉康建筑的最顶层去看看,等我爬上塔尖的木梁顶,从最顶层的一个小方窗探头张望时,楼下那个雍布拉康的喇嘛急得直嚷嚷。后来他给我解释,我就听清了几个藏语单词——"本波纳"要"哇啦""哇啦",即当官的知道了要责骂。看来"哇啦"、"哇啦"是个象声词。不过,那个喇嘛态度非常友好,只是希望我不要难为他。

普兰巴噶区的塔尔钦是"神山"的前卫,是朝圣人的大本营。

每年一到朝山的高峰期,在塔尔钦专为接待公职人员和外国人的招待所旁,朝山者的帐篷铺天盖地,如一个人口繁盛的集镇。年复一年,新的大旗在"神山"下放倒又竖起,人们从四面八方拥来,沿这条古老而发光的环道,围绕着冈底斯"神山"旋转,围绕着他们心目中的"宇宙之中心"旋转,踏得阿里的山川湖泊天空、大地草木砾石触目生辉⋯⋯

老　盖

全部形状　全部颜色
全部声音……

我有一位已多年不通音讯的朋友吴子婴,在我离开酒泉之后的第二年,估计他也离开了那座戈壁之中的城市,他来了一封信上面只有一句话:"想起河西,令人潸然泪下,酒泉永远是我们的梦乡。"今天我又翻出了这封信把它读来读去。那是酒泉的纸,左上角还有一两滴酒泉酒的液痕。这一切让我重忆酒泉,它的全部形状、全部声音与全部的色泽。上帝,我离别它竟已有八年。

子婴那句话应该是指我们初到酒泉时见到的祁连雪峰,它在酒泉火车站的南方,顶上积年已久的冰块与雪层。这是一条巨大的闪着蓝光的钢铁的臂膀,我们向城中驶去时,它是一只欢呼的猎犬,它在我们的身后,不断地追逐,追逐,它的双臂极大极舒展,它是在试图拥抱和亲热。现在我依然记得自己回头顾盼时的泪水,我们被它感动,被苍凉的河西的热情所感动。后来我们离开酒泉,我们和我们的车直驶向祁连和它的雪峰,山却在退缩,急速地,果断地,它退向空间的深处和时间的深处。多少年前我读过台湾诗人的诗《雁》,那时它又一次向我展示了生的严峻和无情:

> 活着,不断地追逐
> 感觉它已接近而抬眼还是那样远离……

即便现在,我也仍能感到地平线在远处牵引似的逼近与退缩,这幕场景昭示了我们青春时代的所有梦想:帝国,热血,生命,以及我此生苦苦追求把握的真理与信仰。我们得不到这一切一切的本来面目。

我在酒泉教育学院住室的窗子正对雪峰。在阳光下那些雪是白色的,它们在夏日消融,溶水顺沟槽流下坡地,灌溉耕地和供人饮用,发着细碎而浑重的声音。后来,我们在一条水渠旁漫步,掬起溶水来喝,它的冰凉引发出深厚的历史感,我想起历史上沉淀的烈士与小丑的黑色骨粒以及折戟沉沙中的血与花朵。在渠水上头是雪山,是美丽大方的旧时风景,那上面的雪降落于久远的时代。说不定,它就落在唐朝某一位边塞诗人吟哦雪景的日子,落在红旗冻不翻的营盘中。这让人想起红粉佳人与满川乱石。角猎声起,汉唐的大风扬在一望无际的广大空间。这是酒泉的主要的东西,是这块大戈壁的血踝与膝骨,许多时刻过去了,它们过去了,中国的朝朝代代仍溶水般在我的腹中与血中,它像鼓动着我血管里整装待发的舰只。

尔后是讨来河,一条酒泉城北的河流,一片干涸的河滩,南岸的一股水很小,石子在水中光滑晶亮。像一条小鱼停在人类的眼前,许许多多我们常见的景观都是无法解说的真理,它们透明到极致,然而正是这些东西让人感到迷惑光明以光明的形式掩藏了自身。比如这条讨来河,比如1985年底发生在河边的一件事情,那年冬天我在那里的一枝树干上见到过一只彩鸟和一个老头,鸟的形象仍鲜明地活现在我的记忆中,然而,它长长的尾羽和不大的精巧的翅膀却让人感到奇特。我不知道它叫什么名字。当时我心里是谐谑的,当老头问我那只鸟的名字时,我告诉他那是一只死亡鸟,是太阳鸟。他的年龄已大了,他的修长惨白的头发在寒风中飘动着。他当时愣了一阵,尔后惨然一笑,这鸟,他说,这名字,他又说,尔后他转身走远,直直地向西,走向渠水的深处,他应该也肯定是死在水渠旁他居住的小屋里的。

据说有许多人也见到过这种鸟,或者就是这只鸟,我不知道当时自己为什么会以死亡的太阳鸟这个名称命名它,也许只有死亡这个词可以彻底解决这个世界的所有疑难,许多小说与戏剧都是以死亡或婚姻来结束它自身的,它最简单也最能抗拒任何直面相对的力量。我无意间使用了这一套式的答案,现在我才知道死亡这个词的巨大的力量与敌视。今年我已三十岁,我的肌肉开始松弛,皮肉已经分开,我知道几年前我是浑圆充紧的一体，而那个老人甚至连骨头都已疏松。酒泉的讨来河现在已不知什么样了。

1992年我和几个人去酒泉又见讨来河，同行者中有河西的一位阿姨，她叫俞陶来，生在那条河边，便依音改字定名，她今年该是五十四五岁了吧，依然精力充沛，斗志昂扬，女人应该是充满母性的温柔与纤弱的，讨来河却是男性的河流，这也许是俞阿姨之所以如此强劲有力的原因。讨来河，它的骨架子戳在广大无边的西部世界，戳在所有去过或感觉到过西部者的眼眸中，它是生育与死亡之河，是眼中的钢钉。

我所谓的钢钉代表了一种威慑与逼视，开头谈及的祁连山雪峰同样是一种钢钉。我不知道我们几个人是不是别人眼里的钢钉，这中间包括几个辽宁籍教师和几个河北籍教师。我们干过不少荒唐事，比如从书店里大批地窃书，我记得我竟一次偷出过一整套精装的《爱因斯坦文集》。我们对书店确实构成过极大的威胁。

然而，更多的威胁来自于他物，河西几个地区所在地都有鼓楼一类的建筑，它们大多矗立于市区的中央，至少在城市初建时是这样。我爱酒泉的鼓楼，记得酒泉鼓楼上的十六颗大字，它传递了一种帝国的情绪，一种辽远和广大：南望祁连，西达伊吾，北通沙漠，东迫华岳。这不仅仅是空间，更主要的是雄心和霸业，是对中华帝国的高度夸赞。鼓楼有几层高，我们一直想登上顶层，看看这十六颗大字所涵盖与指示的世界，然而，我们用尽心机却都无法从守护者面前通过。在四条高深的门洞中，我们大声吆喝着走来走去同时倾听深厚辽远的声音，然而，这种巨大的回音穿不过一个老头牢固的责任心与使命感。后来，许多天过后我们乔装改扮，以某个考古调查组的名义重新来到鼓楼之下,就这样我们上了楼,从历史的砖状的尸骸上踩过去,到了顶层,到了十六颗大字之上,所有的地方都被我们的目光融解,天风浩荡着穿透了我们的耳膜与手指。青春一样的国土,热血一样的国土,现在全在我们的面前,一派烟光,一派雄奇与鼓荡。出于一种荒唐的游戏,结局却是另一种全新的模样!

现在我们大多离开了酒泉,现在我们依然记着当时的感觉,我们是历史与时代的工具,是具有自觉意识的工具,是一架琴,在吹动过旗帜和传播过烽烟与热血的看台上被陌生的手演奏着,我们依附于一根手指,这根手指陈旧但坚挺,上面沾着耻辱的尘埃与光荣的金箔,我把它叫做集体或者人类,叫做国家,我们就旋转在它的周围,站立在它的下面被它指点。

让我重新回到荒唐这个词上来。1985年前后是一个热烈的时代,在西部尤其如此,今年年龄在三十岁上下的人大概都还记得自己对冒险与极端的追求与偏好,我们精力充沛,然而同时又被这些从每一根毛孔都喷涌而出的精力吓得发抖,它像油一样地喷溅着,流布在我们的每一器官,但又无路可走,因而变为吞噬自身的洪水猛兽,我们不敢想象自己所拥有的这一切的真实面目,不敢想象光滑平顺如同绸缎一样的肌肤,有一天会松弛打折,甚至在死后变成灰土。点透了说,我们怕死,然而,这种对死亡的恐惧却以另一种相反的形式体现出来,这让我想起当年对马克思辩证法的反感,我们对马克思闭口不谈,然而,他指明并发展的这一学说却一再解释我们当年的行为。当时教育学院正在盖楼,工人们挖出了不少骷髅;它们残缺不全。它们的眼眶与唇吻内塞满了粗砺的沙土与石屑,它们全然失却生前的光采,只被机械而杂乱地扔在地上,像我们想象到的自己的身后一般无二。死亡的阴影一霎时笼罩了我们的全身，于是这些骷髅被我们捡回去放在床头案上，被洗净，它们的全部地方都熠熠生辉，尤其是在月下，幽净而和缓的光泽从头盖骨与鼻梁上像玉石与珐琅一般隐隐散发开来，照临全室，照临我们无法排泄的青春华年。那些死去的头颅替罪羊一样陪伴着我们，它们续衍着我们的生命，同时也似乎延展了我们纯铜一样脆弱的一生。我记得自己的那一个骷髅是经过了装修的，我用罐头皮做了两只眼球，用碳素墨水在眼球上涂划了眼眸，使它生动与鲜活，每当关门或伏在桌案时，它都会活起来，它的眼珠一动，又一动，从而复活一段历史中的一个个体——然而这每每吓倒不知内情的人。我们是恐惧复苏与复兴的，虽然我们一直在追溯过去。

有多少青春是在这种状态中过去了的？或者说，有多少人在当年的青春中落入病狂的陷阱？从一个方面说，我们是出于对旺盛的生命力的恐惧，从另一个方面说，也可能是由于酒泉这个城镇。那时候我们大多谈欧文·斯通的《梵高传》，书里写到令梵高发狂的法国南方城市阿尔时说，阿尔是一个危险的地方，或者会发生地震，或者会出现革命，原因在于阿尔太阳的威力，它太灿烂、太辉煌。酒泉也是如此。它的地理条件甚至远较阿尔为甚，甘肃省测绘局1986年版《甘肃省地图册》上这样介绍到："年均降雨量只有八十六毫米，而蒸发量高达二千一百四十九毫米，比降水多二十六倍，全年日照有三千多小时。"太阳甚至使我第一次发现光芒的压力和刺杀的强度！

夏天，酒泉的太阳烤干我们的头发，烤熟头皮，太阳的光芒像针灸上的火针一般直刺入每一个毛孔甚至脏器，并且在内部储留整整一天。酒泉的太阳像祁连山的冰峰一样都让人意识到自然界的威慑。酒泉!

然而,地理环境确实无法彻底解答这个关于疯狂的问题,它的根子在人们心中,在灵魂的内部,我想起上一世纪一位法国作家缪塞和他的《一个世纪儿的忏悔》以及这部书中疯狂而纵情的阿克达夫;勃兰兑斯在他的《十九世纪文学主流,法国的浪漫派》中谈到阿克达夫们的生活时是这样解释的:"拿破仑的时代已成过去……帝国的光荣……信仰也已死亡了",而缪塞在长诗《罗拉》中表达得更为准确:

> 在这古老的世界里,我是来得太晚呀
> 从一个没有希望的世纪里产生了没有畏惧的世纪
> ……
> 这种没有信仰的世纪的毫无信心的孩子
> 你说吧,可允许他去亲吻你的骨灰?

这就是一切。我们当时是活在一个万废待兴的世界中,毁坏与坍塌的烟尘刚刚散净,从天边升起的太阳仍带着大病初愈的潮红,当然也有了生气,然而一切的一切都未能显示出理想与追踪中的刚健与勇猛。在我们的思想中,只有汉唐帝国是最大的光荣之一,但它悬垂在遥远的无法抵达的冰川之中,它光明而幽暗,同样,我们还没有信仰也不可能找到信仰,我们的精力与青春化作疯狂与激情,它欢乐,它飞扬,它恐怖,一切纯粹的欢乐与恐惧,像水边一株停留了死亡之鸟的植物,比如芦苇……

酒泉呵酒泉,你是一个没有形状的水面。

我有过一段极其消沉的时光,同在酒泉的一位朋友漆进茂劝我看清岩石与戈壁被烧黑的野地下的潜伏的力量,它们像溶水在雪层间一样汩汩潺潺,他说。

理性和节制的力量也同样如此,它表现在大众之间。记得是一个月黑风高的夜里,我们几位青年教师用各色墨水涂抹了脸部,埋伏在大块田野和楼群交接的路边,等待去袭击一个常爱告状的学生。他告我们上讲台时衣冠不齐或在讲台上长啸之类,我们当然受了罚。后来他和女友或妻子走了过来,我们打他,打断他的胳膊,并打青他的眼眶。在黑暗的夜里是看不清血迹的,但第二天我们还是知道了他的丑态,后来他找我们,那是在一个晴朗的正午,天空中飘落光明的翅膀。

我们知道他的来意,他是来斥责或谩骂我们的,我们等着。

他说:老师要有老师的样子。我们都喜欢老师们有整洁的仪表,有令人肃然起敬的台风,我,至少是我注重仪表。

他又说:这个社会总有一天得走向文明,每一个都是贵族。你们讲和写的目的也正在于此。

然后他就走了,我仍坐在老地方没有动静。

这个学生的姓名可能是叫辛炎,当时他是一个班长,年龄可能在三十多岁,比我们几个都大,他工作的地方似乎是在乡下。这后一点可以解释他的传统思想,比如对仪表的重视,前一点应该可以解释他的后一句话,他是走过远比我们艰难与漫长的路的,因此他有一个围绕核心而建立起来的观念系统,他比我们稳妥和坚实。时间是一把刀子,它切削一切人,把所有突出而易碎的地方刮下来,把它风化,只给山体留下最硬实的岩块。原来我不知道什么是思想和理智,我不懂节制,即使是在这个学生让我长久静坐时也是如此,我只惊讶于他竟然有一套体系，竟然比我成熟，今年我长大了，今年我又知道语文的力量其实正是观念与行为的力量，是它所指或包含的物质实体的力量。它可能是没有任何色彩与声音的。

八个月的酒泉生活：从1985年7月至1986年3月，我在工作之余的日子里所干的大多是荒诞戏谑的，我们自认是最伟大的文人或凡人。我知道陈某某，他戏弄和玩弄过服务员，我知道某位曾长期哄骗过一位老人，我也干过类似的事情。那时我们不知道同情与人道，我们高声宣扬宗教情愫而自己却一再违反它。同样，我们只知道快乐，只遵守快乐原则但不知道什么是辛酸艰苦，后来，单位上来了一位老头，他是天津人，带着一个五六岁的孩子漂荡过新疆，那是一生真正的流浪生活。我们帮忙把他调进了教育学院教书糊口，而后我们很快被他的琴声征服，他在天津乐团出任过第一小提琴，那时他为我们演奏《莫斯科的回忆》、《圣母颂》。我记得那把琴是珍贵的，它锈迹斑斑，但依然闪着刚强的光泽，褐红，象征一件袍上斑斑的血痕，他应用这样一种乐器倾诉衷情，我们听着他的回忆与全部生活的内容。说起来他真是位好人，但还是得罪了人，年龄已是知天命人了，他出口不慎或者就是本不在意什么，原来帮他忙的几个都疏远了他，甚至加以打击，我同样也不再去他的家中，只是到后来要离开酒泉时，我才终于下了决心。

我来到他家里，站在他空空荡荡的客厅中央向他告别，那时他正惘然若失地坐在陈旧不堪的床上，他年小无知的儿子在床上睡着。我说我要走了，想听一次《圣母颂》，他就站起来，让我听完了这一支曲子和《莫斯科的回忆》，而后他说：这么说，你是真要走了？

是，明天。

他哦了一声，而后又哦了一声，最后他说：明天我送你。

第二天他真送了我，他没有记清我对他的说过，甚至，原来我借过他钱的事也没有向我提起。他看着我站在汽车上，只向我举起手中的琴示意。那些琴声，那把琴标志了战争与托儿所的色泽，我再没有听过和见过。

我的一位成都籍的朋友常金生向我提过，据他考查，西部的地域以及人们的生活状态适合于大宗教的产生，河西走廊尤其如此，我理解他是指那边的广袤与贫乏，这是两极对立又并存的特征。是广袤与贫乏，极冷与极热下产生的喜悦和死亡的逼视，以及冷峻严酷与热情豪迈，它们各从自己的方面撕拉着你锯裂着你，同时又把两个方面挤压轧碾在一起，尤其是生死之间，我听到过不少死亡的故事，比如风吹动沙丘而埋没在沙丘下休眠的人，比如沙漠或戈壁中饥渴而死的人。我在《肃州志》中还发现过更多的例子。蝗灾使人死，殒石使人死，最可记述的是大水。明清之时的河西本已是干旱至极的地域，但大水仍然突如其来，"大水漂民房屋，压死狱囚七人"。西部是一个神奇的地方，1987年我去新疆，大水竟然冲垮了吐鲁番铁路桥！

而宗教正是面对死亡而产生的。同样，它也面对心灵的干旱，面对呼吁同情与怜悯的手，而奇怪的是，我们当年却不管怜悯，只图极致的欢乐。

我把这些讲给金生听，他说那是酒神的精神，是激情的狂放，因而同样直指宗教。当然，他暗示的意思是说单调贫乏与激情狂放也是一对两极分合的因素，那位小提琴手也正是如此。

现在我理解这些，正如我今天翻检吴子婴那封信时真正理

赵燕明 摄影

解了梦乡一词一样。酒泉是永远的梦乡，它不仅仅指那时的青春朝气——我们现在正在失去这一块瑰宝——，也不仅仅指奇丽神异的风景，还包括中华帝国之梦与我们本应早日树立的信仰。这里，我他愿将信仰一词纳入宗教的内涵之中，宗教于我来说是一种行为，是一种实践，换句话讲，是某一人生观的现实劳动化，它不再涵盖烧香叩头或晨担课诵之类内容。

我愿以浮士德的一生实践来例证我的宗教一词，那是一项认知、把握和修正世界的劳动活动。

让我再补充一个场面和一种境界，我想再说一说祁连山，前面我只谈过它的雪峰，现在我要说它的山麓与坡地，以及延展出来的戈壁青石。那是一个极其感人的场景，我每次从火车上驶过这里，看见从武威延展到张掖、酒泉以至更远地方的祁连山和大戈壁上的青石子便不由得热泪盈眶，那是母亲温和的松弛的腹部，后来我写过一篇小说叫《夕阳朝阳》。写一位回民起义首领因恋生而投降的故事，他背叛了自己的宗教而改为对自然的皈依，这一切的一切在于他在戮前见到了祁连山。让我把那一段引下来：

米二十一把目光转向西南，看号帽和自己的胡须在眼前晃动，而后飘向远方。夕阳极大极白，在紫色的祁连山腰缓缓落下，伟大的光圈泻染开去，淡淡搏击在夕阳中温暖地松弛，一消以往的冷色。那么淡，那么浅呵，那么和谐。草色青青。

脖子上的钢刀渐温。

我降。米二十一说。

这就是我最想补充的一点。匈奴人在遥远而迷茫的汉代哀绝地唱道："失我焉支山，令我妇女无颜色；失我祁连山，使我六畜不蕃息！"这几句真让人心酸！

祁连山是什么？宗教又是什么？或者，什么是汉唐帝国雄图霸业？我离开祁连山也竟有八年之久现在让我回答，我只有断然一笑，这一切都是祁连山。它就是它。

离开酒泉是带着漫天黄尘的，太阳极小，它刚刚出来，戈壁极大，没有连际的青石冷峻严肃地闪着光，一派铁青，一派易水之上的悲壮，它亘古如期，像哈代《还乡》中写到的哈盖荒原一般，我们在汽车的车厢里被滚滚黄尘打上尘世的烙印，它标明我是尘世的儿子，是走上征途的一个浪迹天涯的汉子。我们都唱着歌，唱着在酒泉一直吼喊的歌，但只是前两句。后面的几句太感伤，而我们只有悲壮慷慨而缺少南国常见的缠绵与委婉凄丽的哀怨。我就这样离开了酒泉。

让我借用海子的诗句——

屡渡酒泉,屡归梦乡……
嗨……
太阳下山明朝依旧爬上来
花儿谢了明年还是一样的开……
酒泉,你一切还好?

凌仕江

藏南看雪

坦率地说,藏南的雪并不多。我爱看雪,这只是在藏南的军营里养成的习惯。

事实上,我所谓的藏南,是一个名叫"八一镇"的地方。最初当兵的连队就在这个镇的眼皮下。那是我从军以来的第一个边远的连队,也是我军旅生涯的最后一个名不虚传的连队。要说真正的看雪,当属我离开藏南之后……

藏南有河,名曰:尼洋。这条河是雅鲁藏布江的一个重要支流。它整日喧腾在世界屋脊,如一个圣者永无休止地念诵六字真言。记得那些雪后的清晨,军号刚响,一群戴着军棉帽,吼着"一、二、三、四"的东西南北兵就从写着"戍边卫国"的大门口冲杀出来。这时,你准会听到"啊"、"呀"、"哟"的惊叹。兵们踩在轻柔柔、软绵绵的雪被上,噗嚓嚓的声音宛如电波里的激光乐,而那些晶晶莹莹、完整无损的雪被只能当作一次"踢死狗"。严格说来,这些多数从南方挺进西藏的兵对看雪是情有独钟的,他们心里自然有种难以抒发的快意和踏实。

雪后放晴。一群女兵跑到尼洋河边的青稞地,掬起一捧雪在手里捏成团,放到嘴边嗅嗅,又撒落在地。接着,站起身来用藏语唤不远处的男兵:"迭笑",意思是过来。这时,男兵便抛一个雪球,大声回应:"迭笑",算是打个招呼。在这冰天雪地的清亮之境,男兵女兵的情感充满神秘,但决没更多的话题。

这大概就是兵们最初看雪的表现。他们低估了雪的潜能,藏南的雪决不需要这种虚伪的怜悯、赞叹和无礼的肆弄,她欢迎善意心灵的人们同她悄无声息地同呼吸、共命运、心连心。否则,即便有心无意的人也会被她淘汰。

由此,我习惯一个人在藏南看雪。这不仅仅因为藏南一年四季都能看到雪。

在世界屋脊的高寒地带,温度计常规表明藏南的冬天非特殊天气外,时至中午都能受到太阳照晒。但,时间一般都不会过长。往往下午四时许,季风带着忧郁的清冷和残酷的温柔就开始穿梭大地。有时,风里还带着洁白的碎屑,一丝一缕的,一片一片落在高贵的树林,融入冰冻的河流,飞在神秘的气层。秋天，当藏南的太阳高挂山巅的时候，透迤的雪峰闪着银色的柔和，那枯黄的山草与晶莹剔透的雪交织在一起发出熠熠的亮光，去拉萨朝圣的善男信女们见了，总指着说那是仙女下凡时袖口里飘出的彩带。夏天的雪，深刻点讲分明就是一幅雅致的油画。不是么，藏南的夏天被人们誉为时间最好的季节。飘雪里，工布（林芝）的少男少女最爱围一个圈跳起像山鹰一样矫健的锅庄，无疑是雪给她们添置了最美的情调。春天，我则更愿意用写诗的激情，把藏南的雪定位成穿越时空的白发老人。瞧！他在风中走走又停停，默默无语的。

漫读藏南的雪。我不止一次孤独地走在风雪肆虐的秃山野岭，游走在"前不见古人，后不见来者"的雪峰深谷，游走在遍地堆积着雪垢的公路上。当面对雪里巡逻归来的哨兵带着干裂出血的嘴唇唤我时，当几个藏族女工在道班为一堆雪发愁时，当一个军嫂背着不满两岁的"雪儿"在雪皑皑的山口一步一步地移动时……那一刻，感悟藏南不仅仅是一个洗涤灵魂污垢的地方。我想：即便铁打心肠的人走在这里，也不可能麻木不仁。因为这不仅仅是藏南建设者们同大自然抗争的精神伟力！这更能说明——走，在高原上走，神所赐予旅人们的信念。

在我看来，藏南雪除了应有的信念，更多的却在承受孤独。

它多姿多彩，热情且又冷漠。早上，铁皮房上有纯棉一样的，像护士身着白大褂；午后，菜畦里有零零碎碎的，怪像绵羊身上的毛；下午，树枝上有云朵般的冰凌，似锯齿加工过的木头；摇摇欲坠。许是雪之缘故，日复一日，我在藏南渐渐学会了冷静思考，畅游书海，奋笔疾书，最终学会雪的品格：沉默是金！反之，操枪弄炮，摸爬滚打，茶前饭后的甚多邀约定访都被我统统拒绝。

大多数日子，我就在冷静中度过。有时，因烦躁而影响心情不怡时，便自嘲这里真是凡夫俗子不可理喻的神秘地带。有雪的日子，走在雪中的藏族父老浑然不觉。清早，他们和往常一样悄然走出家门。赶着牦牛的牧人喜欢习惯性地吆喝几声，吹起悠扬的口哨，望望远山，摸摸屁股上挂着的藏刀，嘴角的歌声自然就豪放起来。待到午后雪化，他们就在山坡上找些被雪压断的枯枝和树棒，甩开赤裸裸的膀子劈起来，"嗨——伙"的声音回响在天际，犹如远古传来的呼唤，清脆嘹亮、深长悦耳。在雪中，藏族青年更爱蹲在牛群中燃起一团火。烟斗里悠闲的缕缕青烟袅袅升起，昭示着如意、吉祥的安逸生活。然而，面对缄默的雪，他们脸上潜在的各种表情，让人怎能读懂？

是爱？是恨？

我想，即便你读懂了又能作何解释？一本多年前的老刊物上这样记载：藏北某年某月发生雪旱，成群的牦牛只能朝天怒吼。牧人们眼睁睁地看着肥壮的牛群死亡，他们每天都以圣者的名义五体磕地，祈祷雪的降临，从此他们爱雪如命。与之相反，几年后藏南附近的川藏线，一场罕见雪灾导致百余辆车、以及人们遇难的悲剧，驱使那里的人恨雪如敌。那么，藏南的雪不大不小，老百姓不爱它也不恨它，自然有着上苍的神旨了。

也罢，藏南雪好——

然而，每每看见那些白得发亮、亮得刺眼的雪，我却为抒发不了一点自己的感觉而痛苦。有时，淡淡的一点清辉在脑海里翻滚得不能自拔。偶尔,想抓住瞬间的灵气,不等提笔它却瞬间即逝,被周围的吵闹声给融化了。片刻,我分明感觉到一种神奇的力量在撞击禁锢的脑门。我不知自己为什么同雪结缘痛苦,但我就是无法拒绝雪赐予的灵光。

其实,这种"痛苦"好比藏南的孩子生在雪地,不会玩"堆雪人"、"打雪仗"一样。在雪天,他们没有平原孩子那种浓趣的活动,他们只会老老实实地坐在木屋旁的火塘边烧树丫,满脸通红地一手拿着糌粑往嘴里送,一手帮助阿妈打奶渣、拌酥油,那双眼睛始终一刻不停地盯着火塘中那喷香的酥油茶,连绵雪天,他们许是习惯烧一壶好茶,而我则渴望作首好诗,写篇美文。

事实上,我爱在雪里作诗,得归功于诗人毛泽东。小时候读他曾经对北国的雪有过独到的描绘。我虽不曾去过北国,但我早已领略:"山舞银蛇,原驰蜡象,欲与天公试比高"的大好境界!现在想来,倘若大诗人目睹了藏南的雪,诗兴会更加旺盛的,只惋惜诗人不曾到过藏南。我甚至坚信:藏南的雪并不比北国的雪逊色,它同样有着画卷般的宏伟壮观,更多的则是宗教般的神秘以及民族地域的特色。它精灵般地预示着当地老百姓的幸福,祈祷着百姓的安宁,隐藏着百姓的不吉。它纯纯净净,胸怀坦荡。严格地说,我爱藏南雪决不亚于爱北国的雪,正如一位从藏南走出的诗人朋友说的那样:藏南雪——我的梦中情人。

这个比喻多少有些夸张,但决不过分。当我轻率地走出藏南后,命运却把我无情地丢在了雪域某座少雪的城市。看雪,显然少了几分依恋的现实和激情。那分明是一场罕见的雪!当一阵雪风席卷大地的残渣后,滚动的雪粒便迷蒙了我的小窗和眼睛。那一刻,我听到了窗外好多人的笨喘声,呜咽声,诅咒声,夹杂着《青藏高原》的高亢歌声。显然窗外的人们渴望在雪中摆脱那种不明朗的心情。而我,看雪的心情早已冷淡。尽管城市中的军营里,偶然与雪相逢的他们可以在雪粒中走动、狂跳、奔跑、嘻笑打闹,但他们一刻也不会影响我冷静思索的心情。因为,在藏南,我所看见的雪是终年不化的!

西藏林芝怀旧

  一个人怀旧的地方,往往包括他留在那里的生活、学习、工作等重要因素。就拿我来说吧,当兵的履历表上写下了"林芝",便终身难以磨灭。
  岁月一晃就是五年,回忆总让宗教般的幻觉告诉我:那个地方才是真正的家园。它生长着不屈的生命,陪伴着那群守望精神的战友同甘共苦。常言道:"喝了那个地方的水就是那个地方的人。"我想,我永远是林芝的人了。
  我们的连队坐落在卧龙沟附近。连队背靠茂密的原始森林。准确地讲,方位应是一个山拗。刚上世界屋脊那阵,正值深冬,走出营房,我常常孩子般地望着漫山遍野的雪发呆,常常用新兵忧郁的眼神审视苍茫的旷野。驻足凭眺——尼洋河旁,那飘飘洒洒的雪正绵绵不断地融入宽广的草坝,从草坝继续向前、向左延伸到更远的地方,灰白色的雪恰似大块大块的围裙,包裹着憨厚的牧羊人。我好奇:为何有人在雪地静坐?老远奔去,才知是一棵棵洁身自好的柏树。它独树一帜,最大的要十五个成年人合抱才能围住,小的也得三五人。它根须粗壮,悄无声息地挺立着,与雪相伴。后来,附近村庄一位资深的说唱艺人告诉我,这些柏树都是当年文成公主带来的树种,它象征着整个西藏的生命,且有亿万斯年的生存历史——站着不倒——倒了不死——死了不烂。

最让我怀旧的是灵芝的雪以及雪里的人。

深冬天气,尼洋河雪的脾气变化莫测。中午,当渴望热烈的战友千呼万唤将骄阳吼出时,没完没了的风雪总会拂面袭来,令人避之不及。晚上,疲惫的战友早已酣然入梦,暴烈的冰雹总会无情地打在坚固的铁皮房上,让人听而生畏。清早,如果置身那高高的山巅,抑或狭谷,将会受到雪雨的洗礼。即便是酷暑的夏天,海拔三四千米的山上依然有刺眼的雪。但最为打眼、令人心动的当属春天那些一丝一缕、飘散在太阳辐射的光芒中,闪着光、发着亮、看得见、摸不着、会说话的太阳雪了。独在一处,我常把那些会说话的太阳雪喻之为藏族妇女托起的婴儿,或者,如草原上撒着欢、打着滚、跳着锅庄的少男少女。也就在如此激烈的怀旧时分,另一个人影从纷飞的雪花里闪了出来。

那是一位喜爱同狗在雪地里遛达的藏族老汉。汉人称他狗友。我认识他是在一个鹅毛雪天。雪如刀片般地飞在脸上,出奇的难受。马蹄形的山坡上,行走着的老汉一身棕氆氇,不带雪具。我是去旅部取文件回连队的路上邂逅他的。此时,雪呼呼地下得更猛了。天阴沉沉的,云层几乎快要压到头顶。这么冷的天不带雪具赶路,要冻坏的。于是,我大步流星赶了上去，很快便超过了他。他留神地扫视了我一眼，我急忙脱下军衣要为他披上。他见我的慌忙举动，眼里透出了几分疑虑。我说："老乡，带上避雪吧。"他挥挥手，一声不吭把军衣推了回来。我不好意思地说："老乡，家在哪儿，雪好大，我送您回去吧。"他跟没听见一样，悠哉游哉地逗弄着那群绕着他转圈的狗。我接过军衣，冲上前去一把拉住他："老乡，这把年纪的人，会伤身体的。"他终于回头，不屑地看了我一眼，又朝前走了。我心里有些颤栗，急忙迎着风雪追上去，书声气十足地大呼：别在雪里走了！

他已留步，但没有半点回头的意思。我再次递过军衣护在他头上。不料，他卸下军衣如同卸下烦恼一样利索。他终于启齿了："金珠玛，我是雪里的人呵。"说完，他扯下一根如雪的白发丢在风中，就匆匆走了。仅仅一个背影，我却看见他脸上、眉梢、眼睛、连手里转动的经筒都显现了高深莫测的奥秘。这决不是幻觉！我想他一定是在蔑视我的无知。

后来，我曾带着不解的疑惑一度去寻他，想从他口中探出些博大精深的藏族文化和民间寓言故事，重要的是想解开他对我说的那句话以及那根白发的深义。谁知一切都是徒劳。再后来，同战友们上山伐木，遇到一个以前从连队退伍的藏族老兵，才知一些他的情况。老兵说好多人已不知他的去向。那么他从哪里来，到哪里去恐怕谁也不知了。老兵也只听村庄里的老人讲，他幼年离开村庄去寺庙当过喇嘛。年轻时，村庄人还看见他在小镇上为群众卜卦算命，从不收钱。现在，他除了转山，热闹的地方再也见不到他了。

不久，我离开了林芝。当时，朝夕相处的战友们都恋恋不舍。他们多是比我后到林芝的新兵兄弟。在走与不走之间，我犹豫的不仅是战友情，更为纠缠不休的是藏族老汉对我那次不解的举动。于是，当沾满血丝的双眼终于盯住拉萨方向时，我百般无奈地挥手叮咛：替我寻找那个转山的老汉。战友们频频点头，给了我莫大安慰。

我调到军区工作，在城市中的军营一呆就是几年。我时常想起林芝那些远走高飞的战友，想起那个真正的家园，想起雪地的藏族老汉。我渐渐明白，藏族老汉说的那句话和那根如雪的白发给我的启迪：在西藏任何一个地方，人们表面越是脆弱的就越是坚强，但岁月决不饶恕人的年纪呵。正如，铁打的营盘流水的兵。有时，三年五载的军旅生涯只能定格为一本纪念册。不是么，有的战友，打南方来又回南方去。日子久了，翻开那本风沙吹乱的册子，看见那鲜红的戳记以及当兵的岁月，不免感动得泪雨滂沱。于是怀旧中的我突然感悟：将逝的、或者用于回忆的、抑或不打烊的，永远值得呵护。

呵护林芝。在那里，生长着我的梦。彩色的云，银色的河，蓝色的雾，静静的山坡，肥壮的牛羊，点缀着画卷般的家园。

朱奇 供稿

秦文玉

十万佛塔记

公元1429年,大明宣德四年,藏历火羊年暮春。

夕阳像渐渐凉却的红锅,把微温的余晖洒到年楚河上,反射出碎金般的闪光。沙滩上留下一串尖头加钦靴的靴印。只见一个中年人拖着长长的黑影在徘徊沉思。他裹着白缎头巾,穿着龙云纹绸袍。一会儿仰望远方的雪山山脊,一会儿纵目滚滚的年楚河水。晚潮"哗哗哗"地向河心退去,留下了一层层梯田似的河滩。这是年年春天雪融水涨,冬天山寒水瘦所留下的痕迹。中年人仔细细地察看着这梯田似的河滩，忽然，他捋了一两绺胡须，脸上浮现出水波似的笑纹，古怪地合十诵起经来。最后竟匍匐在地，感谢上天的启示。

这人名叫贡桑绕丹帕，是西藏江孜法王。近来他正为江孜白居寺内的佛塔建设设计而冥思苦想呢。现在他从年楚河退潮时露出的一层层梯田似的河滩上，联想到佛经里所记载的浮屠塔。如果能建起这样一座别具一格的佛塔，对弘扬佛法，调治下民该有多大的威力啊。他又想到祖父膺任元朝敕封的莎迦法王的内务大臣，同时受封为江孜法王，到自己接位已是第三世了。现在内地换成了明朝，汉地大皇帝对西藏分封了几家法王，全藏并无统一的首府，自己的封地处于边境通往拉萨和内地的咽喉要地，只要建筑起这座非凡的佛塔，江孜将会成为全藏瞩目的城邑，自己会得到各家法王的推崇，祖宗留下的基业也就会兴盛发达，甚至还会得到汉地大皇帝的器重呢。想到这里，他有点疑心刚才是祖父绕丹桑布的在天之灵启示了自己，赶紧又对着上天磕起长头来。

年楚河冬瘦春涨了十次。到了大明正统四年，藏历火龙年四月，一座凌空耸立，壮观别致的佛塔，已经高矗在年楚河西岸、宏大富丽的白居寺内了。塔后是苍峻的老人山，山上多洁白的石子。它真像个银须白发的老人，护卫着这座别具一格的佛塔。

在西藏高原的许多塔形建筑里，这座佛塔确实是比较奇特的。它的底层由七级梯田河岸似的塔楼所组成，线条柔和，式样新颖，庄严稳当。梯田形楼上还有六层圆塔楼。塔高32.5米。共计有大门十二道，小门八十道，塔角一百四十六个。塔内有一千斤重的核心铁柱一个。塔顶是紫铜铸就的一朵十三瓣莲花。它迎着天风夜露，焕然怒放在云海星河里。

五百多年前，传说年楚河是从白居寺附近流过的。夏天涨大水，滔滔的河水有时泛滥成灾，淹没民房，但那汹涌的河水撞到环抱佛塔的老人山的山岩上，只能溅起雪白的浪花，翻卷着退落下去。因此，当地藏胞称这座塔为"巴廓曲典"，意思是"卷浪之塔"。

在这座佛塔的十三层塔楼里，共有经堂二十七个，供有泥塑、铜铸和金银菩萨三千多尊。加上壁画和唐卡（卷轴画）上的所有佛像，据说总计有十万尊。因此，这座塔在藏文史籍中被记载为"古布木曲典"，意思是"十万佛塔"。

跨进十万佛塔，似乎真的进入了西天佛国。这里几乎有着佛教世界的一切佛和菩萨。原始本教的图腾，红教、花教、白教、黄教的祖师及著名喇嘛，分别有专门的经堂供奉。这些明代的作品，十分古朴生动。你看那个端坐冥思的释迦牟尼，左手捧金钵，右手拇指食指相捏，双目正从沉思中醒来，嘴角含着淡淡的笑意，像在菩提树下又悟出了什么真谛。环列在这位佛祖身后的菩萨、罗汉、度母，一个个都栩栩如生。那些在释迦讲法时飞行于空中的仙女叫"香音神"，与敦煌壁画中的"飞天"相比，她们都显露着藏族少女的丰韵。你看仙娥们吹笛鼓瑟，撒播仙花仙露，一对对裙带飘忽，目光流盼，简直活啦。沿着古旧的螺旋型塔梯往上登援，每一层塔楼都有新的神佛列队迎接你。有时是吉祥天女向你点头微笑，有时却蹦出个青面獠牙的马头明王来。最唬人的是一个叫"大威德金刚"的护法神，他挥舞金刚杵，坐下一头怪骡，骡腚上还生着一只"神"眼，骡蹄下践踏着"妖魔"。不过稍一转身，一位安详含笑的菩萨开始安慰你了。她长着十一个金面，又生着千条手臂，每只手掌里都睁着一只慧眼。这位"千手千眼十一面菩萨"，能看到森然三界，四大部洲，对沦于"苦海"中的人"慈航普渡"。据说她就是"救苦救难"的观世音菩萨……

在这座辉煌的十万佛塔里拾级而上，每走一步，你都会有新的感触；每上一层楼，就仿佛上溯了半个世纪。那些壁画像是昨天才绘的，鲜亮极了。这是因为五个半世纪以前，画师们所采用的颜料，都是冒着生命危险，爬上悬崖，钻进岩洞深处，一点一滴地刮取的珍贵矿物颜料。至于建造十万佛塔所耗费的粮钱，则远远超过了"十万"的计数单位。仅是青稞就耗去八十七万克（每克为二十八斤），酥油四十八万五千克，黄金折合四百三十三万七千块大洋。这还不算那些难以数清的珍珠玛瑙，琥珀翡翠，宝石水晶……，塔内的这十万尊佛像，每一尊都是藏族人民的血汗和智慧所凝成。十万尊血汗与智慧的结晶，五百多年来一直闪闪发光。这座佛塔不愧与布达拉宫和萨迦寺并称为西藏的三大艺术宝库。

巍峨的十万佛塔，据说有着非凡的神灵。对着佛塔念一遍经，等于在其他地方念一千遍；凡是对佛塔献哈达、供果、祈祷、磕头的人，佛塔能给他禳祛灾祸，免除罪恶，使他幸福一生，死后升天。据说蚂蚁若能惠受佛塔神风的吹拂，死了不下地狱；鸟兽若能闻到佛塔内的香味，听到佛塔上的风铃声，来世便能转生为人；如果有缘使身子碰到佛塔，小虫也可以转生为活佛……

十万佛塔一落成，江孜倏然成为西藏的名城重镇。各家法王纷纷前来谒拜。明朝皇帝在对西藏的谕旨中表示嘉勉。青海、甘肃、西康、四川等地的喇嘛和善男信女，千里迢迢，赶来朝拜。在五百多年的漫长岁月中，每天前来朝拜的人成百上千,络绎不绝。就连赶着骡帮,坠着金耳环的外国商人,在路过江孜时,也要前来布施磕头。每年藏历四月十五日,是十万佛塔的落成纪念日。白居寺组织五百个喇嘛念经。那天人山人海,如浪如潮。至于达赖和西藏的一些大活佛来观瞻十万佛塔时,放布施的人简直多得数不清。除了贵族领主之外,普通的平民和奴隶更其虔诚。跛脚的郎生用枯瘦的手,送上从自己口中省下的一木碗糌粑;双目失明的乞丐,把自己乞讨来的一丁点酥油送给佛塔点长明灯。但是,虔诚的农奴们有谁摆脱了蚂蚁和小虫一样的命运呢?当时的白居寺规定:凡在佛塔附近的加日交市场进行贸易交换的,卖一驮牛粪,要交给寺庙一包;卖一只羊,要交给寺庙一条腿;哪怕卖一担瓦罐,也得让寺庙挑两个。富丽堂皇的佛塔下,就有五个门口挂着豹尾鞭的监狱,里面陈列着令人毛骨悚然的刑具。监狱里关押的,都是支不起寺庙的差、还不起寺庙的债的农奴。每天深夜,当十万佛塔里的佛菩萨们在明晃晃的酥油灯下,微笑着享受供养时,就听得白居寺内传出凄厉的哭嚎。年楚河的夜风也常常送来捶洗羊毛的少女凄楚的歌声:

> 菩萨总是笑着,
> 阿妈却在哗哗地流泪;
> 菩萨总是笑着,
> 阿爸却在哗哗地流血。
> ……

五百多年的岁月连同整个旧世纪,卷进年楚河的滚滚怒涛,一去不复返了。新世纪的旭日,终于以其辉煌的火焰照临到江孜谷地。这座古老的十万佛塔，已成为人民政府的重点保护文物。它在精心修缮下古装展新貌，以别致的建筑和绘画雕塑艺术，迎接前来参观的各族人民和国际友人。同样是夕阳如丹的傍晚，你漫步在年楚河河滩上，依然可以看到一串深深的脚印。不过，再不是尖头加钦靴的靴印，而是解放鞋和藏靴的印痕；再也看不到古怪的法王拖着长长的影子在徘徊，而是年轻的藏族水文队员和水利队员在欢笑地工作；再没有谁去冥思苦想如何修建佛塔，而只有高原建设者们在选择水电站理想的坝址。"哗哗哗……"晚潮又一次泻退了，留下了一层层梯田似的河滩。人们从中得到了崭新的启示：如果把这梯田似的河滩围垦成良田，年楚河谷不就成了后藏的粮仓了吗？于是大河两岸驻扎起重重迭迭的黑色牛毛帐篷，三个县的治河大军在这里摆开了战场。骏马长嘶，铁牛吼叫，河堤像古堡长城似地向百里之外的雅鲁藏布江延伸。河堤外边的荒滩，逐渐变成绿浪翻滚的青稞地。咦！这一段工区为什么今天特别闹腾呢？原来，民工们刚才从河床下面挖出了一个浑身泥巴的铜菩萨，胳膊裸露的人们在争论：到底是哪个朝代发大水时从寺庙佛塔内被卷入年楚河底的。啊，千百年来被人们膜拜的佛菩萨呀，作为人民智慧的结晶，奴隶们创造历史的见证人，你们安分地居住在那些天然历史博物馆内也就是了，为什么要出来乱跑呢？在大自然的威力面前你们"自身难保"，难道还真想去"保佑"别人吗？

听！十万佛塔摇响了清脆的风铃。它在晚霞的紫晖中肃然挺立，在向新世界的主人庄严致敬呢！

绿　雪

久在高原，看惯了寒光闪闪的白雪。然而，在喜马拉雅山东麓的甲拉山上，我却看到了温馨诱人的绿雪。

谁说高原上春天来得迟呢，你看，春姑娘轻轻嘘了一口气，甲拉山腰就笼起了一围绿纱。随着白云的飘移，它变得一会儿深绿，一会儿浅翠，很是撩人眼目。

在这偏僻的甲拉山上，藏胞对山外来客分外热情。也许是怕我喝不惯味重的酥油茶吧，农场技术员顿珠，笑吟吟地为我沏了一杯清茶。

我轻轻拎开细瓷茶杯盖儿，只见几十片卷缩着的茶叶绿不绿，黄不黄，懒洋洋地飘浮着。那茶色淡极了，清汤寡水的。难怪呀，山区的藏胞日常主要是熬砖茶，对细茶是不大讲究的。

我端起茶杯，用杯盖轻轻拂开杯面的浮茶，不经意地呷了一口，味道平常。我又喝了一口噙在嘴里，不料仅仅片刻功夫，一股幽幽的异香就充满齿颊之间；我将这口茶缓缓地咽了下去，那股异香一缕缕沁透心脾。接连喝了几口之后，不仅口鼻生香，而且头脑清爽，周身快适，刚才旅途的疲劳，一下子被洗去了大半。

我再看那杯中的茶叶，只见它们已舒展开嫩黄的叶片，静静地沉到白瓷杯底，像是一串溶入水中的绿色的音符……

"请问，这是什么茶叶？"

"它是用雪山流水浇灌出来的，在全国茶叶品味会议上，专家为它取名为'绿雪'……"

绿雪！多么鲜亮雅洁的名字。雪山高原种出了茶叶，这可是亘古未有的新事呵。

世居高原的藏胞以食肉饮乳为主，"宁可三天无粮，不可一夕无茶"。自古以来，藏汉区交接的地方就设开"茶马互市"，藏族人民用良马向汉族及其他各族兄弟交换茶叶。山路迢迢，千里万里，茶叶终究是稀罕物儿。在偏僻山区的差民和农奴眼里，茶砖亚赛金砖，茶叶贵如翡翠。有的人家甚至将讨来的一小撮茶叶，包在树叶里悬挂在屋子中央，想喝茶想得难熬时，便抬头看看那一小撮茶叶，解解馋。那个苦涩的年月，乡亲们大多用一种略带苦味的树叶作为茶叶的代用品。但有时上山采摘时会将有毒的树叶误采进筐。顿珠那多病的阿妈，就是误食了毒树叶熬的茶而病势加重，离开人世的。说到这里，顿珠那亮晶晶的眼睛变得暗淡了。他眼帘下垂，说不出话来。

解放以后，国家源源不绝地向西藏高原调运红茶、绿茶、花茶、砖茶和沱茶。藏胞的日子越过越兴旺，茶叶的需要量也成千上万担地增加了，有时难免供不应求。藏胞萌生了一个强烈的愿望：啥时候能请茶姑娘到咱们高原来安家就好啦！

"请茶姑娘到高原来安家，硬是经过了九十九道磨难哪！"顿珠给我添满了茶水，又用潺潺流水般的声调跟我唠开了。

那是十年前的一个初冬，西藏高原已经风雪弥漫，而祖国的南疆依然山青水碧。顿珠同另一位技术员，到"世界茶树之王"的家乡——云南去迎请茶姑娘。为了选购高海拔地区的茶籽,他们从苍山洱海出发,跨过澜沧江,去到海拔八百米的勐库公社。那些拉祜族、傣族和佤族的老乡,一见藏族兄弟来了,便捧出冬笋香米饭招待客人。他们当天就冒着山顶的小雪花儿,抖着肥腿裤,用小毛驴驮着茶籽送客人下了山。

高原上要种茶树啦!这个消息传遍了甲拉山谷。在附近建桥的金珠玛米送来钢钎、软锤和炮药,藏族老乡们纷纷来农场帮助平整台地,农场职工们赶来了调皮捣蛋的猴子和狗熊,刨树根,炸巨石,为云南茶姑娘准备安家落户的茶圃。

说到这里,顿珠从一只牛毛口袋里掏出一捧茶籽,只见它们圆鼓鼓的,赭褐色,比豌豆大,每三粒连缀在一起,像是三个小姑娘偎在一起说悄悄话。

甲拉山播种第一批茶籽的场面,既庄严又喜庆。茶圃里整整齐齐地铺了七条播种带,像是七张芬芳的地铺,七间温暖的花房。

那些慈祥的老阿妈摇着转经筒,瘪嘴里念念有词,虔诚地祈祷天王菩萨为茶姑娘消灾免祸,让她在甲拉山长成"如意宝树"。那些牛犊儿似的娃娃被做母亲的拽在裙边,不让他们在茶圃里乱蹦跶。如果有谁敢用小手指一指花牛毛口袋里金色的茶籽,便要被阿爸打一下手心:"牛崽子,看不剁了你的小爪爪!"

顿珠在无数双热切注视的目光下,双手捧起一捧茶籽,像是捧着一捧珍珠,一捧松耳石,一捧水晶球。不,比这些都要珍贵千百倍。他捧的是春天的种籽,绿色的希望,是内地各民族兄弟的厚谊深情!顿珠的双手缓缓举起,举过壮健的胸脯,举过漆黑的眉毛,举到宽阔的额前,按照当在藏族极珍重的礼节,将满满一捧茶籽碰了碰自己的额头,然后洒到散发着春天芬芳气息的土地里……

亚热带的茶姑娘真的能在甲拉山生存吗?许多人是心存疑虑的。顿珠知道,国内茶树生存的海拔线不超过一千九百米,而西藏高原的平均海拔在四千米以上。经过选择的甲拉山茶圃试验场,海拔也有二千四百八十米。茶姑娘能耐得了这样的高寒吗?

上了年纪的藏族老乡更是忧心忡忡。他们郑重其事地告诉农场领导和顿珠:在爷爷的爷爷那一辈子,有一个黑教喇嘛到这里的部族来化缘,没有得到慷慨的施舍,悻悻地走了。当夜他便对这里放了咒。天菩萨呀,一时间山崩地塌,把整个部族都埋葬了。要想知道那次山崩距今已有多少年。只要看一看废墟上新树的年轮就行了。老人们捻着佛珠说:那黑教喇嘛的咒语至今仍在作祟。两年前这里发生了泥石流,年年冬天都要刮起比野猪的獠牙还要尖利的冰谷风。云南的茶姑娘在这里哪能活得了呢?

但是,春风吹拂着甲拉山,春雨滋润着这片土地,春天在呼唤新的生命。湿润润的坡地里开始冒出一星星嫩绿色的芽芽:一片、两片、三片……,哈,已吐出六片嫩叶了。真像是婴儿鲜亮的嘴唇。

这一年冬天将临的时候,大伙儿从深山砍来竹子搭了暖棚,茶苗苗上又盖了暖呼呼的芨芨草,顿珠和他的伙伴们夜夜宿在茶地里,防霜冻,赶野物。

甲拉山的冬天邪乎得很,冰谷风真比野猪牙齿还要尖厉,不管茶圃的暖棚搭得多严实,芨芨草盖得多厚,那茶苗苗碧绿的嫩叶还是被冰谷风刮得一片凋零。顿珠和大伙儿的心里像结了冰，浑身上下冷嗖嗖的。好在云南茶姑娘生性倔强，第二年春天，在离根部一拃高的地方，又绽出了毛茸茸的新芽。盛夏、金秋，又是满眼新绿，枝叶婆娑了。

云南茶姑娘越长越高，嫩绿的叶片在春风中沙沙作响，绿得透明，绿得盈盈欲滴，简直是一丛丛绿色的诗。

你看过茶树开花么？像是漫天飞舞的白蝴蝶，霎那间飞落在茶树上。它不像它的堂姊妹——那艳姿倾城的山茶花，迎风一站就迷住游人的目光。她藏在幽静的茶园里，既不穿紫，也不着红，只是一身洁白——微带一点儿娇黄，那样雅致、温馨、高洁，透露出处子的天真烂漫，娴静娇憨。这是碧绿的诗树上灿然开放的晶莹如雪的诗花。

大自然将永远感谢那些为他人幸福而热心奔忙的使者。你看那些蜜蜂、蝴蝶，还有那憨头憨脑的土蜂，在茶花丛中飞来飞去，忙得正欢。当初只有七行苗苗的茶圃，在短短几年中已扩展成六十多亩的茶园。园里除了云南的茶姑娘之外，还有从武夷山下和大渡河边来到甲拉山的茶树后生。热心的小使者们抖动着雪白的或透明的翅膀，采集着芬芳的花粉，传递着青春的气息。春天，飞扬圣洁的花粉；秋天，结成金色的果实。当顿珠手捧这饱满的果实时，欣喜得两眼发亮，脚下跳起了踢踏舞。那些对茶树引种一直心存疑虑的人，摩挲着这内地茶姑娘在高原结下的第一代果实，不禁手心发烫，心口发热。

谁如果以为野猪獠牙般的冰谷风肯善罢甘休，那就大错而特错了。正当顿珠和他的伙伴们想往着来年春天采摘新茶时，冬天穿着冰甲雪衣，横冲直闯地来到了甲拉山。这一年冬天奇寒，山上的黄嘴鸦冻死了不少。冷酷的冰谷风吹起来了，像是灰色的火焰，肆虐地焚烧着甲拉山。几年来青葱向上、生机勃勃的云南茶姑娘,在风刀霜剑下坚贞不屈。然而,冰谷风刮了一天又一天,灰色火焰吞噬着一切绿色的生命。碧绿的茶树渐次枯萎,枝枝杈杈被烧成了黑铁丝;连嫩白如绿豆牙的根须,也被烧成了焦黑的火柴杆。上万斤茶籽育成的六十多亩茶园,除了侥幸活下来的两株闽种和十八株川种茶树之外,其余全成了一片焦土。

茶场的藏族姑娘们咬着嘴唇,一个个啜泣起来;那些汉子们眼睛瞪得鹅蛋大,仰着脸,不让人看到眼泪在面颊上流;顿珠呢,像是遭了雷击似的,两眼发了直,让人看了害怕。清理茶园那天,他精神恍惚地背去了一只绛色的陶瓷坛子。他在最初亲手栽下的七行云南茶树地边蹲下了。他眼发花,蹲不稳,就双腿跪在地上。年轻的藏族技术员捧着那死去的茶树直发木。他在每一根枯焦的茶树上掰下一小节枝杈来,像攒火柴棍似的,一棵茶树就掰下一小把。一把又一把,装了满满一坛子。他取出一块剪成方块的新氆氇,封住坛口,又用牛毛绳子扎得严严实实,背到背上,这才从灰土里慢慢爬起来,摇摇晃晃地向山下的雪水河走去。人们知道,他是依照当地藏族安葬亲人骨殖的风俗,为云南茶姑娘水葬去了。半个时辰以后,从山下传来一个年轻人呜呜呀呀的哭声,像一匹受伤的公鹿在引颈哀号。

第二年,布谷鸟飞来的时节,顿珠离开了甲拉山。他到天府之国去了。他是到一个茶叶研究所学习去的。同去的还有好几个年轻后生。

一年之后,新的茶苗苗又在甲拉山破土而出,山腰上围起一圈绿纱。三五年后,那里又是一片绿光照人的景象,又灿然开放出一片幽香沁人的诗花。当寒冬降临,野猪獠牙般的冰谷风肆虐逞威时,藏族第一代种茶专家顿珠发现,有一种茶树特别能耐酷寒、抗疾风。那就是用云南茶姑娘留下的茶籽育出的茶树。

哦,高原第一代金色的茶籽,你是喜马拉雅的骄子,大地绿野的精英,你沐浴着祖国屋脊的春风,吮吸着雪山高原的乳汁,怎能不绽出幽香沁人的"绿雪"!——我愿你百世莹洁,千秋常绿。

顿珠的爱人是一位娴静的汉族姑娘,老家在那碧水如带的青弋江边。

查拉独几

走 进 高 原

高原对我来说从来就不是陌生的,自小我就对生我养我的高原充满了情憾。

然而,高原给我的,总只是神话般的冷峻和寓言般的深邃,使我在无比的困惑无比的惆怅中越来越虔诚地顶礼膜拜。

我对高原的认识简单而明白:如果说人间时兴有天堂,高原就是我心目中的天堂;如果说大地能生出彩虹,高原就是我心目中的彩虹。

藏家人在这里营造着一种雄浑而又朦胧的生命观念，藏家人的血汗滋养着高原。高原的沃土滋养着弦子和锅庄，滋养着藏家人与生俱来的乐观与悲壮。

我明白了！

当许多张闲不住的嘴巴夸夸其谈地说着历史时，只有高原知道，历史就是被紫外线晒黑，被太阳烧烫的时间。

我只能触犯禁忌般仰望高原。

在神圣的高原面前，世俗的一切拥有，一切满足，都显得那么毫不足道，那么渺小。

高原雄踞在我们头上俯瞰着我们。

高原赞赏我们的辛劳，嘲笑我们的势利。

高原的风，高原的雨，高原的雪和冰雹，耐心而又细致地雕刻着岁月，雕刻着藏家人的形象。

高原有着独特的温柔，但他的赐予方式强硬而骠悍，只有像高原一样有着博大心胸的藏家人才能体会到。

冬日的银装素裹，夏日的碧草天涯，缄默着点缀一方风景。既有宏大，更有飘逸。

高原之子，当你躺在高原的怀抱吮吸着高原的乳汁时，你还能想到什么呢？

商品社会使人早熟，早衰，我们却还是常常遇上一丝虚饰的荣耀与机遇，我们有些毫无倦意地寻求多种生存方式。终于悟出死仍旧是永恒的……

对于高原来说，我们只不过是行色匆匆的过客，我们为此而痛苦，为此而震惊，却不能因此而停下走向人生终极辉煌的脚步，仍旧一次又一次，执著地投进高原的梦幻。

因参加电视剧《女儿国没有秘密》的拍摄。我又一次走进高原。

美丽的夏日,正是高原遍野流金的节令。

开机后的第一场戏在中甸的纳帕海边开始。纳帕海是迪庆境内众多的自然保护区之一,每到节令,就有许许多多列入国家一级保护动物的黑颈鹤到此栖身。

六月,是高原的黄金节令,远山仍有雪,但海边的嫩草早已一片又一片拔节挺身,一块块的绿草甸向海边铺了开去,低洼处的水坑晶莹明亮,映照着蓝天,映照着苍穹,更有红的邦锦花,金黄色的格桑花点缀其间,蓝莹莹的湖,深红浅绿的草甸,都在蓝天下妩媚地微笑。

都市的喧哗,红尘的纷扰,不知什么时候已悄悄循去,静得令人心醉,只有湖面滋润的水气。氤氲的雾霭,过滤着缓缓移步的日子,使你在怡淡中又不能不感觉到体内生命年轮更置的阵痛。

剧组的这一帮人撒在纳帕海边,便缥缈得找不到自己的影子,山、月、人,在这里,在这时,都在无涯的宁静中体味出某一种寂寞。

拍电视原来是那样地枯燥,那样地乏味,那样地艰辛,演员似乎总在无休无止地重复着同一个动作,同一种表情,摄影师总在说:"再来一条",导演总在说:"再过一遍……"。

上午一直下着毛毛细雨,待到下午三点左右,一堆铅色的云块中露出一丝光亮。纳帕海突然就盛满了一海金色的阳光,水光把山色映得透蓝透蓝,让你疑惑青山也在湖水的怀抱中做着蔚蓝色的梦。

摄影师刚把机子架好,太阳却倏忽钻进云中,云幕低垂,使草原高空往上长了十几尺。

摩梭少女的扮演者在冷风中裸露着全身大部分的肌肤，瑟瑟发抖如一片即将离开枝头的秋叶，只好约几个"小马匪"的配角玩起了"老鹰捉小鸡"的游戏取暖。

远处，一群牧女正赶着牛羊从海边走过，牛羊的倒影撒进湖面，牛屁股后面随意飘起的牧歌拉直了剧组所有人的耳朵："远方的客人哟，你们像群候鸟。哎哟哟，难道你们没有可爱的故乡。"那声音清脆若银铃，高亢尖利得能穿云裂石，有人说："咳，这样的地方，这样的嗓子，这样的歌！"不知是褒是贬。

这时，每天傍晚都要来的那阵风从雪山丫口窜下，操一把利刃，割开山脚混浊的雾，携着晚霞狂歌而过。

碧塔海是迪庆高原最有名气的高山湖，藏民尊她为明珠，我已不是第一次到碧塔海，在遥远的异乡，我曾经无数次，无数次，像回忆初恋的情人般苦苦地回忆。但碧塔海始终只给我一点朦胧的面孔，甚或一点背影一点侧影。

碧塔海是导演选定的外景点之一，我决定先去一夜，为剧组做准备，也享受一次咀嚼孤独的滋味。

从中甸县城出发，车行二十几公里还得步行七公里，在布满尘灰的公路上，绝对不会是一段愉快的行程。但这是一条充满诗情画意的山路：高山连绵起伏，山溪漫流，尺余高的无名野草长满在一块接一块撞入你眼帘的山间草地，在徐风下翻着绿浪。

纯净透明的蓝天上，飘来飘去的云朵，一层层一叠叠，与山头上的树梢融在一起，仿佛野嶂穿空，拂来林间几分轻寒，牵来天边一片淡霭，更有满山正在怒放的火红的马樱花，粉的黄的白的杜鹃花，挂满一树又一树的轻纱般的松萝，真正步换景移。

而在这宛如仙景,似在轻轻波动的林海中,这里那里不时露出一堵青色或赤青色的石岩,形、色、质都充满了凝重的神韵。

一动一静,一柔一坚,从容庄重,不动声色地面对着时光的流逝,使你感到人生的种种烦恼,倾刻间便化为乌有。

四点多钟到达碧塔海,长三千米,宽七百米,呈葫芦形的海就那么坦坦荡荡,却又羞羞涩涩、碧蓝碧蓝地躺在我的眼前,白云、森林和山峦都那么惬意地跌落在湖中,空濛潋滟,夕阳挂在树尖,晚风推来波涛,极温柔极温柔地抚摸着岸边牧民的帐篷中飞出的山歌。

看到岸边悠然漫步的白鹇鸟和贝母鸡,突然就发生奇想,感到此生为人,似乎是一种不幸。

终于,掌管江湖河海的女神楚基卓玛整天舞来舞去的透明哈达,被夜色悄悄染黑了。

我将吊床拴好在两棵云杉之间,篝火熊熊燃烧起来,美艳的火舌盲目而又自信地舔着漫无边际的黑暗。烤肉滋滋冒油,发出扑鼻的香味。

倒一碗青稞酒一口一口地喝着,抓起烤肉来一块一块地撕着嚼着,听到风在林间一股一股地窜来窜去。望望湖面,满天的星星都早已抖落在湖中,好似满湖里突然就长满了捋不完的珍珠。

在微醉中我开始困惑,在许多许多人流如织的都市里,我曾感到那样地疲惫不堪,心中充满了孤独。而我真正这么孤独地像一只受伤的野兽般蹲伏在寂静的夜色寂静的山林中时,却感到浑身在暴涨出力气,暴涨出志气,暴涨出勇气。

有了这一夜,我又能在人生的道路上走出好远好远了。

天上不知什么时候挂出一轮月,湖面上淡淡的雾从暗影中涌出,在月光里溶去,从树林的枝叶间漏进来的月光,一缕缕地被筛在火堆周围旋转。

盖着一件跟别人借来的军大衣。我一头栽进碧塔海似有若无的涛声和月色铺设的梦乡。迷迷糊糊睡去,迷迷糊糊醒来,红红的太阳已是很清朗地立在湖东的山巅,几千束金箭穿过树林射向湖面,一路吮吸着每一片绿叶上的露珠。

湛蓝的湖面此时却是处处金斑陆离,晃动着数不清的火焰。

我躺在吊床上,很主观地想象着,认定太阳和光明都是在这里诞生的,湖面那连天而溅的光焰,其实都是碧塔海分娩太阳和光明留下的血迹。

而那从石岩中,森林里一股股涌出,去拍击天庭门户的云雾,莫不就是保佑碧塔海门户的香烟。

啊,碧塔海,你的神韵浸透我的心声,浸透我的欲念,永远不会超脱,永远不会晾干……

群鸟啾鸣,奏响清亮的晨曲,太阳就随渐渐远去渐渐消失的鸟音,爬上了中天,山野即将静去时,林间又传来一串马铃的音符。

剧组到了。

我无法用笔墨将剧组人员见到碧塔海时的欢欣加以形容……

有人在草地上打滚。

有人对着湖面高歌。

来自深圳的杨小姐,是港方的制片代理人,既在剧中扮演角色，还承担着监制的职责。此时却似乎忘记了自己是谁，黑亮的眼中盈了一眶泪水。

导演刘海刚像藏家人一样打了盘脚坐在草地上，默默地看看天看看地再看看人，手打着抖从兜里摸出一支香烟点燃后说："美得不可想象啊！"

扮演马匪婆的演员虽非大腕明星，但曾上过好多片子，某一年曾被评为春城十大上镜小姐之一，此刻刚刚按剧情要求被人丢进水中再捞出来，重又跪在湖边，双手捧水喝个不停，激动得自言自语："终于喝到真正的水了"。

明媚的阳光，美丽的景色，使那一天的拍片特别顺利。

那一天在一个精彩的小故事中结束。

当剧组快要拍完在这个景点的规定镜头时，搞后勤的人与另一队马帮一起上来了。可是，这一队马帮中的一匹小公马，却在半路失踪。这个马伙子，在路边看到一漂亮的马姑娘，便弃主人和客人于不顾，擅离职守，谈情说爱去了。

赶马人是一位鹤发童颜的藏家老人，当导演问他："小公马呢？"

他很开心地笑着说："它找媳妇去了。"

一串突然爆发的笑声在湖边响了许久。

我却在想：每每奢谈爱情的人类，真正面临爱情时，大概少有小公马这样奋不顾身的勇气。

也许，我又在犯傻了！

啊，我的故乡，我的高原，你的冻土之一，滚烫的血液总在流淌，即使我走出一千次，我还是要回头。在最疲劳的时候，在你的臂弯里甜睡。

闫振中

神山与密宗

一

岗仁波钦神山巍然屹立于天地之间,它相似于阳具的造型,以千万倍夸大之形象,使雪山冰峰弥漫着性力的威严与神圣。

作为冈底斯山主峰,岗仁波钦地处中亚、东亚两地交界处。佛教、本教、印度教等宗教文献,对它均有不同寻常的比喻。"天然圆轮"、"雪铸金字塔"不一而足……在纯净的阳光里,巨大的雪冠超尘拔俗,使仰望的人们因其奇特的造型、神秘莫测的气象而深深着迷。

诺布旺丹先生在《冈底斯山及其神秘文化》中道:"印度把冈底斯山看作大梵天的驻锡地,在此他与配偶喜马拉雅之女进行着永恒的修定。印度有一座寺庙叫做湿婆神庙,印度语称作凯拉斯塔,显然其名称借用了凯拉斯几个字,实际上其建筑结构也酷似冈底斯山。另外很多印度教的寺庙都以冈底斯山为原型来建造,由于受性力派影响,印度教还把冈底斯与男性生殖器相提并论。或可以说,涅槃不是别的,而是男女性行为中所得到的快乐的无限延续。"

诺布旺丹先生的这种感慨只有在神山脚下站得很久、看得很久、想得很久的人才能获取。

马丽华的《西行阿里》一书中称:"作为印度教主神之一的湿婆,其宫殿理所当然地位于他们的凯拉斯山上。在那儿,他或者坐在莲花座中处于冥想状态;或者坐在山巅显现着慈祥面孔,而他的妻子乌玛女神,则坐在他的膝盖上与他一起度过未来。另外一个说法是,乌玛女神每日在玛旁雍措湖中沐浴,他俩千年的交媾使精液积为雪山……"

"岗仁波钦神山东南十多公里处便是圣湖玛旁雍措。没有任何印度教徒不崇拜玛旁湖的,他们认为玛旁湖是由婆罗摩神所创造。相传来那识修缮了冈底斯山后,在那儿遇见了梵天和雪山神女,他们在冈底斯山已经苦行十二年,但一直苦于无处沐浴。他们便通过日希斯向婆罗摩神请求帮助,婆罗摩便答应了,并造了玛旁湖。当他们共同欢庆湖泊形成的时候,婆罗摩神的另一子日斯里斯忽然发现一支巨大的男性生殖器从湖中脱颖而出，他们为此惊喜万分，加以膜拜。"

一些学者在研究中指出：佛教和印度教都主张，在我们生活着的现实世界之外，还有一个永恒的彼岸世界。这个世界中心就是西方极乐世界，即香巴拉。从诸多的关于描写极乐世界的佛教文献来看，香巴拉的原型至少不会超出以冈底斯山为中心的周围地区，它来自对冈底斯山及其周围湖泊的神秘理解。这一思想大约出现于冈底斯山被尊为世界中心的须弥山以后。

佛教密宗中象征须弥山的曼陀罗，就是客观世界的须弥山与主观世界的须弥山的复合体。这种曼陀罗一般呈矩形图案，四面呈莲花状，代表须弥山四周表面，图案内分布着名目繁多的佛、菩萨及神祇，其中心代表须弥山轴心或极乐净土，或代表世界的中心。

岗仁波钦即佛教密宗中所指的须弥山，它是客观世界的须弥山，与主观世界中的须弥山对应，复合而成曼陀罗。据一些经典记载，极乐世界香巴拉即在岗仁波钦神山一带。如果现在在此地寻找香巴拉，是无论如何也找不到的，只有当客观的须弥山与主观的须弥山复合之后，香巴拉才会出现，而凡夫俗子是进不了复合之境的。

据记载，密宗最初来源于香巴拉，经香巴拉传于人间。密宗对岗仁波钦神山有特别的推崇，称其为本尊胜乐金刚，附近的铁穷山被称为胜乐金刚的修持伙伴金刚亥母。两者的合体则代表人的清净本性，慈悲与智慧。胜乐金刚又称上乐金刚，是一尊威猛神，具有无比的威力，藏名"登巧"，为密宗本尊之一。拉萨的学经机构——下密院（奉麦扎仓）重视此本尊之法的修习。它有白、黄、红、蓝四色面孔，每面三目，十二臂。主臂拥抱明妃金亥母，在布达拉宫和萨迦寺均可见其铜铸镏金的塑像。

二

不难推想，在宗教未形成之前，当这里的原始先民还沉浸在性崇拜阶段，由于岗仁波钦的自然造型，如阳具勃然而立，将其视作男性生殖器应是一种最自然、最直接的实象联想。

不少专家学者都相信启示是宗教的根源，而岗仁波钦给人们最初的启示便是性的力量，这种自然中最充满活力的本能，往往会引发人们对自身之外力量的崇拜。

在大自然间，最令人敬畏的属性来自人的生育力，生育的神秘性是自然界最深刻的神秘性，这便引发了人们对性的崇拜。直到现在，一些科学家仍然认为宇宙起源和存活的隐蔽秘密，其最关键的要点就在于性的神秘之中。

男人和女人，两种生命活力，两种宇宙力量，在相结合而产生存在之后，生生灭灭，古今不移，使古代文明的多神论崇拜都相继在此基础上建立。可以说，每一种多神论既是性的分化，也是性之结合，其产生均与性的神化有关，均由性的活动升华为一种宗教礼仪，并由此孕育出宗教最初的原型。原始人当初实行的礼仪，现在看来无异粗俗得接近本能。然而在当时却没有任何不纯洁和不虔诚的念头，正是这种原始崇拜，为以后宗教形成开拓了进取过程。为什么这一带所产生的诸多宗教，都将岗仁波钦推崇为神山，性崇拜也许成了它们共同的基因。

在印度，阴茎和阴门以及二者的各种结合，作为湿婆和他的妻子黑天的象征而受到众多虔诚者的崇拜，甚至将岗仁波钦与男性生殖器相提并论。

古代的人类,常把男性阴部表现为一种非常神圣的形式,即金字塔形或正三角形,有人称其为"神圣的男性三角",这种三角形是由男人的阴毛形状构成的。在埃及、印度,包括我国和其它东方国家,男性阴部还以莲花或荷苞的形状加以崇拜。冈底斯山发端于狮泉河镇,由一小山包作为起点向东绵延而去,途中的山峰逐渐升高。第一座山头如花骨朵刚刚冒出,第二座如小小的花苞,第三座山峰其花朵初步成形,山峰一个连着一个……到了岗仁波钦主峰、八瓣莲花全部开放。这与莲花象征男性生殖器的说法正好吻合。

印度有一寺院其穹顶和窗户均做阴茎形状的变形;在其附近的森林里,常可见到男性生殖器样式的神龛,不生育的妇女前来进香时,用她们的阴部接触这些圣像,以期怀孕。

显然,性崇拜的意义已不是狭义的生殖崇拜所能涵盖,而是人类广义的诞生神话所传达的文化意蕴,是生命意识和精神信仰的聚合之物,具有恒久不竭、开掘不尽的潜能,性从一开始就被人们视为造化之根,神明之本,天地之源,虚无之系。

三

克莱门斯·亚历山德里努斯认为,生殖器崇拜是自然崇拜的一个阶段,自然崇拜又导致人们把天体当做神来崇拜,取代了与男性生殖器和阴门相关的较粗俗和粗糙的观念,使人类的思想集中注意了天体、天堂和生活在天上的精神力量,最后人们开始承认"真正的上帝"。

性从生理功能进入神圣殿堂是与宗教结合后所获得的意

义,从而,使性行为进入神圣时代,性交有时甚至成为一种祭祀神灵的必要仪式,让人们从中体会神的存在。我们有理由推想,在人类历史上曾有过一个性行为神圣化的时代,它很可能存在于原始宗教时期,正是这个神圣的时代,人类的性意识激发了宗教进取的热情,使最初的人们产生生殖器联想,并将其作为性崇拜的象征物,开初也许只是岗仁波钦自然造形的酷似,而后,性崇拜进入神圣化时代后,便作为天体——须弥山被人推崇。这说明性崇拜在进化中已脱离原在意义,变形成神的符号和象征。性神圣,实际上是人类对性功能认识进一步升华的结果。

性交之时,人发生强烈震颤,感受到一种无限喜悦,它的强度如此巨大,以致导致人精神的觉醒。人们逐渐发现,性功能不仅在生理上有着奇妙的创造能力,在精神领域也具有拔升信仰的力量。密宗就认为性行为具有帮助修行者修道成佛的神力,它提倡"男女两根交合,完成五尘大佛事"和"享受具有淫欲的极乐",认为"娱乐者,就是享受包括世间的男女淫乐和一心平等的娱乐",强调现世的极乐。认为涅槃通过性行为完成是最圆满之事,性行为可将这一过程所得快乐无限延续。在早期大乘佛教和真言密宗经典《理趣经》中,以上思想得到较为突出的表露。

《理趣经》用"十六清净句"来描述成佛得道的菩萨境地,其中前九句与性爱有关,而后面八句才涉及到人类的整体意义。前九句为:一、男女交媾的恍惚之境,乃是达到清净的菩萨境地;二、男女交媾的欲望的产生,并且快如飞矢,这是一个事实,也是菩萨境地;三、男女交往也是达到清净的菩萨境地;四、男女拥抱而又想互相离开对方的想法,也是清净的菩萨境地；五、男女相互拥抱满足之后，感到世界一切都是自由的心境，也是菩萨境地；六、见到有魅力的异性而产生美感，也是菩萨境地；七、男女交媾而产生的快感，也是菩萨境地；八、相拥而又离开的男女之间的恩恋，也是菩萨境地。

除《理趣经》以外，《迦摩须多罗》也是专讲神圣性爱的印度佛典。此书与古罗马《性爱的起源》和现代欧美流行的《完全的婚姻》颇为相似，不仅强调性交的神圣性，而且还研究性爱本质等问题，此书作为性爱技巧的指导书也合适不过。

在密宗发展史中，性爱修道的思想一直被张扬，而瑜珈修行更使性爱被完全肯定，性爱神圣之美由此得到固化和加强。密宗把瑜珈视为最高境地，它提倡意念与对象一致。为修炼瑜珈，性知识和性功夫的传播和运用常被提倡。瑜珈境地所表现的形象，就是所谓的"欢喜佛"。"欢喜佛"是梵文意译，是性交着的佛像。其性交姿式多以立姿为主。在我国西藏和蒙古地区的寺院中，常可以见到此类塑像。

古人赞美性，可能出于性快感的运作体验和对生殖之事的热切渴望，当时人们对性的审美观照基本出于对宗教的信仰。性之圣，缔造了性之美的意象，性之美，因性之圣而走向实化的圣美意境。由此推知，性行为在获得神圣性之后，必具有一种文化感知，这正是作为一种美的意义上的可感证明。

四

按显教佛学，由凡夫俗子修证至佛至圣的妙境，无论大乘或小乘其修行之路，均为一段漫长过程。小乘佛学认为至少死后重生人世，连续修持数生方能证果。大乘佛学"唯识"法相宗的成佛之路则更为遥远，须经三大劫方能完成，要经过无数次世界成空住坏，往返兴衰才有成就之可能。对于此种多生累劫修炼成佛的说法必然会产生遥远而不可及的迷惘，往往使初入佛道之人，因潜在的功利对道德的升华和善行的结果极难把握，不是望而却步，就是半途而废。

佛学中的显教属修持之路的慢行法。就像现代人驾车，走在慢行道，虽不断前行，因车速有限，规定的路程中所需时间就长，如果沿高速公路飞奔，使车速达到极限，用时就短，若乘飞机飞行，几天的车程顷刻即可到达。假如说显教是驾车，密宗就是乘机飞行，便有了"即身成佛"的效果，也就是今生今世即可成佛。而且密宗是在快感的大背景下，经过性力作用快速到达彼岸世界，省略了漫长的旅途之苦，这不能不说是一种引人入胜的大欢喜之事。正如佛学家南怀瑾先生所说，"它是经济价值高而成本较为低廉的成佛之路。"

密宗经典《大日经》的基本原理说明，人类本身具备超越宇宙万有的自性本能，具有无比的纯真、至善、至美的万有功能，是法界宇宙和人类本性自我的主宰，除此之外，再无其它另有的因，而这个因，大概就是人的性。

密宗认为，"即身成佛"必须具备三密的加持功德才能实现。所谓三密，就是身、口、意的三重内涵的神密。身密即人体本身的奥秘，与宇宙天地的功能具有沟通作用。平时，因人们没有通过大智慧的理解，没有经过合理的修持，才未能发挥其作用，只是作为一种潜能蛰伏在体内，虽未释放，并没有消失和死亡，而处于静待状态。

密宗利用女性作为修法伴侣谓之"乐空双运"，亦称"双身修法"，其理论依据是《大日经》和《金刚顶经》。《大日经》

称:"随诸众生种种性欲,令得欢喜!"密宗教义认为,大日如来在天上犹如世俗一样,有天后相伴,侍女相随。因此,接受大日如来指令为降服魔鬼而变成"忿怒身"的诸尊明王(亦即天神、金刚),也应有明妃相伴。还讲:以方便(悲)为父,以般若(慧)为母,并以明王、明妃拥抱相交作为"悲智和合"的表数。依照这一教义,密宗修行者便以其师傅为父,以陪伴师傅修法之女为空行母,以男女双身大乐为修法成道"获得悉地"之手段。

密宗将岗仁波钦推崇为本尊胜乐金刚,又认定它是宇宙中心须弥山,不难看出将两者贯融一起的力量非性莫属。"乐天双运"可使修法者直接进入至胜境地。

双身修法的大乐思想来自印度的性力派,认为宇宙万物皆系女神性力所生,因此将性行为看成侍奉和崇拜女神之举,也是对女神的大敬。密宗吸收这些内容,配以佛教义理,形成"乐空双运"的双身修法。

修双身并非一般僧人皆可为之。格鲁派规定只有取得格西学位的高僧,在完成显宗修习之后,方可进入双修之道。在此之前,首先选择自己的师父(即上师)作为引导,并由上师作密门灌顶仪式后,方能进入密宗修习的步骤和次第。而且每修一种密法都要作一次灌顶。

学密第一步是"不共四加行"修法,此系前导,"不共四加行"内容包括:一、强调皈依发心,即皈依喇嘛、皈依佛、皈依法、皈依僧;二、习大顶礼法,即五体投体磕大头;三、供奉曼陀罗;四、念诵金刚萨埵百字并作观想,这"不共四加行"应各修满十万遍,才有资格进修本尊大法。如上师认定修行者属优秀之辈,可以《五部无上金刚大法》中选择一位金刚奉为本尊，修前由上师再一次授法灌顶。

由于密宗师徒相传，严禁向世俗之人传授，因此修习密法最重上师，若无师传，就无法可修。在密法中，修习者与上师之关系犹显特殊，弟子通过该亲传上师接受其该传承世系所有上师的"神通力转移"。师徒的关系便成为该传承世系链条中不可断缺的连环，它直接关系到该传承世系世代融贯的穿透力和继往开来的命脉。当上师以其双手抚摸其弟子的颅顶，或为了表示极大圣宠而以头触弟子头颅时，便会有电流般的轻微感觉从颅顶一直传以脊椎下部和四肢末梢。平时，弟子要观想上师和念上师心咒，与上师心心相印，融成一片，以使上师与修持者在同一本尊的光辉普照下融为一体。这种关系甚至超乎父子和恋人的程度，形成在亲情、恋情之上以信仰相系的灵魂结合体。弟子因受上师指引和加持，便逐渐消除失败的畏怖，剔除因爱欲而产生的粗俗诱惑，排除不允许密宗信徒们拥有的内疚，使其在修习之道上坚忍地前进。

本尊神的功能是金刚乘的深刻奥义之一。在信徒第一次接受灌顶仪轨时，其上师将会在坛场中的慈祥与畏怖之神中依修持者的心性和机缘为他选择一尊本尊神。

本尊神事实上是内心的奇特神通力，由于它而戳穿自我之幻，并达到觉。佛教密宗的本尊神事实上是出自修持者本意之物，也是心的投射物，是最高人格理想的定化和象征。如果不使用本尊象征，任何人都无法设想法身的性质以及其他似乎很高的奥义。

其修行次第分为两个阶段：生起次第和圆满次第。生起次第是在所修本尊面前仔细观察其形象，印入脑际，并作到修持者的身、口、意本尊一致，结本尊手印，念本尊真言，观想本尊于对面虚空,将本尊之光移至自己头顶,与本尊融为一体,时间久了,本尊便充满自己体内,甚至修习者的容貌也会逐渐朝本尊作形象化过渡,一切言行举止与本尊相近,这时本尊即我,我即本尊。

　　金刚乘的目的是使人解脱以自我为中心情欲的一种手段,以尽快从轮回之苦解脱而出。修习者的主要本尊神应在瑜珈上师身上得到崇拜,当修习者、上师、本尊三位一体时,本尊作为象征物,其内部的一切均可充分表现。

　　圆满次第是密宗最后、也是最高的修习次第,意为"完成"和"终结"。其修习之法:先修"气功",控制脉息和呼吸,而后与女伴修双身法,从而求"乐空双运","即身成佛。"

　　密宗典籍称岗仁布钦神山为本尊胜乐金刚,足见其在密法中的地位之重要。岗仁布钦神山虽为自然之物体,却奇迹般地具有神佛端坐的威严,就它内在的意蕴更具有本尊的意义和象征。以此作为本尊修习,必会得到大自然精华的感召而获得不同寻常的伟力,将岗仁波钦认定本尊之神。是象征的进一步深化,更具有深邃的奥义。

五

　　修双身大法之重要条件,即男女双方必尊奉同一本尊。使双方的身、口、意三密完全一致,在两者之间建立通感,纳入同一修持轨道中合拍共振。

　　密宗认为,手印是诸佛菩萨法德之标志,在众多菩萨中,各有各的手印,不可尽数。修本尊之时,手印与本尊相对,犹如矢线接收来自本尊的信息。男女双方因选择同一本尊,其手印也必然相同,所接受的宇宙能量同出一源,同等功率。

口密,即诸佛菩萨禅定中所发的秘密语。密宗认为它是通于人天之间的奥秘真言,又称"宇宙之音",可使人同宇宙相接而互相融合,达至佛境,一些研究称,念诵真言可利用音符震动身体内部的气脉,使之发出生命潜能。真言是一种音波频率,宇宙意识也是音波频率的一种,一旦两者频率相等,即发生共鸣。密宗认为,真言中的心咒就是诸佛菩萨本身的频率,须先把本尊观想出来,继而称呼本尊名字,持其心咒,结其手印,就像将电视机调至本尊的频道。

修同一本尊大法的男女,身、口、意三密在同一修行次第的规范之下,以同一频率与本尊产生共振,男女双方无论心理和身体均达到息息相通,在此基础上交合必会产生不同寻常的景象。

性是人类之间动态极化不断涌流的力量网络。在性交行为中,两人身内活跃的血流组成强烈的极化引力场,在两极注定发生接触的刹那,血液像风暴,似狂涛,涌向对方,越来越近,最后碰撞,巨大的交换的闪光出现了,像电流相遇或充电云团释放出火花一般。这是穿越两者血液的闪电,是情感的雷鸣,沿每一个神经轰响而去……

修双身,往往能创造成功的性交,血液发生变化,替换,更新,几乎是经过了重新的创造,就像雷电之后的大气层,空气里充满了新的气息,所以,新的视觉,新的躯体,新的意识,使双方在极度快感中同步进入大智慧,大光明,此时,修习者、女伴、上师与本尊融为一体而无任何区别了。

这也许是打破时间、空间得无上正等正觉,六大神通具足之境。在此忘我的兴奋状态,所有杂念收拾为一念,入我我入,大我进入小我,小我进入大我。刹那间,感觉化为光明,穿透宇宙虚空,进入殊胜境地。

六

性,实为一种生理功能、动物界均具备这种纯粹的本能冲动,而人与其他动物所不同之处正是性本能中渗透着人的信仰和精神追求。通过它可以探知人类自身和宇宙的真谛。性行为使人类对身体的认识深深地沉入灵魂,一种强大的创造性,决定性力量,使人类不断从中探索宇宙生成的大理,大道。

人体作为一个小宇宙装置,性是其中最敏感、最生动部分,它与日月星辰乃至整个宇宙的自然变化,存在一条信息通道。密宗的原理似乎要告诉人们,若能通过身心的修炼,将人体内部潜能激发,便可沟通与宇宙的联系,开发出高智慧。男女双修正是乘御人性的本质力量而升航到佛性境界的。

佛教神话中有一国王,他听说世上有一颗如意宝珠,乃稀世珍宝,为得到它国王穿越了印度所有王国,不辞辛劳地跋涉也未能找到。一位仙人告诉他,那颗如意宝珠早已戴在他的王冠之上,因不起眼而没有引起国王的注意。故事告诉我们,人类在追求财富、知识,寻求神或觉悟时,却不敢想象,真正的福乐会正好位于自己的身心之中,而不是在其它任何地方。

对于虔诚的修持者,惟一纯洁而经久不变的就是内生的智慧之乐,任何外在智慧与自己身心深处开掘出来的智慧相比,都苍白无力。如果密宗教徒宣称,他们所追求的目标为神、智慧和觉悟,他们最终发现的,可能只是自我本身的心性。

人作为个体来到这个世界,他所了解和想知道的一切,与另一个个体由于先天和后天诸多不同，均不能完全吻合，每个人都是单独的实体，是茫茫宇宙的孤独者。虽然人们相处很近，心灵却相距遥远。

两个个体如同两个宇宙，二者若能结合，便会系列化出意想不到的活力。男女本为两性对应，也是人总体功能的两面，互补互求成为男女结合的动因。但世间的男女大多未达到完全结合，其间的生化反应很难取得最大值。

希腊神话中说，人类最初是半阴半阳的结合体，一半是男，一半是女，因两性功能俱全。智慧和能力远远超过了奥林匹斯山上的众神，惶惶不安的众神，便将此事告知宙斯。宙斯也感觉到此事的严重，就像用细线将煮熟的鸡蛋划成两半一样，他将人从中间分成了男女，并将男女分别流放到互相难以找到的地方，从此男女开始寻找各自的另一半。看一看热恋中的情人就会知道，他们总是拼命地拥抱厮磨，总想粘合在一起不再分离，希望能恢复成原来的样子，然而能找到自己原初另一半的，却是很少，很少。

七

仰望岗仁布钦，皓白的雪冠皎洁地布满天空……横空出世在万山竟立的世界第三极，在这天地万物间，与日月对话，与自然精神共相往来，显示了神性的崇高和瑰丽。为此人们赋予它种种幻想和灵性是再自然不过的事情。它那如同阳具的巨大造型，虽属自然的随意之作，但它傲立天地间的雄伟精神，展现出的沉穆而神圣的力量，怎不让人为之震慑。

据一些典籍记载和近年来的考证资料表明，岗仁波钦一带在几千年前,很可能是森林覆盖区,以神山为源头的四条大河曾滋润过这里的农耕文明。以冈仁波钦为主峰的冈底斯山不仅是西藏古老本教的发源地,很可能也是印度教的大自在天派的源头之一。欧摩隆仁王国的广大属地皆在神山的俯视之下。无疑,这里曾有一段人们至今说不清楚的繁荣和辉煌。

每当万里无云的晴和天气,当冈仁波钦神山倒影映入玛旁雍措之中,印度教徒会认为一支巨大的男性生殖器从湖中脱颖而出……这种奇特景象的确令人惊讶不已。本教认为,玛旁雍措圣湖与冈仁波钦神山位置上的巧合,其本身就昭示着这里是一个神圣的地方。神山是世界之父,圣湖是世界之母,是深邃与高大的统一。我曾不止一次地站在圣湖之畔仰望神山雄姿,感觉两者之间一种无形力量的颤动……千百年来,神山一直耸立在这里,它看到过大森林的繁荣和象雄文化的辉煌,以及历史的变迁和人们的大迁徙活动。如今这里只剩下雪一般的云和云一般的雪,只剩下沉静的雄浑和雄浑的沉静,如同一场性高潮过后的安详和惬意,充满了神圣,充满了智慧。它似乎想要告诉人们更多的东西。

当冈仁波钦进入密宗领域,它那如同阳具的自然造型已被人们的认识所超越,成为信徒们庄严的觉和大乐的悟。密宗最生动的意义是把佛从彼岸召回现实和人的自身。它告诉人们,不必在人生之外去寻找救赎之路,而是在彼岸,在今生今世,在人的自身。

最近,法国两位医师向外界透露了一个惊人的发现,他们通过超声波图像观察到母体内胎儿吸吮自己阴茎的全过程并将其拍下。随之引来一个新的课题,人们的性行为究竟从何时算起?第一张图片中胎儿正吸吮自己的手指,接下来四张图片可以看到胎儿面部努力靠近自己的阴茎,确切地说是在吮吸自己的阴茎。据此,一些研究者认为,性是由成功的体验而形成,由此不妨可以想象到这种成功的体验从母体胎儿起就已经开始。

由此看来,和生命起源一样,性与生俱来,在生命孕育初始,性作为主要基素已经产生,并以完整的、前进性的形式孕育体内,它从一开始就产生在最初熔合的卵细胞核中,从一开始就坐落在那里,与外部活跃的宇宙保持着神秘的关系,并在人生全部漫长的历史中,以生命的冲动寻求创造和更新。它在每个人身上建立最初原始意识,而最初的原始意识是我们所有意识的神圣而包容一切的源头。

密宗正是从这个源头开始,发现和开掘这种最庄严的觉悟的力量,超越漫漫的轮回之路,"即身成佛"。

佛教认为,每种生灵本身都拥有不可抹煞的佛性,同样也拥有一种使人向往觉悟的动力和达到信仰的目的神力。这种力存在于人自身体内。以往这种力量被某些生活之外的力量压抑,因而只能处于自在状态,处于它的最低价值点,而密宗为人们开拓出一条新的可能性的途径。在此基础上确立了成佛得道的此岸性,肯定了信仰作为一种精神意向的内在性,建立了宗教对人自身的信心,并通过了人人本来就拥有的性能力完成自我皈依,自我救渡、自我圆征,从而超越本地与佛土之间的遥远路程,否定了佛与众生间繁琐的教条和外在功课,实现了入世与出世之间的融合。

八

　　岗仁波钦屹立天地间，皓白巨大的雪冠晶莹剔透，勃起在云雾之中，它仿佛告诉人们，性，涵天地造化之机，蕴乾坤生育之德，焕日月合理之明，激阴阳施动之功，集两性之力，纳宇宙之精气，只要巧施善用，便可创造出惊鬼神的大业大绩，便可完成平时所无法成就的奇迹。

　　天下之人皆有伴侣。一个家庭虽只是社会肌体上一个小小的细胞，却是两个个体宇宙相结合的大千世界。若能做到男尊女爱，精神和谐，合拍共振，均可创造出"乐空双运"的大欢喜，不仅可度过幸福美满的人生，从密宗的意义上讲，人的灵魂可进入永恒的极乐世界，这极乐世界正是人生的无限延续。

　　南怀瑾先生对西藏佛教密宗文化研究颇深，他认为："密宗到底属于秘教，咒语的难解，效果的神奇，配合虔诚的宗教崇敬信仰精神，加上未曾开发的森林地带，与雪山的神秘性，故使整个西藏，永远地笼罩在秘密的气氛当中。此外，密教还有一特点，其精神虽然出离世间其方法不是完全遗世。它是联合人性生活而升华到佛性境界的。因此，他们的修持，有一部分包括男女双修的双身法，流弊所及，祸害丛生，宗喀巴大师的改革密宗，创立黄教，就是针对这种方法的反应。大家看过北京雍和宫的双身佛，一定会有许多疑问。其实，这只是密教的一种方法，说明人的生死之际，就在一念的贪欲迷恋，转此一着，可以使精神解脱，升华到身心物欲以外，趣入寂灭境界，得到不可思议的妙乐。可是正因为其方法，利用人性兽性的习惯而求超脱，反容易被人托辞误解误做，故密教在西藏，由唐到宋元明间,渐渐流于荒淫无道。甚至牵连蒙古在内……明代永乐年间,宗喀巴大师创立黄教,根据阿底峡尊者的《菩提道炬认论》,以人、天、声闻、缘觉、菩萨道的五乘次序,贯串戒、定、慧、解脱的究竟。同时又集合密教的修法理论,著有《密乘道次第论》加以严守戒律,清静专修,注重弥勒五论的发扬,确为西藏密教放一异彩,他的传承教法,一直传到现在……使西藏的文化达到一个完整的高峰。虽然如此,历史的演变盈虚消长,穷通变化,永无停止。"

由此看来,密宗"修双身"决非纵欲滥施,而是在极度规范之下的修习程序,失去特定的条件和必要的控制,"修双身"便只能成为毫无意义的性行为。据史料记载,元朝后期,王室和大臣多以"修双身"为名,终日纵欲狂欢,使朝纲混乱,国力不支,成为亡国的主要原因之一。

对于个体的人来说,成,也是性;败,也是性,这已成了不争的事实。古人云:万恶淫为首。淫,为过多或过甚,专指性行为的淫乱放荡以及违犯道德准则的性行为。这说明性不是人们的随意行为,在人类进化的过程中逐渐认识到,性是有道德准则,属有意境的行为方式,既需要合理的调理,又需要适度的控制。不然,会像脱缰之马,狂奔疯驰,难以静息,闹出许多尴尬无奈的事端,一不留心还会陷入难拔的泥淖。

当我在岗仁波钦山脚下,呼吸到新鲜、纯净的空气时,感觉到天地宇宙间有一种沉稳的力量在告诉人们:性,就像神山巨大的雪冠一样纯洁而神圣。

奚学瑶

从阿里返回"上海滩"

1996年第12期《小说月报》破格刊登了余纯顺孤身徒步西藏的日记选《走出阿里》。我由此而认识了这位特立独行的上海老乡。当我在装有暖气的房间里随着他的行旅跋涉西藏高原的屋脊——阿里,感受高原的壮美与行程的险恶时,心灵感到一阵颤栗,这种以"一己之躯担亿人之忧"的生命征道,注定是远离世俗社会的悲剧生命。他死了,死于另一个上海老乡彭加木献身的罗布泊,荒草寒沙掩埋了他,一个漂泊的孤魂,永远告别了人世的亲切与温暖,告别了家乡南京路的熙熙闹市与黄浦江畔的悠悠钟声。他死了,并没有因一个人躯体的消亡而悄然于世。他为中华民族留下了独自徒步八万五千里的历史记载,写下了四百多万字的日记、文章,拍摄了八千余张照片,完成了孤身徒步征服世界"第三极"——西藏高原的壮举。尤其是为中华民族留下了一种精神——为理想献身,实现"生命飞扬的极致"(鲁迅语)一种大写的人的精神。

他是上海人,在许多人眼里,上海是中国富贵温柔之乡。上海人是暖房中的嫩花娇草。诚然,物质上的相对富足,易使许多人沉湎于物质利益而不能自拔。我作为从上海出来的人,对上海市民的"实惠"以及锱铢必较的"门槛精"深有体会。许多上海人留恋上海的繁华与舒适,而不愿去外地工作甚至上学,对人生精巧而世俗的设计,常使人叹为观止。然而,上海毕竟是积淀了深厚的人类文明的伟大都市,高度的物质文明也哺育了无数超卓的奋飞昂扬的心灵。上海儿女不只是油头粉面的上海小K和弱不禁风的上海小姐,更有意在高远,追求理想的峰巅与大境界的志士仁人。这种奇人奇行,一个多世纪以来,每一个时代以不同的方式不断地涌现,而且其质与量常常超越了物质与文化相对落后的地域。这种与上海市民氛围截然不同的英雄气概,相反相成地铸造了上海精神和上海人。

出生于平民阶层的余纯顺,便是在上海的现代文明中成长起来的、一个高踞世俗之上的豪杰壮士。流畅、睿智、富有思想与文采的日记告诉我们,他不是一个盲目的徒具匹夫之勇的流浪汉,而是一个有理想有使命的志士,对人的生命底蕴与社会、自然内涵有着深刻领悟的智者。如果他只是一个为猎取个人浮名患得患失的琐屑之徒，决不能在漫长的八年中矢志不移地前进，克服了许多不可思议的常人难以克服的困难与艰险。他曾盼望十年内实现"孤身徒步走访全中国"的愿望，然后回归平淡，过一个常人所从事的平民生活。然而，壮志未酬身先死，终于作为一种人类崇高祭坛的牺牲而贡献了自己，实现了一个大写的人的辉煌，在天宇中爆发出了明亮的殒迹。

1994年夏秋之际，"死不了的余纯顺"第四次孤身进藏，经新藏公路穿越"世界屋脊"——阿里地区，历经千难万险，终于完成了徒步走完西藏的夙愿。阿里的"朴实""壮丽"，使他真切地感受到"人类童年时代"的生活痕迹，寻找到了"地球上的一块无法替代、无法复制、甚至也无法破坏的净土"。他以征服"世界第三极"而超越了自我，并淋漓尽致地感悟了宇宙，抒发了自我的一种强烈理想化的追求。完成这种追求，犹如当年玄奘西天取经，完成了一种神圣的使命，这是一种伟大的人的形而上的执著，真正体现了生命的飞扬与人的价值。当我们随着余纯顺的日记，登上阿里这块高原净土时，亦获得了一次身心具爽的精神上的净化。站在世界屋脊，俯瞰人间，返顾"上海滩"的时候，我们怎能不感受到现代文明的舒适以及同时给人带来的烦嚣。人们为生活的忙碌与为功利的奔走，所扬起的十丈红尘，如迷雾似地笼罩着"上海滩"。社会的进步，常与牺牲自然的净静作为代价，而尤为不幸的是，人的自然的心灵，亦不能不遭受多种污染，而只有少数人能跳出这魔障之外，清醒地看待人类这种时空的异变。"不识庐山真面目，只缘身在此山中"，身处尘世闹市，难以获得一种清醒的比较。余纯顺在阿里高原上，终于领悟到了这个道理："一个人处在什么样的自然时空，必会产生与此相吻合的心理时空。换句话说,即一定的心理时空,必是一定的自然时空的折射。"说起来,昆仑仙山,西天佛地,带有浓重的宗教色彩,而余纯顺的感悟,则带有鲜明的唯物精神与科学哲理。许多艺术家都把游历西藏作为艺术上的一次朝圣,那么思想者必然会从西藏、尤其是"西藏的西藏"阿里获得巨大的启迪与觉悟。有理由相信,余纯顺的感悟,是一种客观事物的反映,是真实的、自然的,也是非他莫属的。

阿里真是一块圣地。正当余纯顺徒步跨越阿里芜寂的原野的时候,一个马列主义的圣徒——孔繁森正在操持阿里地区的政务,进行着生命攀登的最后冲刺。孔繁森是根红苗正的可造之才,但我深信,先天的优质倘无后天的琢磨、修炼,则定然难以成为正果。阿里的时空纯净而神圣,正是这种时空最终成就了真正教人动情动心的优秀共产党干部孔繁森的圣洁光辉形象。余纯顺作为一个旅行者,匆匆地走过了孔繁森管辖的地域,他们没有晤面,失之交臂。倘上天给他们以相遇的机会,我相信,这两个不同身份不同地位的人,一定能够惺惺相惜,相互引为知己。为什么?因为他们都具有超越世俗,不为世俗利欲所羁绊的一颗自然的心灵。他们均具备作为一个崇高的人的良知与精神境界。他们均从阿里的自然纯净的时空中获得了精神上的洗礼,从而进入到了一个圣洁光辉的境地。

差不多与余纯顺跨越阿里的同时,电视台正在上演轰动"上海滩"而波及全国的电视剧《孽债》。《孽债》的作者颇具上海人的精明,巧妙地抓住了许多上海市民关注的社会问题而构思了一个精巧的故事——一群被当年上海知青遗弃在云南的青少年回上海寻找亲生父母,而发生的种种社会悲喜剧。从一般意义上说,这部长篇电视连续剧不失为一部好的电视剧,它所受到的广泛关注与巨大影响，顺乎常情，合乎常理。只是，一场轰动效应过后，剩下的只是盛宴过后杯盘狼藉的混乱，以及酒足饭饱之后人们的饱嗝与嗳气，缺少诗意的悠长与清茶的馨香，更缺乏一种感人肺腑、荡人心魄的英雄气，倘就其精神品位而言，只能是"滩"级水平。作品以世俗的哀怨与无奈，诅咒文革期间知识青年"上山下乡"的极左政策，就政治与社会思潮而言，是无可非义的。然而，作为一个高举人类精神火炬的作家，不应该只是随俗浮沉，一般性地反映一股社会潮流，除了客观地反映现实之外，亦应有一种高于现实的理想追求。即使对于知识青年"上山下乡"问题，亦不能只是简单地附和弄堂老太一声"作孽"了事。这是一个复杂的政治运动，其中有苦难的呻吟，有污秽和血，但对于某些青年来说，亦有一种壮志与理想的寄寓。当时，许多青年正是借助这个运动载体寻求超越庸常安逸，在贫匮的物质生活中寻求生命的价值与风采。有鉴于此，当年北大荒和陕北的北京老三届，依然珍视苦难中的青春年华，他们或写书或搞展览，纪念这一段刻骨铭心的苦难中的真诚的微茫的追求。与此作为对照的上海滩上的《孽债》，则鲜明地反映了一种世俗的心态。

然而，此种心态，不是所有上海人的心态，并不能体现上海精神。正当许多上海市民街谈巷议，言必《孽债》时，一个有过上山下乡经历的余纯顺，在回归繁华之后，却转身投向艰难困厄独步在荒寂贫寒的阿里高原，在近于原始的生态中，去寻求人的大感悟、大精神、大境界。显而易见，这种形而上的追求，其精神品位远远高于《孽债》式的俗世的债务追讨。余纯顺没有对过往岁月的感伤与自怜，而以一往无前的精神，以坚实的脚步，在能够独立思考和独立行动的年代，孤身徒步全中国,以补偿被羁绊了的青年时代的理想追求。他是一个强者,是一个走在时代前面,站在高原上俯视人世的勇毅睿智之士。

江山代有志士出。在中国历史上,闪烁着理想光环的精神火炬从来没有熄灭过。即使在解放后的短暂的几十年中,这种志士仁人总是代出不穷,只是在不同的时代有不同的表现形式与奇寓的载体。黄继光、邱少云、雷锋、王杰、焦裕禄、邢燕子、侯隽、王铁人、陈永贵、金训华、张志新、"四·五"英雄、徐洪刚、孔繁森,以及为漂流长江而献身的尧茂书、洛阳漂流长江、黄河群体……正是他们,体现着民族与国家的奋发进取精神,他们来自民众,显然又高于民众,因为他们身上体现了一种行高于众、不同于凡俗的英雄气质,闪耀着、烛照现实的理想主义光华。显然,余纯顺的壮举,与上述英雄的精神是一脉相承的。这些忘我献身、拼命硬士、无私奉献、独立思考的人,正是我们民族的脊梁,中华民族正是依赖众多英雄所铸成的民族脊梁而发展雄起。动荡年代如此,和平建设时代亦同样如此。

我们推崇余纯顺,不仅仅是推崇他的英雄壮举,更在于他个性的解放与精神上的飚扬,体现了一个现代人的真正价值法则,确立了一种传统中国国民所缺乏的新型人格的标本意义。建设一个伟大的繁荣富强的中国,首先需要造就一大批真正的中国人,为了人类与民族的利益。舍生取义,奋不顾身。我们的文化教育,不只是满足于知识的提高与官能的娱乐需要,更应该以"立人"为基点,确立现代的文化基石。惟有造就新一代奋发进取的新人,才能完成"振兴中华"的历史使命,才能在充满竞争的二十一世纪世界民族之林中立足。

修炼了玄奘、孔繁森与余纯顺的阿里,是神圣的高原;站在这世界"屋脊的屋脊",俯瞰人世烟火,有什么困难不可克服,有什么事情不能了然于心呢?

　　大写在塔里木沙漠里的壮士余纯顺不朽!

马瑞芳

西宁清真寺

　　天，湛湛，那么蓝，澄碧如洗，荡胸生层云，恨不能割下来带回齐鲁，罩起泰山南北，罩起人多树少的山东大学，罩起烟尘弥漫的洪家楼。

　　云，淡淡，那么白，悠悠如梦，四面生白絮，真希望人生像它那样纯净，人与人之间像它那样了无芥蒂，人间像它那样清气澄余滓。

　　风，飒飒，那么爽，清凉如秋，好风襟袖知，尽管在中伏,却一点儿不带燠热,一丝儿没有粘滞,一些儿不含暑气,像高原人一样干脆。

一只苍鹰,像嵌在蓝天上、白云边,像是被高原的风托着,只消把翅膀伸开,不须再用力,就能风筝般地悬在那儿,干脆眯上眼养神。

苍鹰翼下,绿瓦金顶,好一座清真寺!

西宁东关清真寺。

照杨晖看来,我如果想进这座西北高原最壮观、最负盛名的清真寺,即使不脱胎换骨,也得去层皮,即使不去层皮,也得斋戒沐浴,即使不斋戒沐浴也还得由她上一堂伊斯兰专修课。

"你记着,照穆斯林礼节!"

"谁不会?色俩目(你好)!"

"不能穿裙子。"

"我没带裤子。"难道你不知道,我们从北京起飞时,气温35℃,小伙子恨不能光膀子,姑娘穿得薄如蝉翼?

"那就穿长裙。罩到脚脖子。"

"我没有长裙。"至少你该明白,清真寺不准女人上殿,既然不准上殿,还管你是穿裤子、穿裙子,是长裙子、短裙子?

杨晖定定地看了我一眼。那眼神有善意的责备,有无奈的埋怨,有恨铁不成钢。那双眼睛又大又有神采,再由轮廓分明的双眼皮和长长弯弯的眼睫毛映衬,更使得那张典雅端庄的脸显得生动,显得美好,显得由她说出的话不啻于法律。

我只能束手就擒。她是为了我好。她一直恨不能把我推进伊斯兰熔炉里再造,她总说不懂得教规教俗,尤其是不一心向主就成不了一个合格的穆斯林作家,我只能做虔诚状,做皈依状，渐渐地真动心，真动情，真相信真主至大。只是有时也遗憾，黄土地上以万字计数的阿訇，以千字计数的教长，以百字计数的省伊协主席，怎么还没有齐忽喇地加入中国作协？想是这么想了，当然没说也不能说，那岂不要让杨晖说，即使我本人不是卡非尔（异教徒），脑瓜里也肯定招惹了依不里斯（魔鬼）？

车抵清真寺，先见到几个头戴白帽的教民，是有什么活动？进入寺中，却阒无一人，我们便进入清真寺侧一座古雅的两层小楼接待室。接待者是韩教长，他是去麦加朝过圣的，是省政协副主席，按级别，是省级阿訇了。一见这位大阿訇，我就在心中打定主意，徐庶进曹营，一言不发，这样还可以做高深状，做沉思状，叫人家以为你胸有成竹，俯瞰一切，其实你即使不是一窍不通，也不过是半瓶醋。

教长是典型的穆斯林学者形象，戴白帽，老式眼镜，说的是西宁式普通话，我大半没有听懂，杨晖这兰州人却如鱼得水，啦得兴高采烈。我就坐在那儿东张西望，只见这个接待室中有日本观光者送的锦旗，有华侨回胞送的镜子，有"模范卫生单位"、"先进寺院"的奖旗，更多的是进行礼拜的照片：有麦加朝圣，有本寺的礼拜，在大约二百米长、一百米宽的大院中，一片足有千人之多的戴白帽的教友齐刷刷地跪在地上，向着那座雄伟的大殿……这种宗教的虔诚马上感动了我，一种庄严肃穆的情绪向我袭来。意外的是，这时，我突然听懂了教长的话，杨晖向教长介绍我父亲生前是省民委和伊协的头，教长立即说，他们是认识的，三十多年前一起开过三届人大会，后来又一起开过全国伊协会，我立时觉得眼中热乎乎的。我们家的人一直对父亲的选择不以为然：不当他那中医而去从政，从政又偏偏搞民族工作,在文革中倍受其苦,真是何苦来也!不料父亲去世六年,我在这么远的西北,在兰州,在西宁,仍然听到关于他的民族工作活动,真真百感交集。

就在我心神不定时,我又听到教长的话:"你们可以上殿看看。"

哦,允许我们上殿!真是喜从天降。

大殿前,两壁全是砖雕。高约四米,共有八幅,上边雕的分别是松、竹、梅、荷等各式中国名花,刀工极为细腻,古色古香,精美异常。

脱鞋上殿,只见百米见方的大殿前方,一排一排同样规格的地毯,约有一米宽,四米长,上边全都织有"西宁东关清真寺"字样,富丽堂皇,气概非凡,后边的地毯则斑驳陆离、花色各异、规格不一。教长说,这是教友们自愿捐的。说着,就打开了电风扇,本来十分凉爽的大殿立时冷风飒飒。教长又指了一个精致的雕花讲坛说:"这是新建的讲经坛,把它漆好后,就代替原来的小讲坛。"

哦,讲经坛上有扩音器!用现代化的工具宣讲古老的古兰经!

这座清真寺建于1380年,后来1917年和1936年有两次大修。在1936年大修时,因藏、汉、回三个民族共建清真寺留下了一段佳话:

大殿要上梁了,可是找遍了青海,找不到一根合乎要求的树,最后,在一家范姓汉民的祖坟上发现了一棵已经长了六百年的松树。找树的人吞吞吐吐地表示买树的意图,估计要碰一鼻子灰。按照汉族的习惯,祖坟上的一草一木都不可以动。何况是一棵长了六百年的、象征着或许保佑着一家人好运的大树?

"你们要树做什么用?"范家的老人问。

"给清真寺做大梁。"

范家老人当即表示:无偿捐献,给钱?一分不要!

汉家祖坟上长了六百年的大树做了清真寺的顶梁柱,穆斯林教民们用了八百块"袁大头",买了一匹骏马,披上红色的锦缎,给范家老人送了去!

哦,一棵长了六百年的树,一棵神骨仙姿的树,一棵历尽沧桑的树。六百年,它吸吮着山川之灵秀,日月之精华,在金色的霞光中绿意纷披;它经受了高原无数次风暴而高傲地挺立。而在一个清晨,为了一个更永久的存在,它那高大伟岸的身躯划出一个美丽的抛物线,忽喇喇倒下,被戴白帽和不戴白帽的人,众擎群举,盘盘旋旋,运下山来……

我扬首看那三个人不能合围的大梁,不禁热泪盈眶。

飞檐斗拱、金碧辉煌的清真寺马上要上顶时,当地藏传佛教的一位有名的活佛,派人送了三个宝瓶来。

按全世界伊斯兰教的规矩,清真寺的上方都要矗立月牙儿标志。这是麦加的标志。全世界的穆斯林都要向着代表真主的月牙儿礼拜。可是这座西宁清真寺,这座西北最大的清真寺,居然在它的寺顶用了藏族的三个宝瓶。当我看到这三个在任何地方的清真寺都从来没有见过、也不可能见到的宝瓶时,我问:"教友们愿意吗?这不是他们藏族的东西?"

"教民们很乐意。认为是让他们的佛祖和我们的真主一起来保佑教民们。"

我忽然想把手臂伸得老长老长,长到足以抚摸那六百年古松制成的大梁,抚摸那藏传佛教的活佛送来的宝瓶。不过最现实的是在这儿留一张照片,穿了向杨晖借来的长裙,和韩教长、杨晖、青海作协主席朱奇站在一起,青年编辑奚耀华用他手中的"傻瓜"给我们取景,我不大放心地问:"你那相机取景全吗?"

"当然全。"小奚按动快门,"金顶,白云,哦,这么巧,还有只雄鹰!"

哈吉廊下打秋风

如果一个人既非亲戚又非朋友,甚至一次没见过面,干脆还不是一个民族也不说同一种语言,你能大模大样跑到人家家中,一屁股坐下就大吃二喝吗?

怎么不能?在吐鲁番维吾尔族老汉卡哈尔·哈吉家,我们二十几个人就宾至如归地坐在葡萄架下,吃了个唇膏欲滴,挂颏撑肠。

几乎叫火焰山烤熟了,又被火焰山腹地柏孜克里克山洞那被洋人切割得残不忍睹的壁画大葬情绪,只希望快回宾馆喝壶热茶,面包车却不回红柳园宾馆,又在吐鲁番市转悠,我没好声气地问《民族文学》编辑艾克拜尔·吾拉木:"咱们还上哪儿去?"

"一位朋友请客。谁的朋友?我的,也是你的。"艾克拜尔说,他长着又高又长的鼻子,典型维族人的脸,却讲一口清晰流利的汉语,"他朝过圣,你该叫他'哈吉'(朝圣者),其实你也该叫我'哈吉',我也去过麦加。"

"那你的尾巴可以翘起来啦,艾克拜尔·哈吉。"我说,"他为什么请客?"

"他愿意。"艾克拜尔简捷了当他说。多么充分的理由?愿意!我还愿意做食客三千的孟尝君呢,孔方兄容许否?艾克拜尔又说,"上次笔会他捐了匹骆驼,今天嘛,宰几只羊。"

"我们凭什么去吃人家?"我追问,艾克拜尔踮足探首向马路上巡视,没有回答,我便挖苦了一句,"堂堂中国作协刊物化布施化到个体户家啦!"

卡哈尔老汉和一位朋友正伫立街头东张西望,一见汽车,大喜,快步奔来,阿凡提长袍忽啦作响。我们随他下车步行。穿过两条土路,路旁的维族乡亲兴味盎然地看这帮"汉人"——其实只有陈荒煤和邓友梅夫妇是,李準夫妇是蒙族,还有达斡尔、苗族、仫佬族、壮族、朝鲜族,当然还有维族和回族的作家——卡哈尔老汉大声地向邻人解释,眉飞色舞,欣喜之至。

通过一座精致的古典式门楼进入院中,宛如进入一座中世纪古堡。四周围墙高约两丈,严严实实地将小院同外界隔离。围墙与广厦间悬以木架,葡萄满架,嫩绿的叶子在骄阳下泛光,没有一片是黄的,一嘟噜一嘟噜葡萄浅黄晶莹,形如玉雕。有多半个足球场大的院子中,靠南墙搭了个大敞篷,地上一片一片地摊着正熟制的羊皮,鲜血淋淋,腥味扑鼻。

众人沿一座八字形木楼梯走上一个别致的长廊,形如内地电影院的前廊,宽约四米,长约十米,前脸由巨大的廊柱支撑,下边圈以高约一米的木栅栏。廊柱由整根大圆木刻成竹节状,间以绿、黄两色油漆涂之。栅栏也是刻花的,一色深黄,雍容大方。前廊西侧似为主人待客之处，地上铺了厚厚的羊毛地毯，地毯边沿摆着一大两小沙发，绿绒为面，与红花地毯相映相衬。靠西墙摆张单人床，似主人纳凉之处。床前巨大的茶色玻璃茶几上，两个面盆大的高脚水果盘上堆着馓子，每根有筷子粗细，若干条谐合地扭作盘丝饼状，像可着盘子制成，炸得焦黄，香味扑鼻。众人将几位长者让到沙发、小床上就座后，各人在地毯上团团席地而坐。

卡哈尔老汉手托雕漆花盘施施然而来，盘上精致的盖碗茶香四溢。老汉屈膝地毯上，给大家一一敬茶。我慌忙双手接过，嗓子里正冒烟呢！妙玉曾对宝玉说吃茶"一杯为品，二杯即是解渴的蠢物，三杯便是饮牛饮骡了"。此刻哪儿有心品清蕊之轻飙浮云之美，哪儿顾得上做风雅之状，只顾啜吸，三杯下肚，焦渴之状稍解，觉汗流浃背。抬头四顾，只见个个像刚从水里捞出来，热汗蒸腾，岂不作怪？火焰山的燠热此刻才发散出来！

得以占据沙发有利地形的几位业已茶毕，正兴味盎然地俯视地毯上的一群牛饮客。邓友梅身穿印着"火焰山来的孩子"T恤衫，胸前山状火焰似在熊熊燃烧，韩舞燕手举一段馓子向唇边做咬噬状，却又似乎不舍得大口吃。荒煤老人苏格拉底式的脑门上顶着一方湿漉漉的手帕，笑容可掬，阳光透过葡萄枝叶，斑斑点点地照在他的身上。我见此景大乐，找出相机，按动快门后才发现，荒煤老人已把手帕取下聊做扇用，便叹道："其实我想拍的是荒煤头顶手帕的趣景！"

荒煤应声笑曰："我可以再蒙到头上！"

"免了吧！"我忙说，"儿童玩具照相机，外四路摄影术，胶卷儿转不转还没准呢，别浪费表情啦。"

实际上我很羡慕荒煤老人，近八十岁了，刚从云南火把节飞来新疆，就单枪匹马地跑了趟克拉玛依油田。我们到吐鲁番那天，行车十小时，几位青年人一下车便躺床上不肯起来，荒煤却洗净了自己的衣服，穿得清清爽爽，上会场演讲去了，与他同住的查干嗟叹不已。

卡哈尔的雕漆大盘又端了上来，沙瓤西瓜。廊下足有三四十斤重的黑皮大西瓜，一拉溜儿排了六七个，众人正做蝗虫大嚼，忽听艾克拜尔扬声说："留点儿肚子吧！手把肉还没上呢！"

"肚子嘛，有的是空。"哈力克应声说了句维语，又自己译了过来，讲罢朗声大笑。这位独山子炼油厂宣传处长是位维族彪形大汉。他的坐功尤其了得。我们在哈萨克毡房做客时，他教我们如何盘腿而坐，两只腿成"一"字形，膝盖向外，双脚严严地藏在臀下，腰板直直，两手交叉胸前，他用这个姿式一坐就个把小时。我等"口内人"连十分钟也维持不了。现在，哈力克又如来佛般打坐了。那股敦实劲儿，足以代替唐僧去和虎力大仙赌赛坐禅，存心定性，云梯显圣，坐他两三个年头！

杨晖从主人卧房朝我点手儿。我忙立起身，刚欲从哈力克脸前穿过，忽然猛醒，慌忙小心翼翼地从其身后绕行——按维族人规矩，女子不可以从男子面前穿行——哈力克见状，颔头微笑，并用维语咕哝了一句，事后我从懂维语的胡胜利那儿得知，他说的是"孺子可教"时，已经失去给这维族小老弟脑袋上凿一个爆栗的机会，当哈力克不坐禅时，站起来就活像一座小山，我踏着脚尖也休想摩到其头顶。

主人卧房好阔气哟！铺着厚厚的绿色羊毛地毯，一张席梦思床横亘房中，床头是乳白色组合柜，墙角上是摆了高级组合音响的角柜,天花板上吊灯富丽辉煌,靠廊的窗口悬挂着厚厚的金丝绒窗帘,对面墙上严严实实挂满了壁毯,地道土耳其货色,构图别致,织法细密,其色似玫瑰而更艳。进入房间没一会儿,便觉冷意森森,热汗全消。四处瞧瞧,房中既无电扇,又无空调。在号称世界火炉的吐鲁番住这样的房子,可真够福气!我们不忍自享清凉,喊廊下坐在小床上的李準老人:"进房来纳凉!"

"还有更风凉的地处呢!"李準早已摘掉了日常戴的鸭舌帽,列宁式的大脑壳越显气派,"旁门外瞧瞧去!"

有此等事?我们按李準指点走下楼梯,只见院东侧有一柴门,门外传来水声潺潺,笑语阵阵,几步奔出柴门,竟是别一天地:一道清流从北而来,沿围墙下的小渠向南流去。溪水两侧白杨直插蓝天,瓦蓝瓦蓝的天上,一丝云彩也没有。时值中伏的吐鲁番,气温在摄氏四十度以上,地温达七十度,这小溪边却凉风习习,冷意袭人,如在初秋。哦,这是天山下来坎儿井流出的雪水啊!几位青年作家正在稍远处的水中嬉闹,笑得十分开心。

"可不敢赤脚下水。这河是当地人公用饮水河呢!"高个儿、红脸膛的记者胡胜利忧心忡忡地说。他是南京人,来新疆20年了,维语呱呱叫,维族风俗也烂熟于胸,更可贵的是他视维族兄弟如同胞,唯恐对他们有一点儿不敬。

听他说罢,我忙以唐·吉诃德自任,几步跑到前面喊:"喂!小伙子们,不许下脚!这是饮用水!"话刚出口,立时惊呆:小伙子们何曾下水?水渠中有八九根碗口粗的树桩,露出水面的半尺,绰号"广西牛仔"的仫佬族青年作家包晓泉和朝鲜族作家金勋正兴致勃勃地赌赛少林寺站桩功,单脚立于树桩上，两手在空中作平衡。我不禁失笑，鸭绿江边和红水河畔的巴郎子，跑天山河渠中客串体操名将马艳红啦！怪不得远远望去，误认他们站在水中。一个快乐的误会。年轻，多好！

"真会享受啊！"又有人发现了新大陆：小溪被引进紧挨围墙的地段，形成一股岔流，一张铁床架临其上，床脚恰恰立于溪水两侧。床上白杨萧萧，床下清泉泠泠，马奶子葡萄从柴门上斜出，伸手可得。夜宿此处，雀啼唶于树端，水潺泫于脚下，树摇溪唱，反添静境，五柳先生《归去来辞》稍加窜易，即成此景："夏夜星灿，高卧水床之上，清风飒至，雀唶水流，真可谓羲皇上人。"

我神往地说："有这么套房子，老于是乡可矣。"

"你是咱们这群人中最富有浪漫情思的。"有人马上挖苦，"连荒煤老部长都没此奢望。"

我忽然担忧起来："睡在这儿，不怕得关节炎？"

"哈哈哈！"胡胜利大笑，"吐鲁番人就是不知关节炎为何物！外地长了多年风湿病的，来这儿沙疗几次，健步如飞！"

"你们再在那儿快活，手把肉可都变羊骨头了！"哈力克从廊下招呼。

众人一窝蜂上楼，有人脚踩餐巾穿过长廊，惹得艾克拜尔老大不高兴："哎哎！懂嘛？餐巾一铺，地毯就是餐桌，你家里时兴踩着饭桌吃饭吗？"

西瓜、葡萄业已退席，两大盘馓子也消灭了大半。几个直径1米的大搪瓷盘端端正正放在餐巾上，一块一块带骨肉热气腾腾，卡哈尔老汉递了一块羊腿给我，咬一口，细嫩喷香！

记不清是在喝茶？吃瓜？啖馓子？啃羊肉时，卡哈尔老汉的家境断断续续传入耳中：卡哈尔有一百五十峰骆驼（每峰价值约一千元)、三百只羊、六十头牛,他是十万元户?何止!这所房子就不止十万。这是他儿子的房子,八个儿子,一人一套……

眉清目秀的卡哈尔老汉站在廊柱前,用音韵铿锵的维语说着他的家庭,时不时地还像电影中的阿凡提,以手捂胸口向客人鞠躬致意。话语中带出一些"党的政策"、"威力"、"温暖"词儿。艾克拜尔站在他身边,边吃边喝边翻译。众人边吃边听,边喝边乐,边用油渍麻花的手鼓掌。

哈力克说:"卡哈尔嘛,一百万块钱,有的。"

一位青年作家则调皮地说:"共产党的政策让他致富,他再掖上几万块去朝拜真主!"

这大约就是哲学上所谓"前定的调和"罢!

真正应了青州那句"肚子饱了眼饥困"的俗话,是见卡哈尔老汉端上面条儿时。那才有资格写进《老饕年鉴》呢!细细的面条儿浸在奶白色羊肉汤里,原汤原汁,油花浮动,啜一口,鲜美绝伦,已经吃得不堪负载的人们竟然又都啧啧有声地大吃面条。

李準指指他那少言寡语的夫人说:"我们老太太的面条有二十六种做法,她用菠菜汁合面擀出的翡翠面,再配上今天这汤,那才绝了。今天的面条儿唯一的缺点是用的是挂面。不过,这味道太好了,简直可以和我家的面条媲美!"

"上你家去,坐几路车?"几个人慌忙问,李準故弄玄虚,笑而不答。

我刚想嘲笑"吃着碗里,想着锅里",忽见卡哈尔老汉正把黄澄澄的馓子、碧油油的葡萄往准备撤离的作家们书包里塞,其中就有我那只小小的书包,禁不住想喊一嗓:

哎哎，卡哈尔·哈吉，别装啦！这么多，这么重，鼓囊囊，沉甸甸，更兼以依依离情，眷眷别意，量那小小面包车，怎能载得动……

肖复兴

冷 湖 吟

  这是我第三次来到冷湖。
  一个地名,融和着青春和情感,便像一棵树有了生命的枝叶而渐渐将绿荫洒在你的心头、不时伸展着枝条向你呼唤一样,会牵动着你的思绪、神经,乃至脚步,冥冥之间禁不住地向它走去。世界上,有名有姓的地方很多,有山有水的地方很多,有名胜古迹的地方很多,有好吃好玩的地方也很多,但这样的地方并不多。冷湖,就是这样的一个地方。

三十年前,我惟一的弟弟,不到十七岁,毅然决然地志愿报名,穿着我从百货大楼特意给他买的棉裤,顶着纷飞的大雪从北京来到了这里,当一名石油修井工人,一副天涯何处无芳草的劲头。他寄回家的第一张照片,头戴铝盔身穿厚厚的轧满方格的棉工作服,登上高高的石油井架,仿佛要摸着蓝天白云。他在信中告诉我的第一件事,是井喷抢险,原油如雨一样喷湿了他的全身,连里面的裤衩都浇得透透的。冷湖,就这样的从那遥远的地方闯进了我的视线,变得含温带热,可触可摸,富于生命,富于情感,让我的心充满着牵挂、悬想和担心。说心里话,第一次我来到冷湖,全部的原因是为了弟弟。想想,幼年母逝,父又病故,只有的一个弟弟,还在那样荒凉遥远的天尽头,心中不能不对那个陌生的地方弥漫起浓云一样的悬念。

那是十六年前,我在中央戏剧学院读书的最后一年,学院组织我们毕业实习。那时,是金山先生当院长,开明得很。让我们自己选择地方;只要不出国,哪里都行。我毫不犹豫地选择了冷湖。我第一次认识了冷湖,它是那样的遥远,从北京坐了三天两夜的火车,到达甘肃的柳园,弟弟早早等在了那个沙漠中孤零零的小站接我。又坐上汽车奔波了二百五十多公里,翻过祁连山和阿尔金山交界的当金山口,进入柴达木盆地,比内地缺氧三分之一,再行驶一百三十多公里才到达了冷湖。这三百八十公里蜿蜒而漫长公路的四周是一眼望不到边的瀚海戈壁,除了星星点点的芨芨草、骆驼刺有些灰绿色外,黄色、黄色,扑入眼帘的便都是起伏连绵平铺天边的沙丘单调的黄色。冷湖,是在这无边黄色沙丘包围中的一个小镇。它让我感到荒凉和荒凉中的神奇,刚进入这个小镇,给我有种不真实的感觉,让我觉得像是童话中的城镇,或者是月球上的什么地方,那一幢幢房子像是突然从沙丘上长出来的奇特的植物,它们与四周那一片浩瀚的戈壁滩太不谐调,太不对称。

那一次,我在冷湖住了一个半月。在那一个半月中,我常常想并努力探明是什么力量能在这样一片荒沙戈壁上建起了一座虽然不大却朝气蓬勃的城市呢?

那一次,我到了冷湖的许多地方,可以说跑遍了冷湖的角角落落。我首先来到了被称之为冷湖这个地名的发源地,那是一片远远没有青海湖大、也赶不上苏干湖和尕斯库勒湖宽阔的高原湖,是阿尔金山的千年积雪融化流下来而形成的湖泊。我去的时候是初秋,正是好季节,湖水很清,很静,静得像一面镜子,湖面上漂浮着蓝天白云,而将一湖清新的绿都沉淀在了湖底。谁也不知道这片湖水在柴达木沉睡有多少年,一直到了1956年,新中国的第一批女子勘探队闯进了柴达木,勘探到了这里,才发现了它。只不过她们发现它的时候,赶上的是数九寒冬,风沙呼啸,湖水给予她们的是凛冽,她们便给它起了这样一个写实并且有些情绪化的名字:冷湖。这个名字冷冰冰的,多少有些不吉利,谁想到,第三年,1958年9月13日,就在它旁边不远的地方五号构造区的地中四井喷油了,喷的冲天的黑色油柱让人们没有料到,喷得井架四周不一会儿便成了一片汪洋油海,飞来的野鸭子误以为这里是冷湖呢,纷纷落下来,就被油粘住再也飞不起来了。地中四井是柴达木打出的第一口油井,年产量三十二万吨,现在看来并不多,但在当时石油年产量只有百万吨的中国来说,贡献是极大的。青海石油局浩浩荡荡地迁到了这里,给这里起个地名吧,冷湖就这样第一次画在祖国的版图上!冷湖,就是这样才渐渐平地起高楼在一片荒沙戈壁上建设起来了，石油局的职工家属从全国各地涌来，最多时达到了六万多人，最多的井架达到了一千零一十个，其中七百二十六口井出了油。说那时井架林立，炊烟缭绕，人气大震，生气勃勃，冷湖再不是寒冷袭人的湖，而是一片沸腾的油海，并不夸张。你不能不感慨大自然的神奇，它对人有着这样大的诱惑和感召力；你不能不感慨人的力量是多么的伟大，人可以改造大自然，让沧海变桑田，让戈壁变家园。同时，你也不能不感慨石油的力量更是多么的伟大，它是现代化人类赖以生存的黑色血液，便燃烧起全球范围内人类的生命欲望、力量和对地球深处无穷奥秘的想象力。可以说，冷湖是新中国建设初期生产力和生产关系以及国家与人的精神风貌的一面旗帜，一种象征。

  第二次，我来到冷湖是十二年前，冷湖正处于它生命的二度青春期，又一次大的发展或者说机遇正迎面扑来。我感受到戈壁的风柔和了许多，冷湖的水也涟漪荡漾，湖边的青草茂密，放羊的维族人大老远的从盆地之外跑过来在湖边扎起了白色的帐篷。冷湖镇新修的大道格外宽敞轩豁，新建的百货大楼人来人往，走在大街上，还能常常碰见蓝眼睛的外国人，冲你说着半生不熟的中国话。因为我国的石油部和美国的"佩特雷"地球资源公司，签订了柴达木盆地中美合作的地震勘测合同，一下子，大洋两岸的工人和技术人员汇集在这里，四海涌浪，八面来风，冷湖出现了从来没有过的沸腾。银色的法国"拉玛"直升飞机，红色的美国"万国"钻机车，浅灰色的日本"丰田"越野车……在冷湖的天上地上飞翔奔驰，衬以中美两国的国旗的飘扬，让冷湖拥有着罕见的色彩缤纷。尤其引人注目的是宽阔的飞机场和乳白色的现代化电子计算中心的建筑,外国俏姑娘般那样玲珑剔透,亭亭玉立,别出心裁,绝对是冷湖从来没有见过的,给冷湖增添新的韵味。每一天在柴达木进行的地震勘测数据,都要在这里汇总、计算出来,可以说,这里在计算着并预测着柴达木的未来。冷湖的大道上,时时听得到隆隆轰鸣的车声,看得到脚步匆匆的工人,哪里像是在一个缺氧三分之一的荒凉戈壁滩上!冷湖,壮汉一样踏响着铿锵有力的步伐,鼓胀着风帆扬起的胸膛,让你不由得不为它的未来而充满憧憬……

弹指之间,岁月如流,人生如流,十六年过去了。鬼使神差,想不到现在我竟第三次向冷湖走来。别人劝我,冷湖这次可以不要去了,石油局早在五年前就撤离了冷湖,六万多职工家属都搬到了柴达木盆地之外的敦煌,你弟弟也早调离开了冷湖回到了北京,冷湖已不是你前两次来看到的样子了。可是,我还是坚持要翻过当金山口去看一看冷湖。

古阳关、阿克赛小镇、当金山口、苏干湖……——那样熟悉地掠过,和十六年前、和十二年前并没有什么两样。可是当车子开到冷湖,我明明知道它会变化,已经有了这样的思想准备,但当冷湖真的出现在我的面前,我还是止不住惊讶万分:面目皆非!它和前两次来见到的情景竟是如此的面目皆非。时间过去得并不快呀,而它的变化却是这样得快!我找到当年我住过的石油局的总调度室,找到当年我讲过课的石油报社大楼,找到弟弟当年井架高高矗立的井队,找到弟弟结婚后的新家,找到我曾经采访过的医院、学校、钻井处、研究院……竟然到处是一片废墟,人去屋空,断壁残垣,满目凋零。曾经熙熙攘攘的冷湖大道两旁,除了镇上的和石油局留守处的办公楼以及几个小饭馆之外,只看见几个小孩像沙鸡一样寂寞单调地蹦蹦跳跳。没有一个人，宽阔清静得让人的心发凉，本来就是处于荒凉的戈壁，便显得更加荒凉。

从理性上，我懂得建设同战争是有着相似的道理的，尤其是在这亘古无人的荒凉的戈壁滩上建设，同进攻是一样的，进攻必需，撤退也同样必需。柴达木的地震勘测已经结束，冷湖地区的油井基本开采完毕，而柴达木的石油开发的战略转移已经到了冷湖西部的三百一十多公里的花土沟构造地带，再将那样庞大的人员聚集在冷湖已经没有必要。况且，从更深一步我也理解，将六万职工家属撤离开海拔三千米缺氧三分之一的艰苦遥远的冷湖，是现在我们经济力量充足的表现，是对人的关心的表示，是历史和时代的进步、是和世界其他发达国家开采石油的技术管理接轨的表示。（发达国家石油工人一般生活基地都在油田之外，工作时再乘飞机或汽车进去，工作一段时间再出来回基地或疗养地生活。）因此，不必为冷湖现在的荒芜而伤感。冷湖，像一片收割完庄稼只剩下裸露着光秃秃土地的田野，像一泓流淌尽水珠只剩下干枯石壁、水槽和闸门的水库，又像是一个人一样，从青年走到老年，完成了人生的使命。它以前走得曾经是沧桑、是辉煌，它现在走得应该是属于悲壮。

可是，我多少还是有些为它伤感。如果从五十年代初期算起到现在，不过才四十多个年头。一个曾经那样轰轰烈烈的城镇，就这样像一个搬空了道具和布景的舞台，像一株凋零了枝叶和花朵的大树，像一座陨落了星星和云彩的星空。

这不是旧地重游，不是旧梦重温，亦不是来感慨草谢荣于春木怨落于秋的。人事有代谢，往来成古今，我知道，历史就是这样在我们手中创造，又从我们的手中流走。在苍茫的历史中,一座城、一个人都只是沧海一粟。我再一次来到了冷湖,戈壁初夏的风猛烈地吹着,紫外线强烈的阳光热辣辣地洒在头顶,无遮无拦地尽情流淌在冷湖的每一个地方。风和阳光就是我的向导,静悄悄地流淌在前面引我走进冷湖的每一个地方。走在没人再做维修已经颠簸不平沙砾四起的道路上,我的心我的脚步便不那么轻松,多少有些沉重,像是走进历史的每一个角落,像是拨响着冷湖的也是我自己情感的每一根琴弦。

我走到地中四井,原来站在这里可以望到四周的井架星罗棋布,沙场秋点兵一样壮观。现在,放眼四周是一片望不到边的荒沙,没有了大漠孤烟,没有了长河落日,也没有了那壮观的井架。井口还在,但已经塞满了沙砾。旁边矗立着纪念它的纪念碑,上面雕刻着"英雄地中四,美名天下扬"和"东风浩荡时,油龙逐浪飞"的字样,只是东风的"风"字被风吹掉了,戈壁滩上无情的风到底要比碑上的字厉害。但是,实在应该有这样一座纪念碑,它不仅记载着一段不会被风湮没的历史,而且会让后人懂得没有这里的地中四井,便没有冷湖的存在。它是冷湖的开始,像一个字有力的第一笔。冷湖,就是靠它冲天油浪的洗礼才如婴儿一样诞生的。

我走到烈士陵园,它坐落在起伏的沙丘上,沙子已经掩埋了坟茔的一部分,有的坟前的墓碑已经残缺凋落,有的墓碑里镶嵌的烈士的照片已经被风沙吞噬。这里有我许多熟悉和不熟悉的人,我前两次来冷湖都有人向我讲述他们的故事,并带我来向他们拜谒。为了冷湖,为了柴达木,他们把生命祭献在了这里。前两次来,我献上的只是芨芨草,这一次,我特意带来了花圈。我看到早我之前这里已经有花圈了,白花被风沙吹落埋在沙土中,但毕竟有人来过,人们撤离开了这里,但没有忘记他们。望着埋在沙土中的那一朵朵小白花,我很感动。无论是战争,还是建设,都会有牺牲的,而且那牺牲有的是必要的,有的是无谓的,有的是无奈的。无论哪一种牺牲,也许因时代的久远而隔膜,作为后来人可以难以理解,却不能不对牺牲者表示由衷的崇敬。

在这座陵园中,我可以举出许多这样值得让我们后来人崇敬的牺牲者。石油部新中国第一任总地质师陈贲,莫名其妙被打成右派,发配到这里来劳动改造,他没有被压垮。相反积极参与了这里的勘探开发,参与了冷湖地中四井的发现工作,坚持着实践着并应验着他的曾经被批判的"侏罗纪"的地质理论。以至整他的人来到冷湖,也不得不对他另眼相看,找他来谈谈,想让他也给自己一个台阶。他却义正辞严地说没什么好谈的,甩手而去,即使得罪了人家,为此迎接他的命运是紧接着连降两级,仍不改悔自己做人"宁作刚直的栋,不做弯腰的钩"的原则。这样一个对新中国石油事业有着卓越贡献的地质师,在"文化大革命"中冤死在冷湖,他忍受不了非人的批斗,选择了自杀也要留下自己刚正不阿的身影。

我还可以举出石油部另一位总地质师,叫黄先训,他比陈贲的命运要好,赶上了拨乱反正的好时机,将自己头顶的"右派"和反革命的帽子摘了下来。平反之后,他惟一的要求是到柴达木盆地来一趟。作为总地质师,他跑遍了全国所有的油田,惟独没有来过青海油田。谁想到右派的非人生活把他的身体弄得糟透了,已经买好去青海的火车票,却突然一病不起,查出是癌症晚期。临终之前,他摇着苍老瘦弱的手臂要求将他的尸体埋葬在冷湖这座沙丘之上。

我还可以举出柴达木的 1955 年第一支女子勘探队的队员张秀珍，她在敦煌去世，临终前的要求也是埋葬在冷湖。她的丈夫陈自维，1954 年的第一批进柴达木的勘探队的队长，妻子死后五年在华北油田病重之中要求死后和妻子合葬在一起也埋在冷湖……

我还可以举出许许多多的这样的人来，他们对冷湖一往情深，他们对冷湖义无反顾；冷湖因他们而碧血凝重，因他们而豪气长存，因他们而有了高昂的头颅，因他们而有了深沉的主题。现在，石油局的人们都撤离了冷湖，但他们留在了这里，永远留在了这里。他们和冷湖永远同在！

我走到了我弟弟曾经住过的房子，房子里已经是一片废墟，他的两个孩子都曾经出生在这里，可惜第一个孩子因高原缺氧早夭了。我也走到了弟弟曾经工作过的井队，井架已经废弃了，像个木乃伊。弟弟前不久曾经来到了这里，在一片废砖乱瓦中，见到当年自己戴过的铝盔，铝盔曾经在井架出现事故卡瓦飞落下来时保护了他的性命，铝盔上还有当年卡瓦砸下的深深伤痕。弟弟告诉我，他望着铝盔如同和患难的朋友相逢，他忍不住落下了眼泪。

我走到了医院，住在冷湖的那些日子里，我到那里看过病，也到那里采访过一个叫曹淑英的北京人，她和我同龄，和我弟弟一样，同她的男朋友刘延德一起自愿报名到的这里。刘只是私下对江青一伙人表示过不满被打成反革命，他们本来是定下在这一年的五一节结婚的，刘被揪出来时候来离五一节还有两个月，他要在冷湖被游斗一圈，然后送到劳改农场劳改。游斗他的大卡车向曹淑英工作的医院开来，我知道那前面要上一个土坡，他当时想了，如果上了这个土坡在医院门口看见了曹淑英，他就一头栽到车轮底下不活了。他幸好没有见到她。他忍受了四年德令哈监狱非人的日子，提前一年释放，监外执行四年（这是一个让人啼笑皆非的判定），他乘着一辆便车星夜兼程又忐忑不安地回到了冷湖，去找曹淑英。他不知道迎接他的会是什么样的命运，四年未见，曹淑英会不会早已经另嫁他人？谁想到，曹淑英一直苦苦苦苦等待，为此的代价是被开除了党籍，调离了医院，到制碘车间和有毒的东西打交道。意外的相逢，让他们执手相看语噎。曹淑英不管他是不是监外劳改的犯人，毅然和他立刻结婚。新婚之夜，她看到他浑身的伤痕和手腕上镣铐留下的深深凹槽，禁不住痛哭失声。那一次，听到他们这样的讲述，我也落下眼泪。

　　如今，他们都不在这里了，这里给他们太多痛苦的回忆。记得上次来，我和他们一起在冷湖大道旁一个名叫南北饭馆里碰杯畅饮，饭后走在冷湖灿烂而低沉的星空下面，风在耳边尽情吹拂，我们什么话也没有说，就那样静静地走着。这一次，只有我一个人静静地走在冷湖寂静无人的大道上了。

　　我走到研究院，这里原来建得就质量很好，一色的红砖房，现在依然整齐有序，没有太多的毁坏。但由于没有人住，寂寥得很，显得有些凄凉。我第一次来这里时，这片房子刚刚建成不久，那一天夜晚，我采访研究院的龚德尊和黄治中夫妇，他们都是五十年代初从石油学院毕业自愿到柴达木来的知识分子。一个爱拉小提琴，一个爱唱歌，活活泼泼的一对。音乐传情，小提琴是连接起他们之间爱情的红丝线。1958年，一场噩运袭来，反右运动已经结束，但石油局右派名额不够，即使黄治中在运动中一句话未说，定一个骨子里就反党，把他补充成右派，抓进监狱。让龚德尊交代他的反党罪行，她没有交代，被开除公职遣返四川老家。一对棒打鸳鸯，从此悲欢离合一杯酒，南北东西万里程，一直到二十一年之后，两个人都被落实政策重回冷湖，在招待所里不期而遇，不幸的是艰辛的遭遇和岁月的无情，两人都已垂垂老矣。龚已结婚又离婚带着一个孩子，黄却是孤身一人依然苦苦等待着她。是小提琴悠扬又带有幽怨的琴声，将漂泊分离的心又连接在一起。我到他们家那一次，他们刚刚结婚不久，他们很高兴他们即使遭受苦难重重毕竟鸳梦重温。他们拿出相册给我看，那里保存着他年轻时到柴达木的照片，青春的姿影让我感慨岁月的流逝和苍老。黄还拿出他在劳改艰辛时光里自己动手做的小提琴，拉响琴声给我听，如怨如诉，我能听到历史遥远而苍凉的回声。那一天深夜，从他们的新房走出，由于狂风大作，也由于我沉浸在他们讲述的往事中而走神，跋涉在戈壁滩的沙窝子里，我迷了路。

如今，我又来到这里，而他们已经不在了，龚死于一场煤气中毒之中。黄以后再婚，但前些年又离婚。他似乎依然情系于龚，毕竟是年轻时又是患难之中的爱情。黄带着龚的孩子退休回贵州老家了。我无法再听到他哀婉而情深的琴声了。也许，知音者已逝，弦断与谁听？那把艰辛岁月里亲手制造的小提琴已经尘埋网封，只回响在遥远的回忆里了。

我又来到石油局中学，在学校门前的一片空场上，原来曾经种着一大片上百棵白杨树。那是一片不同寻常的白杨树。1970年前，这片空场只是一片戈壁滩。学生们到了冬天用水把它浇成宽阔的溜冰场，是它惟一的用场。也曾有一年的春天在它的四周栽上是一圈白杨树的小树苗，但在干旱缺水的戈壁滩都枯死了，便没有人再管它们了。这一年，也就是1970年的夏天,一个叫陈炎可的男人来到了这片空场上,面对这片枯萎得像标本的白杨树苗。他被委派的任务是给这片早已经枯死的树苗浇水。这不是当时人们对树苗的关心,而是对他的惩罚。原因很简单,他是当时的"现行反革命",在被监督劳动改造,除了要给学校扫厕所、喂猪、修桌椅……再添上给死树苗浇水,总之不能让他闲着。

他是广州人,二十一岁就自愿到这里当一名老师,却被无端打成了"现行反革命"。面对着这一片枯死的树苗,像面对着自己枯死的心,真有一份同命相连的象征意味。干完了所有要干的活,就到了晚上,挖好壕沟,接通学校里面的水源,让水流到这片树苗的地方,他计算好了时间大约要半小时,这段时间他才可以回去稍作喘息。半小时过后再回来,如果水未放满,他便打着手电接着放水。本来就是无用功,他和树都无动于衷,完全是一种机械作业。就在这时候,他读起了外语,也许这就是一份冥冥中的缘分,将他和树和外语一下子迅速地连接起来。他只是觉得和枯树苗天天夜晚相对实在无聊,为打发时间拿起了外语——是一本英文版的毛主席语录。谁想到大漠冷月,枯树孤魂,——在清水中流淌起来了,奇迹便也在这清水中出现了。一个夏天和秋天过去了,他忽然发现那枯树苗的树根居然湿漉漉有了生机。他赶紧在入冬前给树苗浇了封冻水,他忽然对这片树苗对自己荡漾起了信心。

四年过去了,浇了四年的水,读了四年的外语。日子像凝结住了一样,仿佛只成了一片空白。忽然有一天,他在水沟边读的外语在一辆德国奔驰车出现故障翻出外语说明书谁也看不懂的时候派上了用场,他的"现行反革命"的帽子莫名其妙地戴上,这一次又莫名其妙地平了反,他被调到局里当翻译。就在这一年的春天,他浇灌的那一片树苗终于绽开了生命的绿叶。在冷湖,在方圆几百里一直被黄色统治的戈壁滩,这是第一抹新绿。

十二年前,我到冷湖见到陈炎可的时候,他已经五十岁了。他带我到学校前看那片白杨树。正是夏天,上百棵白杨绿阴蒙蒙,阔大的绿叶迎风飒飒细语。他告诉我这里已经成了石油局的公园,晚上或假日,人们常到这里来。如今,十二年过去了,空荡荡的学校门前,上百棵的白杨树只剩下了一二十棵,一半已经枯死,但幸好还有一半绿油油地活着。有好心人不顾路途遥远将水引了过来,汩汩的清水正从我的脚下流淌,流进那片白杨树林。可惜,我没能看到陈炎可。他已经退休回广州了。他把这片白杨树留在这里,在四周一片漫漫戈壁荒沙中,白杨树绿得格外明心醒目。

冷湖!我再次向你走来,你就是以这样的面貌,以这样多半树木的枯死却让哪怕硕果仅存的几棵树木仍然坚持绿着的面貌,硬朗朗的雕刻般的线条,展现在、突兀在我的面前,像一位经历了世事沧桑和人生况味的老人,默默无语地立在戈壁的萧萧风中,立在戈壁血红的残阳里。

我默默地想着这一切,说不出一种什么样的感情。我心里不希望你是这个样子的,但你已经是这个样子了。你变成这个样子,是历史的选择,是历史的必然,是时代的进步,是石油事业的发展,是石油工人的幸福……这一切,我是明明白白地懂得,我知道有发展就必须有牺牲,历史在飞速发展的过程中,有时对有些牺牲包括人包括地方是忽略不记的,就像是一辆飞速前进的列车,即使路旁的湖水、树木或山峦的景色再美好,车子在前进,那景色也只好甩在车窗之外了,只可以留下一段美好回忆,却无法把那一切带到车厢里来。但我还是希望如果能把这一切带进车厢里来该多好!

冷湖,也许,有一天你就这样地从地图上消失,就像当年突然屹立在地图上一样。但你在柴达木发展的历史中起到的作用,立下的功绩,会让许多人记起。会的,我坚信,因为我知道除了成千上万的石油地质大军曾经在这里风云际会过,还有许多和我一样拿起笔记录过你的历史的人,也曾经来过这里。仅我知道的就有李季、李若冰、徐迟、朱春雨、周明、陈村。在我刚刚看到的徐迟的遗作《江南小镇》续集《在共和国最初的岁月里》,他这样描述着四十年前的冷湖:"冷湖,新城市一座,已经定出规划来,东西街道规划了五条,南北的街道三条,都是五十来公尺宽的。冷湖市将有八平方公里面积。什么都要有,一应俱全。"他同时还为冷湖写了一首热情澎湃的诗:"藏于柴达木地下穹窿的,是无数的石油构造,它将喷射一道道喷泉,喷出无比绚丽的彩虹。明天,炼油厂、石油城,将把盆地上空照得通红。"

那一年,徐迟是在冷湖度过的中秋之夜。他和石油工人在帐篷里一起开了联欢舞会,他买了月饼和哈密瓜,他喝了酒祝了辞,还唱了两个云南小调。然后他到帐篷外面月光下面散步。他这样写道:"一个冷湖的中秋舞会在戈壁沙滩上进行着。在冷湖的高空上面,是一个从来没有见过的最大的月亮。"事过四十年,他依然是如此怀念,他在他的这部最后的著作中深情写道:"事隔多年之后,回想起来,这戈壁上的中秋之夜太美了仍然神往不已,我们冷湖舞会上的月亮,仿佛就在头顶上高挂的一盏灯。月华如水,装满周围的山又从山谷湖的边缘上,一如水银泻地似的,尽情往外溢出……"

徐迟对冷湖夜色的描写，让我不禁想到李若冰对冷湖夜色的另一番描写："冷湖之夜，确实美极了。当你走出帐房，在探区走着的时候，天上布满了星座，大地上布满了星塔。天上地上，星星相互辉映，连成一片，组成一幅奇异绚丽的夜景……我觉得出现在大戈壁滩上的冷湖的星塔，是特别壮丽的，迷人的。冷湖的星塔，在我的记忆里永远光明，难以忘却……"

是的，曾经发生过的和经历过的一切，都将永远难以被人们忘却！

在这世界上，有的城市在地图上消逝了，是因为战争，比如特洛伊；有的城市在地图上消失了，是因为灾害，比如庞贝；如果冷湖有一天也在地图上消失了，那它是因为前进是因为发展。

但是，不管它在地图上消失不消失，它永远存活在人们难以忘却的记忆里。这样一座城市，是有感情的，这就够了，它会觉得欣慰！

冷湖！

尧山壁

察尔汗,神秘的湖

察尔汗,蒙语盐泽的意思,被称作中国的死海,最大的盐湖。我从海盐产地的渤海之滨来到柴达木盆地,多想一睹它的风采。

汽车出格尔木市,戈壁滩上红柳、沙蒿、罗布麻越来越少,绿色尽处就是察尔汗了。奇怪,说是盐湖却滴水不见,一望无垠的土黄,地貌像拖拉机翻耕过的田野,遍地大坷垃,又落了一层白霜。正像民谣所传:地上不长草,天上无飞鸟。所见到的,只有干热风形成的顶天立地的旋风柱慢悠悠移动,以及远方蜃气飘忽,仿佛有个规模很大的海港,船只鱼贯,帆樯林立,给人以可望而不可及的诱惑。

盐湖无水,盐又在哪里?原来这"大坷垃"就是风化的盐壳。盐壳只有几十厘米厚,下面就是浩瀚的晶莹的卤水。察尔汗盐湖近六千平方公里,平均深度十五米,可溶盐资源六百亿吨,可供全世界食用七千年。能在地球和月亮之间架设一条六米宽十二米厚的银桥。好惊人的数字,我向空中投去神奇的想象。其实银桥眼前就有,脚下的公路就是就地取材,用结晶盐块浇上卤水修成的,亮晶晶的银桥横跨盐湖三十三公里,是举世闻名的万丈盐桥,是联结西北和西藏的敦格公路的一部分。盐湖的浮力超过想象,与公路平行的还有一条铁路,西宁直达格尔木的,说话间一列快车呼啸而来,车轮的节奏引起我一阵怦怦心跳,生怕那浮在卤水上的铁路基会陷下去。

下了公路,走进一家原盐场。办公室和宿舍都用盐壳垒成,工人们自称为"水晶宫"。生产方式很简单,剥开盐壳挖一条壕沟,沟里的卤水呈白兰地样的金黄。工人们穿一身胶皮衣裤站在水里用漏铲捞盐,白花花的再生盐取之不尽,岸上盐坨如雪山逶迤。这样生产自然成本很低,加上运费销到河北、天津,价格也比海盐低得多。而且海盐生产周期长,整修盐田,提水灌池,七倒八倒。晒一池盐要个把月,还得赶上好天气。祖国地大物博不容置疑,这察尔汗不就是天然的事实吗。只是我们近代科学文明发展不快,让这样一个聚宝盆藏在深闺久未识,害得它这样板起面孔,把一腔热情埋在心里。

察尔汗卤水中,除了钠盐以外,还含有丰富的钾、镁、硼、溴、碘、铷、锂等重要元素。其中钾盐贮量占全国的

97%,它是植物生长三大养料之一,主要功能是生长秸秆。我国土壤普遍缺钾,国家1986年在这里投资兴建年产二十万吨的钾肥厂,已经试车投产。厂房和一切建筑都是绿色的,给这沉寂的土黄带来一派生机。

青海钾肥厂的采矿基地,是在盐壳上挖出的一个人工湖。面积比杭州西湖还大。十平方公里湖面分三个区域,钠盐池、调解池和光卤池,前者析出氯化钠,后者生成氧化钾,又叫光卤池。西湖有四时风光,这里同时有多种景色。钠盐池是麦绿色,如满地青苗迎风起浪;调解池如画家的调色盘,从岸边向湖心依次是乳白、鹅黄、浅黛、银白等色,云彩如花倒映水中,阳光似火浮在水面,一片花的海;光卤池溶金溢黄,如五月的麦浪向岸边涌来。仔细看去,水下光卤石晶体,似珊瑚、水晶,像玻璃、冰凌,一片海里的花,漂亮极了。

湖面还有两艘绿色的游艇缓缓移动,这可不是刚才海市蜃楼的诱惑,而是伸手可及的真实存在了。两艘现代化的采盐船,在世界排号第五第六。前四艘都在死海,自动化程度不如这两艘高。船头伸出的收割机,像几只绿色的长臂把成熟的光卤石翻搅起来,通过管道吸进船体,又通过长长的尾巴管道输送到车间里去,两艘船还代替了一百台载重汽车。看那船上的小伙子,操纵按钮,洋洋自得,神仙般地遨游在神话世界里。

传说昆仑山上有瑶池,是人神交会的地方。《史记·大宛列传》称赞"其高二千五百余里,日月所相避隐为光明也。其上有醴泉、瑶池"。我在青海高原上看到了许多湖泊,觉着都不大象,唯有这里的境界与神话和史书上的瑶池的形象吻合。

亿万斯年,察尔汗这个美人隐藏在盐壳的面纱之下,人类的目光一直看不清它的真面目。如今揭开面纱,露出了绝世美貌，嫣然一笑，神州生辉。生于醴泉一说，卤水当然是绝对不能当酒喝的。但是这里的"陈酿"，可供全中国的绿色的生命开怀畅饮。喝了就会强健筋骨，挺起腰板，打了粮食再造酒供人喝。我这样诠释，倒也合乎情理，神仙的偈语从来都是拐弯抹角让人去猜的。

站在光卤池边，采盐船旁，我感觉白花花的钾流进了我的身体，渗入了我的骨骼，我的腰板也挺直了。回首浩瀚的察尔汗，辽阔的柴达木，再也不觉得它们寂寞荒凉了，比起东部地区，这里没有那种摆脱不了的拥挤，没有那种说不清楚的浮躁。在西部，在柴达木，在察尔汗，找到宽绰，找到了庄重。我长出了一口气，大有心旷神怡之感。

察尔汗，美丽而神秘的湖。

九 寨 阴 晴

那雨从黄龙一直跟到九寨。开始还很亲切，给我们洗去了风尘，净化了空气。但是见好不收，淅淅沥沥，没完没了，纠缠起来，就让人生厌了。昨天下午游则查洼沟，濛濛细雨给美人蒙上了一层面纱，看不到长海之长，也看不清五彩池之彩，照相机打不开镜头，写生的展不开画板，好像有意与人为难，有谁咒骂天不作美，人不走运。导游无可奈何，提醒大家忍着点，老天惹翻了脸更要报复，说不定路上有人朝着太阳撒尿来着。对他的幽默反应淡然，也不过一丝苦笑。

今天早起，那讨厌的雨照样不紧不慢、不慌不忙地下着，敲打着人们的耐心。旅行社的日程不能改变，只剩一天机会了，只得冒雨出发。今天游览日则沟，根据导游的经验，先把车子开到沟的尽头，然后折回来一个个景点仔细观看。

走出几里远，雨渐渐小了，地面铺上一层薄薄的霜，及至沟端就变成一层厚厚的雪了。远望群山，银装素裹，雪峰像古代将军的银盔。眼前的原始森林，白雪盖头，都像是白眉白须的寿星佬儿。路旁的芦苇和杜鹃，枝条都被雪团压弯，鸟雀跳来跳去。弹得雪花纷纷落地。时令正是五月下旬，成都街上早已穿起了单衣，而眼前分明是严冬景象。无论是北方来的南方来的，见过雪的没见过雪的，都惊喜不已，捧起来舔，团在手上玩，还有的追逐着打雪仗，像鸟雀一样嬉闹着，在年迈的大自然面前，人人都变成了孩子，回望日则山林，烟雾缭绕，分不清哪是雪哪是云。好一个人间仙境，自己也飘飘欲仙了。

从原始森林下来，右边有一孤峰冲霄，如利剑直指蓝天，从断壁顶部飞出几股泉水，一落千丈，似白练悬空，这就是有名的剑眼悬泉。泉水注入山下的天鹅海，藏民习惯把湖称作海。水面上长满湖草和野花，宛如巨幅天鹅绒地毯。

翻过一段高坡，到了熊猫海。海边那块浑圆的白色巨石上，天然生着几圈黑色斑纹，很像那憨态可掬的吉祥物。岸上的箭竹前几年干死了，如今正纷纷吐出新芽。这里常有熊猫出没，有一次，赵紫阳同志还亲自撞见了一只。还有一位重庆来的画家正在海边作画，一只大熊猫悄悄来到画板前，东瞧瞧西看看，还用鼻子嗅嗅，认真地欣赏，把那画家吓了一跳。这些宝贝夏天常常跑到海边喝水，看到水里自己的倒影，以为是同类争水，拚命地抢着喝，直到肚圆如鼓，走不动了，倒卧路边，当地人叫做熊猫醉水。

再往前走到了五花海，远远望见就叫人眼惊心动。蓝蓝的湖水，蓝得出奇，既非海水的蓝，也非湖水的蓝，蓝得深湛，蓝得纯净，蓝得透亮，我想用任何人工颜料都无法比拟的。走近一看，那湖水七彩斑斓，呈现鹅黄、墨绿、橄榄、翡翠等色。加上蓝天、白云、远山、近树倒映水中，更是一幅天然的图画。那边水面上漂浮一根长长的朽木，上面滋生着丝丝红苔，一端生出一篷绿叶红花，大概是鸟儿把花籽衔落其上，长出来的。再仔细看，湖水清澈见底，横七竖八倒伏着一些树木枝干，波影闪动，若隐若现，就像游龙戏水，珊瑚摇头。微风起处，水上水下彩影晃动，形色交错，恍若置于一个离奇的童话世界。

低头看水入迷，不知何时，久违的太阳悄悄出来，金色的阳光倾泻下来，山光水色骤然闪亮起来，让人的瞳孔来不及调整，一阵眩晕。阳光照耀下，水面涟漪闪烁层层光环，好像孔雀的羽毛。站在高处，美丽的五花海就像孔雀开屏。海子狭窄处有一道板桥，河湾就像孔雀的头颈，岸上几株古松恰似头上的花翎。

五花海以下，地势骤低，形成一处二十度的斜坡，三五十米宽，北来的溪水漫坡倾泻，银花飞溅，水下丛生红绿苔藓。大家花五角钱租一双水靴。我顾不上租靴，赤脚涉水而上，忘记溪水冰凉，尽情地捧珠捞玉，顿时变成了百万富翁。

从珍珠滩旁边树荫下的山径绕下，见一瀑布从褐色山崖上跌落下来。想起电视剧《西游记》主题歌"你挑着担，我牵着马，迎来日出和晚霞"，那个镜头就是从这儿拍摄的。再往下

王洪涛 摄影

行,就到了著名的诺日郎瀑布。

九寨沟全景包括三条沟,树正沟短粗如树干,分出两枝,西边的叫则查洼沟,东边的叫日则沟,诺日朗瀑布就挂在树杈上。被誉为九寨沟风景象征的诺日朗瀑布,像茫茫林海鼓满风的白帆,响声如海啸震耳。走近看,又可以分出几条瀑布,形状各异。有的垂直而下,如银河天落,有的曲折跌宕,若银龙戏珠;有的撞上岩石,水花飞溅,腾起一片细雾,被阳光照成七色彩虹。闭目侧听,高低音部大小声响,有的急促,有的婉转,有的高亢,有的细腻,有的刚劲,有的幽雅,组成一支自然风景的交响曲。

则查洼和日则二沟的溪水,通过诺日朗汇入树正沟。大小四十个海子首尾相接,逶迤数里,海与海之间有乳黄色的钙质堤埂相隔。海水由高而低,层层翻滚下来,形成一组梯形瀑布系列。海子中间一丛丛红柳、杜鹃，婆婆婀娜，袅袅婷婷，静如典雅盆景，动若仙子沐浴。瀑在林中流，树在瀑中生。那粉红、乳白色的主根和根须漂游水中，不着泥土，根摇而树不动，令人百思不得其解。

九寨美，美在水。大自然的神功，把泉、溪、湖、瀑组成一体，相得益彰，世上独一无二的景观。从前说，黄山归来不看岳，现在还得再加上一句：九寨归来不看水。

我忘情在九寨山水间，深深地为这人间的童话世界所陶醉。真想告诉所有的人，大声呼唤，九寨沟真美！但是又害怕惊动这幽雅的宁静。真想多看几眼，好好欣赏，把这无以伦比的美深深地印在心上。看得久了，又觉着自己感受这美，不只是用眼，更多地是用心。那湛湛清水，飞瀑流泉，冲去心中的杂乱和烦闷，一身清爽，两袖清风。这时太阳公公正笑红了脸，诡谲地望着我们，好像说这些多愁善感的家伙，真该跳进海子里洗洗。感谢板着面孔又热心肠的老人，善良的恶作剧，使我们一天看到了四季风景，看到了一个完美的九寨沟。

返程路上，我琢磨着人与自然的关系，人力不及的地方保持着自然的美。导游笑笑说，十几年以前这里是伐木场，十几个森林工作者再三呼吁，才从刀斧之下把美的摇篮抢救出来，人也能保护自然。一路上我默念着，上帝保佑，但愿现代文明不要染指这圣洁的山水。

鹿 子

蓝冰 蓝冰

第一次看到蓝冰，就为它的梦幻般的色彩攫住了，全身伏在冰裂缝上，头几乎要探进那无底的冰渊。见过黄河天桥流冰，大的如房子如磨盘，无色半透明，也见过玛多黄河第一桥下的坚冰，人可以骑着马在冰上飞驰。可从没想象过，冰，也可以这样蓝这样蓝。

蓝冰，不像海水，也不像蓝天，闪着通体透明的浅蓝色。当它随着冰川的融化和移动暴露在冰舌端时，雪光穿过它交替呈现出黄、白、蓝、紫、红各种色彩，变幻莫测，令人目眩。

"当心！"我正迷醉于神秘的光影中，忽然衣摆被身后的冰川队员的手钳住，身子无奈地朝后仰，一屁股坐在冰川上。

仰望雪峰，白雪覆盖的冰川从两座大山之间的山谷里倒挂下来，一直蜿蜒到山脚。它像一条固体的河，冬季里，静止不动；夏季里，表面的积雪融化，流动不息。面对着它，那种从天而降融天地之灵气的博大，会使你受到莫大的震动。

忘不了，永远忘不了。更忘不了的是一个昔日的冰川少年的话："蓝冰，是冰川冰，也叫陈冰，压在冰雪底下几十年几百年了。""什么人能有幸到蓝冰的面前能有幸抚摸到蓝冰？恐怕只有你们。""哦，不。和蓝冰接吻的人，只有死。他是不可能活着爬出冰裂缝的。"

这个出惊人之语的王纯足十几岁就来到天山冰川，和他同时来的还有一个农村少年吴录喜，每年从四月到八月都要爬上四千四百七十八米的天格尔峰测量冰雪的积蓄量和消融量，已经干了二十多年。他们积累的气象和冰雪变化情况为亚洲和世界的大气研究提供了珍贵的资料。"他就掉进过冰裂缝。"吴录喜黝黑似炭，一笑露出白亮的牙，指着王纯说，"上个月，我在前面，他在后面，只听一声喊，我的脖子一凉，心扑通一响，回身就跑。冰面上只露出个脑袋，我滑过去，后面的小张拉住我的脚，我见他两臂撑住冰壁，双腿也撑住冰壁，眼看就要滑下去。我拽住他的胳臂拼命朝外拉，总算拉出来了。一看，他满脸是血，手掌也划了长口子，马上凝成了大血块。""这次我们带上了雪靴，穿上它再也掉不下去了。"王纯足举起两只一米来长的怪东西。这哪里像靴，还不如说是大耙子，脚套上去就像戴了脚镣似的，但只要不超过一米宽的冰裂缝，全都掉不下去了。"这还是从加拿大进口的,一对要一百美元。"

那天,阳光耀眼,我们都戴上了墨镜,以免落在冰川上的新雪刺伤了眼睛。他们背着雪靴和测量仪朝天格尔峰爬去,渴了就抓一把雪塞进嘴里,凉凉的,甜甜的。到了半路我半步也不能走了,只要抬头朝雪峰一看,就眩晕恶心,马上就要栽倒。我只好坐到雪地里,大口大口地吐气。王纯足和吴录喜轮番给我打气:"天格尔峰离蓝天可近,一伸手就摘下一朵云。""那里有千奇百怪的冰柱冰塔林,不看白不看。"我把脸转向冰川的下面,摇摇头:"我爬不上去了。""那就下一次吧!"他们怕我滑进冰裂缝里,就逼着我回去。"一定要用测量杆探路,千万千万,不能滑到冰裂缝边。"

望着他们消失在雪雾中的身影,我想,今生,对于我,也许没有下一次了。对于他们,还有许多下一次。上冰峰之前,我还雄心勃勃,一只衣袋里装上烧饼夹牛肉,另一只衣袋里装上了西红柿,准备到冰峰顶大家会餐。我掏出来一看,又焦又酥的烧饼已冰成了冰疙瘩,咬也咬不动,冻得像个红玛瑙的西红柿能把牙硌掉半拉。想起他们告诉我,烧饼和牛肉得贴身放,靠体温暖着才不至于变成冰坨子,我赶快把它们放到羽绒服里面。

在冰舌下的一条冰河旁有一堆堆褐色的冰碛,这是冰川底下为千百年陈冰磨损的石头,冰川后退了,它们才露出河面。我坐在背风处,背靠着坚实的冰碛,感到有一阵暖意和倦意袭来,不知不觉睡了过去。梦里蓝冰包裹着我,我在蓝冰下躺了几年几十年,离世界很近又很远。近的是我能听见外面冰水的玲玲声,远的是我接触不到真实的世界。在蓝冰下我还见到一外国女子,她告诉我已经在冰下躺了几十年,只等冰川后退,冰裂缝暴露，她就可以见到雪光和阳光了。我似乎还听到她的叹息声："我多么害怕冰川后退，又多么希望冰川后退。"她竟然用的是汉语。"你是哪国人？为什么害怕冰川后退？""研究冰川是没有国界的。你是什么人？"我是什么人，怎么会和一个没有国界的女冰川学家落到一个冰裂缝里？只听她说，冰川后退说明冰雪的积蓄量小于融化量，世界在变暖，水资源在变少。如果不后退，她就永远见不了阳光和亲人。我的脚冻得完全麻木了，那麻木的感觉一直朝心口涌来。无法生还的可能让我吓了一跳，这一跳正好把我惊醒。我的长靴泡在冰水里，冰河涨了，抬头看看冰川的积雪床，雪已经融化，冰水哗哗地从闪着蓝冰的冰舌端淌下来。

那个落入冰裂缝的异国女子哪里去了？我记起了那天王纯足曾说过在天山冰川有一个外国女子在探险中落进了冰裂缝，人们系上保险绳下到裂缝里也没能找到她。那裂缝并非直上直下，而是曲里拐弯，上大下小，上百米长，人一旦落进去，就没法出来了。她只有等到冰川后退冰裂缝暴露出来，才有可能重见天日。大气污染气候变暖，对于人类并非喜讯，但对于冰冻在蓝冰里的探险家也许倒是一件幸事。

刚才下的一场雪像给冰川穿上了新衣，冰水流动的痕迹全消失了。面前的冰舌上流水哗哗，蓝冰变幻出红蓝紫黄斑斓的色彩，耀得眼花。我趟过冰河，爬上斜坡似的冰舌，来到一个冰洞前，里面倒悬着一条条银亮的冰剑冰笋，掰下一截，放进嘴里，一咬，咯嘣咯嘣，像吃冰糖葫芦。这时肚子咕噜噜直叫，看看天格尔雪峰，什么时候太阳已经斜到峰后，大约已是午后四点多了。我才感到又冷又饿，连忙从羽绒衣里掏出暖得热乎乎的西红柿和烧饼，吃一口烧饼吃一口西红柿，再嚼一口冰糖葫芦,那真是世上最美的快餐。

几个黑点从雪光耀眼的冰川顶峰上飞掠而下,我知道是冰川队员下来了。他们时而滑动时而跳跃,很快就到了冰舌端。

"完好无缺,完好无缺。"我喊着迎上去。

"你还以为我们会掉进冰裂缝里个把?"王纯足一笑露出两排白亮的牙。

不过半天工夫,他们本来就很黑的脸上好像又涂上了一层黑蜡,黝黑发亮,简直像黑非洲人。他们告诉我,从雪峰上朝下滑时吴录喜咳了一声,周围的雪哗的一下震动了,坍了下来。还好,他们滑动得很快,躲过了雪崩。"雪崩会怎么样?""会把人埋进去。""出得来吗?""除非有人挖你,还要挖得快。""算你们命大。"他们哈哈大笑。

我把西红柿和舍不得吃的牛肉递给他们,他们连看也不看,就塞进嘴里,囫囵吞了下去。看样子他们好像十天半月没吃过东西。他们弯腰喝了几捧冰水,抹了抹嘴,意犹未尽地朝我的衣兜看了一眼,叹了一声,就背上雪靴,大步跨过冰河,踏着褐色的冰碛,朝回去的小路走去。

回到测量站,每天只有到晚上才能喝到热汤吃到热菜,都是留守的队员轮流掌勺。一碗面条端上来,只听他呼噜呼噜像台吸泥机,一眨眼就碗底朝天,一盘红通通的辣子鸡块炖土豆也一阵风似的一扫而光。看他吃饭简直看呆了,他们直喊:"你怎么不动筷子呀?""看你们吃得真痛快,我都看饱了。"

很难想象他们从少年时代就和冰川打交道一直到年近四十还在爬冰川,到底是什么吸引了他们?是什么使他们欲去不能欲走不舍?这里一到九月就大雪纷飞,惟一的一家哈萨克牧民也把帐篷撤到山后去了,只留下测量站孤零零的一排房子。也许只有到冬天冰川才沉睡,他们才能回家和亲人团聚。啊,不。他们说,冬天得有人守站,两个人轮流一替十天,不守站的就回到冰川下的总站去休息。一个人,独守几条冰川,连山上流水都冻冰了,只好凿冰块,用绳子拉回来,吃的时候凿下一块。最难熬的是寂寞。有一年吴喜一个人守了一冬,隔几天还要下冰河去测量冰下水的流量,夜里什么声音都听不到。超静使他能听见自己的血在太阳穴簌簌地跳,能听见自己的耳鸣听见自己的心跳。超静使他彻夜难眠使他几乎发狂。一见到山下来了人,像见到救命恩人似的猛扑过去,可张开口竟然发不出声说不成句,因为好久没有跟人说话了。

一年年,冰川在他们的脚下变短了变小了,有几条悬在山顶的悬冰斗冰川,像一个巨大的蜗壳只见一圈一圈水纹的痕迹,当夏天来到时已经没有了径流。冰川人多么想回家和亲人长时间地团聚,多么想离开冰川去过正常人的家庭生活,多么想听到自己的儿女喊一声"爸"!当他们说起在这里一连几年没有回老家时眼里闪着泪光。那时吴喜才结婚,三年后回家,两岁的儿子躲到妈妈的身后不敢见从未见过面的爸爸。他们舍不得家舍不得妻儿舍不得老母老父,想离去时又舍不得冰川舍不得蓝冰。

永远不再爬冰川永远结束这种寂寞的生活,他们从来没想过吗?也是七尺男儿,也是血肉之躯,蕴含着也许比常人更丰富的情感,他们能够不想吗!在他们的木床头挂着小镜子,在他们的木桌上搁着防晒霜,他们也爱美。他们是真正的男人,从不会矫饰不会无病呻吟,更不屑以冷酷的外表炫耀于众。他们以为,是个男人,就要敢于顶天立地,在最最忍受不了的时候,要笑对人生。在他们又一次爬天格尔峰的那天,我要离去了。遥望着阳光下闪着七彩的蓝冰,想从它身上找到冰川男儿迷恋蓝冰的秘密,蓝冰闪烁着,冰水哗哗地从冰舌上流进冰河。我想起他们的话:大气变暖,冰川后退以至消失,那时我们就不再爬冰川,不再需要去天格尔峰测量冰雪的积蓄量和消融量,可到了那时,大河大江的水从哪里来?我们喝的水又从哪里来?我们希望不再爬冰川,可更害怕冰川缩短更害怕冰川消失更害怕千年沉睡的蓝冰融化。蓝冰是我们的情人,永生的情人。

水 之 恋

  一个梦想,有时候像个精灵在你脑海里翻腾,搅得你心神不定,有时候蛰伏下来,仿佛突然沉睡了。可是一旦苏醒,就好像有什么触动了你的心,你会感到焦灼不安,感到灵魂里的一部分丢失了,非要去寻找回来不可。
  人与人有一种缘份。
  人与自然难道就没有一种缘分?比方说,生在江南长在江南又喝长江水长大,我,一见到滚滚着泥沙的黄河,心就发紧发疼,像被磁铁牢牢吸过去。这是不是缘份?
  我曾去长江三峡、小三峡遨游。满目红桔、凤尾竹,都曾撩动过我。那清清的水,永远罩在雾里。那赋予我乌亮长发、娇羞面目的长江水,早已渗透进我的血液和肌肤,有何缘由不爱它念它? 也许,正因为它已成为了身体里的一部分,你就很难从一个较远的距离去体察它。只是怀念。而怀念,是一种情怀,并非梦想。惟有梦想,才如单相思那样挥之不去驱之不散永远地折磨着你。

在黄河源头见到过细若玉色飘带的少女河。它流向东方,绕过六千多米高的阿尼玛卿山脚,冲出积石山谷,何以又拐一个一百八十度的大弯,由东折向西流回了大草原? 黄河第一曲就成了一个解不开的谜。第一曲弯弯里那个迷人的名字玛曲就像个精灵时时在我的脑海里蹦跳。

玛曲,藏语里就是黄河的意思。黄河水就是从那里才趄回头,朝西,朝它的来处,朝它的发源地的方向,奔去。是因为故地难舍还是因为草原太令它迷恋,才如许低吟萦回流连不去?

水之谜,心之谜。

只有跌进那无边无缘足有一万平方公里的草海,躺上去打几个滚,嗅着黑泥土黄草叶的芳香,你才会明白后来变得壮阔而暴虐的大河怎会对这一片土地如许情意绵绵。

都劝我别去,那儿海拔三千米,下雪了,草黄了,黄金季节已过。草原开花时虽很美很诱人,可泛黄了变成了雪野,就不美么? 我不信。偏要去。不愿错过十月份这个机会。

一路上,果真山外有山天外有天。刚才还雪花飘飘,一忽儿天又瓦蓝。草坡上滚着白绵羊黑牦牛,像嵌在蓝天雪峰画框里的动画片。当你瞥到草坡下有一条银练一闪,你的心往上一提,灵魂里的一部分就这么飞了过去。你会忘乎所以地从摇晃颠簸的长途汽车里站起来,你会哦的一下喊出声:啊,玛曲,啊，玛曲。

上古时候，藏族各个部落为争得这方宝地争战不休，后来一个以白唇鹿为图腾的董氏部落占了上风，在这里繁衍、放牧。啊，白唇鹿，玉姆卡格雨，和你的名字鹿子似有缘。这是那位新结识的藏族朋友诺雨德初见我时脱口而出的话。你的名字会保佑你一路平安去玉姆卡格尔的故土。送我上路时他赠送我一个藏名，这样向我祝福。

三面临草坡一面临黄河，一个小巧而迷人的小城。说是城，不过一条大道，直通玛曲黄河桥和大草原。牧民骑着腿肚子浑圆、体魄高大的河曲马从草原直驰而来，在大道上一边飞奔一边举着酒瓶在马背上独饮。脚上蹬着高腰牛皮靴，身上穿着光板羊皮袍。羊皮已磨得起毛发黄，领口镶的狐皮、豹皮，下襟上缀的黑色、彩色相间的毯氆边，看上去依然鲜亮。生活在大草原上，自然赋予他们爱美的天性。无论多么没有色彩的光板羊皮，衬上黑色宽绒边，再缀上五彩边，就会变得动人醒目。

随着牧民的马蹄声踏进草海。一片金黄的底色上浮动着乳白色蒲公英似的小绒花。静静的，娴雅的，毫不浓妆艳抹，像一个成熟而羞涩的美人。谁说十月的草原不美！我狂喊着扑进一片金黄。

你看！黄河从这里拐了一个大弯，把草原抱在怀里，像不像绵羊的肚子？

问我的是勒卜塔，在这儿生活工作了十三年的藏族文科大学生。

一点也不像。这是海，金黄色的海。我为这浓郁的草香沉醉了。

像。像。藏民吃、穿都取之于羊,难怪把最美丽最肥沃的土地草原也譬喻为羊。你看羊角像麻花样卷曲的欧拉羊肥不肥壮不壮?那是因为河边那座欧拉神山保佑了他们。听他说了玄乎,我连忙抬头看。那座山不高,颇似一只海螺,山凹处有一圈圈涡纹。如此而已,没有什么奇特之处。欧拉是什么意思?欧拉就是银角之意。相传山上出现过银角绵羊。牧民就尊他为银角神仙,祈祷它保佑自己的羊群也像银角羊一样带来吉祥和富裕。你信神么?面对我的直率的问话,这个英俊的藏族青年似乎也很坦然。生活在草原上,不论你是干什么的,对于神秘的大自然总有一种崇拜和信仰,那是不能用一句话说清的。我举起相机,对着夕阳下的欧拉神山和黄河水中的倒影,对着河边滚圆的欧拉羊拍了一张逆光照。这时候,我心中对于这神秘地站立在黄河第一曲的欧拉神山,也升起一股膜拜之情。

无数次地面对过旷无人烟的大草原、沙海、黄土高原,心里总会掠过一丝透澈如清水的感觉,一丝什么都不存在的十分空灵的感觉。细细回味,那便是所谓的超凡脱俗,不过,是人生的一瞬而已。长长远远的,远离不了人世烦恼、琐碎的生活。为了那一瞬如此透澈如此神圣的感觉,你有时会不惜挤坐长途汽车、不惜去住烧牛粪饼的小屋。

徜徉在没膝深的草海里,一直来到四川若尔盖草原对面的黄河边。那么多牦牛绵羊散布在河滩草地上。它们的肚子撑得没进了草叶里怎么还低着头不住地吃?它们生来就是为的这样不住地吃么?不累么?怎不见它们抬头望一望天——如许蓝的天?勒卜塔不知是觉得羊儿怪还是我问的怪,哈哈大笑起来。

一位骑手好像从天外飞来,给予这么阔大而宁静的草原一种动感。灰黑的光板羊皮大氅,没有豹皮领也没有五彩氆氇边，就这么套在身上。灰色的牛仔呢帽下面是一张比大氅还灰黑的脸。在他开口之前，像一尊活动的雕像，根本分不清鼻子、眼。他的坐骑精瘦，并不像镇子附近的牧民骑的马那样高大。是一个驰骋在河曲马场的牧马人吧！坐骑跑瘦了，骑手也跑瘦了。一万平方公里的草海哟！我注意到他的帽子，又联想起一路所见，每个牧民都戴着这样的帽子。帽沿一边略略向上翻卷，帽顶捏成船形，神气而俏皮，很像印底安人戴的那种。哦，不，也许，是印底安人戴的帽子很像他们的。谁说得清呢？世界原是那么大又是那么小。

环绕这孤独的骑手只有无边的草地，从草叶泛青到青叶发黄，终日和他相对无言的是只知低头吃草的牦牛、绵羊，还有驰名中外的河曲马。他原来并不认识勒卜塔，只是见到外来人，想嚷想喊想交谈想听听自己的声音。

就连草原上的狗也因为寂寞变得凶狠无比。在吉普车返回时，一只肥墩墩的黄色藏犬从草原里飞扑上来，大有一跃而上之狂。车开出去好远，还传来喑喑的狂吠。

一个人可不能在草原上乱跑。勒卜塔趁势向我发出警告。有一次下帐，一条藏狗扑上来围着马转，非把你咬下来不可。这时就得使打狗鞭。有的狗被吓退，有的反而更狂。那怎么办？勒卜塔说得很潇洒：那只好让它咬一口啦！不少画家、摄影家迷恋于草原特有的色彩，被突如其来扑上去的狗咬伤了。

离开草原时，天上飘起了雪花，山顶全白了，原来一夜降雪。那些羊儿、牦牛该躲进畜栏里了吧！哈，全散布在雪坡上，扒开积雪，照样儿那么专心那么执著地低着头啃吃。雪原上黑帐篷依山傍水，这就是牧民要度过漫长冬日的冬窝子草

陈长吟 摄影

场。帐篷里堆满干牛粪饼,这就是他们取暖煮奶茶的燃料。一天一夜大约要燃去两麻袋牛粪饼。为什么不烧煤呢?这儿不产煤,要买,要花钱。想到妇女们可以在脖子上戴上几万元的珊瑚珠,却不愿意花一分钱去改善生存条件,不禁愕然。

祖祖辈辈就这么放牧,严寒驱不走,大雪吹不走,就这么依恋着草原,像黄河水一样萦回流连。

还来呵,还来呵,勒卜塔这样说,牧人这么说。七月赛钦花金黄,会把你的鞋底染黄。八月格桑花海蓝,会把眼睛映亮。真的,不哄你。

我信,我信。牧民们那份挥不去驱不散的恋情还能比黄河第一曲更深么?

我的梦,只有寄托在来年,在另一个夏天,当草原上黄河水解冻赛钦花、格桑花重放的时候……

和 谷

无 定 河 边

拜读张承志的《北方的河》,开头一码,便使我着迷了。河近在眼底,河谷和两侧的千沟万壑像个一览无余的庞大沙盘。这峡谷好深哪,真不能想象这样的峡谷是被雨水切割出来的。峡谷两侧都是一样均匀地起伏的黄土帽。老黄土帽中的拐弯河是大深沟。书上把这条无定河大河沟叫作"曲流宽谷"。行了,张承志!你这一段文字,已足以使我卧游那并不陌生的无定河了。

我曾不止一次地顺无定河跋涉过,虽旅路迢迢,行色匆匆,却没能忘记饱览它古朴、雄沉的景观。沿河的古道上,那脚夫旅人的遗迹,那傍河而雄踞的小城的风情,都同那默默流动的声音一起,溶入我的血管里了。是它,是它!是它深谷里蜿蜒的无定河,是它那浑黄的河水在高原的阳光的曝晒下,反射着强烈的光。是那样的,天空又蓝又远,淡黄的梁峁微微发白。

它何以为无定河?据《明一统志》,无定河即古圁水,以溃沙急流、浅深不定故名。它是无定的啊,从边城的沙漠里启程,途经内蒙边缘,呈弯弓状,而横山,而榆林,而米脂,而绥德诸县,后于清涧注入黄河。它弧线形的流程,其中却是怎样千回百折,周漩于沙原和黄土大沟里,迂曲于急流跌宕的历史里,汇入多少悲怆与欢颜而流到黄河,流到今天的阳光下的啊!毛根须一样的支溪涓流,滋养了它健美的肌体,使它成为北方诸河中富有个性的一条粗野的河。

它先后接纳了沙漠中静静流来的芦河和榆溪河,接纳了米汁如脂的米脂水和土原上流来的大理河、小理河,变得丰富而充实,阔大而广博。它像一棵大树,或是将根须深深地扎入塞上长城内外的沙漠里,草原上,及黄土中;或是将枝梢远远地伸向陕北高原北部的漠野沙丘,湖盆滩地,和千沟万壑。那些小城、村落、驿站,则是系于这棵大树之上的根块。或者更相近于叶片和果子。它是陕北北部版图上的血管,于无定中寻找平衡,却又从滞固中追求着生命的勃动。

它,无定河啊!古圁水!曾为古朔方干戈疆场而屡被烽烟血火燃烧过的河啊!且莫道众所周知的秦大将蒙恬率三十万大军驻守无定河川的典故,只说宋将军种谔,曾领兵攻米脂未下,知夏兵八万来援,便调兵十万于无定河川的伏兵断其首尾,大破之,遂克米脂。苏轼为此战役作《闻种谔米脂川大捷》曰:"闻说将军取乞银,将军旗鼓捷如神,应知无定河边柳,得共江南雪絮春"。十万神兵,一夕收尽西碛妖氛,使得榆塞外没有了战骑的嘶鸣,无定河边,飘扬春之雪絮。

不呵,无定的河!谁不稔熟唐代诗人陈陶的《出塞行》:"誓扫匈奴不顾身,五千貂锦丧胡尘,可怜无定河边骨,犹是春闺梦里人。"又有陈质的《无定河》:"无定河边暮笛声,赫连台畔旅人情,函关归路千余里,一夕秋风白发生"。这其中多少壮怀,多少凄冷,又有多少惆怅之情呢?古圁河环绕朔方,秋云常压边塞,荒草茫茫,沙野渺渺,征夫屯戍遥遥无期。饮马于河边的壮士与旅人,望日落下牛羊,归来枕着短墙的孤城,而秋风疏雨使得客思俱增,不胜忧怨。

它委实是一条无定的河,古情悠悠的河。且录李嘉绩诗作二首,诗中情感,曾使我每每吟起而怎样地心魂为之颤栗啊!其一为《米脂晤骆和轩大会》:"滔滔无定河,渺渺东南注,晴开两岸山,烟罩满城树。故人有骆丞,留客今夕住,明发指榆关,春云莽塞洹"。其二为《过无定河》:"山城一夜吹筚篥,客子天明渡头发,圣代从来无战争,不见河边有白骨。滔滔河水流千载,水中疑有征魂在,吊古人来涕泪多,洒入波涛直赴海。寄语年年行路人,北来莫问古烟尘,烟火隔断来时路,不敢回头渡河去"。这残存于《米脂县志》中的诗作,封闭了多少古往之幽情呢?但它,无定河,却永远记着这些属于它的往事的感伤。

且说无定河的子孙们,以米脂上下为例,自古以射猎为先,继而畜牧,遂为庄稼人。民风土习,皆有北方刚劲之气。历来多尚武节,果敢强悍,而英才如韩世忠、李自成,层出不绝。尚敦厚朴实,生活俭约。丧祭婚姻,率近于礼。居室喜作窑洞，城镇多以石料为之，乡人则依山负崖穴居。古风犹存的土地，也正吹过时代的新鲜的风。无定河的魅力，由一支支热情、粗放、质丽的陕北民歌，由一幅幅不同年代的速写和画像，由一篇篇真实耐读的诗文，在传播向这块高原之外的大千世界。无定河的意义，也在中国革命的史册里，在当今时代的阳光下，像它本身一样反射出强烈的光。

呵，无定河，流不尽的河。我不止一次地顺着它的沿岸奔走过。记得一个夏天，我沿途采撷了一大把各种颜色、各种造型、各种香味的野花野草，却都叫不上来名字。但我很喜爱它们。同河水一起行至一处大拐弯处，在暖暖的沙滩上，遇上了几个牧羊的孩子。他们从浑黄的河里打完水仗，赤裸裸地躺在柔腻的细沙里，黄黄的艳阳，将他们这些农家孩子稚嫩的皮肤晒得黝黑。他们告诉我那一把野花野草的名字，记得有米囊花、百合、忘忧、摘蒙、茉莉、酒醉花、十样锦。我带着那七彩的塞上的花魂，又沿河边往前走去。

那一回，当我辞别无定河的时候噙着泪水默默地对它说："无定河，你塞上的河，高原的河，北方的河，你兼有父亲和母亲的双重的爱之河啊！"

赤 峡 游

从榆林城逆榆溪河北上十里许，是一道神奇的石峡，令人俯仰情恰的赤色的峡谷。红山夕照,乃榆林一景。说是山皆红石,地近河阜,环列屏障,落日照之如霞起。站在峡口,果然见远自塞野而来的河流,将红山墩从中劈开,从眼底夺路而去了。广茫的大漠,从地貌看,是望不尽的粗犷而细柔的流沙;要么便是低洼处的一块一块草甸子,或是被塞上人驯化了的新鲜的园田。而从何来得这般景致,两山虎峙,疑为天柱;峡中风物,却又是别一番瀚海蓬莱仙境。

怎么也想不到,于沙碛的底层,有如此肌理细密而坚润可镌的峻石。两峡崖壁上,嵌满了石匾字迹。虽镌刻年代多已不可细辨,却通过竞相辉映的题字,可以看出历朝历代文人骚客与武将们对红石峡的礼赞和溢美之情。无论是"天边锁钥"、"雄镇三秦",还是"华夷天堑"、"列屏云塞",都可以引出一个朝代,一个人物,和一个镇守边塞的故事来。这俨如图画石壁,是历史的纪念碑,也是历史的墓志铭。

而红石峡的来历,却是一个近乎童话的传奇。说上游原是个大海子,可以行船。有水贼吉囊和沙庆,住在水寨,经常四处抢劫。总兵余子俊派兵凿峡放水,剿灭了水塞之贼。以后,在榆城南门瓮城关帝庙内,还曾有吉囊和沙庆靠背跪着的铁像,顶着大铁香炉,作为记恨。但据有人考证,榆溪河早在汉代就已开修,宋元时代的红石峡即成名刹。今沿石径攀去,有石窟数孔,石刻纹饰尚存,其刀笔柔丽,雕法古拙。寺内上有天门,直通崖顶;下有地门,可抵水边。崖内有涵洞,隔石壁可听得汩汩水声,如弹瑟琶,悠然意远。于闸口处,却是雪浪喷涌,如逐奔雷。

行至峡中水边,顺流数步,得一泓清波,深静如潭。河边垂柳,在这里显得气韵依依。塞上绝少看见的水鸟,翩翩然,起落于清流之上，鸣啭于赤峡之间。峡中天地，无沙无尘，也无喧嚣，似乎是一座纯净的原始山谷。

此种情致，可以想象到古人泛舟赤峡的诗境。如何欢宴楼层，歌满舞台，又怎么饮酒到夜阑时分，便醉卧溪头，任小舟回旋了。或者是绿水穿过赤峡，白云卧于红山，鱼跃浅底，鸟栖滩头，香余梵语可闻，临流酌饮数杯，蓦然间不经意地仰首一望，夕阳已曛曛地拥抱了峡谷两岸的山墩。

可惜的是，没能等到黄昏，便匆匆地辞别红石峡，赶回榆林城去了。所以，也就没有缘分观瞻那"落日照之如霞起"的胜景，至今念起，仍不无憾意。但那一道神奇的塞上峡谷，却永远地属于我记忆中的风景了。

李天芳

目　光

　　那是你的特写镜头：在漫山遍野开荒的人群中，你站在最前边，头裹毛巾，身着无袖的白布短褂，裸露得像泥土一样黑褐的两臂，猛力地挥舞着老镢。你的头顶是边区无云的朗朗晴空，脚下是被征服的荒山大岭……

　　拍照的年代已经很久了，摄影的条件在当时又极差，但它拍得那样好！清晰，自然，富有感染力，整个画面，洋溢着不可战胜的勃勃生气，特别是你的一双眼睛，在抬头仰望的一刹那，含笑凝视，炯炯有神，因为力量、自信和憧憬充满动人的光芒！

在延安，人人都知道你的名字。知道你是当年大生产中边区的劳动英雄，知道你创造过开荒四亩三的日纪录，知道你挥动的七斤半镢头，是铁匠特制的，还知道你戴过大红花和领袖们一块谈话……

我见到你本人时，你已经老了。时间距你那幅照片过去了三十多年，你不能不老。可你依然像从前一样春种秋收，和土地相依为命。你依然住在山崖下的黄土窑洞里，是生产队里的一个成员。像你的左邻右舍那样，靠记工簿上的工分过活日月。你和普通农民的不同之处，仅仅在于他们的名字鲜为人知，而你却受许多人的尊敬和仰慕。你时常被人们由乡下接到城里，接受外宾的访问，和参观团、代表团座谈，或者给机关、学校、部队作报告……我就是在那时候见到你，认识你的。

我带着一群刚入中学的学生，去河对岸革命旧址参观。这是每个学年的必修课。山脚下那幽静的小院，有召开过历史性会议的会址，有伟人们居住过的窑洞，有他们亲手种下的桃树和李树……当我们走进一间小会议厅时，几乎没有发现，光线微弱的屋角，坐着一位老者，那老者便是你。你木然地坐在高凳上，木然地盯着门口。当有参观者进来时，像有电钮按了一下，你即刻缓慢地、一字一板诉说你苦难的家史：

"民国十八年，我从横山逃荒下来，日子实实的恓惶……"

因为参观者毫无准备，这猛然的、无头无脑的声音，常常叫他们大吃一惊。我和我的学生，就被你吓了一跳。当学生们定神看清是你时，一个个忍俊不禁，竟窃窃地发出失礼的笑声。这样的场合,这样的时候,绝不应有这个笑,但连我也觉得你的腔调、你的模样、你的情态,实在有几分滑稽。你面无表情地坐着,一批参观者进来,你背书似地讲一遍,另一批参观者进来,你又背书似地讲一遍……你嗓音沙哑、干涩,活像从一架磨损了的留声机里发出的。

这是你吗?从前那个活脱脱的劳动英雄吗?我远远地望着你,使我震惊的不是你的年老,而是你的眼睛。那自信的、含笑的、憧憬的目光到哪里去了?为什么它被一层深深忧虑的雾所笼罩?

解说员告诉我,你被特意请来,是为在这参观者最多的日子,以现身说法强化传统教育的。你这样反反复复地讲一天,按规定,为你在生产队记一个工,工值三角七分钱。

一股无可名状的悲哀刺痛了我,压迫着我。我感到的再不是滑稽和好笑了。几十年前,你开垦出多少荒地,收获过多少粮食,创造了多少财富,做出了多少贡献?而眼下,你的整整一天,其价值只有几角钱。这实在太可悲了。

几天以后,学校又请你去给全体师生作报告。虽然开学了,复课了,但因为没有教材,学校只好天天安排学生参观、讨论、听报告。那一天你去的时候,操场上有欢迎你的长幅标语,校长又扶着你的手,亲自送你到主席台上坐定。会场上的气氛本该是庄严的,但谁也不曾料得到,当你对着话筒,清了清嗓子,正要开口讲话时,台下一个捣蛋鬼,竟学起你的腔调,高声地喊:

"民国十八年,我从横山逃荒下来……"

这肆无忌惮又维妙维肖的模仿,把一个好端端的会场,搅得顿时大乱。校长大发其火,深怕因此引起你的不快。你呢,可怜巴巴地坐在桌子后边,茫然四顾地瞅着乱糟糟的会场,轻轻地叹了口气。你那被皱纹包裹的眼睛里,透射出多少无可奈何又难以言喻的苦楚!

我又一次被无可名状的悲哀刺痛了。不过这一次,我感受到那不是你个人的不幸和悲哀,那是我们大家的不幸和悲哀。我们在对昨天的回忆中,沉湎和徘徊得太久了,又只能依靠昨天来安抚和激发今天人的心,而这安抚和激发是多么无力啊!连孩子们也不愿再接受了。一个人,一个国家,一个民族,倘若闭眼不看他的今天,一味地、没完没了地沉浸于昨天,不管那昨天多么重要、多么光辉,那么他的今天一定会变得暗淡无光。除此之外,还能说明什么呢?

你是否也被这焦虑深深地折磨着?

那年冬天,我因事经过你们的公社。我想看看你,看看你的家,特意绕道你们的庄子。那是一个多么冷的冬日呀,太阳白灿灿地照着僵硬的大地,却感受不到它的热力和温暖。风是无声的,却硬得刺骨。

你的老伴接待了我。她说你正好从城里回来。一大早外事部门把你接去,在那里和一群外国客人谈过话,照过像,事一毕,又用汽车送你回来。一踏进家门,你脱下那身出门的衣裳,立马到河滩地里干活去了。

"只要不出门,老汉天天动弹着呢,连半日工也舍不得误下!"她对我说。

你刚脱下来一刻也舍不得多穿的那套衣服,被你的老伴叠得整整齐齐放在炕沿上,那是外事部门为你做的礼服,蓝咔叽布的对襟袄,黑裤,包头用的白羊肚毛巾,一副标准的陕北老农当年劳动英雄的行头。可是又有多少人知道你眼下过的光景？

也许是太孤单吧，你的老伴毫不见外地和我拉起家常。她向我诉说日子的艰难。你们老两口没有儿子，抱养的侄儿长大了，娶了亲，却嫌你们拖累他们，分家另过去了。老太太抱怨总是穷，总是过不舒展。她的要求很低，吃饱穿暖就满意了。可是她伸出脚给我看，那塞在旧棉鞋里的一双脚，大冷天，没有袜子穿……她还告诉我说，上边每月给你五块钱补贴，这五块钱竟惹得村里好些人眼热，说你老汉吃老本、耍特权哩；而这钱又常常被队里扣住，挪为它用，不能按时送到你手里……

在你冰冷的窑洞里坐着，我实在没有勇气再听下去，也实在没有勇气等到你回来。可是你收工回来了。你满身尘土地进了家，看上去，真是累极了！虽然劳动是你的本色，你一辈子也没有丢开过庄稼活，但你毕竟是年过七十的人，你不能不感到疲乏。你让你的老伴，在灶火的柴灰里给我烤红薯，烤洋芋，自己坐在炕头上闷头抽烟。

等你歇息过来，你给我说了许多话。你断然不提自己眼前的日子，自己眼下的艰难。你说起你一生中最辉煌、也最舒心畅意的年月。你说你怎样响应政府号召，漫山野洼地刨荒种地，一个人打下的粮食，缸里、瓮里、炕上、地下，满窑里盛不下。给乡政府缴的公粮，整驮整驮地送呢。你掰起指头数算村里谁家在当时就做到耕三余一，谁家做到耕二余一。末了，你困惑莫解地问：

"现在，只见男女老少都干活，都动弹哩，就是打不下粮食。一样的河川，一样的老镢，也不知是咋价日鬼的？"

你又陷入在往事的回忆中。可是这回忆，被你的思索、疑虑、求实精神照亮了，显出一片光华，显出勃勃生气来！你说话的神态、腔调和你照着别人写好的脚本念时,判若两人。这才是你的真心话,是你的真实情感,它在你的胸腔里已经翻腾很久了。你的眼睛里,分明闪动着渴盼和企冀的火花。

我无法回答你的问题,但你的话在我心里引起了强烈共鸣,并使我深信,有这样的思索和渴盼,就离希望不远了!

今年秋收时分,我又从你的故乡经过。回忆起那种日子里我们那一段心的共鸣和交流,我很想看看你,看看你的老伴,你的家,还有你的眼睛……但是你已不在世间了。村里人说你高寿,活到了八十一岁。你的邻居——就是从前因为五块钱的补贴,说你吃老本的邻居,现在买了一台"小四轮",在一道川里拉柴、拉炭、拉木料和砖瓦。他用亲切的、带着歉疚的心情怀念起你,由衷地对我说:"哦,老汉真是个好老汉!"

陕北三月三

从乡下回到城里,吃的住的不一样了,许多心理状态也跟着变化了。比如逢年过节吧,在城里无论怎样的隆重,都觉着不如在乡下那么新鲜,那么有味,那么令人摇魂荡魄!我常想,在乡下要是没有那些大大小小、饶有趣味的节令,真不知生活会是一种什么样子。

那一年,农历三月三,我在陕北山村过了一个清明节。清明虽然算不上一个大节,但那浓厚的节日气氛、繁忙有趣的节日活动,至今仍使我久久不忘。

三月里,桃树、杏树已经绽开粉红的花朵,杨树、柳树已经吐出乳白的绒毛。队里正在沟里修水库。队长领着男男女女,拉土和泥,引水淤坝。

电马达一响,碗口粗的清水从高崖上冲下来,男女社员站在水流两边,把山坡上的土一锨接一锨地铲进水里,大水挟带着黄泥,一直冲到坝墙内。这是异常紧张、异常激动的劳动,几乎没有喘气的功夫。人们挥动镢头、铁锨的节奏,就是激流直下的节奏。不一会,额头上就沁出汗珠,冒出热气,背上、腰间也都湿淙淙的了。

裹着泥土的水珠,四处飞溅,溅在人们的手上、腿上、身子上。所有参加劳动的人,无论男女老幼,无一例外地抹成了花花脸,穿上了花花袄。

劳动的节奏虽然紧张,但却十分愉快。猛地看去,满山坡的男男女女,简直像傣族兄弟在过泼水节。一会儿,铁锨冲走了,一会儿镢头溜脱了;谁家姑娘的鞋叫泥水卷走了,小伙子连忙用铁锨挡住;谁家婆姨陷到泥里了,姑娘们赶紧把她拉起……

愉快的劳动冲击着人们,不时地发出旋风一般的笑声。

不用多少功夫,黄泥淤过了坝墙。小电工将闸门一关,马达停了下来。人们这才一个个拖泥带水地走出来,长出一口气,坐在干土坡上歇歇。

说是休息,静静坐着的人很少。

爱开玩笑的中年汉子,会猛不防地拉住石匠婆姨的腿,从半山崖上往下拖;新媳妇在清水池里洗手巾,姑娘们会扔进一块土疙瘩,把水珠子溅得乱飞。满脸干泥点子的社员们,你看看我，我看看你，嘻嘻哈哈地笑起来。

最可笑的是队长。他的脸上斑斑点点地抹了一层泥，鼻子、嘴里也叫泥塞满了。在整个紧张的劳动中，他是最紧张的一个。他的两条裤管就像从水里捞出来，湿淋淋的。一停下手脚，虽然是阳春三月，还是止不住地冷。他坐在干土窝里，用手抓起一把把的干黄土，把两条腿盖上。被阳光晒得暖融融的黄土，盖在湿裤子上，那一定是很舒服的。要不，他会那么得意，那么悠然，为了他的好办法，还有一点陶醉呢。

他捏捏口袋，摸出那根羊拐骨做的旱烟锅，塞在泥嘴里。坐在老远地方的妇女队长，看见他那份舒坦劲儿，便拿起铁锨，铲一锨土扬过去。土落在他的头上，灌进他的脖子，刚刚点着的烟锅也扑灭了……人们又一次开心地乐起来。

妇女队长一边笑一边问：

"当家的，明儿个就是三月三，咋办哩？"

不管生产多么忙，劳动多么紧张，做队长的绝对不会忘记那些应该过的七节八令。他重新点上烟，慢悠悠地说：

"放假么，今儿后响，妇女们不上工！"

于是，小山村就整个儿落入节日的繁忙中。在小河边洗菜的、淘米的；在窑门前摊煎饼的、打凉粉团子的，一个个都是那样地喜气洋洋。

妇女队长早就打了招呼，要我在她家里过节。前几天，她已捡了豆子，泡了豆芽。一颗颗的绿滚豆、黄滚豆，捡出来，泡在瓦盆里，生成的豆芽，像是胖娃娃。

这天下了工，吃罢夜饭，她又做起豆腐来了。

小巧玲珑的豆腐磨盘，几乎家家都有。乡里人过节不一定吃肉，但豆腐是必备的。她坐在那里，把泡过的豆子慢慢地倒

进磨眼,一面悠悠地转着磨盘,一面轻轻地唱起:

> 三月里杨柳罩灯笼,
> 家家户户忙清明。
> 转起个小磨磨豆腐,
> 生起个柴火摊煎饼。

> 三月里桃花满山红,
> 前山后山闹春耕,
> 你点豆子他种瓜,
> 盼的是有个好收成……

她的歌回旋着一种特有的泥土气息和生活情趣,能够使人忘记忧愁,忘记烦恼,忘记一切不愉快的事情……

第二天早饭时节,妇女队长端上来一个木漆饭盘,饭盘里摆着凉粉、煎饼和糕。那煎饼摊得像纸一般,又薄又匀;糕是用面裹着软糜蒸成的,上面用梳子压了花纹,染着桃红的圆点。菜食是豆芽、豆腐、小葱、小蒜调拌的凉菜,只要一看就叫人咂舌了。

妇女队长和她的男人老邱,不停地劝我多吃。老邱给队里拦牛,难得在家里吃顿安逸饭。他总是天不亮就上山,天擦黑才回来。我说,应该安安稳稳吃顿饭的倒是他。而他却卷起张煎饼一边大口地吃,一边匆匆地往外走。我问:"不是放假不上山吗?"他笑着回答:"给牛放假,不给我放呀。"

妇女队长见我不解,便告诉我:陕北的清明,原来还是一个牛节。这一天,所有的牛都受到特殊待遇,一律不上山,不揭地，吃饱草料以后，就一整天地呆在太阳坡里晒暖暖。过一天舒舒坦坦的生活。

我从妇女队长家里出来，果然看到队里的牛都停在饲养棚前的场上晒太阳；我还看到各家各户的社员，男人、女人、老人、孩子，成群结队地往饲养棚走。他们手里提着瓦罐，端着瓷盆，拎着木桶，像到庙里朝圣一般。到了近处，我才弄清他们都是来为牛送豆腐脑儿的，这是先一天做豆腐的时候，特意为牛留下的清明礼品。那雪白、鲜嫩的豆腐脑儿，一盆盆、一罐罐地递给牛倌老邱。老邱喜悠悠地忙活着，接住这一家的，又迎那一家的。然后把大伙的礼物倒进一只大木桶里，提到跟前，让他的辛苦了一年的大黄牛们，痛痛快快地享用。

老邱还指点着告诉我，当太阳端顶、晒得正红的时候，他还要给每头牛灌一瓶清油。牛喝了豆腐脑儿和清油，肚里没有火气，一年之内少生疾疫……

这些话有没有科学道理，我没有细细地想它，但清明时分，牛在这里受到的隆重礼遇，却是我意想不到的。忠实憨厚的陕北农民对牛的一片厚意，使我为之感动！在"点灯不用油，耕地不用牛"的口号还没有完全变为振奋人心的现实的时候，他们是多么懂得珍爱牛、宝贵牛啊！

以勤苦耕作为天职的牛，对这一切似乎全不介意。当它们整天地在槽前吃料的时候，当它们喝着一桶桶的豆腐脑儿和一瓶瓶的清油的时候，当它们被赶在阳坡上悠闲地晒暖暖的时候，谦恭的脸上，看不出有丝毫的荣耀和自得，眼睛反倒因为困惑不解睁得更大了……只有远处那头不听调教的小叫驴，驮着粪走过，颇为不平地咴咴长叫着……

陈长吟 摄影

赵　熙

拉卜楞寺圣光

九月,在海拔三千米的甘南草原,已经是秋风萧瑟,草地枯黄的时月了。从桑科草原赶到夏河县的拉卜楞寺时,已是秋雨冷浸的晌午。环围的群山青黛峻奇,水墨泼晕的彤云,重重复复重地浸漫了大夏河谷、青稞坡地及帐篷、平屋。在这高原灰淡壮美的深秋景色中,拉卜楞寺以它层层叠叠的金顶、红柱、白墙及碧绿鎏金铜瓦的辉煌殿堂建筑屹立于这高原重镇,不禁令人惊叹!若在晴日,那该是怎样一种气象呢?

久仰了,这神圣无比,博大浩宏的拉卜楞寺!

拉卜楞寺是一个神奇的世界。它创建于1710年,是我国著名的藏传佛教格鲁派六大寺院之一。拉卜楞是藏语"拉章"的变音,意为僧侣的宫殿。寺院历经六代寺主嘉木祥活佛,著名的金西大活佛贡唐仓和广大僧众的开发,已成为包括显、密二宗的闻恩、上续部、下续部、医学、时轮、及喜金刚六大学院,一百零八个属寺和八大教区。

当我们来到拉卜楞寺的中心大经堂时,但听法螺、唢呐齐鸣,披深红袈裟的年轻僧人和大喇嘛列队欢迎。站在富丽堂皇的大经堂佛殿前的广场上,想象每年四月的辩论大赛和七月法会在这里举行的盛况,便油然产生一种对于藏文化的博大精深及其思辩活力的震撼。在那几天,大经堂广场聚集答辩的五年级到十二年级的千余僧侣,闻恩学院的高僧和僧侣全部参加,寺主嘉木祥活佛亲自主持。提问者为各级级长,有地位的活佛及推选出来的优秀僧侣。辩论时,主辩者树立一种观点,并列出雄辩论证,提问者则拍掌高呼,挥舞念珠,大有压倒对方之势。如答错者,僧众则以手背相击,呼喊"嚓嚓嚓嚓";提问者如被驳倒,全体僧众则鸣掌高呼:"噢哈哈"。胜者兴高采烈,败者则更探精微。整个辩论场面,谈锋似剑,各不相让,热烈异常。闻恩学院的学风和藏传佛学便是在这种活跃自由的气氛中得以弘扬。

拉卜楞寺不仅是宗教信仰的中心,而且也是藏文化艺术的宝库。寺内有三万余尊工艺精湛的佛像,高者达十多米,矮者仅寸余。藏传佛教内容的壁画、卷轴画、堆绣及酥油制作的花卉虫鸟等艺术品更是精美。

在佛殿展室,我看到一幅彩色绘制的"生命树",由根到枝到叶到花到果，形象地标志着人体的各个器官和部位。藏医学便以"树"为本，来揭示人类生命奥妙及其生老病死的本质，实在令人惊叹！

离开拉卜楞寺的时候，我看见远从高原上来的普通藏民，在寺前回廊木板地上，磕着长头，无数次表达着虔诚；有的则在寺殿环围无数次地绕着，"转廊拉"默默地表述着忏悔和心愿。那殿堂的千万盏金碗酥油灯，闪烁光亮，在人们眼前和心间，投射出兴旺吉祥的圣光。啊，拉卜楞寺，你这佛光普照的圣地，你这丰厚、巍峨，神奇而又闪耀智慧之光的宫殿！

太白景物记

听　蝉

太白的夏月是从何时开始的呢，是从哪一朵云，哪一条水，或者是哪一棵草花上开始了呢？似乎无人确切地回答你。

长居太白山里的人，也都这么说，太白山中无夏月。几乎是风寒暮春同漫漫凉秋连在一起的。这话不假，你很难从温差上感觉到炎夏时月的变化。但是，山地仍然有着四季节令的循环，那不过在于一种不为你所留意的微妙中。

大约是阳历五月下旬的一天傍晚，我翻越西秦岭梁的途中，忽然在静山绿莽中，听见了环山皆是一种"吱——吱"的鸣唱。这鸣唱裹在绿的深海里,又汇入身边河水的哗响中,构成一种美妙的合音,司机告诉我,这是蝉鸣。我感到好奇。在城里,蝉鸣大约都在炎夏和仲秋时月。那叫声伴着城市的喧嚣,总是聒噪的、沙哑的、疲惫而烦人的。对于我这个好静而善独思的人,尤其讨厌至极。然而,这山中的蝉,却叫得这么早。在这大自然的空旷和静幽中,那鸣唱是如此富于生气和活力。竟使那烦人的吵叫,经过过滤和清洗,变得清幽、淡远而优雅。我是平生第一次在静山中感到听蝉鸣乃是一种美的享受呢!

这是太白山初夏的奏鸣曲么?在这绿雾朦胧的帷幔里,你会仔细分辨出各种山蝉独特的歌音。有的如叫蝈蝈儿,那么勇往直前,从不气馁,堪称得这支交响曲中的主旋律;有的则浑厚低迴,庄严地把音律拉向神秘的幽远处,有的则尖细短促,脆嫩而清甜,跳出几个欢快的音符,使蝉曲在低谷中跃出几个短波,如山泉滴石,又倏然即逝,流向绿的幽深处……

乍离繁华古都,投身这静谧山中,聆听这五月山蝉的鸣唱,你会陡然觉得像置身于另一个静美的世界,你会感到这十万不尽的秦岭莽山水内在的力度和灵性。它会牵你于神秘绿谷,又会带你飘向茫茫苍穹,驰于那浮游的白云雾海中。在这一刻,你便丢掉了无端的烦恼和公务的杂冗,人事的纠葛和无尽的奢望,换得一身清爽。这蝉鸣,会使你的心海也勃动起来,汇入这美妙的大流中。于是,我意识到了,艺术,如果挣脱了人为的喧嚣,回归到没有过践踏和污染的大自然的怀抱中,一切都会变得和谐、纯净而真美。

哦,山中听蝉鸣,乃是怎样一种不可言的享受呢?

石　栈

蜀道难，难于上青天。

在太白山地，沿红崖河，便是远古开凿的一条褒斜古栈道了。至今，在王家堎不远的和平村对面的山崖上，仍然留存着当年的石栈遗物呢！

据说这几根古老石栈，对于研究我国古代历史和文明，有着重要的价值。但在当地山民的眼里，却是如此平常而不被人留意。看来，真正有价值的东西，却常常在于普通之中，甚至隐没于荒山野岭，这实在是令人感叹的！

这几根残存的石栈，长约一二米，斜插于河畔山崖半空，如同凌空飞翅。而崖下便是宽阔的河滩，如今只存一条清浅细流了。看来，这古道河水，曾经浸没了半个山崖，水面足有二三百米之宽，那浩浩淼淼的大水拍击山崖，悬空栈道走过肩挑背驮的山民，又是怎样的艰险。

我沿着山崖毛路，攀上了石栈古道，俯瞰整个河川山野，不胜感慨万端。想象当年，我们的老祖宗，为了生存，为了打开这条通向汉、蜀之通道，经历了怎样的磨难呢！这寂寞下来的山石栈道，又有过几多风雨、征战和流血牺牲呢！远的不说，那诸葛亮曾怀揣怎样的抱负，率军征战中原，多少次从这里度过，那木牛流马，旌幡剑戟，是何等的气势呢！然而，历史无情，常常只有虎气生生的开头，却很难有个完满的结尾。连汉相孤忠的诸葛孔明，也终于精疲力竭，病逝于五丈原，凄凄然抬灵棺退兵于这条栈道，了却一生，这又是何等的悲壮呢？

自然，现在我们是乘着吉普车沿红崖河可直达开采了金矿的太白河乡了。人类的文明，将会遗忘这石栈险道的。但是，历史不能超越。文明和进步是从开拓中走过来的——这便是几根无声石栈告诉给我的真理。

我同几位友人在石栈下留了照，背景是红褐色的猴子山，前面是碧清流淌的小河。而和平村则以它的春日的鲜绿和静幽、和平勤劳的生活图景，给了我新的向往和憧憬。

云　海

前些年，一位年轻摄影师三上太白，摄得了一组太白云海之彩照，那实在令人惊异而神往！然而，长住太白之后，我方知这云海美景，对于山里人来说，则便是司空见惯了。即使在海拔一千五百米的县城嘴头山镇西山，或是东部褒斜古道的龟川河谷，你常常会看见一缕缕的白云如带、如河，变幻成鱼、龟、兔、龙，狗及女人长发之种种形态，徘徊于山间苍空，有时会遮天蔽日，连你自己也裹在茫茫云海中。

如若登临不了太白主峰，那距嘴头山镇东南方向的大岭子，则仍有壮观的云海盛景。听说拍摄电视剧《非常大总统》时，有孙中山先生纵览祖国大好河山一景，在南方很难寻觅得到，便来太白拍摄云海。那纵观大好河山之云海美景便是在大岭子上拍摄而成的。所以，每当我及友人路经大岭子时，总要停一停，站在"孙中山"站过的峰巅，面对南天群山，观那飞卷的云翳，当一次"大总统"了。

大岭子是通向太白黄柏原和二郎坝之峻岭，站在岭上，如遇风清日丽，眺望群峰淡影，那山峦峰岳皆伏于你的脚下，实如忠厚的臣民,那山的色彩也十分奇特,近碧远蓝,又细分之为褐红、深蓝、淡紫、灰墨以至于淡淡一笔轻抹,一展无际,同那薄雾云翳融化在无限的空间了。稍许,清风拂衣,白云如絮,脚下宛若几条白龙在浮游。不一阵,那群山渐被淹没,白云茫茫如海,平静无声,仅露出几块灰灰峰块,宛如海岛。此时此刻,连自己也化为云中仙子。

如若碰上阴雾天气,但听耳边山风呼呼,湿雾透骨彻寒。那缕缕灰云竟似魔爪,从你站着的山崖之下,翻卷而上,从你脚下、耳边、发梢,轻轻掠过,渐渐覆盖了整个群山。眼前便是一片铅色的海——真正的、展无际涯的大海,连那孤峰小岛也都全部吞没了。于是,你感到了那冷浸浸的海的气息,你甚至感到孤独而骇然。不久,便是冷雨霏霏,连你的影子也被这灰海吞没了。

无论怎样,大岭子的云海美景是极富变幻而富于诱惑力的。自然,登高才能望远。当我站在这极目远望的大岭子上,我就会感到心胸开阔,宇宙无垠,而自己之渺小无为了。难怪"孙中山"看上了这个地方。他以满腔热血,拥抱祖国河山,才有了那样的雄才大略矣!

章永顺

花雨云南

云南是一块发光的绿宝石,一次机缘使我踏上了这片热土。

品读云南,我们先去了大理。这是《五朵金花》的故乡。早在公元前二世纪,这里就居住着以游牧为生的"昆明人",畜牧业相当发达,并与中原地区发生了经济文化联系。西汉武帝元封二年在大理置叶榆县,蜀汉诸葛亮南征大理时置云南郡,唐代南诏国,宋代大理国都设都在此。这个城市很早以前曾是云南政治、经济、文化的中心,古代南丝绸之路的门户。香港武侠小说家金庸所著《天龙八部》的背景就是这里古代的大理国。天生丽质的白族导游姑娘刘玲笑吟吟地这样向我们介绍大理"风花雪月"的胜景:"大理的上关花,下关风,苍山雪,洱海月,构成了大理"四绝',素有'东方瑞士'之称。你们看我们白族姑娘的头饰就凝聚着风花雪月。"我们好奇地审视着:从帽檐儿缀下至胸前洁白的飘带,象征着风,白白的帽檐儿则是雪,雪下面一弯新月托着一圈鲜花。哦,好美的喻义。我在捕捉着白族人民创造着的美。然而,白族"三道茶"却更让我们情牵神迷。在典型的白族民居颜家大院里,我们品味着白族历史悠长的"三道茶"。这第一道茶是"苦茶",能止咳生津,消除疲劳;第二道茶为"甜茶",能提神补气,神清气爽;第三道茶是"回味茶",清雅之气,绵延无穷。白族的祖先们仿佛是用这"三道茶"告诫自己的子孙要"先苦后甜,勤劳才能有幸福"的人生之道,表达了一种民族性格和奋发自强的深刻哲理。

  走进西双版纳,扑入视野的尽是葳葳郁郁的绿:墨绿、翠绿、草绿、嫩绿、橄榄绿、鹅黄绿……构成了一个地地道道的绿色王国。我们造访的葫芦岛上的勐仑热带植物园是1959年由著名植物学家蔡希陶教授领导创立的。如今,九百公顷的园地上已有三千多种来自国内外的热带植物在茁壮成长。这里有两千多年的秃杉、冷杉、红豆杉,单是棕树就有产糖的糖棕,产米的董棕,产油的油棕。翠盖华裳的芭蕉树、硕果累累的芒果林、婀娜多姿的凤尾竹……或峥嵘,或秀逸。一株高大、笔直的贝叶棕,使人联想到佛教西来东渐写在贝叶上的经书。一棵西非神秘果,食用后再吃多酸的东西都会是甜的。一束束

"风流草"听到你的歌声,竟会婆娑起舞。那数不尽的色彩斑斓的奇花异卉,簇簇团团闪着花光散着花霞,在这蓝蓝天宇下争奇斗妍。大自然是这样多彩、温馨、雄浑,并且慷慨造福于人类,我由此真切地领悟着"人与自然"这个永恒主题中蕴含的和谐之义。而我们游览罗梭江的时候,我的心却被人与人之间独有的另一个永恒的爱情的主题所感动。我们兴致勃勃地坐着竹筏竹椅漂游在罗梭江上。两岸是层峦叠嶂的山峰和莽莽苍苍的原始森林,满目青翠,寥廓恢宏,令人心旷神怡。竹筏在平缓的江水中缓缓而行,竹排前掌舵的是傣家小伙儿岩罕,竹排后划水的是傣家姑娘玉望香,她着一身红色短衫、红筒裙,发髻上缀满雪白的缅桂花。我望着姑娘说:"你们傣家人能歌善舞,能不能为我们唱一首傣家歌曲?"姑娘莞尔一笑,爽爽快快旋即唱起来:"爱你爱你爱死你,找个画家来画你,把你画在枕头上,天天睡觉抱着你。"她这一启唱引得另一竹筏上的穿藕荷色筒裙的玉云姑娘也和上一段:"恨你恨你恨死你,找个画家来画你,把你画在肉板上,千刀万刀剁死你。"接着两只竹排上的傣家小伙儿也按捺不住对唱起来。此起彼伏的情歌使舒缓的罗梭江顿时跃然飞舞。当姑娘告诉我们到岸了,我还在回眸着两岸那绿树掩映的傣家竹楼,回味着那"恨几许,爱切切"的人间爱情……

寻访瑞丽,我的耳畔油然响起歌曲《有一个美丽的地方》那优美的旋律来。瑞丽的美更像色彩浓郁的风俗画。瑞丽街头,三五个景颇族姑娘微笑着手持磁卡打电话的情景,让人感到边陲生活的红火。在距瑞丽市四公里的喊萨傣寨内的一棵古榕树下,我们观赏了慕名已久的傣族一位老艺术家岳相的孔雀舞的表演。老人的一招一式一举手一投足,无不显示着一个视孔雀为图腾的民族久远的历史和对生活对美好未来的憧憬。

在瑞丽,最让人情牵的是中缅胞波情谊。瑞丽市三面与缅甸接壤,她与缅甸的木姐、南坎形成"一个坝子、两个国家、三座城市"的地缘景观,处于两国边疆的人民从历史走来"共饮一江水","彼此为近邻,友谊长积累",和睦相处,自由来往,生活上互通有无。我也有幸踏上缅甸边境,领略了南坎市的历历风情,而且在南坎市目睹了缅甸傣家男孩出家做和尚到芒坎寺听经的盛大场面。

从瑞丽回到昆明,我装满了绿意氤氲的云南山水,装满了云南各个民族的风情画卷。随行的小李见我们兴犹未尽,又如数家珍似的介绍说:"云南可看的地方还有很多,我们可到元谋县去寻访一百七十万年前的古人类的踪迹,到沧源去鉴赏中国最古老的沧源岩画,到路南观石林,到元谋观土林,到陆良观彩色沙林,这是很有奇趣的。"我们听得认真,小李讲得眉眼传神:"到丽江去探险长江第一湾,聆听纳西古乐,观赏象形文字东巴文,这是很美的。还可到迪庆去看世界上最为险峻的大峡谷金沙江虎跳峡的壮观,领略神秘的香格里拉风采……"听着小李热情洋溢的介绍,那说不完道不尽的云南,便真真切切地印上我的心坎。

一夜春雨,昆明又平添了几多妩媚。眼前,红的、紫的、淡粉的、桔红的、嫩黄的……轻轻飏飏的花雨,色彩愈加璀璨艳丽。我感悟着云南,我拥抱着云南,满目山水融情,花潮叠伏,隽永清丽,一种燃烧之美、青春之美、生命之美,占据了我的整个身心……

品 读 敦 煌

敦煌是一部灿烂的历史长卷,是一帧跃动着、呼吸着的艺术长廊。我走近敦煌,品读敦煌,眼前的敦煌竟是如此的神奇,弥散着七色的霞光。

敦煌在河西古道尽头,这是一条苍老、布满历史陈迹的大道,茫茫大戈壁,无垠的沙砾,稀疏的红柳,空漠、荒凉,一眼望不到边,裸着一种苍凉之美,浸着历史丰厚的底蕴。走在这里像走近远古,走近历史,依稀叩响着古代西羌国的羌笛,幻化出吐谷浑王国的舞韵……

穿越历史,猎鼓声声,轩辕黄帝从日出的东海去追逐落日的昆仑,而传说的尧帝则跨越昆仑赴龟山会见了西王母。大禹治水也曾到西域察山观水明辨流向。一部古籍《穆天子传》,则记录了西周的穆王满驾八骏,漫游西域,翻越帕米尔高原,到达今天吉尔吉斯草原……读敦煌,我们是在寻求民族文化之源。

敦煌,上古为三危之地,春秋时称瓜州,及至汉代设郡改为敦煌。"敦,大也;煌,盛也"。盛大的敦煌,由它独特的生活环境、自然景观而燃点了人类文明之火,经历了千百年的孕育开拓,展延至今,像一颗璀璨的明珠在古丝绸之路上闪烁着永恒的光芒。

"大漠孤烟直,长河落日圆。"敦煌,南枕雪岭祁连山,逶逶迤迤,山的伟岸,山的气韵,山的赐予,给这片土地带来苍劲的活力。西接苍茫大沙漠塔克拉玛干,浩浩大漠给这片土地带来神奇和迷幻。坐落在敦煌城南绵延四十多公里的鸣沙山,是大自然鬼斧神工对金黄的流沙跌宕有致的塑造,在这里日出日落或是风起云涌,你可聆听到一曲曲"大珠小珠落玉盘",或一组组"横扫千军如卷席"的天籁之音。四周环绕的沙山下托出一弘幽蓝幽蓝的清泉,像一弯新月,历千载沙不湮,水不枯,将鸣沙山、月牙泉结成一道蔚为奇丽的风景线。敦煌开始使我眼花缭乱了,我在寻找感觉,寻找悟性,寻找敦煌大自然的原色,该是赭黄的色块,该是凝重的灰蓝,抑或是灼热的褐红,然而扑向我的色流竟是绿的郁郁葱葱,这绿的通道绵绵展延到位于敦煌城南二十五公里的莫高窟。

莫高窟对面是三危山,《山海经》有"舜逐三苗于三危"的记载,足以寻觅华夏文明的轨迹源远流长。扑朔迷离的三危山,每当雨后斜阳,自然的折射腾跃起万道金灿灿的光芒,被视为神秘的佛光,这传闻感召着虔诚的佛僧,一位从遥远的东方追寻到这里的乐僔和尚,于公元366年,募捐化缘膜拜着在鸣沙山东南麓红砂岩上开凿了第一个石窟,从此,这块圣地有了艺术生命,从此,莫高窟敞开着博大的胸襟微笑着走近人们。自前秦建元二年开始,历经十六国、魏晋南北朝、隋唐五代、宋、西夏到元朝,一代又一代佛门弟子、达官贵人、商贾百姓都在这里捐资开窟,莫高窟在人们充满希冀的智慧创造里成为集建筑、雕塑、壁画为一体的立体艺术宝库,情韵悠长而雄峙人间,凡一千六百余年。千百年来虽经自然和人为的破坏,至今仍保存洞窟四百九十二个,珍存壁画四万五千多平方米,彩塑二千四百多身。如果将莫高窟的壁画连接起来可以展延六十华里,这是恢宏壮丽的艺术瑰宝,这是色彩斑斓的艺术长廊。莫高窟已被联合国列入世界文化遗产。

我置身在这艺术瀚海里探寻莫高窟的文化底蕴,柔曼的光流在我眼前闪回,色彩的光环在我身边涡漩,一朵朵祥云簇托着我在佛国里遨游,审视着生命融入其中的富有魅力的创造,圣洁仁慈的释迦牟尼、气度娴雅的观音菩萨、深谙世故的阿难·迦叶随着朝代的更迭,这些造像、绘画的特点与风格也于细微处变幻着秀美风骨。我在寻觅着那一片片蔚蓝的天宇,凌空翱翔的飞天,可谓世界人体艺术的绝妙,古希腊的天使背上插着沉重的翅膀,而我国古代的飞天披着一条轻盈的彩带飘飘摇摇,栩栩如生,那柔婉动感,那阿娜多姿,在紫纤仙乐里翩翩起舞。俄而,舒缓含情地向人间倾洒着缤纷花雨,流光溢彩的天上人间同舞起《绿腰》、《胡旋》、《柘枝》、《霓裳》……即使一个婆娑柔曼的反弹琵琶的舞姿造型,也令创作者获得舞蹈文化的生命之源,于是有了京剧《天女散花》,于是有了舞蹈《敦煌彩塑》,于是有了舞剧《丝路花雨》,也有了日本作家井上靖的《敦煌》……

敦煌以无以伦比的艺术震撼了世界,世界在漫长的历史长河中认识了敦煌。我在思索着、滋润着,心中鼓荡着雄浑。莫高窟给我一缕清风,给我一往率真,给我美的艺术濡染……面对这充满诱惑力的艺术,我在叠映着莫高窟壁画的内涵,她像一首首书写在广袤大漠上凝固的诗,又似一帧帧镌刻在宇宙空间立体的生命,莫高窟在我心底舒舒展展流动着彩色意蕴。

细细品读敦煌,似一部浩浩天书,她宽广、富有,东接东千佛洞，中有榆林窟，西连西千佛洞，都是莫高窟主体艺术长廊的家族。丝绸之路的敦煌，留给人们几多情思，几多向往，即便是空灵、苍茫，人们也会不顾长途跋涉而一睹她，寻根她，这里有古老神秘的中华民族的辉煌，这里有博大浑厚有激活诗人创作的沙原。贴近敦煌，你可寻访西汉张骞铺展丝路的足迹，你可拜读敦煌学子西汉农学家氾胜之的《农书》、东汉书法家张芝的《草书》，你可俯拾东汉名将班超出生入死戍边三十一年感人肺腑的故事，你可寻访唐僧玄奘路经敦煌的传奇。然而更让人们梦魂萦绕的是唐诗宋词一唱三叹的赋阳关。唐代诗人王维有"劝君更尽一杯酒，西出阳关无故人"，唐代边塞诗人岑参有"二年领公事，两度过阳关"，宋代女词人李清照有"休休，这回去也。千万遍阳关，也则难留"……而一曲哀婉悲凉的《阳关三叠》将阳关推向极至。哦，敦煌袒露着历史的诱惑，跨越星空，跨越历史，追寻着民族之魂，有谁能不忆敦煌？

　　敦煌能撩拨你火一样的激情，敦煌能激越你圣洁而永久的向往，我情切切融入敦煌，一任生命的色彩在这里濡染。

晓 雷

问讯阿诗玛

　　一群盛妆的撒尼族姑娘坐在碧绿而澄澈的石林湖旁，宛如一簇盛开的木棉花，艳丽极了。我打开相机欲要摄下这迷人的镜头，可她们却忽然围上前来要为我们服务。我们一行十人的临时代办是戏剧家老鲁，他当仁不让，对着那一群如花似朵般的少女仔细端详，一如他当年当导演时挑选合适的演员那样认真，最后手在空中断然一指，一位窈窕妩媚的小姐就笑吟吟地作了我们的导游。

这姑娘的美丽即刻就把我们震慑了。白底红条镶着花边的撒尼族女装衬托着她那窈窕而富有青春活力的形体，彩色布和银首饰制作的撒尼族包头衬托出圆圆的而又闪着光彩的脸庞。修长的眉毛下是潭水般的眸子，抹一点淡蓝的眼影，更显得迷迷蒙蒙。涂着口红的双唇微微一启，那珠贝般的皓齿就会荡人魂魄。她问，那些个体户小伙子一个人也要请十个姑娘作导游，让她们陪着唱歌跳舞，而你们作家为什么十个人才叫一个导游？老鲁答道，我们请的这一个导游质量高，一个可以抵得上十个！这句玩笑话既使我们哈哈大乐，也使姑娘含羞含嗔。但究其实，这话也许并不过分。

　　还未参观石林，她先向我们自我介绍说，她是真正的撒尼族姑娘，撒尼族名字叫阿宁，另外还有一个汉族名字，和末代皇帝的最末一个皇后李玉琴很接近，只要把最后两个字打个调儿，就成尽管李琴玉有沾着皇权的殊荣，但我还是更喜欢阿宁。这个名字和眼前明丽而奇诡的云南石林与溶洞更具有一种天然的和谐。

　　把石林称作天下第一奇观并不算夸张。尽管它是两亿七千万年前地壳运动时，汪洋大海退落后露出来的一群礁石，经过风吹雨打经年风化而形成的奇异之物，但我宁可把它们看作是传说中的人物和景观。即如在四十万亩原始石林和溶洞中开发出的这一千四百亩路南园林，据说就是名叫金芬若嘎的撒尼族汉子用赶山鞭赶到这儿的。他原是赶着石头要去截江蓄水灌田，但赶到路南这个地方，忽然看见热恋中的阿黑和阿诗玛正坐在前边不远处缠绵地倾吐衷肠，他不忍打扰他俩，放下赶山鞭停止赶路，于是在距昆明东南一百三十公里的地方，就有了这一片天造奇观。高大的石峰千奇百怪，直插云天，而峰下山回路转，幽径通幽。大自然刻意雕凿的花鸟虫鱼，飞禽走兽，水榭殿台，石洞石室，无一不谐趣横生。本来你就置身于一个完完全全的神话世界，加上阿宁的娓娓说明，你就真的变成这个神话世界中的一员了。你看那里真像池塘中的一群水牛，阿宁解释说，这一群小水牛要过一百年才能复活，希望大家长命百岁，百年之后再来看看复活后的小水牛的天真之态。长着一副福相的诗人唐大同即刻眉飞色舞，显然他有信心应邀来这里再看究竟。路过鳄鱼石的时候，阿宁故作神秘地提醒大家，脚步要轻点，要是惊醒了鳄鱼，它可是要吃人的，吓得中学生报温文尔雅的女记者徐国静直吐舌头。有一处景致叫作仰天俯地。你到那里从一个小石孔伸出头去，上可以看见蓝天悠悠，下可以俯望白云缈缈，你也自感变成超出三界外不在五行中的神仙。但你要到那个瞭望孔前，必须先通过一段狭长的石谷，阿宁说走这一段狭路，衣服不能碰擦两边的石头，要擦一下，寿命就要减一岁。这可苦了年近花甲的又高又胖的大众文学主编戴砚田和比他更胖的夫人高亚菲医生，他们二人收腹缩肩，小心翼翼，其谨慎对付的态度绝不亚于学前班天真烂漫的孩子。

　　看见我们这些老秀才天真幼稚地出洋相，阿宁就站在一旁朗声大笑。我们与她很快就处熟了。问她的年龄，她让猜。有的猜十八，有的猜二十，她说平均一下最准确。问她上过学么，她说原来喜欢画画，老师也很欣赏她的绘画才能，但工人出身的父母坚持认为这种职业是不稳定的饭碗，一定要她报考一所实验中专学机械。现在刚毕业，有三个月等分配的时间，她就自己联系到这里作导游。问她作导游快乐不，她说一天要跑四五趟，一趟八公里路，四五趟跑完，全身就累得散了架。

但最快乐的就是和游客合作得融洽，不然，就会感到孤独、单调和烦恼。问她结了婚没有，她说看看头上的撒尼族帽子就会明白。撒尼族姑娘没有嫁人的时候，帽子上有两只角是扎起来的，前边的帽边是用七种颜色布条做成的，就像彩虹。如果一嫁人，那两只角就弯平了，七道彩色布就换成一种颜色的布了。如今你看她额颅上方的七色彩虹和两个鬓边竖起红角的帽子，你就仿佛看到这位十九岁的少女犹如这个早晨刚刚升起的那轮明媚的太阳。

还是我们的徐国静女士不愧为记者，她一路走一路采访，居然探听到了阿宁隐藏在心中的少女秘密。阿宁小声地羞涩地告诉记者姐姐，有一天，一位来自香港的英俊小伙子刚刚参观完石林又花十元钱请她作导游，但一路上却不听她的讲解，只拿眼睛痴痴地盯着她看，看得她怪不好意思。回到香港后，小伙子即刻写来求爱信，表白他的一见钟情。见她没有回音，小伙子一连写二十封信，说是非她不娶……又来到一个景点，石壁上有一个孔洞。阿宁问我们，这个洞的形状像什么，我说像一个脚印。她即刻夸奖说，到底是作家，想象力丰富，这个洞确实是阿黑用脚踹成的。阿黑与热布巴拉一伙恶人搏斗，折断了宝剑，掷在一旁，变成了剑峰。要找阿诗玛，又被石壁拦住，紧急中一脚踹出大洞，钻了过去。阿宁又问另一边的石壁上的印痕像什么，四川口音很浓的唐大同诗兄说是拳头印，阿宁随即用四川话褒奖他：对头！阿宁说今天不用拳打脚踢，只要顺着阿黑开劈的道路，就可以顺利前行。路过千年龟石，阿宁说摸摸它就可以长寿，老秀才们一拥而上，争着要长寿。路过仙人洞，洞中有一石床，阿宁说此处叫且住为佳，今天没时间住了，但每个人可以在那张石床上站三秒钟，就会有福气……

　　老秀才们又笑着去站三秒钟,似乎都想获得一桩艳遇……

　　阿宁又在前边领路,去另一个景点。女记者紧跟着她又问,那位香港的阿黑得到他的阿诗玛了没有。阿宁悄声说,她考虑再三,回了他一封信说:你的情意我心领了,但考虑到我们分隔两地的现实,还是你另找你的意中人为好。女记者问这里导游姑娘还有过相同的际遇没有,阿宁告诉说,多了,有的已经嫁到桂林,有的越过海峡,嫁到台湾。不过嫁到台湾的,先要在第三地区居住四年,最后才能移居台湾。女记者困惑不解,说那你为什么不能嫁给香港的小伙子呢?阿宁说,那主要的原因并不是相隔异地的现实,而是因为她自己心中的理想。

　　说起理想,我便发生了兴趣,问她的理想是什么。她正要回答,敲钟石到了。那一块石头真像一口大钟,敲击时发出来的声音也和钟声完全一样。阿宁说,谁要是敲一下,就是一路平安;敲两下,就是双喜临门;敲三门,就是三星高照;敲四下,就是四季发财……以至于敲到十下,就是十分完美。他让我们选出一个代表来,大家当即共举唐大同兄。这位笑眯眯的长者,戴着他刚刚从中缅边境买来的牛仔帽,摩拳擦掌地拿起一块石头有节奏地敲击,听凭阿宁一路平安、双喜临门地祝福下去。直到敲完第十下,等着阿宁称赞十分完美的时候,阿宁却嘻嘻一笑:好,真是十分听话的好丈夫!大家又哄然大笑。唐大同兄咧咧嘴,指指阿宁说,这个丫头,也就笑呵呵地认了。

　　旁边的两块石头中间连着一根长青藤,不知有多少年的历史了。阿宁介绍说,这叫情人藤,阿诗玛当初坐在藤上打秋千,碰到了阿黑,阿黑就成了她的情人。无论哪个女的,只要在这秋千上荡一荡,碰到谁,谁就会成为最好的伴侣。戴砚田的夫人高亚菲乐了,她把自己胖乎乎的身体压在长青藤上荡起来,老戴举起相机在一旁对着镜头。阿宁却突然变得惶恐起来,喊道:你们危险了!老戴一愣,问怎么了?阿宁说:夫人这样荡秋千,很容易碰到第三者的!大家又乐了起来。

紧接着,我们来到一块巨石下,这石头很高,内中又是空的,顶端只有一个小小的豁口,可以望见巴掌大的蓝天。阿宁要我们用一句成语说出这个景点的名称,我说叫井底观天,徐国静说叫坐井观天。阿宁说都对,就是不能叫井底之蛙。我于是又想起阿宁的理想,便让她回答。

阿宁不假思索地说,她的理想很多,有的很小很小,有的很大很大。我们要她先讲很小的。她说,她的兴趣很广泛,爱读书,什么书都读,爱听音乐,尤其爱听贝多芬的交响曲,爱美术,最爱画工笔画。曾经有一个很小很小的愿望,就是长大当一名美术教师,但父母坚决反对,认为那是没有出息的工作。

"那么你很大很大的理想是什么呢?"女记者问。

"很大的,大得吓人。"阿宁说。

"别怕,我给你鼓劲。"女记者怂恿她。

阿宁咬了咬嘴唇,突然说:"我特别喜欢撒切尔夫人……"

"呵,是不小!"女记者惊叫起来。

"我很佩服撒切尔,也很佩服武则天……"

我也没有想到阿宁会有这样的理想,她只是一个让人怜爱的撒尼族少女呀!但我又不能说别的什么,只好随口说:"很好。"

女记者赞叹说:"三十年后,也许我们国家会出一个撒尼族女总理!"

"你们笑我?"阿宁不好意思了。

"不笑,不笑,"女记者连忙解释,"这完全是缘分。"

第二个高点到了,阿宁说,那上边海拔两千米,叫望峰亭,顾名思义,大家站在上边领略一下。一登上望峰亭,就有山风猎猎吹过,似乎身子在飘摇之中。舒眼远眺,群峰壁立,千嶂叠翠,似乎都在一争高低。仰望蓝天白云,俯视苍茫大地,顿觉胸臆间也变得开阔起来。我忽然想起,阿宁作自我介绍时说,她的汉语名字与末代皇后的三个字完全一样,只须将其最后两个字打个调儿。我心中一阵感慨。

忽然,有乐声传来,寻声望去,却是阿宁坐在岩石上,噙着两片杞树叶吹着这样的旋律:

　　　　十五的月亮升上了天空,
　　　　为什么旁边没有云彩?

女记者又凑前问她会吹口琴么,她说会,但最喜欢用树叶吹口弦,因为口琴要靠手指,吹口弦只用气流就行了。我们要她用撒尼语唱歌,她说,你们不懂撒尼语,会吓跑你们。这越发激起我们的兴趣,执意求她。于是她把歌词口译了一遍之后,就用撒尼语唱起来:

　　　　十五的月亮圆,
　　　　十六的月亮更圆。
　　　　月亮呀月亮你别走,
　　　　永远给我作个伴……

这歌声真如月亮的清辉洒在寰宇，使人格外舒适和惬意。我们一个个都陶醉了。

看呵，前边就是神鞭石。阿宁把我们从陶醉中唤醒。她说，神鞭石原是一个魔鬼，挡住了阿黑的去路，阿黑举起长鞭，用尽全力一挥，就把魔鬼劈成两半，从中穿过去追阿诗玛。这石头变成了奇观，电视剧《西游记》的五六集就是在这里拍南天五道门。而那前边的一线天，是阿黑用弓箭射开的，刚射开的大山中间，忽然飞来魔鬼扔投的一块石头，形成了这千钧一发的两山夹石。你们通过的时候要轻点，要是石头掉下来砸着谁，谁就看不到阿诗玛了。

"不，我们已经找到阿诗玛了，一个八十年代的阿诗玛。"我们的临时代办老鲁自豪地说，"我几十年导演并没有白当，从一大群阿诗玛中就找出来一个最好的阿诗玛，最美丽，最聪明，有理想，还有文凭。"

阿宁立即用撒尼语说："尼格勃。"见我们困惑不解，她又解释道："撒尼语的尼格勃，就是英语的桑克尤、俄语的思巴洗巴，日语的阿里雅都各扎依玛斯。"

跳月坪旁的那尊石化了的阿诗玛依然亭亭玉立，戴着七道色的包头，背着一个竹箩，竹箩里放着两束木棉花，似乎仍在凝望着远方，等待她的情人阿黑哥。等着他来参加农历二月二十四日的火把节，看斗牛，听对歌，然后一同跳月，唱歌，躲到木棉树的背后款款细语……

而我们眼前的这位戴着七道色两只角的包头，佩着导游证的十九岁的阿诗玛却凝望着远方的什么呢？尽管她指着那尊唐僧打坐的石头说，唐僧的三个徒弟都化缘去了，你们这一次难得见上，但等你们下一次来这里的时候，他三人就都会来迎接你们，因此我也准备着下一次再作你们的导游。她又用一句撒尼语作结："都麻利都利！"

"再见！"我们也用汉语回答她。但谁能肯定，下一次重逢会在什么地方呢。

王玉民

山河情结

古碑搧日月

  日月山上的野史,壮丽抑或凄婉,大都散落在了市井间的茶余饭后,而山中盎然着的古意却依旧葳蕤:海拔三千五百米的寂寥里,野草铺展着空旷,怪石突兀着高远……亦真亦幻的感觉氛围里,一柱雕着日之造型、月之造型的柱石赫然伫立岭头,构筑着颇耐寻味的风景。

柱石有名，名曰："唐蕃分界碑"。

从原始功能来讲，把它看做是界桩、是陈迹倒也无可厚非。如果对那圆日接斜月的独特形体认真注视片刻，你就会觉得原先那无可无不可的浅识还是直白了些。当你再凝聚心神之时，一缕思丝就会从斑驳锈蚀的石表进入深邃，你不仅想起唐，继之是穿越唐而想起鸿蒙与盘古！那捐着日月的古碑，托起的又何尝不是一片新境界呢？

古之神州，棋布着一个个习俗迥异的部落，他们钻木取火，他们结网捕猎，他们春种秋收，他们四处游牧……经过风雨雷电大自然的洗礼，经过刀光剑影鲜血和战火的洗礼，日月山下，男耕女织总在日里劳作的一侧、逐水草而放牧于月夜里迁徙的另一侧，在社会变革与进化的过程中产生了一种共识，他们借界桩之躯，把象征各自一侧的日和月连襟在一起，刻下你中有我，我中有你的日魂和月魄，把团结和爱的主题注入古岩，使之在这农与牧的自然分野闪现兆示和平的灵光！

也许，修造万里长城的秦皇不想这些，远征高丽的唐宗不想这些，驰马拓疆的成吉思汗也不想这些，可他们的臣民，那些载舟覆舟的芸芸众生不但想了，而且做了。那纯属民间工艺的、粗而又粗、糙而又糙的石料和雕凿就是证明！纵横的錾痕勾划着一支挚诚的歌。

山岭之巅，风来风去；柱石侧畔，云散云合。而今，古碑捐日月，分之使命已尽，界之意义全消，藏汉同胞的风景线上，日月同辉，它是一片永恒的光明！

跨越倒淌河

唐史,被时空的彩墨从古长安渲染进吐蕃的时候,一程程山水,一桩桩典故,无不被文成公主的悲悲喜喜所浸泅,日月山不能例外,倒淌河也不能例外!

倒淌河,柔柔细细潺潺在瀚海里,像云边飘来的青海花儿,婉婉转转,若断又续地从大漠深处传来又向大漠深处滑去。看到它,你绝对吟不出"飞流直下三千尺",吟不出"大江东去浪淘尽",也吟不出"黄河之水天上来"。只能想到一个把情感浓缩到极致的坚韧跋涉女儿家。

站在水边,除去那章遥远的历史故事,你怎么也想象不出这河水是在倒淌,感觉里只有一股恒力在前进,岁月湮灭不了它,风沙阻止不了它!放开神思,溯水而上,你会在它的流年里找到一组神话,看另一类型的夸父为某种使命而奔走,履痕在砂砾里宕荡,血汗于骆驼刺下滴沥……

像人体的毛细血管,倒淌河的回旋空间极小,西行的汽车轮子转不了半个圆就可跨越。然而跨过去很容易也很不容易,但凡跨过去的都会得到一种升华!放眼望去,一个远比文成公主,远比极乐佛国更为辉煌的境域会骤然展示在你的面前。别的且不去说它,仅仅是汇成巨大洪流的高原开拓者之个体浅唱的一支小小谣曲,就能教你心潮陡涨三叠!

"……献了青春献终身,献了终身献儿孙"就是其中一支。你说那京津腔、浙沪调、那本地产的"花儿"韵,哪个不催你潸然泪下,哪个不促你雄心万丈……

朱 奇

"花儿"的诱惑

——青藏高原风情

无论你身处何处，只要听到《在那遥远的地方》，你会对人说："这地方是青海啦！"然而，当你人在旅途，那首脍炙人口的《"花儿"与"少年"》的优美曲调，似从天而降，在你的耳畔，在你的周围萦绕。你立刻感觉自己被陶醉了。那欢快流畅，不绝如缕的旋律，仿佛由远而近，又由近及远，引领你云游在有点儿神秘的青海高原。哦，这就是青海民歌"花儿"。

青海誉称"花儿"的故乡，又称是"花儿"的海洋。只要你踏进青海境内，到处都能听到这充溢着浓郁的乡本气息，散发着泥土的芬芳的歌声。那便是"花儿"。

"花儿"，高亢深远，且带点儿忧伤，听着让人回肠荡气。在青海，男女老少，自编自唱，在田间，在山谷，在早晨，在傍晚，在远离村庄的地方。"花儿"的歌声总是响彻云霄。高原人痴爱"花儿"，饭可以一日不吃，"花儿"不能一日不唱。我在青海生活了几十年，我也像许多土著人一样，虽说不是"花儿"的唱家，至少算得上是一个"花儿"迷。然而，最初对"花儿"的痴爱与迷恋，不是坐在大雅之堂，听艺术家们演唱那些经过加工改造的"花儿"；那些个"花儿"虽说也曾吸引我，但听后又总觉得清淡，味质差矣。

五十年代初，西宁古城郊外，沿马路有回、汉人开的车马小店。这种的车马店，虽说陋简，但着实方便往来于兰州、西宁和牧区的脚户，住宿进餐、歇车喂马。这些南来北往搞运输的脚户，长年飘泊在外，赶着马拉的一种古老而原始的木轮大轱辘车，跋涉在山间荒道，戈壁大漠，过着风餐露宿的生活。漫长的旅程，单调、清苦的生活，唯一能带给他们些许欢乐的是"花儿"，能够滋润他们心田的也是"花儿"。常常是这样，他们走着，打响长鞭，漫（唱）着"花儿"。那路儿便变短了。高原风雪，既铸就了他们坚韧强悍的性格，也锻炼了他们洪钟般的嗓音。他们一个个都能唱一手好"花儿"，不愧是地道的"唱把式"（歌手）！

每逢进店住宿，这些赶牲口的脚户哥，歇好车喂好马之后，往热炕上坐下，要上一壶青稞白酒，外加一碗名为"三泡台"的盖碗茶，便你一首他一曲的漫起"花儿"来。唱得如醉如痴。青海高原的"花儿",曲调本来就丰富,而各地又有各地的"令"儿(曲名)。这车马店一时便汇成了"花儿"齐放的海洋。

解放初期那阵,城市的物质文化生活贫乏。因此,逢到假日,我总喜欢去城郊光顾那些车马小店,为的是去分享远行的脚户哥漫着"花儿"的一份快乐。就是在这些车马店,没有哪种曲调(令儿)的"花儿"是我不曾听过的呢。至今我仍无法忘却脚户哥们在一起漫"花儿"时的欢乐与忧伤共存的情景:

"一溜溜山来(者哟噢)两溜儿山,
三溜儿山(啊),脚户哥下了(个)四川;
(噢哟哟啊)脚户哥下了(个)四川。

今个子牵来(者哟噢)明个子牵,
天每日牵(啊),夜夜的晚夕里梦见;
(噢哟哟啊)夜夜的晚夕里梦见。"(注①)

这是一首古老的"花儿"。凄凉悲凉的曲调,充满真挚感情的语词,表达出门在外的脚户哥想思离愁的心绪,听着让人下泪。这会儿,车马店的土屋里顿时弥漫着哀怨交织的气氛,如雾般笼罩,如铅般沉重。于是,我看见那些远行的脚户哥,他们的眼里分明浸泡着亮晶晶的泪花,那泪花儿是苦涩的。

尽管时间过去了几十年,每当我听到这首《下四川》的"花儿";我便会不由自主地记起那些车马小店,记忆起脚户哥们同炕共唱的情景。虽说这些车马小店今日已不复存在,我依然感觉在我耳边萦绕的,长久是让人落泪的、苍凉的歌声。这种的"花儿"所带给人的感伤的情怀,只有在高原上一年一度的拔草季节里,"花儿"才在我的心灵深处,激越起欢乐奔放的波涛。

青海高原拔草的季节是在每年农历的三月至四月间。这时候,茁壮的麦苗和嫩绿的牧草,蓬勃地生长,将漫山遍野铺上了绿绒般的地毯。阵阵迟来的春风,吹得黄河上游和湟水沿岸的杏花、梨花烂熳如霞。这时候,田间地头荡漾起"花儿"清脆悦耳的歌声,似汩汩清泉,从拔草的女人们心眼里流出,流进人们的心坎。

有人说:"拔草大忙季节,既是显示农妇们劳动逞能的机会,又是她们亮嗓子赛'花儿'的好时机。"这话无疑不假。拔草的劳动,是由妇女们担当的。在拔草的日子里,妇女们都会注意装点,身着干净艳丽的衣服,头戴雪白的凉圈(帽),才下地去。在地里,她们或蹲着,或跪着,一字儿排开,慢慢移动在油绿的麦地。这时,她们一手舞弄除草松土的小铲,另一只手半掩住脸儿,你一句我一句的漫开了"花儿"。"花儿"立刻好象长了翅儿般飞扬起来。"花儿"的歌声撩拨着年轻男人们的心房,把他们一个个引诱到了地边。随着一阵打趣戏闹的笑语。女人伙里便有人率先漫出了这样的"花儿":

(女)
"上山的鹿哥儿下山来,
下山着吃一趟水来;
胆子放大我跟前来,
心上的'花儿'漫来。"

小伙子细听,不觉喜上眉梢。他们心里明白,这是寻他们对歌。于是即兴接唱：

（男）
"大路上过来的光棍汉，
手拿了五尺的鞭竿；
我给你当人（吆）擦一把汗，
你听我送上个'少年'。"

青海高原上的年轻女子有着野朴的性子。她们能编善唱的本领是有口皆碑的。在男女对歌中，进攻的一方总是这些女人们。她们挑逗嘲弄的歌词常让那些语僵声塞的小伙子狼狈而逃。怕的是被女人们当众捉住，那情景是十分难堪的。但是，你仔细听罢！在打情骂俏的对唱中也不乏柔情委婉的歌声。那是爱的渴望啊！

（男）
"九月里菊花儿开呀，
九月里的（个）菊花儿摘两朵来，
摘两朵来，把把儿不损坏呀，
小小阿哥的大眼睛两鬓间戴呀，
闪着闪着看一回阿哥来。"

（女）
"双双对对的牡丹花，
层层叠叠的菊花；
亲亲热热说下的话，
实实在在的记下。"

哦，谁不说高原上的拔草季节是播种爱情的季节啊！那是心灵的泉水在淌啊!

我曾经阅读过蒋经国先生所著《伟大的西北》一书,其中有一章是记述他在1942年到青海的所见所闻。他去青海的时间正值高原上的拔草季节。他写道:"在田野里做工(拔草)的,都是女人,同时都是小脚的女人。听说每天早晨,男人把女人背到田里以后,男人就回家去玩,到吃饭的时候,再来背她们回去。……"蒋先生当时看到的听到的青海高原拔草季节的情景,无疑是一个极其古老荒诞的童话。他无缘享受到今天青海高原上拔草时节"花儿"飞的那种无穷妙趣。

是的,青海高原的拔草季节是充满诗情画意的。然而,高原上"花儿"的兴会是在旧历的六月。所谓"六月六,猫洗头",这只是我国江南一带的习俗。而在青海高原上,民俗则定此日为"花儿"节,各地都举行空前规模的"花儿"盛会。

提起"花儿"会,这是非常迷人而令人神往的,一连几天,村村男女老幼,穿上惬意的衣衫,打着小巧玲珑的花伞,戴着各色的凉帽,去到山坡、草地、河滩、林间;人们一边游山看景,一边听云集而来的男女"唱把式"(歌手)即兴对唱。只听到一伙唱家唱罢,另一帮唱家立刻接唱。歌声如同呼啸的大海,一浪高过一浪。这时候,便会听到这里那里的游客,不断发出"噢——噢"的呐喊声,为"花儿"歌手助威。山山水水无不荡漾着"花儿"高亢悠扬的音响。

欢乐的气氛持续到夜幕降临,才慢慢沉寂下去。累了倦了的男女"唱把式",借着满地月色,便双双对对地隐没在附近的山林……。

谁不说旧历的"六月六"是青海高原狂欢节呢?

所以我常常写信给远在内地的朋友们,我说:"到高原上来罢！来听'花儿'里唱的：'各种的花儿开红了，一时比一时旺了'。那会是怎样的一种美的享受啊！"

"让我们一起来分享高原狂欢节的欢乐罢！"

（注：①脚户哥：长途赶牲口的小伙子；②今个子，明个子：即今日、明日；天每日：即天天、日日）

雪域高原的康巴女人们

去过雪域康巴藏族地区的人，都知道藏语"乌妮"的意思是女人。当然也有些藏族地区称妇女为"波莫"。而我要讲述的是发源于格拉丹冬雪山的长江源头的"乌妮"们，关于她们的家庭、劳动、服饰、爱情与生活。那是别有一番的情趣呢！

一

我不知道别的藏区的习俗如何。但我认为：格拉丹冬雪山下的草原牧区，藏族人民的风俗习惯，乃至语言服饰，都有其独特的地方。在这里，如今依旧保持着在一个家庭（通常就是一座牛毛帐房）里，兄弟和睦、财产不分的一妻多夫制的习俗。在这种和平共处的家庭生活中，其家庭大权，多半握在"乌妮"的手中。我们的藏族同胞笃信佛教，男子们大都去寺院当了喇嘛。即使有少数男子没有去寺院当喇嘛，也大都不事生产，他们喜好浪游在草原上，从一个帐房串进另一个帐房，过着骑匹好马、背杆好枪、腰挂一把镀银的好刀，那种英雄好汉式的生活。因此，一个家庭中的全部劳动，便落在了藏族"乌妮"们的身上。

藏区"乌妮"们的劳动是极其繁重的。她们像草原上的牦牛那样驮着一个家庭生活的重担，因而备受人们的同情和称道。

古人曰：日出而作，日入而息。在牧区，这种作息时间表是不适宜的。事实上，每天拂晓，当男人们还和衣斜靠在帐房毡片上做着好梦的时候，当牛羊还躺卧在草地上闭目养神的时候，"乌妮"们就醒来了，她们用牛皮袋扇旺了熊熊燃烧的牛粪火，驱赶了草地的寒气，然后悄然掀开帐房的门帘，便腰撑水桶，步履轻盈地朝冻冰的小溪走去。打冰化雪，是"乌妮"们早起的第一项劳动。

接着茶炊烧好了。满帐房顿时弥漫着一股诱人的醇香。这就是牧区脍炙人口的酥油茶。牧区有这样的一句谚语："茶无盐水一般，人无钱鬼一般"。茶和肉（主要是羊肉）是牧民缺一不可的食物。藏族"女人"们虽不懂什么是茶道，但经她们妙手制作的奶茶，即用砖茶加奶加盐加花椒之类的佐料熬制的酥油茶，其美味色香让所有到过牧区的人无不拍手叫绝！

但是温柔到家的"乌妮"，这时还不会把男子们从梦中唤醒。她们又悄然掀开帐房的门帘，手提奶桶走了出去。外边还有一系列的活路等待她们去拾掇，挤奶啦，拾牛粪（将牛粪打成粪饼），依次解开拴牛的鼻绳……然后便吆喝着牛群放牧到帐房附近的草滩。这时，她们才走回去张罗全家人的早餐。

这一天的劳作才仅仅是开始。

年复一年。周而复始。生生灭灭。格拉丹冬雪山下的藏族"乌妮"们默默地劳作着,奉献了她们一生作为女人的责任和义务,从而创造着她们认为是美好而幸福的生活。

二

各个民族都有自己不同的生活方式（包括起居饮食），但是有一点是共同的：爱美之心人皆有之。这一点,在格拉丹冬雪山下的"乌妮"们身上最为明显。在这里,我不想过多地赞美她们虽然黝黑但却丰盈的体态,有如草叶上露珠闪耀般妩媚的双眼,哦,还有白如雪般的皓齿；我要描述的事物,是她们独具特色的服饰,那些服饰,为藏区的"乌妮"们本来十分健美的体态,增色不少,因而更具诱人的魅力。

但是你欣赏"乌妮"们的服饰,不能用"街上流行红裙子"那种流行色的眼睛去看。她们的服饰是草原上千百年流行下来的格式。然而却是精心之作。

众所周知,在藏区,男女一年四季均穿皮袍,而且右臂外露,见人以抬袖、伸舌、脱发辫表示尊敬。"乌妮"们脸涂藏糖为饰,男子们嗜鼻烟为好。这种习俗,格拉丹冬雪山下的藏族人也都一样。记得初进藏区,见年青的"乌妮"们脸涂黑污泥般的藏糖,简直有些不可思议,以为这是为了躲避好色之徒；但当我在牧区小住些日子,才了解到这种脸饰实在是一种健康美肤的良方。你想像一下罢！在格拉丹冬雪山下的草原,平均海拔在四千米之上,阳光紫外线特强。而藏糖则能防止辐射。无疑,这种草原上民间配方的面油（红糖与黑灰混合）,称不上美容佳品,但如果有哪位城市小姐来到这个地方,她所带的天然化工美容系列产品,可能会失去它的功效。好啦!还是让我说说能给藏区"乌妮"们带来迷人风姿的服饰吧。

要真正能够展示藏区"乌妮"们服饰的华美大方与庄重,是在草原上节日的盛会上。"乌妮"们都穿着大袖的斜襟袍服。这种袍服,大都配有多道贴边和角饰;衣领是金钱豹皮装贴,下摆是水獭皮镶边;红狐皮、羊羔皮制作的帽子,远远看去,像似一簇簇火焰,又像盛开着雪白花朵,实在让人眼花缭乱。

如果说,藏区"乌妮"的服装别具一格,雍容华贵;那么"乌妮"们佩戴的装饰品,则更是精致玲珑,让"乌妮"们更添风韵。格拉丹冬雪山草原上的"乌妮"们,无论平时还是节日里(只是节日尤盛),大都佩戴镶金嵌银的各类符盒、花器。且不说悬于耳梢上的珍珠耳坠有多贵重;那嵌于辫梢(藏区妇女的头发都梳成许多小辫)"流苏"上的琥珀、碧玉、猫眼、小盾和镂花银牌,那披于肩背的松石、珊瑚的缨络,那用水晶、玛瑙穿成的项链……不仅做工非常考究,其价值贵重程度,更让人咋舌不已。可不是么:家境较富裕的人家(改革开放之后,牧区人均收入提高得很快),"乌妮"戴的宝石项链多在万元之上;"乌妮"们头顶上的"拉贝"(一种宝石),一颗价值千元;(有的"乌妮"头上多到"三颗")这种集珍珠宝石于一身,再配上她们身着艳丽的袍服,不能不让人感到:藏族,也是一个爱美的民族。藏族妇女更懂得美的价值和享受!

三

在格拉丹冬雪山下的草原上,流传着这样一句民谚:"草原是由百花铺成的,村庄是由歌舞组成的。"

藏族，是一个欢乐的民族。在广大牧区草原上，跳舞唱歌，成为藏族男女间日常的娱乐生活，其活泼与天真，为内地男女所不及。不论是节日假日，还是平常的日子，你总能听到那来自山野间高亢悠长的"腾勒"（情歌），（在有些藏区称情歌为"拉伊"）在村头巷尾你可以看到男女们舞影翩跹。那被称作"伊"、"卓"的舞蹈，给雪山草原带来旋风般的欢乐！

且不说那穿梭如燕、跳跃似鹿、彩袖飘曳、刚柔豪放的舞姿，使观众大饱眼福；那缠绵悱恻的草原男女情歌，便足以使听者得以灵魂的补剂。

草原上青年男女的情爱是在歌舞中产生的；她（他）们在"德勒"（对歌）中彼此倾诉火热真挚的情怀。

因此，草原上青年男女的爱情是自由的，也是奔放的。

我在赞美草原上"乌妮"们美观大方的服饰的同时，我还要赞美草原上女子们追求爱情自由的勇气。哦，别看她们温柔似水，善良如羊；如果遇到了情投意合的男子，她们会毫不犹豫地敞开自己柔情如蜜的心扉。如果在追求婚姻幸福的路上遇到了无情的冰川，她们也会燃起火焰让冰川溶化。在长江源头草原上，在格拉丹冬雪山下，私奔的事时有发生；情死的例子也并不新鲜——

"因为心中热烈爱慕，
问她是否愿作我亲密的伴侣？
她说：除非死别，决不生离"。

情歌中这样唱着。民歌中这样记着。这是何等的勇气与坚贞；这就是雪山草原上藏族女子们柔中带刚的性格！

赵明燕 摄影

张武

又到泾源

宁夏最南端的泾源县,我已经记不清去过多少次了。不敢说我熟悉那里的一草一木,但到过半数以上的村庄,却是一个保守的估计。上个世纪的七十年代以来,我在党委工作,曾多次去那里搞调查研究,搞政治运动;八十年代后期,从事文学创作,又去那里深入生活,三年前还顺便去离县城不远的荷花苑观光。但真正称得上游山玩水的行动,这还是第一次,新鲜的感觉,也就特别强烈。

我们重点参观的景区是二龙河。头天晚上，我们住在六盘山林业管理局。一觉醒来，已经是日出东山。好些人是第一次来，新奇地跑到外面看山观景，呼吸新鲜空气。主人笑着说，请大家先吃饭，肚子吃饱了，腿上有劲，进山里好好看。咱这地方，别的不敢吹，树和草有的是，还有阳光空气，到时候怕你不想离开呢！

果真是这样。

二龙河在王化南林场的西南方向。下到沟底，顺势而上，就进入二龙河。迎面奔腾扑来的千山万嶂，重重叠叠，耸入云端，绿色酽酽，铺翠叠锦，如无限的织锦，天外飘来。一股清澈透亮的河水，也就是二龙河，欢畅地穿流其间，山谷显得分外清秀。

游人被绿树掩映的山峦拥进怀抱，你再休想挣脱。一路松迎桦接，峦舞峰跃。两面的山谷，左右交错，沟底宽不过百米。在轻柔的阳光下，山上的树木葱浓，宛若翡翠幛幔，绿得耀眼。把一切的一切，都抹上了一层淡淡的绿影……正如局长所言，进到这里就不想回头。尽管带队的大声嘱咐不要走得太远，但在这时候有谁听得进去？在这翡翠幛幔的拥裹下，浴着阳光，在阵阵花香里，众人还是一心向前。慢慢走着，欣赏着，赞叹着，恍恍惚惚，似在梦境之中。又像中了魔法，神魂颠倒起来，脚下生根，忘了行走。只有画家和摄影家头脑清醒，上蹿下跳，相机的快门按得咔嚓咔嚓乱响。胶卷拍得差不多了，这才收起相机，和大家一起，目不转睛地凝视着那些松树、桦树、椴木、青桐以及各种各样叫不上名目的花草树木，情意缠绵，不想移步。早开的黄花野玫瑰，白色的实枣花，野芍药，娇态可掬，在清亮的阳光下，仰着逗人的笑脸，迎着远来的客人，希望你对它多看几眼。

事实上，游人面对这些奇花异卉，在花香、枝香、叶香、根香、满山芬芳馥郁之中，心脾具爽，能不陶醉么？不论到哪儿，只要随手摘下一个叶片，或拔下一根草茎，用手指轻轻一揉，一股浓郁的芳香，准会把你熏醉！此时此刻，你才会体会到主人关于阳光空气的宣传，并非故弄玄虚，而是实实在在。局长向我们介绍，六盘山林业管理局管辖的自然保护区，森林覆盖面积达六万七千八百公顷，高等植物达七百多种，经济价值较高的达一百五十五种，贵重药材三十九种，有食用价值的植物三十多种，可供观赏的花草有二十多种，大小河流六十余条，野生动物二百余种。是天然的动植物园，生物资源基因库。单就可供观赏的花草就有二十余种，名目也带有山野的诗意：珍珠梅，毛杓兰，悬钩子，风铃草，盘线樱桃，挂苦绣球等等，从春到秋，次第开花结果，溢香满山，游人行走其间，浓郁的芳香，浸透心窝，在人的心坎深处，培育着一种沛然莫之能御的威力，从内心深处迸发出对大自然烈焰般的热爱。

在开发大西北的热潮中，泾源人也进一步解放思想，转变观念，加强市场经济的意识，充分利用丰富多彩的自然资源，在过去造林，护林，保护自然资源的基础上，大力开发旅游业。已经辟出的景区，包括二龙河在内的景区六个，景点六十一个。还在继续开发。县委书记海军，一个文质彬彬的年轻干部，笑着对我们说，你们都是文艺家，能写会画，把咱们泾源多宣传宣传，让更多的人了解泾源，来我们这里旅游观光。事实上，泾源县因国家级的六盘山自然保护区，已经名声远扬了！不仅仅是区内，也不仅仅是周边省区，广东、福建、浙江的游客也慕名而来，福建的客商还和泾源县签订了开发水锈石的协议。封闭多年的山村也看到了外国人的身影。寂静的山谷,一下子热闹起来。特别是今年的五一节长假,到泾源旅游的人如潮水般,县城的大小旅馆暴满,许多人不得不到固原、平凉住宿,第二天再早早赶来参观这里的美丽景致。

这仅仅是开始,好戏还在后面。地委、县委已经做出决定,要在西部大开发中,做好旅游业这篇文章,充分利用国家级的自然保护区的资源,打出了"六盘山旅游开发公司"的响亮牌子,广招天下游客。

除了二龙河,还有凉殿峡、野荷谷、老龙潭等景点,各具特色。主人陪我们去了和二龙河毗邻的凉殿峡。这里除了奇异的自然风光,还有不少人文景观。传说,成吉思汗曾在这里避过暑,有行宫的遗址和"拴马桩"为证。来这里游玩的人很多,因运而生,一夜之间,冒出了许多蒙古包,供游人休息,也可以度假。刚刚开始,生意就很红火,几乎是天天客满。有的要去"鬼门关"探险旅游,租个蒙古包作大本营,有的则是情侣来度假,享受浪漫生活。对成吉思汗的传说,有人存疑,但我宁肯信其有。参观结束,主人盛情邀请题词留念。我的书法拿不出手,凑了四句话,不敢言格律,传达胸臆而已,请书法家郭佳荣写成条幅相赠:

> 雄山秀水凉殿峡,
> 景比江南有何差?
> 传说可汗曾避暑,
> 尔今游人争相夸。

毕玉堂

鲜艳的维吾尔

"我们的大中国，好大的一个家"，二十一点赶到喀什，北京的友人已从床头打来的问安的电话，而晚秋的夕阳还卡在乌孜别里山口慢腾腾地燃烧。

喀什全称喀什噶尔，是中国最西端的一座城市，著名的冰山之父——慕士塔格山峰，银盔银甲，银铠银袍，日夜守候在它的帐前。新疆很大，占全国总面积的六分之一。一道天山横隔了塔里木、准噶尔南北两个盆地，两个盆地同时奏响着苏尔奈、热瓦甫相同的乐歌。一进喀什城,"嘭嘭"的达卜鼓推动着歌声、乐声,自店铺窗口、自街巷胡同、自僻静的杨丛,自热闹的巴扎,随着飘舞的裙裾,伴着叮叮的铃韵一齐涌来。漾荡的仙乐,飞旋的色彩,使人激动,令人醉心。美丽魅力的喀什,它使愚钝的人突然变得智慧,它使智慧的人一下变得痴迷,它使归心似箭的游子一到这里竟乐而忘蜀不再思归。

喀什是一座历史文化名城,是我国"万邦商旅一途通"的古丝绸之路上的一颗明珠。当地有不到喀什就不算到了新疆的说法,这自然就抖翻出了它在历史帙卷中的灿烂光辉。西汉张骞通西域时,这里已是三十六国之一的疏勒国首府。东汉班超在此经营西域三十年,抵卸入侵的外夷,实现了各民族的友善和亲。到了唐代,喀什正式设立疏勒都督府,清代乾隆皇帝又在此幸纳香妃。值得一提的还有左宗棠,是他统帅三军,打破了英俄分裂中国的阴谋,维护了中国的领土完整。历史无情,它使无数名声赫赫的英雄化作了传说中的影像或不再言语的石雕;历史有情,它将民族之间互为依存的真理和亲密团结的传统保持至今。

中国是一个多民族的国家,不到喀什就不算到了新疆的说法,除了诸多的历史因素和其特殊的地理位置之外,还因为它较为集中的民族构成成分。新疆维吾尔有七百万人口,居全疆十三个主要少数民族之首,而喀什市人口百分之九十以上是维吾尔族人。而且全疆之中,喀什市维吾尔伊斯兰清真寺庙最多,建筑艺术水平也最高。因此不能不说喀什是新疆维吾尔族最具代表性的城市。

一提新疆,人们自然会把沙漠、戈壁、冰山、草原、吐鲁番的葡萄和哈密的瓜联系起来。历史把这样一个鲜艳、智慧的民族界定在祖国的大西北，实在是一种天意的搭配。正如雪山之于青松，大鹏之于长天，咆哮的黄河之于船工号子，黄土高坡之于白羊皮板子信天游。正因为有了这样一个鲜艳的民族，沙海不再寂寞，大漠不再荒凉。天山雪峰有了喷涌不完的歌泉，戈壁荒滩有了展示不尽的靓妆，塔克拉玛干铺满了和田美玉，阿尔泰白桦沟壑里日夜流淌着滚滚的金子……

说到金子，它又让人想起维吾尔族历史传说中最智慧的人物阿凡提。那日从班超墓归来途经左宗棠旧营盘，我曾对营盘东北的一片古城驻望了好久。我盼望着身穿花条子长衫骑一头小巧瘦驴的阿凡提能从古城堡里走出来，那位在阿凡提面前总是失算的尊敬的巴依老爷哭丧着脸就跟在他的驴后。阿凡提一边歌唱一边散发着接济穷人的金子。

黄土城堡的尘陌上走来一个人，不是阿凡提，是一个穿水红色裙子的姑娘，鲜艳的色彩，使平淡的土城骤添了盎然生气，道旁的草丛、绿树一下子打起了精神。我端起相机，调整着色彩构图，当第三次按下快门时，取景框里就独剩下这位生动的姑娘。

这确是一位美丽的姑娘，高高的鼻梁衬一张方正白嫩的脸盘，两道浓眉故意连成了一线，一线眉下，两颗忽闪闪漂亮的大眼睛，略显福态的身条，一经轻盈的红纱裙包裹，像一朵盛开的牡丹。姑娘伸手问我："卖不卖，"我未弄懂她汉语的意思，只是胡乱拍着相机说："不卖。"姑娘笑着垂下淡蓝的眼皮，扬扬手走开了，头上的黑丝帕，闪耀着无数的金星星。望着姑娘远去的身影，我的胸口突然撞响了那首令人销魂的《喀什噶尔》：

喀什噶尔艳丽的佳人一旦秋波传情,
会使天下的美人顿时羞的无处躲藏。
谁若到了喀什噶尔,天堂的仙女也难使他迷恋,
甚至连他可爱的故乡,都会被他忘得精光。

在喀什的几天里,我强烈的感受到了色彩与维吾尔的关系。鲜艳美丽,似乎是这个民族生存特征的第一要素。从香妃墓那五光十色、金碧辉煌的琉璃建筑到清真寺教堂描绘天国香河、蜜河、奶河等风光及甘果善树的雕梁画栋,从洁莹如玉的新疆杨丛夹道走来铺有红地毯坐满姑娘儿童的毛驴车,到树荫深处院落前高后低的一户一户人家,关不住的是一院子的欢歌笑语,拢不住的是满车子的色彩跃动。随便走进一农家小院,天井里洒扫的不见根草只叶,虽是实实在在的土地,却洁纯的让人舒心。维族人家吃饭多在屋门外的廊檐下,檐下土地上铺了绣花的羊毛红地毯,地毯上置放饭桌,替代酒菜佳肴的是满桌子多彩的时鲜瓜果。用餐人一人端了一碗红茶,蘸着茶水泡馕吃。烤馕是新疆维吾尔族的主食,此种食品近似内陆锅盔和烧饼的结合体。烤馕有大有小,可储藏很长时间。维族人或出门或串亲,首先携带的便是馕,这种习惯,大概与他们历史上长期的游牧生活有很大关系。

在喀什,我曾着意浏览了一条老街。这条老街街面古旧,保留有原始风貌。顺街前行,两边是一条条纵深延展的胡同。走近一条胡同口,就仿佛起绽了维吾尔古老历史的一个切面,那一座一座渐次远去的蓝色雕花大门和一道一道凌空飞架的过街楼,能把人的思绪一直引向那迷宫样的深深小巷,于寂远幽邃中去探寻历史的足音和共鸣。在巷子突出的大门下边,总盘

坐了花花绿绿的老人、妇女、儿童。好客的老人每每热情的打招呼,调皮的小姑娘总忙忙的用大人的裙裾遮住自己的脸蛋,只露出两只闪动着长睫毛的黑黑的大眼睛。

维吾尔族人民居家的房舍,用土里土气形容是再确切不过的了。或土夯,或坯垒,或干搭、或泥垛,一律为粗浅条,大写意。正如我们常在动画片中看到的阿凡提和巴依老爷的住房差不多,颇有一些儿童画作的稚拙。不过,这仅仅是从房子的外表去看。因为南疆大部分地区年降雨量不足二十毫米,所以谁也无须为房舍的土泥结构,院子的前高后低而担心。但是一旦进了这貌不惊人的屋子以后方才发现,这土堡里边原来是个流光溢彩的世界。门外铺地毯,门里铺地毯,炕上铺炕毯,墙上挂壁毯。地毯、炕毯,多为红色,绣有缠枝的花朵和吉祥的瓜果。壁毯多用绿色、白色、紫罗兰色织出天国的物象,观后令人神思飘缈浮想联翩。维吾尔族人的被褥好像特多,一条一条叠垛在炕上,色彩相间,高与人齐,显示着吃穿不愁的美满富足。炕上、桌上那明晃晃的衣箱衣柜和铜制用品、饰品,能把人的眼睛耀花。脱掉鞋子戴上维族小帽坐上炕和一家人合影,乐得维族老大爷捋着翘翘的齐刷刷的白胡子,笑着直伸大拇手指头。

其实,观察这个民族的鲜艳,还须深入到繁华的大巴扎,沸腾的清真寺广场,川流不息的大马路上进一步去领略、去细品,那里是永不消歇的万花筒,色彩澎湃的大海洋,其中最漂亮、最惹眼的要算维吾尔族妇女大红、大绿、大反差,大交融的着装。或红如丹,或黄如金,或绿如翠,或白如雪,或大花如展云朵,或碎英若撒灿星,或杂糅如缠彩缕,或交叉如放光电,或明洁似清冰,或惊艳若霹雳,实实的姹紫嫣红,群芳竞艳,扑朔迷离,气象万千。

维吾尔族管集市叫巴扎。喀什的巴扎——这个活跃了两千多年的集贸市场,恐怕谁也计算不出它在二十多个世纪之中究竟历经了多少次战乱,融汇了多少种文化,迎来了多少头骆驼,送走了多少乘车马,汇集了多少个民族的多少种货物,又分散到了多少个国家的多少户人家。如今高度发达的立体交通运输,已把巴扎的交易毫无疑问的推向更高的层面,丝绸之路早已不再局限于东亚、中亚、古印度、古罗马。君不见欧洲、非洲、美洲、澳洲的各色人种,他们于空中自由往来,权当维吾尔出门、串亲的走驴骑马。既然已有了专售香港制品的"香港巴扎",谁也不会怀疑不久将会出现的"台湾巴扎"、"东京巴扎"、"莫斯科巴扎"、"华盛顿巴扎"……

喀什的巴扎,是一个展示不尽的艺术天地。才进巴扎口,葡萄、甜瓜、无花果、水蜜桃等已摆出了冲不出的香阵,红红绿绿深深浅浅的瓜脯果干,一堆一垛,又组成了一山放过一山拦的请君止步的势态。耳听维族商民此起彼伏的吆喝,游人就不由的乱了脚步的方寸。嘴里吃着,手里捧着,眼里瞅着,不知不觉陷进了小百货林林总总的八卦布阵。那招展在头顶之上的各种花色图案的丝绸纱巾、羊绒挂毯,千面万面,蔽日遮天,转来转去,竟不知道了出口入口、东南西北。要不是那兀然夺目的布匹市场亮出一角洞天,还不知道要在这"旗帜之国"里迷糊多长时间。

在巴扎闹区,标新立异的要算卖布的摊位了。卖布的摊主像散花的天女,将一匹一匹的花布搭上几米高的横杆,"唰"地展开,如泻下一道道彩色的瀑布,令过往的游客目瞪口呆。卖布人则稳坐在跌瀑翻卷的浪花里,悠闲的聊天。卖维族小帽的摊位，花帽堆的小山一样。男帽多以灰、蓝、绿布为底衬，上面绣出各种好看的花饰和几何图案，稳重而大方。维族姑娘最爱戴的用高级布料缝制的小红帽，镶着丝绦，缀着宝石，插着翎毛，钉着珠串，一派珠光宝气。

到过新疆的人，恐怕无有不知晓英吉沙小刀的，不论在喀什的大小巴扎，总会看到出售刀制品的大摊小位。各种配刀，大小、长短、刃锐、直弯，刀把或镶、或嵌、或包、或刻，应有尽有，晃晃摆出一架一片，美不胜收。我踯躅于一个明光光的大摊位前，端相那位上了岁数的维族老妈妈。她身着闪闪烁烁金色面料的长裙，头系如银的纱巾，看上去又慈祥，又耐心。如果所买的刀需要开刃，她会立刻操动砂轮"嚕嚕"几下，与四进的金星之中开出锋刃，轻易的就割下大刀刀背上的一块"厚肉"，让人油然想起维吾尔先祖一手捧古兰经，一手举战刀的智慧不屈的形象。

维吾尔族手工业是形形色色多姿多彩的家庭工业。他们的作业场地、作业形式、工艺制作，似乎都保存有中世纪的古老遗风。相同的物品出自不同的店铺，就有了不同的特点和风彩，而每件作品都反映着独立创作的智慧和个性解放的火花。在他们当街的店铺兼手工作坊里，忙忙碌碌者有老人、有青年，更有不少技术娴熟的儿童。他们红红的小手或在莲花砧子上叮当敲打，或手持吐着蓝舌的喷枪烘烤金银饰件，那种老道、专注和勤恳，让人觉得他们是在用纯真的心灵一心一意续编着民族古老的童话。刻铜要算是最拿手的工艺了，那满列在货物架上的大小、款式各各不同的杯、盘、壶、盏等尚有黑漆古工艺的各种制品，剔刻着精美随意的花饰，那黑中泛金的刻花，再调以红、绿、黄色彩的点缀，一件一件都是高档的装饰品。目睹这等精良的艺术阵容，往往就使选购者处于了左右为难、件件不忍割舍的困难选择之中。

在小巴扎紧靠艾提尕尔清真寺的出口处，有一位留有两撇黑胡子的专营乐器的商人。货架上用各种颜色木料制作又几乎都有镶骨嵌银的器乐琳琅满目，令人目不暇及。我虽然也拨弄了十几年的乐器，却第一次得见新疆民族器乐种类如此繁多，制作如此精美。诸多的乐器中，既有讲究实用的，也有经意把玩的。那小到不足尺许的都它尔，制作工艺复杂精湛，叫人浑想起凡是超小的东西都讨人喜爱的独家审美之说。两撇胡见我看得凝神，他伸手取下一把热瓦甫，稍稍拨调了一下琴弦，突然就激情豪迈的弹将起来。像清风吹皱一池春水，像朝暾点燃满天霞光，刹那间，热瓦甫的音乐几乎同时牵动了满巴扎商人、顾客的耳目和手脚。唱起来了，动起来了，舞起来了。轻捷的舞步、招展的双手、搬动在左右两肩上的一张张笑脸、飘飞的百花竞放般的霓裳，巴扎一下子变成了歌舞的海洋。傻乎乎的我左冲右突，终是冲不出彩色浪花的前簇后拥，那熟悉的"边疆处处赛江南"的歌乐，竟也使我不由自主手舞足蹈起来。

新疆，中国美丽的边疆！

维吾尔，我们鲜艳的民族！

毕玉堂 摄影

王 蓬

如镜湖泊

我是在汽车转弯的瞬间看见青海湖的,惊喜中带着震撼。并让人立时回想起初次见到大海的感觉。那是1986年初去广州,在珠海海滨公园,刚转过一丛翠竹,大海猛一下出现在眼前,波光粼粼,无涯无际,让人惊讶得半天回不过神来。

但那毕竟是大海,对这庞然大物多少有思想准备。此刻面对这闻名于世的草原湖泊,事前无论发挥怎样的奇思妙想,真正面对青海湖时,那些想法都会无影无踪。

青海湖也像大海一般无涯无际，蔚蓝色的湖水一直伸向天边，与同样蔚蓝的天空溶为一体，真正的"长天共秋水一色"。青海湖是宁静的，绝无大海波涛的呼啸与喧哗。她平滑如镜安详地躺在辽阔无比的大草原中。但不单调，尤其沿着环湖公路行驶时，由于方位、角度与日光的变化，青海湖的景色也随之变化，此青彼蓝，朝浑夕明，变化无穷，气象万千。当逆着日光时，恰有阵风掠过湖面，激起一层层波浪，其实是成千上万的浪花构成，在阳光逆射之下，五光十色，晶莹剔透，一波由远处卷来，刚在绣满青草的湖岸击碎，另一波又乘风赶来，前赴后继，无休无止，看得人眼直心跳，忘乎所以。

青海湖最美当属与青藏公路交汇的地段，远方是连绵不尽的雪山，终年不化的积雪在阳光下格外洁白，形成一道庄严圣洁的背景；雪山下为大片起伏有致的草原，散落着云彩般的羊群，牧民的红色藏衫与骏马则格外醒目；接着是环湖种植的油菜，七月正是草原菜花怒放的季节，金黄耀眼，恰像为青海湖嵌镶上金色的花环；最后才是清的泛绿的湖水和飞翔在水面的洁白的天鹅……

极目之间，恰是一幅辽阔无比的油画，博大雄浑，层次分明，庄重典雅，看第一眼心就醉了，连司机都主动停车，大家先是屏心敛息的静静观赏，完了全都扑进湖边的草地，尽情拍照，此情此景注定会成为人生最难忘的场景铭记于心底。

青海湖是大自然的杰作，容纳着冰山的雪水，滋润着草原和牛羊，还为鸟类提供了一块美丽丰饶的栖息地，中国最大的鸟岛便座落于青海湖，我们去时尚不是最旺季节，许多鸟已生蛋，育出小鸟飞走了。但也已让人大开眼界。那么多难以数清的鸟在湖滩聚集，只有人类才有那么密集。

青海湖中还产鱼，由于水冷，据说十年才长一斤。在鸟岛宾馆餐桌见到一尾鱼足有五斤，推算它已生长了半个世纪。

有些景物的魅力需要时间和比较才能看得更清。继青海湖之后，我几乎在不足一月内又见到两个湖泊。一个是宁夏银川以北的沙湖，是腾格里大沙漠中自然形成的天然湖泊，面积达数十公里，水深数米碧波荡漾且沙苇茂盛，近年已成旅游胜地，江泽民主席还亲题"沙湖"悬挂于湖边。堪称河套平原一颗明珠！

另一个在陕北神木与内蒙交界地段。据说，清咸丰年间不过一处小小积水池塘，一个蒙古王爷赌博时输给了陕北神木县一个地主。岂料，百余年来，竟有数条暗河向湖中注水，形成一个面积达五十余平方公里，水深二十米的湖泊且盛产鱼类。陕西内蒙曾为此湖所有权发生争执。后经国务院调解：维持历史现状，湖属陕西，但两边均可捕鱼。我们去时，午餐便为每人一尾清蒸鱼，天然长成，味极鲜美。

由于塞外，风大浪急，老远便可听见湖水像大海波涛一般呼啸。当朋友们对这个被称为"红碱淖"的湖泊大加称赞时，我却再次怀念起青海湖。别的湖泊再美，没了雪山草原、羊群、牧人的映衬；没了金黄菜花的环绕与高原的蓝天与白云；无论如何也就少了那份宁静安详；少了那份如镜般晶亮剔透的魅力。

王世伟

惊 驼 铃

　　沙漠风光最迷人的地方，一是沙山顶端各类弧状的沙线，自然、流畅而富于质感，富于变化，引发人的幻想与想象；二是阳光下沙山阴阳面的强烈反差，正面是金光闪闪的亮，反面是幽幽的暗，如同画笔下的精心创作；三是沙丘漠海的肤色和体态，乍看，莫不就是我们黄种人的体相么？莫不就是我们的姊妹们柔美的体姿么？多次见到沙丘，总觉得它是女质的雌性的富于阴柔美的自然物。

及至遇到风沙骤起,或烈日炽烤,或枯燥干渴,或偶有沙暴,才觉得这种阴性的无情、暴戾、霸道与横蛮,完全是荒蛮时期雄牛恶虎的性情。

举世闻名的敦煌鸣沙山,傍千古名胜月牙泉而作环状壁立,巍巍地揽住这一汪碧水于自己雄悍的怀中,作无限情爱状。初次游览观赏,便觉它具有以上三层美妙的魅力。这种奇异的美丽,使如此贴近绿色原野的沙洲,竟也成了名城的具有巨大吸引力的风景的一部分,而不再去为荒沙蛮野的侵蚀而内心过分担忧了。

其实,驱车走近名城敦煌,已渐次发现了无情的戈壁滩在引导你的视线与思绪,荒凉与忧虑伴着沙枣、胡杨和红柳一起涌进你未知和渴求新鲜刺激的脑海,还有枯死的一排排西北挺拔的白杨树与在风中无助摇曳的荒草,一起构成了黝黑色的惊叹。这些,与葡萄架掩映覆盖着的恬静安详的院落,一人多高的玉米浓密硕壮得让人感到收成的丰厚,鸡鸣犬吠及至妇女高扬的呼唤儿孙的乡土声音,形成了无险境之忧无惊奇之虑的巨大反差,同样让人惊心动魄。在自然界的恶劣的包围中,千万年形成的这块绿洲、这座名城竟是这样的从容相峙,可见人的力量和威力之无穷。还有那金发碧眼、满嘴"也是"、"哈依"的外国人的不远万里来拜谒举世闻名的莫高窟,一起构成了别具风情的敦煌特质,便将鸣沙山作为上苍无私馈赠的一种礼品摆放于敦煌的庭院门槛前,供大家一览奇优了。殊不知,鸣沙山之背后,竟是如此巨大广阔连绵的沙之海,海洋般汹涌的沙,犹如万马千军,呼啸着呐喊着向这方推进着——尽管几千年几万年并无实质上的推进——是自然力与自然力(绝不仅是人力)在较量,在搏斗,在厮杀。鸣沙山就是这自然力相博的前沿尖兵了。

由此足见它挟山拥水的从容与大气了。

1988年,黄河蜜瓜成熟的季节,我们一行人从玉门穿安西到敦煌拜谒这座名城。那时的鸣沙山是坦裸着的,月牙泉是荒落这的,无庙,无廊,少树,少草,大体无许多规矩管理。文革中一度水枯草黄的月牙泉,重现了清丽却显憔悴的容颜,在黄褐色的沙山包围里,显得格外格外的秀美动人。我与朋友们一步三退地奋力去爬鸣沙山。因沙的流动而颇具诱人的魅力的鸣沙山,五彩的砂子灌进鞋里袜里裤里兜里身体里牙齿里头发里照相机的机器里,到处都留下了它的顽皮与友善。我仔细地观察它的"五彩",看它的流动,体验小风吹卷流沙的水一般的流动……爬上又滑下,只为了能听到"鸣"的声音,终因人们的不齐心合力而未遂愿。及至山顶,已累得精疲力竭了。但是,一眼望到沙海中秀丽的月牙泉,竟是如着魔一般,感到一种洗心革面的澄澈的惊异。

——那万万千千的沙丘沙谷沙川沙林,竟然卧伏在这一汪清泉之身后而不肯向前一步了。

——是她挡住了它们?还是它们爱心滋发,护卫了她作为生命象征的载体而显现的尊严和魅力?

那是怎样一种浩瀚而充满伟力的沙海呀!那是怎样一种让人折服的气势和雄劲不可阻挡的阵营呀!无边无垠无际无涯,似乎天地间就只有沙了。

可是,这里,有绿!有水!

那是沙和与沙有关的荒凉的劲敌。

这就是意义了。历史的现实的哲理的耐人深思和探讨的意义。这种意义远远超出了风景的概念。

我飞身跃下鸣沙山（的确是如飞一般的飞扑下来）。而后环月牙泉一周，看苇草初萌渐渐有了勃发的生气，与枯蓬合影（有一种将要永别的悲壮，抑或是对奇形怪状的新鲜感），与一拐脖子的树对视良久，似几百年前的好友重逢，在被废弃的大庙的遗址上徘徊……

我看月牙泉，月牙泉也看我。看得有了灵感，我突然惊呼："另外一只眼呢？"——那个被荒沙掩埋掉的秀美的脸上应该有另一只美丽的眼睛，与这只不肯屈服不肯闭上的眼睛相一致呀！

众人都被这一惊呼听愣了，不明白我的意思。好在随行都是文学界的朋友，灵犀一点就通。我娓娓说道，你们看，这月牙泉不就是一位美丽姑娘脸庞上那只不肯闭上，不甘心被砂子埋上，企盼绿色长驻的不屈的眼睛吗？她对沙海埋下自己秀美脸庞的一大半已经无可奈何，可是，你们看到么？这一只眼睛里深藏的表情是什么？是濒临危机时对生命的渴望，是一种对信仰、对未来坚强的信念……她在看着我们哩！她对我们有哀哀的渴求和期待哩！她是在用眼睛说话哩！她在表明着一种不屈的精神哩！

大家都沉默了，静静地面对鸣沙山，面对月牙泉坐了，看去，想去。

轻风旋起，泉水有微微的粼波泛动，将映入泉里的白云吹得激动飘摇。轻风旋向远处，将流沙一股股旋上沙峰，想剥皮一样，剥下一层又覆盖一层，一层一层揭起、盖上，来往反复，酿成壮观的流动。

——我们看见了生命与扼杀的搏斗！

——我们听到了无声的呐喊！
　　渴求的眼　向往未来的眼　睁着
　　不肯闭去　闭去最后的希望
　　即使剩一滴水　也要让世界
　　滋养出一层碧绿　一泓清爽
　　一只眼被埋掉了　一只还睁着
　　睁着　就将告诉尘世这样的信息
　　沙丘下有一颗鲜活跃动的生命……

　　吟起了我临时创作的这首诗，大家默默地依依不舍地离开了这里。

　　暮色已至，一层灰黑将掩盖这许多情景和思维。这成千上万年中的几个小时也将过去，过去成不再有任何光点的平常而又平常的时刻。我们离去，一切也都远离了我们，包括绿、搏斗，生命等等，虽然它们依然存在。

　　1997年夏，我同妻子外出探亲，陪她来到了敦煌，我又拜访了这一"故地"。历史不负人心，这里大变了模样——风景点有了院落围墙，鸣沙山也被拦住不让游人随意攀登了，月牙泉也被护栏围起，不让随意进入了，大庙修得富丽堂皇。我只寻到了那颗歪脖子树，在它身边静静坐了许久，看妻子与友人买票去泉边洗手荡舟照相。随后，便骑了骆驼离开了沙洲名景。骆驼很听话，昂首一步一颠严肃地走着，驼铃叮当声很清脆，很悠扬，也很实在，传得很远。但我总听到那声音向着人，向着绿洲，向着敦煌城，向着河西走廊，向着内地，不断响来，响得人心中惊悸不已。

　　我在景点门口买了一只小号的驼铃——一只小小的铜铃

铛，带了它离开了那里。买它，带它，仅仅是为了作个纪念。日子久了，我总觉得它在提醒我，时时想起敦煌和敦煌的鸣沙山、月牙泉来，或者想起那也许并不存在的一只眼睛来。

晓 雪

雪与雕梅

  我喜欢雪。儿时我曾经以为,世界上最好看的是雪,最好吃的也是雪。

  我的家乡——大理喜洲五台镇,在苍山五台峰下。苍山十九峰,南北骈列,连绵五十多公里,茫茫苍苍,宏伟壮丽,逶迤磅礴,正好在大理坝子西边形成一座天然屏障。坝子里气候温和,从不下雪,山顶上却四季奇寒,终年积雪。十九峰海拔平均在三千五百米以上,最高的马龙峰达四千一百二十二米,所以大理坝子里的人，只要你面向西边，不论是在自家的门口、窗前、庭院，或走在街头、路上、田间，抬头就见苍山顶上的白雪。早晨或者傍晚，在红霞的辉映下，那山顶的积雪闪耀着瑰丽无比的奇光异彩。在晴朗的白天，阳光下的积雪覆盖在苍翠葱绿的山峰上，与蔚蓝深邃的碧空相映衬，更显得洁白晶莹、纯净明亮、光辉灿烂！美极了！迷人极了！

古代诗人赞美点苍山："峨峨点苍山，苍翠极可爱。平列十九峰，峰峰染螺黛。""所游天下山，曾涉高衡岱。雄阔有过之，明秀无比赛。"之所以觉得苍山比泰山、衡山更"明秀"，就在于苍山顶有终年不化的积雪，苍山下有平明如镜的洱海。记得孩童时看着苍山上耀眼的白雪，我常常想：世上还有什么比雪更洁白纯净、更美丽迷人的吗？没有了！

由于山太高，终年积雪的峰巅高出云表，孤峭插天，崖陡路险，一般孩子上不去，我也始终没有能登上峰顶，去亲自抚摸一下我天天看见和向往的那无比圣洁而诱人的雪。然而卖雪的大姐、大嫂却满足了我的愿望。

"卖雪"——这大概是当年只有苍山下我的故乡才有的特殊供应。每年清明前后直到五六月间，村外的十字路口或街头的大青树下，总有那么一两位白族少女或少妇在卖雪。她们三两个相约作伴，头一天就上山，晚上在山腰的寺庙里投宿，第二天赶在日出以前登上峰巅去挖雪。每人背一个背箩，背箩里装一个大瓦缸，那鲜洁纯净、一尘不染的白雪装满了大瓦缸，就背下山来，分别在街头路口摆摊设点。装雪的背箩和瓦缸前支一张小桌子，桌前有一两个小竹凳。桌子上有一罐红糖汁，有的糖汁里还伴着晒干捣碎的玫瑰花瓣，叫玫瑰糖，有的在糖汁里放一点腌透了的酸梅丝，叫酸梅糖。糖罐旁边有几套碗勺。来往行人，要买一碗雪，她就给你把雪盛在碗里，浇上一些糖汁，你自己用勺搅拌后，坐下或站着慢慢吃。也可以只买一雪饼，拿在手上边走边吃。美丽的卖雪女用她干净的手在瓦缸里抓一把雪，巧妙地轻轻一捏，那雪就变成像大银锭似的一沱，再浇些糖汁，你就可以接过来汲吃。我吃过一碗一碗的雪，但更多地是买吃这种雪沱。假日远足、清明扫墓或中午放学时，用一两分钱买那么一沱雪边走边汲吃，不但解渴消乏，而且只觉得清爽甜蜜、舒服畅快、浑身是劲，仿佛把苍山灵气、洱海秀色和满目春光都汲到肚子里去了！筵席上的美味佳肴，传说中的蟠桃仙果，以及后来我到大城市里经常吃到的冰棍、雪糕，我觉得都远不如童年时代我从卖雪女手中接过的那别有风味的雪沱。

除了雪沱，家乡给我印象最深的风味食品是雕梅。

雕梅既是白族地区特有的上乘果品，也是一种精心雕琢、巧妙制作的手工艺品。它形状如一朵朵盛开的菊花，色泽金黄，清香四溢，食之甜脆无比。白族人家请客送礼，少不了有它点缀。白族姑娘出嫁，奉献给婆家的见面礼，就是一盘精心制作的雕梅。新婚之夜，新娘子要在来宾面前"摆果酒"，在各种点心甜食和果酒中，人们特别关注的也往往是那一盘雕梅，因为它的花色香味和制作水平，正是衡量新娘子是否心灵手巧的重要标志之一。

白族谚语说："吃杏遭病，吃梅接命。"这种风趣的说法给予梅子很高评价。大理地区多产梅，从洱海东岸一直向北延伸百里到洱源、剑川的半山区，到处是浓荫密布的梅树林。这大概也是剑川、洱源一带的白族妇女特别善作雕梅并形成传统的地理原因。我的祖母是剑川人，她就是制作雕梅的能手。由于每年制作，技巧熟练，上年纪后，眼睛花了，她仍能闭着眼睛用小刀在梅颗上雕出各种细密美丽的花纹。我见过她向村里来请教的姑娘们传授技艺。以盐梅作原料，先用石灰水浸泡半日，取出凉干，再用一把特制的小刀把梅肉雕出连续曲折的花纹，从空隙处慢慢挤出核心，中空如镂，挤核时不能将花纹弄断。压扁之后便形如菊花，用上等红糖浆浸渍数月即成。古代白族诗人曾这样歌颂过雕梅的制作过程："小小青梅上指尖，巧手翻作玉菊兰；蜜糖浸渍味鲜美，疑是仙葩落人间。"

1950年秋天，我离开家乡到外地上学，没有再见到祖母，也无法吃到她亲手做的雕梅。1956年春天，我大学毕业前夕，在武昌珞珈山接到祖母托人写的信，说她很希望再见我一面，并且又亲手做了几罐我最喜欢吃的雕梅，等着我回来吃。我毕业后回到家乡，祖母却已经不在世了。看着祖母的照片和她最后亲手为我做的雕梅，我不禁痛哭失声。

现在街上也能买到小玻璃瓶装的雕梅，据说白族雕梅已开始出口国外。但祖母亲手做的那又香又美、又甜又脆，余味无穷的雕梅，我却再也吃不到了。

大 理 茶 忆

我从小就喜欢喝茶。在我的记忆中，童年、故乡、苍山、洱海，以及许多动人的传说故事和甜美的花朵果实，都是同茶联系在一起的。

我的故乡大理白族地区,几乎家家都有两种传统的爱好,一个是种花、赏花,一个就是烤茶、品茶。有条件的人家围一座小花园,没有花园的也要在自家庭院里、台阶上,栽些花木、摆些盆景。闲暇时候或迎宾待客、逢年过节,就一边喝茶,一边赏花。教孩子懂礼貌,头一件事就是要他学会向长辈敬茶,给来客端茶。新媳妇过门,看她是否人勤手巧、孝敬公婆,第一个考验就是看她能不能在新婚的第二天拂晓,抢在公婆起床之前把两杯香喷喷的烤茶端到公婆的床前。如果起不早或茶不香,就会被认为人懒手笨、没有家教。

小时候我寄居在外祖父家。外祖父家有个小花园,花园后边靠墙栽一排翠竹,中间种了石榴、花红、木瓜、佛手柑等果树。小水池周围、两边花台上,是一排排的花木盆景,有茶花、菊花、缅桂花、海棠花、玫瑰花和各种兰花。花园对面的柱子上贴着一付对联:"修德读书千秋事业,栽花种竹一片生机。"横批是:"品茗赏花"。外祖父每天早晚都要到小花园里,端一杯茶,或坐在藤椅上,或迈步花丛中,吟诗自娱。每天放学后,我也到花园的素馨花架下做功课,自己冲一盅茶,学着外祖父领略"品茗赏花"的乐趣。记得外祖父边喝茶边给我讲过许多白族的神话传说、民间故事,也讲到唐代陆羽的《茶经》。他摇头晃脑地用白族腔调念一句:"茶者,南方之嘉木也……"然后就说:"陆羽原来不过是在寺庙里给和尚煮茶的一个人,后来因为写了《茶经》这本书,讲了茶的起源、产地、种法、采制、烹调和饮用的好处等等,受到德宗皇帝的重视,召他进宫烧茶,从此出了名,被后人奉为茶圣、茶神"。也是从外祖父的吟诵和讲解中,我知道了早在唐宋两朝,就有不少诗人写过喝茶的事情；如"闲亭向晓出帘拢，茗宴东亭四望通"（鲍君徽），"戏作小诗君一笑，从来佳茗似佳人"（苏轼），"矮纸斜行闲作草，晴窗细乳戏分茶"（陆游）等等。后来，每当自己泡茶时，看着所冲的茶水浮起白色的小泡沫，我就想起"晴窗细乳戏分茶"的诗句。

相传诸葛亮率兵进入云南，士兵水土不服患了眼疾。他把手杖往地上一插，便长出一株神奇的树，树叶泡水，治好了士兵的眼疾。这就是茶树。这当然只是传说，但西双版纳勐海柴马达区的大黑山里，有一株高三十四米，直径一米的野生大茶树，树龄恰同这传说一样古老。国内外许多专家经过多年考证认为：云南是世界茶叶的原始产地。全世界已发现的茶组植物有三十个种，三十变种，云南就有三十个种，两个变种，其中二十四种、一个变种为云南所独有。从史书看，白族地区烹茶饮茶也至少可以追溯到唐代。唐樊绰《蛮书》记载："茶出银生城界诸山，散收无采造法。蒙舍蛮以椒姜和烹而饮之。"银生即现在滇南的景谷、西双版纳一带，蒙舍是唐代南诏大理地区的一个诏。可见早在一千多年前，滇南的茶叶就源源不断地运到滇西重镇大理，大理地区的白族人便有饮茶习惯了。

白族人讲究喝烤茶，茶叶要在冲泡前当场烤过。如果你到白族人家作客，主人请你就坐时便立刻吩咐家里人烧水烤茶。一般烤茶是妇女的事，但有的男主人也会自己动手。城镇里的大户人家在厨房里烧烤，将新冲的茶水斟入精致小巧、洁白如玉的瓷杯，再用很讲究的茶盘端出来请客人品尝。一般农村人家就在堂屋里的铁铸火盆的三脚架上，架火煨水，一边和客人聊天，一边把小砂罐放在火盆边烘烤。烤到一定火候（掌握火候很难又很重要）再放入茶叶，快速抖动簸荡，让茶叶在滚烫的砂罐里翻腾。待茶叶发泡，呈微黄色，喷出阵阵清香，即冲入少量沸水，在一阵吱吱嚓嚓的声音中，茶水顿时全部化为泡沫翻到罐口，像绣球花一般。这时满屋茶香四溢。主客齐声叫好，罐内的泡沫又慢慢落下，再加适量沸水，即可斟入茶盅。这就是别有风味的白族"烤茶"，又称"雷响茶"。烤茶、冲茶时，门外巷子里过路的人都能老远就闻到茶香，所以如果过路的是熟人，往往会闻香而来，喝上一杯。小砂罐里的茶水很浓，每盅只能斟三五滴，再兑少许开水，才好饮用。但见茶水呈琥珀色，晶莹透亮，浓香扑鼻，只要你喝上一口，顿觉如饮"琼浆"，味道醇厚，心舒神爽，积秽尽除。

白族俗话说："酒满敬人，茶满欺人"。烤茶每次只能斟半杯，慢慢品完之后，再从加了水稍煨过的小砂罐里斟出几滴，用沸水兑第二杯。如果一次就给客人斟上满满一杯茶，那是很不礼貌的。白族敬茶的礼节也很讲究。烤茶人先将第一杯茶双手齐眉敬给客人，客人接茶后又转敬给主人家的最长者，互相央谢；待对在座的人都央敬一番之后，方才开始啜饮。

对远方来的尊贵客人，白族人除招待一般的烤茶外，还要献上传统的别具一格的"三道茶"。第一道是新烤刚冲、略带苦味的清香茶，使你解渴消乏，心神清爽，体味到苍山洱海间的茶香水好；第二道是由核桃片、烤乳扇丝和红糖在茶水里浸泡的回甜茶，使你体味到好客主人的浓情蜜意和他们诚挚甜美的心灵；第三道是用蜂蜜和花椒冲泡的蜂蜜花椒茶，蜂蜜比红糖更甜，却又有花椒的调味解毒，使你在甜蜜中保持清醒，并引发你对生活的回味与思考。

白族有"省嘴待客"的传统。平常自己家里只饮用一般的清香烤茶，贵客来了，才摆"三道茶"，主人陪客人一起品尝。

外祖父家在小花园里请客人喝"三道茶",我少年时曾多次沾光,边品茗边听外祖父和他的客人说古道今、谈诗论文,自己也不免浮想连翩,感到余味无穷。

离开家乡几十年,我一直保持着喝茶的习惯。但由于自己不会烧烤,再好的茶叶泡出来,它的汤色和味道,我感到也远不如家乡那特殊风味的"雷响茶"和"三道茶"。1984年8月,全国第二届当代少数民族作家文学讨论会在大理白族自治州首府大理市举行,州政府用热烈隆重的白族传统仪式举行"三道茶"招待会,我才同与会的各民族作家、学者朋友们一起,又一次领略到了家乡阔别三十多年的"三道茶"。那天,来自祖国四面八方的朋友们都格外高兴,载歌载舞,边品尝边捉摸每一道茶的不同味道和传统寓义,个个对白族人民源远流长的文化传统和烹茶艺术赞不绝口,而我却沉浸在童年的回忆之中。

唐大同

巍巍剑门

一

正值金秋时节，有幸来到有名的剑门关。

两排刀削斧砍般的云崖，对峙如门。中间，是只有约二十米宽、五百米长的一道峡谷。真是"一夫当关，万夫莫开"！

诸葛亮沿着云崖凿石架成的驿道在哪里？姜维建造的炮楼又在哪里？难道都跟着历史的步伐走远了？都随着王朝的寿终

正寝而灰飞烟灭了？还能找到星星点点儿能引起人们遐想的踪迹吧……

从关外涌来的风，像无形的滚滚波涛，挤进关口发出轰轰隆隆的呼喊，是在滔滔不绝地描绘那飞舞着刀光剑影的气势吗？穿流在峡谷石缝中叮叮咚咚的山溪水，是在娓娓地讲述那摇着羽扇的智慧化身从容非凡的气度吗？

夕阳西下，关内外升起一层薄薄的夜雾。

夜雾轻柔地飘荡着，给峡谷中只有几十户人家的小镇，罩上了乳白色的梦幻般的银纱；给古老的剑门关，增添了一层令人捉摸不透的朦胧和神秘。

迷蒙中，有一个灯光特别明亮的地方——镇上惟一的一家小旅店。这时，旅客们正喝着热茶，听一位眉飞色舞的白胡子老头高谈阔论：蜀汉大将军姜维镇守险关，带着十万精锐之师的魏国大将钟会，竟不敢越过剑门一步……

哦！这不就是历史永恒的踪迹吗？我立即想起新出版的罗贯中的《三国演义》，感受到一种惬意而欣慰的满足。

……恍恍惚惚中，沉沉的睡意，竟然张开了翅膀，在历史的长河中逆流而上，向着远古飞去……

二

山巅上刚露出一线淡淡的白光，一阵轰隆隆的机车声，就把沉睡的剑门关惊醒了。剑门关啊，沉睡了多少年，今天，出关北上的汽车队引擎的呼叫，代替了原来那声声古老的鸡鸣。

镇中一家热气腾腾的小食店，刚出笼的包子、馒头散发着诱人的扑鼻香味。热情吆喝着的服务员——一个中年大嫂和一

个姑娘的笑脸,给就要上路的人们增添了几丝温暖。那大嫂还招呼着已经登上店外卡车、鸣响了喇叭的师傅说:

"慢走!回去时再来剑门歇脚啊!"

沉睡了一夜的情思,也被这热气蒸腾的景象烘烤得暖呼呼的。但我又似乎失掉了什么?啊,昨夜晚那个梦,那个和道边古柏一样苍老的梦,已被马达声惊落在枕边了……

饭后,跟随热心的向导爬上关北的高峰,这才真正饱览了剑门关的全貌和雄姿,那在峡谷中不能领略到的气概与风韵,都一一尽收眼底。

远望剑门,仅仅是向东西两侧绵延数百里的悬崖、陡峰中的一丝缝隙。奇峭的山峰排列着,形成了一道天然的屏障。离剑门远的,像一把把指向苍穹的长剑;离剑门近的,像一座座巍峨的城廓。阳光下,灰白色的城廓反射出万丈银辉,银白色的长剑放射出锋利的青光。城廓、长剑上白云缥缈,鸟群高翔,真像里面有一个神仙来往的国度。啊!不愧是大自然的一大杰作。

再登高向南北远眺,远方迷蒙的山川辽阔壮丽,一片片金光闪耀,一片片郁郁葱葱。都是我们祖国的锦绣河山啊!唉!过去我们的关卡不是太多了么?被阻隔的,是我们自己的眼光和脚步。

忽然,我隐约听见有凄凉的哭诉之声。似乎在哭诉一种被抛弃了的孤独和寂寞。返回的路上,我发现了关口上那块原来被忽略了的古碑,那刻有"天下雄关"四个字的古碑。它曾经有过一个威风凛凛的时代。那哭声不就是它灵魂的哀鸣么?

古碑斜躺在谷中石岩旁边,周围野草丛生,早已无人理睬了。

三

去拜访一位苏维埃时期的童子团团员。

虽已满头白发，但显得并不衰老，黑红的脸膛上一双眼睛炯炯有神。在树、竹掩映的房前，我们席地而坐，听他回忆1935年红军攻打剑门关的情景，和在剑门山区建立苏维埃政权的经过，以及他个人在红军北上长征后四处流浪的艰辛遭遇……我的心，一下便浸泡在历史的硝烟和战斗的血泊中了。

岁月是无情的，当年的童子团员，而今已是白发苍苍的老人。只有他那刚放学回家的孙儿，算是他过去的化身，曾是他手中红缨枪上的那束红缨，不是在孙儿颈项上围起了一圈殷红吗？

但环顾村庄四周，枫叶如火，层林尽染，像满山遍野的红旗，还在迎风飘扬；岩上岩下金黄金黄的野菊花，还像人们当年迎接亲人的笑脸；村头高大的柿子树，也似乎刚刚挂出了那无数庆祝胜利的灯笼……

哦！我们的剑门，满山遍野都是一片发亮的殷红。那战火冶炼的生命，是不会变色和枯竭的，硝烟中热得沸腾的血液，还在你周身汹涌奔流啊！

当已经年老的童子团员，重新哼起了那支响亮的战歌时，满头的白发像也要转青变黑了。周围的树木、山峰、村庄和巍峨的剑门关，以及我们的整个祖国，都和着一个节拍，一个旋律，一同跟着他变得年轻了……

前方的征途上，一杆红旗在迎风飞飘。那扛着旗杆带路的，不还是当年的童子团吗……

四

笑声，沿着山谷被风吹了进来；
笑声，从飘荡的浮云上甩了下来；
笑声，在坡上、在岩畔、在沟底、在院坝……
在树上挂着、在路上闹着、在集市上挤着……

当你走进房舍交错的山村，迎接你的，常常只有对着陌生人大声呼叫的黄狗和白鹅。家家门前都特别寂静，只有少数靠在墙边悠闲地晒着太阳的老人，和几个玩耍的孩子。屋檐下，挂满了串串金黄的玉米和紫红的辣椒，在重重绿荫中画出了片片闪光的金红，这不就是而今山村安静、舒畅的笑靥吗？而这时，从白云深处却飘来了滴着热汗的笑声。啊，那里才是山村脉搏跳动的地方，播种的地方，收获的地方。走向那梯田重叠的广阔田野吧。

欢笑声里，我却想寻找三十年历史中，那些不幸的颠簸与弯曲留下的印痕。还有未完全由黄转青的山坡、岩边过于简陋的农家房舍、弯弯山路上背着背篓缓慢前进的沉重脚步……但在山民的心灵上，却不容易找到过去的阴影了。如果问起那些枯黄的岁月，人们会向你瞪着双双惊奇的目光。那目光似乎在说：尊贵的客人，你怎么不问问今天，问问未来呢？

是今天的欢笑，把过去的阴影溶化了么？记忆中的不幸，能转化为对今天欢愉与幸福的珍惜。历史的曲折，也是一笔特殊的财富啊！

我从剑门人民公社一位老社长的介绍中，了解到不仅在今天，就是在庄稼枯瘦、草木死亡的日子里，人们仍然天天扛着锄头，挥着热汗，仍然天天翻山越岭，攀登在崎岖的山路上；仍然选出最好的稻谷，风干扬净，一背背送往国家的仓库……

人们信任1935年过关的那些头戴八角帽的好人，信任他们撒下的那一颗信念的种子……

从公社机关走向山村，走向新开的茶山、新建的小水电站……走向仍然在山野上、白云中挥汗如雨的山民……我认识了一座又一座高山峻岭，认识了无数充满希望的目光。那些目光似乎都在大声说：我们信任明天！

于是，我发现我的面前，原来矗立着另一座崭新的剑门关！

五

山谷中，天黑得又快又早，夕阳刚刚滑下山背，转眼间便星斗满天。而离剑门关最近的一颗星，最亮的一颗星，就是那高峰顶上新建的电视转播塔上的明灯。

忙碌了一整天的剑门关，也需要躺下来静静地歇息了。小饭店在照例热闹了一阵之后，小旅店在说书的老头宣布"且听下回分解"之后，小镇上最明亮的两盏灯也就都熄灭了。山峰，睡了；树林，睡了；土地和溪流，都一齐闭上眼睛睡着了。连那总爱张着喉咙呼吼、从关外穿峡而来的风，也把脚步放得很轻，很轻。

剑门——我们流了一天热汗的剑门关，今夜一定有一个甜甜的梦。那梦有茶叶、木耳的清香，有稻谷进仓的欢乐……那梦是灌满了山歌和笑声的，是撒遍了富裕和充盈的……

为了迎接又一个黎明，剑门应该有这样一个梦。

俯望着熟睡的剑门关,满天星斗显得惬意而安详。而那颗离剑门关最近的星,还一定亮闪闪地挂在她的梦里。

她的梦境的主旋律,就是对明天的信任。

又一缕玫瑰红的朝霞,就要从剑门关的梦里升起……

临邛之恋

邛崃,古临邛也。最早知道有那么一个美好的地方,是从卓文君与司马相如美丽、执著的爱情开始的。那永不枯萎的传说,给后人留下多少翠绿的遐想。那片土地一定是山青水秀、丰腴富饶的了,否则,怎能生长出么美丽的爱情?而后,又从唐诗上知道了邛崃。"临邛道士洪都客,能以精诚致魂魄"——这《长恨歌》中的诗句,不也是为了爱情的吗?杨贵妃已香销玉殒,唐明皇还企图找来临邛道士去寻觅她的魂魄哩!住着临邛道士的崃山,一定又是一个林木苍郁、令人神往的神秘地方了。

邛崃县城里有"文君井"和"相如琴台"遗址。而今,已建成为一个小巧玲珑的公园。园内楼阁连着亭台,参差错落,古色古香;假山重叠蜿蜒,曲径通幽;树木花草葱绿秀丽,居然有几分江南园林的风韵。"文君井"古老而深不可测,井水显示的历史的深邃里,似乎蕴藏着爱情的酸甜苦辣,蕴藏着经过风雨岁月磨练过的人生的追求。而琴台上,似乎一千多年前的悠悠琴声还在荡漾，琴声里有两颗忠贞的心在倾诉缠绵的爱恋和幽怨。绿荫中茶楼分外安静，品着盖碗茶的人们，在幽雅的温馨中，似乎都在侧耳静听那动人的琴声，悄悄谈论那流传千古的佳话——细细地咀嚼着爱情与人生的真谛。

正值杂花生树、群莺乱飞的暮春时节，园内举行了一次新茶品尝会。古朴的青苍中，品茶会的横幅鲜亮耀眼，一派节日气象。据介绍，邛崃茶的种植历史悠久，秦汉以来即享有盛誉。每年农历三月间，均举办远近闻名的"新茶会"，一时茶商云集，已成风俗。而今茶的生产已大大发展，倾销全国，名扬海外。邛崃茶的品种繁多，大半天的品茶会上只能品尝七八种，但已够人久久回味，心旷神怡。其中，尤以和文君芳名——即爱情和文章联在一起的"文君绿茶"、"文君花茶"、"文乡花茶"等倍受人们喜爱。茶碗里像泡着一池春色，一池爱的温馨、爱的芳香。虽然久负盛名的"花楸贡茶"让人人都当了一次威严的帝王，文君的高尚节操和大胆追求，在品茶者心中才是永恒的。

和所有的县城一样，而今邛崃已有了宽阔整齐的崭新街道，高楼大厦如雨后春笋拔地而起，各种各样五彩缤纷的现代商品潮水般涌进了这片古朴的土地。然而令人有兴致去慢慢寻觅的，仍然是那些具有川西古朴风貌的街巷。或许，那青石板砌成的街沿上，那有雕花飞檐的楼阁上，还留有文君勇敢的足迹，留有文君的笑声和眼泪……

一对对衣著时髦的少男少女，或在大街小巷徜徉，或在刚兴起的舞厅流连，欢乐的脚步打断了我茶一般香甜的遐想。他们懂得司马相如的文采和卓文君私奔的美丽吗？懂得已成为永恒的爱的高洁和神圣吗？

筵席上，几杯"文君酒"令人沉醉，欢声笑语更离不开永恒的主题。为爱情干杯吧，为文君不朽的反叛和相如文章的华丽光彩干杯，为爱与文采甜蜜幸福的结合干杯，为历史上的爱情也为现实中的爱情、为今天和明天的卓文君干杯，为成熟的也为不成熟的爱情、为甜蜜的和苦涩的爱情干杯，干杯！

邛崃，爱情的故乡啊。

还有谁，需要去寻找临邛道士吗？

而今，邛崃山脉的一段——天台山，正开发为旅游风景区。去吧，或许能在云雾缥缈的山中，遇见那位飘然若仙的道士……

丽日当空，微风习习，旅游车沿着一条清清的小河离城远去。河上有打渔船，打渔人正撒下一网希望；河岸绿树重重，茂密的翠绿掩映着古朴的竹篱茅舍。几十分钟的路程，就已将我们的思绪，从闹杂繁华的现实拉回到幽雅自然、原始朴素的古代，进到了现代生活之外的"世外桃源"。爬山了，只有一条沿着淙淙山溪而上的陡峭石板小路。林木森森，鸟鸣清脆，小溪流水清澈，山间瀑布飞泻。沿途中，时而怪石争夺，时而灌木叠翠；时而高岩矗立，流云缭绕；时而峰回路转，只见一线蓝天。快接近峰顶了，突然豁然开朗，有一天然的堤坝出现在面前。堤坝旁有古老的磨房，堤坝上下均有一片浅浅的透明的沙滩。有一群群无人打扰的蝌蚪，在水中自由自在地嬉游。这磨房这沙滩的原始、荒寂上，定还逗留有一页页古老的情思了……

云雾深处，有道士古老的踪影吗？

上山的，虽也有老夫老妻，更多的还是一对对少男少女。他们在溪畔谈笑、摄影，光着足在沙滩上流连……给深山的古老幽静带来了现代和青春的气息。当然,都一定是来寻找爱情的了。

据说,天台山曾有过兴旺的历史时期。山上寺庙无数,和尚过万,连峨嵋山上的和尚要"升级",也得来天台山办理"手续"。现在山顶还有一名为"和尚衙门"的地方,就是证明——既然"升级"要来这里办起"手续",处罚触犯教规的和尚,当然也要来这里"审讯"了。看来,邛崃山并非道家名山,白居易的诗句大概是诗人自己的想象和虚构,只不过为唐明皇的爱情悲剧提供几丝空洞的安慰而已。

夜晚,登山后的疲惫催人入眠。但遐想的丝丝神经仿佛仍然醒着。历史、现实、琴台、水井、文君、相如、文章、爱情、茶、酒、深山、道士、白云、磨房,以及少男少女……纵横交错、朦朦胧胧,组成了一幅奇异美妙的梦幻。忽然间似觉惬意的梦幻一片湿润,飘洒着清凉的水滴……原来窗外飘起了丝丝夜雨,滋润着生长爱情的土地。

再一觉醒来,已是鸟雀婉啭的清晨。推窗远眺,白云悠悠的青峰上,正冉冉升起一轮照耀爱情成长的朝阳……

淡墨

江河与原野

怒　江

　　桀骜不驯，大自然一个忤逆的儿子。
　　高高矮矮沟沟坎坎的历程塑造了你大起大落、莽撞的性格。这样踢踢绊绊的日子怎能不叫人生气呢？生命在崖壁上摔打了又摔打，情感在岩缝里浓缩了又浓缩，一段坎坷的旅程就是一支苍凉的古歌。用信天游哼凉了大西北的女子是无论如何

淡墨 摄影

也唱不出这样的摇滚来的。

穿山越谷，奔腾澎湃，把所有的平平仄仄都在岩石上碰乱了，让人醉不出那曲大江东去的豪壮来。有时雪溅雷怒，让人想到力，想到混沌和无限。然而在大宇宙的瞳仁里，却只是一条弯弯的小蚯蚓，看不见蠕动。

地域是十分遥远了，是秦皇的兵马俑不曾践踏到的地方，治水的大禹也没有可能到这里来梳理你狂放的情绪，故宫里的那位老佛爷即使闲暇得用牙签剔牙缝的时候也不会想起这个不祥的名字。遥远，遥远得每一块岩石都突兀着荒凉。你用沙哑的喉咙在大峡谷里一路奔走一路呐喊，那沙声破嗓的调门，那痛苦而又激动的样子，常常使我泪流满面。

在峡谷里吞吐大荒，你将太阳一口咽进肚里，像一条蛇吞进一枚蛋黄，而后在岩石上摔碎，而后在大峡谷的天空涂抹彩虹，而后让那些没有欣赏过《拾麦穗》的山里人觉得这幅风景很好看。

高原痛苦而又执著的灵魂，唐古拉山一行无法抹干的眼泪。

喷香的炊烟留不住你，百鸟鸣啭的花坞留不住你，你不舍昼夜地奔走。你不停地奔走使我想起古代那个不断迁徙的民族。那个古老的部落总是在黑夜里行走，不断地追赶着黑暗迁徙。追赶黑夜而不是追赶太阳。一群与夸父性格相悖的猛者。他们深信穿透黑暗之后才是光明，黑夜的尽头才是真正的黎明。这个部落经常在黑夜里迁徙，所以特别需要照亮征程的月光。于是，自然之神便在陡峭的崖壁上镂空出一轮照耀这个传说的石月亮。

一轮永远不会沉落的石月亮，在这大峡谷里照亮你永远的流浪和忧伤。

两岸的岩石把你的生存空间挤得窄窄的，你是无论如何也调不转身来了。汲水的傈僳族姑娘特写给你一个很美的背影，那女子的秋波一定十分撩人吧？你竟然无暇留心那令人心跳的一瞬，水泡一个又一个地破灭为遗憾。日子从来没有从容过，行程总是十分匆忙，脾气总是不好。看见你毛焦火燎忧心如焚的样子，我找不到好的言词安慰你，心里觉得憋闷和难过。

你翻滚着波浪不断向前，月亮和太阳也跟着你匆忙的旋转。你来不及枕着石头做一个平平稳稳的梦。

你从遥远的昨天走来，从亘古的洪荒走来。循着你这条不平坦的路，我会走进人类古老的童年。两块石片便是独龙人的磨子，石片磨出来的五指粗糙不堪，石片磨出来的人生粗糙不堪。看着石片上那煎黑了的饼子，我体验着生命的顽强，怀想岁月的久远……

在山谷里独自行走久了，很想碰见一个赶马汉子或者一只飞旋的老鹰什么的。徘徊的风不知道你的心事，你孤独得连影子都没有。本来，你是很想和长江黄河拉拉手的，是横断山脉横断了你美好的意愿。深一脚浅一脚，你总走不出大山母亲一个残酷的爱字。人生写不尽的迂回与曲折。

生命在岩石上粉碎了又组合，组合了又粉碎，生生不息，一种永远执拗的精神。想哭就哭，想笑就笑，想骂就骂，不断的付出，不断的挥霍，这样放纵是要掏空生命的呀？啊，你这大自然桀骜不驯的儿子。

一个永远躁动的空间。

一个不敢搂抱的热恋。

当隐忍在岩石上化为齑粉的时候，当抑制在狂涛上崩断了的时候,你性格的本质便被概括了出来。内心世界所有的情愫都凝聚为一个令人颤栗的主题。

此时,我站在高高的岩石上,听十二万支铜号一齐奏响,看一万匹马在大峡谷里奔腾!目睹你将雷霆一个又一个地从胸中吐了出来。

出　牧

迪庆高原的六月,牧人赶着牦牛上山了。

夏天是一个牧放情感的季节,出牧就意味着离开家园,就是妻子枕边一个绿色的梦幻。

天气总是那么糟糕,帐房里说不出来的幽暗,迷迷濛濛的细雨编织一个寂寞的夏天,牧人只好老老实实地呆在帐房里了。原野上的格桑花开还是不开都与他无关。一杆老铳沉默得不和他说一句话。装青稞酒的皮囊瘪瘪的,那融忧解愁的液体早被火焦火燎的思念吸干了。冷飕飕的风从四面八方钻了进来,不断地亲他。

一只看场的黑狗威严地守卫着超俗的高原。

出牧就是离开家园,就是妻子伫立房前久久的企盼。牧人想家了。卓玛是一支忽远忽近的山歌,云雾一样不可捕捉,山风一样难以割断。寨子呢,寨子是被情感浮起来的海岛,牧人是一艘无法靠岸的小船。在这样的日子里,牧人觉得他的帐房很空,心很空,空得雍塞着搔不着抓不到的隐痛。希望是一只淋湿了翅膀的雉鸡,蹲在草棵棵里总飞不出去。爱情却是一堆愈烧愈红的炭火。干什么都觉得无聊,寂寞和懒散在他的手头捏成一坨又一坨冷冰冰的糌粑。火堆上的火苗却闪着笑着,似乎故意在嘲弄一个风风火火的汉子。

迷迷濛濛的雨,编织牧人无边的思念。这样的天气是火塘里都会长蘑菇的天气,这样的天气是想女人的天气,然而美丽的卓玛还是没有给他送青稞酒来。他那两片一直沉重得像山一样的嘴唇突然碰出一句话:"妖精,隔世变牛也不再和她同吃一山草!"

出牧就是离开家园,就是妻子手中一个捻长了的夏天。那天夜里,牧人梦见青稞熟了,卓玛笑得就像格桑花一样赶着木轮车来了,帐篷和被帐篷支撑了一夏天的孤独也被捆起来放到木轮车上去了,那头看场的黑狗在车前车后摇着欢愉的尾巴。寨子就在眼前了。寺庙的晚钟,母亲的呼唤一样亲切。腮帮上,妻子一个过劲的吻将牧人咬醒了。他的帐房仍然很空,山风依旧在帐房外面撒野。

雨,迷迷濛濛地在下。没有女人和青稞酒的日子实在难熬,影子有时陪他,有时不陪他。寨子像在情潮里沉落了的船,卓玛是一片白云越飘越远。

突然,帐房外面传来一声公牛的嗥叫,那只看场的黑狗也狂吠不止。这是一个畜群被野兽攻击的信号。牧人一下子从火堆旁边弹了起来,冲出帐房,跨上骏马,闪电一样驰骋在草原上。黑色的牦牛群涌动了,奔腾了。美丽的高山草原碧绿碧绿的,黑色的牦牛群在这绿色的草原上奔驰着,濡染着,就像是一团黑色意象在一页绿色的稿笺上逐渐浸染开去……

云雾缭绕的远山,似乎是一位圣者正向牧人捧出洁白的哈达。他矗立在马背上,威武得就像大自然刚刚加冕的王。当牧人扬鞭闯进大自然的怀抱,天地陡然宽了,一切都轻松了,一切都自由了,一切都解脱了。生机勃勃的草原似乎能容纳一切，吸收一切，而又萌生一切，美化一切。只要牧人驱马在这草原上风驰电掣的时候，精神和情感便被净化了，烦忧和苦恼便从牧鞭上抖落了，牧人也就成了草原的一个部分了。

这女性的草原呵，她能使情感发酵、让生命增值。

高山草原碧绿碧绿的，原野上的杜鹃花火红火红的，静穆的远山白皑皑的，牧人和他的骏马逐渐消融到这美丽的大背景中去了，整个身心都溶解在大自然的情怀里了。

真正的牧人有两个妻子。

情生彩云南

走 进 滇 西

那么多大山手挽手肩并肩地站成滇西，像一群不懂得匍匐的汉子，将头颅愈昂愈高。

喊山的猎人"哦嗬嗬——"一声，太阳便从云海里涌出来了，鲜红鲜红的，成了这莽莽苍苍的滇西高原上最动人心的一笔。马帮开始驮着太阳赶路。

滇西，顾名思义就是云南西部。西部，西部是一块让男人动心女人伤心的地方。

希望的胚胎里一片等待燃烧的辉煌。

怀着一种既神奇义向往的心情，我走进滇西。走进滇西，那才算是真正接近了母体。这里的土壤很适宜生长传说和有点蛮荒味的野史，滇西的女子和杜鹃花都十分好看，寂静的山谷里有冷气袭人的天籁。这儿的路很挑剔，空气很挑剔，耸入云霄的大山标志人生的一种高度，滇西的风雪丫口不允许生命中的弱者通过。

这儿的山谷十分拘谨，也十分放纵，放纵澜沧江，放纵大怒江……

放眼滇西的群山，那便是一万匹奔腾的野马，突然静止了的冲动，树起剽悍和粗犷。是骤然凝固了的野性狂飚，至今仍觉有雷霆滚动。滇西，大起大落的滇西，被风暴袭击闪电抽打过的滇西。

滇西被太阳晒得很黑。

滇西有很适宜生育的骨盆。

滇西，未被触摸过的原初，尚未开始的终极，冥冥蒙蒙，混混沌沌，一种很难表述清楚的感觉。有时，你会觉得大山逼得人再也没有前进的路，有时，即便遇上一匹狼你也会觉得十分可亲。世界上没有别的地方会像滇西这样：人和大自然会如此尖锐地对峙；人和大自然又会亲密得如此合二而一。生活在滇西，你会觉得自己就是一棵小草，背靠着雪山长大；或许就像悬崖上那株高山松，以坚韧的根系牢牢地抓住生命的每一次机会。

有时，我真想提醒那个进山的汉子：人生实在太陡峭了，小心，把脚踩稳。

滇西的石头很多，一坡一坡的，冰冷近似于一种残酷。在山里的石头上坐久了，就会有一只鸟飞来，泰然地落在你的肩上。初到滇西，心比大山还要荒凉。

滇西人喜欢忍耐，善于沉默，女人将心事纳进鞋底，男人用一锅叶子烟与黄昏对话。愤怒是一颗无声的子弹，常从目光中射出。

走进大森林，就像鱼游进了大海一样自由，一杆老铳时常冲着豺狼豪笑。征服和占有使滇西人心满意足，尔后十分惬意地背靠着水冬瓜树坐了下来，将松散和自如交给一堆燃烧的篝火。只有在这晚风徐徐地吹拂的时候，滇西人才有了闲暇在月光下用歌谣敷自己的伤口。煮岩羊肉的土锅里，炖烂了一天星光，一把长刀枕住他们十分平稳的梦。

在滇西大峡谷里，有一条十分有名的博南古道，但那已经成了历史和故事的一根线索了。当你看到独龙人至今还用两块石片磨碎粮食，当你看到碧罗雪山那永不改变的表情和姿势，那是免不了要伤心和叹息的。

但不管你对滇西的情感怎样翻云覆雨，滇西就是滇西。滇西是一部没有完全向世人展开的神话，是被大自然反复修改后的美丽，大山藏了又藏的姣好。

滇西，一个长在深闺人未识的楚楚动人的女子。到了滇西，愈是看不到的地方你愈想去看，愈是摸不得的地方你愈想摸………

美丽和神奇使得多少人想去闯滇西。于是，离别便成了大山永恒的主题。可滇西女子不会唱"哥哥走西口，妹妹泪长流"。滇西女子把男人送到山丫口，唱的是："大河涨水波浪宽，哥是浪子不恋山，妹变鲤鱼来戏水，郎是蛟龙要下滩。"滇西人的情感像澜沧江一样，在大山里弯了又弯。滇西是一棵树，树上结满了五颜六色的梦境。

面对滇西的群山，我顿时生发了许多新鲜的灵感，很想用岩石重新堆垒散文，和滇西的群山站在一起，我似乎也真的长高了好些。

看见太阳每天从这里升起又落下，落下又升起，火红火红的，将这山谷里的日子夯得既实在又热烈。风把云驮来，云把雨驮来，万物生长繁衍得十分茂盛。只有在这滇西大峡谷里，才能感悟生命的博大和永恒。春天和秋天持续着开花和结果的事业，生生灭灭的野草提倡一种哲学。一种真如，一种自然，自然得连十分崇尚自然的老子也没有骑着青牛踏过这片土地。那些走起路来就要虎虎生风的滇西汉子，那气度是颇有点"力拔山兮，气盖世"的，咕嘟咕嘟地将一大海碗酒灌下肚去，顿时冲淡了这西部的荒凉，只是那句歌谣卡在喉咙里老咽不下去，便坐在岩石上反复咀嚼人生五味，心中暗恨那朵迟开的杜鹃。

眷恋红土地

红土地，一块先民赖以站起来的地方，万古不灭的太阳晒红了古蛮夷。

我久久地伫立在这大地上，等待那一阵高原风摩挲她荒原的儿子。红土地，生命的胞衣。

传说的根是无论如何也捋不到头了，人们只记得红河水上漂来一个创世纪的葫芦。那样斑斓，那样永恒，是亿万年前凝固了的地火，大自然一封无法寄走的情书，在文明和蛮荒的边缘裸露生命和情感的原初。山路是老鹰叼到蓝天上也扯不直的意象，肆虐的风暴使得人心不敢靠近那片美丽，歌谣之树上坐着一个被《小河淌水》打湿了眉睫的女子。

那轮荒月便是坠在歌谣上的耳环。

那么久远,那么质朴,从生命的深层里流露了出来,一种刚烈和血性的表白。似乎听得见冷兵器的撞击声,从历史遥远的那一头传来,庄跻便成了这块土地上的英雄了。每天夜里,古老的红河水夜夜都从我的枕边流过。一年两年,涛声依旧。

是母亲将生命的赌注押给了红土地,从此,我别无选择。火把果一样,默默地燃烧自己。

也许因为梦得太久,也许因为痛苦太深,我常常一个人爬到高高的山上去,直到生命缺氧的时候才去感悟这片土地和人生。这儿的山倒是很高了,这里的人家住在红尘之外。三个石头支起一口石片制成的"锅",风的刀子割不断茅草屋上的炊烟。穿山越谷,走进大森林,一天两天,十里百里,碰不见一个人,在这红土地上,不能不让人感受这种百年孤独。

人们常说的"极地",其实指的就是这样的地方。荒草年年都在这里生长苍凉。

住惯了的山坡不嫌陡,父亲是那样如痴如醉地衷情于这片土地。每个黎明和黄昏,我都看见他那佝偻的身影在那红土的大背景上来来去去,执著如这土地深沉的灵魂,那颗粮食过早地把他的腰累弯了。在那红土高原上,看着父亲渐渐远去的背影,我会把干瘪的苦荞与鲜红的血液联想在一起。在这红土地上,生命会呈现出一种数学公式无法计算的反差。

世界因有了荞麦花而美丽,老一辈人不断地重复着二十四节气。抗日战争时期,北平沦陷,武汉沦陷……那些扛三八大盖、扛毛瑟枪的人都退到这片红土地上来,都说这儿的苦荞疙瘩很好吃。战争胜利了,有两样东西人们永远忘不掉,那便是云南的苦荞,陕北的小米。

章永顺 摄影

　　每年三月,那樱花杜鹃花是一定要开的,像我如期而至的阿荧。阿荧,黑瘦黑瘦的,很有点像《诗经》中那种采野菜的女子。看着那纤巧的样子,我说:"妹,你不要再往前走了,山那边的西北风很硬。"她一咬嘴唇,那血珠子便很心疼地冒了出来。拽住那情感的藤蔓一蹭,她翻上山来了。一棵树,一根藤,长成了这红土地上分不开的风景。

　　阅读这红土地上的爱情,一如阅读这土地上耕作粗放的庄稼,随意得很。这使我想起那个金马和碧鸡的故事,太阳追逐月亮的传说。

　　在这山高皇帝远的地方,有时又偏偏会想起那位建文皇帝来。京都一把大火烧毁了他的帝王梦,逃到云南,便在这红土地上削发为僧了。打这以后,很有些人将这里渲染成一片净土。真的,在这寂静的山谷里,在这世界的边缘,倒似乎少了些金钱的烦恼,权势的争斗。没有分贝和尘埃的困扰,在皎洁的月光下，你可以静静地审视爱情的伤口。

但这里离现代的文明和繁华毕竟太远了，"超导"、"传感"无法与岩石对话，昨天和今天依偎在山谷里不想分手，狼谷拒绝牧歌，边声滴落寂寞。向前再跨一步，似乎就走出了人生……

可不管瘴疠怎样出示生命的黄牌，山歌的音符落在这土地上便会开成血红的杜鹃。烂漫的山花年年都要在这里潇洒走一回。

古老而神秘，质朴而伟大，玄派的老鹰在蓝天上反反复复地考察之后，想预言点什么？

这里的文化被元谋猿人的篝火燃烧过，被铜鼓铸造过，被寻找粮食的锄头挖掘过，被巫师的法术点化过，被外国传教士虔诚的祈祷感动过，说不清是古老的还是现代，是封闭还是开放？像这土地上的庄稼，什么都长。像生长符咒一样生长诗歌，像生长孽障虫豸一样生长人类和英雄。

红土地，大自然亮出来的一面鲜红的旗帜，那生存发展的含义是我们永远也琢磨不透的。红土地，我半边冰凉半边发烫的梦，阿门！

杨志军

妖媚的那棱格勒河

那棱格勒河位于昆仑山南麓，是横亘在多喀克和乌图美仁之间的一条河流，它的上游也就是接近昆仑山发源地的流段叫楚克阿拉干河，它的下游也就是接近沼泽湖泊的地方叫吉乃尔河。谁也不会想到就是这条名不见经传的季节河会在荒原数百条河流中悄然孤出，闪烁着阴森危险的光波，成为令人心悸的妖鬼吃人河。

妖鬼最早的吃人记录出现在二十世纪四十年代初：西北军

阀马步芳试图从青海腹地打开新疆门户，控制塔克拉玛干沙漠以东的若羌地区以及辽阔的北疆。数千汉藏民夫被军队押解着来到大戈壁的酷地里，用每天死亡十数人的代价拓展出一条白晃晃的路来。这样的行为不管其政治目的是如何的不堪，但就其敢于在生命禁区筑造景观来说仍然是人类进取未知的一部分。就像当年暴君嬴政修长城一样，旷无人烟处斧凿石勒的痕迹证实着民夫们凄凄惨惨生死不保的营生竟是前不见古人的凌云之举。

但那棱格勒河并不成全马步芳，冬天枯水时修通的路，到了春天河水一来就顷刻崩毁了，崭新的未用过一次的路从此断为两节，再也不能连续，连遗落在西岸的民夫也无法渡河回去，只好流落到青新接壤的阿拉尔草原，娶个蒙古族的女人做老婆，生儿育女，逐水草而居了。他们因祸得福，阿拉尔草原上自由自在的牧人生活强似挨打受骂的民夫千倍。

据说这个春天、这次冲毁路段死了一百多人，不管是军人还是民夫，死后的情状都是一样的：全身精赤，仰面朝天，胸腹撕开了，心脏掏走了，下身不见了。多么暧昧的残忍，多么妖媚的毁灭，男人的下身不见了，连心也给拿走了。由此可以断定：那棱格勒河是女人河，那棱格勒水是春情之水。

后来又有过几次冲毁，只要是春夏两季，只要是男人过河，就没有不死亡的，就没有不精赤不残体的。至于女人，人们说很少来这里，来过一次，大概是几个去花土沟油田逃荒或者寻夫的甘肃妇女，被水浪卷走后，几十里外的下游河滩上出现了她们的影子，还活着，居然还活着，因为她们是女人。女人对女人总是同病相怜、互相关照的，于是更相信那棱格勒河是女人河了。

二十世纪九十年代初,一条雄壮的输油管道从八百公里外的花土沟油田敷设而来,直达格尔木炼油厂。管道途经那棱格勒河时,正好是冬天,爱情之水凝固在昆仑山巅,以白色的冷漠悄悄地不动。等到来年雪消冰融、大水漫溢,管道已经深埋于地下了。是年水流分外浩大、洪峰尤其挺拔,但没有死人。输油管道的敷设者们远远地躲开了——女人河,男人怕你还不行么?

但这并不意味着消停,一条与输油管道并行不悖的公路应运而生。管道走过河底,公路却在东西两岸戛然而止。人们沿路走来,到了河边就只能停下,等待着,水什么时候小呢?水什么时候枯呢?不言而喻的回答是大约在冬季。那还不饿死在这里啦?于是就涉险而过。人与河,确切地说男人与妖女的碰撞又成为必然,不断传来死人的消息,衣服没了,下身没了,心也没了——有油田筑路工、有载人载货的司机、有淘金客、有浪漫的荒原跋涉者、有往返于格尔木和花土沟之间打工做生意的,还有逃犯、有盗油贼、有拾荒者。这到底是因为什么?

你是男人,有一个女人爱你,就把所有的好东西拿走了,最好的东西当然是你的命。命只有一条,于是你就漂起来了,一个没有男根的漂浮物居然是彻底奉献的化身?是的是的,她爱你,爱得不夺走你的命就不知道如何表达,这就是关于人与自然的关系的那棱格勒式的表述。而你的态度是:要么因不理解而咒骂,要么因超越自己而宁静,当然是永恒的宁静。

也有第三种态度,那便是恐惧、便是死里逃生者的选择:1992年7月14日,一辆二十五吨奔驰水罐车大大咧咧驰过河床,河水瞬间暴涨,水罐车沦陷。水流转眼漫过驾驶室。司机和助理赶紧爬上大水罐顶部，河水跟上来了，淹过罐顶，好在没有冲倒他们。他们立着，互相搀扶着立成了柱子。两天两夜，没吃没喝，瞩望两岸，是那种只可诅咒的辽阔。一个说看样子咱们死定了。一个不说话，死就是沉默，那就提前沉默吧。就这么绝望着，突然水就落了，那棱格勒妖女收回了欲念，不再纠缠。他们开着水灌车出来，一上岸就软了，再也开不动车了。司机说我要是再过这条河我就不是人了。

1994年6月，油建公司一辆卡车陷进河里，水流漫过车厢，眼看就要没顶，司机和乘客弃车而逃，水浪翻上车体就撵过来。他们没命地跑，幸亏离岸不远，水浪将他们拍倒时，已经可以扳住岸边的石头了。被遗弃的卡车到了冬天水枯后才从淤泥中挖出来，已经不是车而是一堆废铁。

如此弃车而逃的还有不下三十个人，七辆卡车和吉普被那棱格勒妖女的粉拳揍扁了。这样的女人，敢于打铁砸钢的女人，要你的命还要你跟她做爱的女人，一定是冷艳无比的，一定是淫荡无度的，一定是天上的公主人间的王后了。这狗日的女人，残酷的雌性希特勒，教会我的只是不怎么美妙的举一反三：荒原，一切不可逆料的野性的景观，往往具有冷艳之美、淫荡之风、残酷之性。暴水如此，飓风如此，烈阳如此，泥淖如此，干旱如此，严寒如此，连辽阔、连寂寞、连砂砾石头，都是如此的冷艳、如此的淫荡啊，荒原为证，你永远警惕的，不是女性的鬼魅妖娆，而是你自己无法摆脱勾引的神赐的天性。

我天性喜欢冒险，趁着去西部油田旅行的机会，就说过一过那棱格勒河怎么样？朋友说你要去，我跟着，我路熟人熟，尽量不叫妖鬼媚了你。我心说那或许就没劲了。我但愿能看到河水耆然处丽若星辰的女子跃然而出,艳光一闪,便霓虹璀璨,便黑夜白昼,便人间天上,便是一河仙界之花的烂漫了。如此就死去、就给她——生命给她、心脏给她、那个东西也给她,人活着,不就是为了给啊给么?

我们上路了。正是七月,荒原上草长水流的时候,我们从花土沟出发,坐着大型五十铃,过大乌斯,过茫崖塬,过黄风山,过甘森草原,到达塔尔丁,再往前就是那棱格勒河了。我们被筑路队拦截在离河岸两公里的地方。队长说不能过,这个季节,轿车不能过,卡车不能过,大型五十铃也不能过,你们这些人就更不能过了。朋友说我们就是来过河的,过不去你队长想办法。队长是朋友的朋友,皱着眉头说非要过?过去干什么?朋友说世界大战发生了你知不知道?地球末日来临了你知不知道?东边的太阳落山了你知不知道?那边就是彼岸,过去就是西天,你说我们过去干什么?队长笑了:好好好,让你们过,叫妖女子拉去睡了觉我可不负责。朋友说睡觉可以,送命不行,你不负责谁负责?队长说咱们先吃饭喝酒,明天再说。

在筑路队的简易工棚里住了一宿,一早赶往河沿,不禁有些茫然:哪里是河呀?队长说脚下就是河了。至此我才明白,那棱格勒河是数十股水流的合称,这些水流今天这里明天那里,胡乱流窜着仿佛没有禁锢的思想。好在那棱格勒河有世界上最宽阔的河床,水流的自由奔涌得天独厚,你就流吧,流到哪里都是河。队长说二十公里宽的河床上不便架桥,我们就浅筑了几十座漫水桥,让水和车都从上面过。但就是这样,也得看季节,现在这个季节任何车辆都不能单独过。这时我们发现一个庞然大物正在朝我们移动。朋友说你把铲运机调来了。队长说我只有这一个办法。于是，双引擎、六百匹马力、轮胎几近两人高的铲运机拖起了我们的五十铃，就像历史的车轮那样，辗着坎坷，辗着涡流，轰轰烈烈往前走。我看到水的咆哮中无数金色的光芒宝剑似的刺来，但是不痛；看到水中到处都是女人的眼睛，就像漂滚着十万八千个黑玛瑙，玛瑙的瞳光寒寒地激射着我，但是不痛；看到妖女的红唇正在裂开，裂开，吸着水，吐着水，朝向我们，踏浪而来，猛地咬我一口，但是不痛；看到女人的发辫瀑泻于昆仑雪峰，黑绸似的流淌着，满河都是花簪了，辫梢蓦然撩起，抽我一下，但是不痛；看到我舍命而来，在勾引与被勾引之间流浪，青春激荡的时候，一头撞向南墙，但是不痛；看到队长迎着水浪朝我扑来，大喊一声：小心。我在惊愕之中触摸水的冷艳，始才明白：过河开始了。

刘 虔

瞬刻之间，我读懂了一部沉重的历史

中原幽深的夜色和辽阔的曙光已在我的心头沉寂。
列车疾驰着，向西，向西。
夹竹桃的梦碎了。
车窗外，绵延着大西北干旱少雨的土地……

蓝天在上。风卷岚云。苍鹰盘旋。
高原地平线如凝脂的波涛，被列车的嘶吼不断推向天宇低垂的地之尽头。

满目风景,在苍茫耀眼的阳光下次第展开:

黄的山。黄的土。黄的水。一派浑黄的凄迷。

那些泥砌的农舍、蒙尘的小镇和小镇上空突兀而起的烟囱,那些默默生长的庄稼、土坡上放牧憩息的羊群和在无声蜿蜒的泥路上追赶前程的乡民与客旅……也无不被造化之工着意抹上一重浓烈的浑黄的底色。

我用含辛的目光尽情吸吮着黄土地的情思。

我看见路旁的许多村落里,有头戴白帽的村民们护拥在阿訇脚下做着虔诚的祈祷,神游冥冥天国。伊斯兰的芬芳依然弥散在高原,点缀着色彩斑驳的大西北。

这是残破的古文明在今天的最新复制吗?

可是谁也不会忘记漫长的历史在这片土地上播下的殊荣:半坡的先民留下了彩陶,羌人留下了笛声,秦将留下剑戟,汉女留下歌舞,来自天竺去往大唐的商贾留下悠悠驼铃。那些隆起的黄土丘下,似乎就睡着这些古老的亡魂,睡着久远的过去,睡着许许多多被时光榨干了汁液的思想的遗骸、凋零的故事和花朵。

我挥一挥手,叩问匆匆掠过车窗前的流云:

"躲在地下的历史会醒来吗?"

没有回答!

也许是无须回答?

破译是徒劳的。这个谜一样的大西北,披一身褴褛的金缕玉衣,到处以她独有的、粗犷得令人胆寒的贫瘠,炫耀着自己浩茫的过去。

此刻,仿佛时间也变得沉重起来。

我只能用忧伤的叹息祭奠历史和文明在这里的衰落,因为没有哪一块土地会这样牵动我的眼睛,这样沉重地拨动我的心弦,让我在这个短暂而清醒的时刻,重温了我们祖辈留下来的古老摇篮的苍老容颜。

我而且想起了西部大移民的壮剧的悲怆……

想起了饥馑,荒芜,麻木的心,流浪者的泪……

甚至想起人造的死亡与污血……

这真是一方因困苦而神奇的土地,一方失去历史的辉煌却又渴望创造更辉煌的历史的土地,一方失去恒久的繁荣却又在创造新的繁荣的土地。

在她新的复兴和崛起的阵痛面前,我们只有献出华夏儿女的崇敬与热血,谁都不能无动于衷,无所作为,无计于斯……

列车疾驰着,总是向西,向西。

车窗外,绵延着大西北干旱而少雨的土地。

在大西北空旷无垠的浑黄里,我看不到一条清流,一泓碧潭。只有一次,从黄水浸浸的涧边一群浣衣女蓦然抬头同我对视的瞳仁里,我才看到一片清亮夺魄的目光……

这悬浮于大西北黄土地上的太阳。

这分明是灵魂的泉水在荡漾。

也是高原的思念和憧憬在闪光。

奋飞的喧响将鼓满岁月的翅翼。

我的心因惊喜而沉静。

是的,苦难不死,希望就不会衰亡!

就这样,瞬刻之间,我读懂了一部沉重的历史!

剑川，梦与激情抵达的地方

我的梦里飘着一朵云

　　剑川成为我梦中的叩访之地已经很久很久。
　　电影《五朵金花》的上映，把阿鹏和金花的故事送到每个中国人的面前。这是怎样忠贞的多情人。这是多么炽热的青春的爱情。但那养育了这多情人的爱情的土地——剑川，似乎芳姿难觅，像一朵云，总飘在大理三月街上或是蝴蝶泉边的某个角落里，幽香暗送，静静地诱惑着我的追寻和探访……
　　这隐匿在银幕后面的渴望啊！
　　这铺展在彩云之南崇山峻岭间的土地啊！
　　这僻远而神奇的剑川啊！
　　但思念的珍藏不会衰老。
　　不久前，我和朋友们的一次结伴的叩访终使这美梦成真。奇迹就在我刚刚抵达的一呼一吸间完成。那种走出梦境的震颤立时摄住了我的心。这脚下的土地，连同这土地千百年来深藏着的那份如梦如幻的亲近，更以泉涌一般的激情与活力，砰然注入我久渴的灵魂。我欣然想起那首歌《九月九的酒》，顿生一种回家的感觉……
　　这时，我好像看见有花在原野上开放！

亲近秋光熠熠的日子

是的，这就是我梦中寻访的土地！

噙在唇边的剑川，是一杯酽酽的美酒，浓烈得令人陶醉。秋光跟随我的喜悦，在这里的每一粒砂石上跳跃。无边的林莽和草滩接天而来，铺地而去。满目苍翠覆盖着群山、峡谷、乡野和村庄。镶嵌在坝子里的庄稼，以丰赡的沉静预言着成熟的喧哗。大地之上，长空一碧万里，盛满了恒久的蔚蓝；阳光是欢快的，虽有阵雨时时乘隙而至，过后也总是晴好依旧，明媚依旧。最是温柔的，要算纯净如牧人之梦的风了，这位飘泊于天地间的行吟诗人，总爱驱赶着一朵朵羊群似的白云，从更高更远的山巅之上纷披而下，弹拨着手中的琴弦，用饱蘸激情的吟唱，叙说着那些既久远又新鲜的故事，不断召唤出人们心底骚动着的温馨、怀望、欲念，还有许多许多青藤小路一样缠绕蔓延着的美好思想。因有这位歌者的行吟，这滇西北高地上的秋光更显迷人，日子也更显清爽深邃了！

生命活在峭崖上的秘密

山是大地思想的制高点。在剑川，最能囊括这土地深沉的性格，表述这里的人们的奕奕风采的，当数距离县城二十多公里处的石宝山了。

石宝山，剑川大地上最凝重最奇雄的诗篇。

在大自然宽厚博大的怀抱里它岿然卓立，又在变动不居的历史的铁砧上锻铸神性与人性的光芒。那瑰丽如歌、被人誉为

"石头上开花"的丹霞地貌,就是一个旷世的奇迹。正是最原始的粗犷纪录了天崩地裂大地再造那一瞬间的冲突与和谐:石呈千态,嶂叠百重,壑深泉幽,林木森森……这鬼斧神工的杰作,既奉献了秀美奇谲的风光,也构建了历史演进的舞台。名冠南天、被首批列为国家级文物的石钟山石窟,就开凿在这里的悬崖峭壁上。那是晚唐至两宋三百年间云南地区的南诏、大理国留下的史迹。绵延六七公里,造像一百三十九躯的石刻艺术长廊,上穷碧落下黄泉,生动地展示了那个时代人们心中所思目中所及的神界与人界的众生相。骚动与悲欢,奴役与反抗,沉沦与超升,镌刻交织在这里的每一个故事的细节上。时间已逾千年,风霜剥蚀着岁月。但当你用心抚摸这些过去的灵魂时,你仿佛还能清晰地感觉到依附其上蓄势待放的体温,可谓藏真忍痛,血沸气盈,"既有思想活跃,又有勇气贯穿"(法·马尔罗语)。在这里,人像神一样思考,神像人一样行动。无论佛祖菩萨阎罗小鬼之形,还是国王重臣武士仆役之相,都在栩栩如生驳杂繁富的线条的组合中获得了生命的灵性。那幽深博大的思想构成了一部交响乐宏大的主题:

美,才是这世界永恒的主宰!

而石宝山,还将把这无言的教诲传之久远……

这里的爱情最会唱歌

在石宝山,我还目睹了爱情与智慧的狂欢。

堪称剑川一绝、被誉为"中国歌城"的石宝山歌会就是这狂欢的经典演义。这个白族人民传统的歌节始于何时,已无从查考。民俗学家说,这或许是远古群婚的遗风几经岁月的淘洗而成民间的节日。踽踽爬行的幼虫蜕变而为美丽的蝴蝶,这是文明飞升的历程。年年歌会在秋时。每年农历七月最后的三天,当石宝山山门洞开披红挂绿之日,成千上万的剑川和相邻地区的白族青年男女便结伴而来,歌台高筑,弦乐蔽野,对歌不歇。所有的心扉敞开着,所有的言语都插上翅膀飞翔在情感的家园里,或寻觅初恋,或重吐旧衷,或拣拾失落的珍爱,那气势那炽热,直把一个热情奔放勇敢智慧不懈地追求幸福的民族的性格,淋漓尽致地写上了蓝天。你听,连远嫁外省难忘故土的白族女子,也专程赴会一展歌喉倾吐情怀了,而下面的对唱,却是出自一对并不年轻的男女的心底:

"别笑我老了,每个人心中都有情……"

"别人眼里你老了,我的眼里你是一朵花!"

面对这真诚的呼喊,谁也不能指责他们的"奢望"。此时,唯有此时,那梦幻般美好的爱情才成了可以攀登的高地。是爱,点化了灵感,激醒了智慧,获得了现实的力量,使人们如此勇敢又如此亲近。每一位歌者都是自己的王者,乐于将生命化作最圣洁的语言,从而祛除了任何虚伪的叹息……我要说,这是九月剑川秋光绽放得最灿烂的时刻,这是生活对执著于生活的人们的回报。有了石宝山,剑川人就有了心灵的节日的狂欢。正如一位哲人所说:"人道是从正义、爱情、感觉开始的。"

让我们都能拥有一个真实的开始!

美好的爱情将创造美好的人生!

古老的文明依然年轻

古老也是一种魅力。楔进了生活被时代吸收包容的古老，更是一种巨大的创造。在剑川，我看到了古老历史孕育的许多古老文明正被现实生活继承发扬，用老祖宗的钥匙打开一道道大门。剑川的木雕艺术就是这样。剑川木雕，素以精湛奇巧古朴典雅闻名全国。两千多年的发展已积淀为中华民族传统文化中的瑰宝。从昔日的明清故宫、承德避暑山庄，到今朝的人民大会堂、民族文化宫……无不留下剑川木雕艺人的荣耀。改革开放的浪潮更使这朵"滇西奇葩"走出了国门，享誉世界市场。由此，1996年文化部正式命名剑川为"木雕之乡"。而近年来被整理挖掘出来的剑川白族古乐，又使剑川享有"古乐之乡"的美誉。在一个宁静如水的夜晚，在景风公园一座桂花盛开桂香四溢的庭院里，我们聆听了这远古的回声。一支由数十位身怀绝技的民间艺人组成的古乐队，正襟危坐拨弦抚韵，胜似远走天涯荒芜路的劲旅，亲切中透出幽远的苍茫。单听那古曲的名字《嫦娥歌》、《醉杨妃》、《南清宫》、《八封腔》……就让人遐想不已。被时间抹去的珍奇又回来了。这些复活了的远古的精灵回旋在夜空的记忆里，我的心也仿若穿行在历史的后院，听古人夜雨敲窗时的絮语，那舒缓幽静的灯光透过窗帘正辉耀在我的眼前，并在我的额上、发间，在所有静静聆听着的人们的身上流动……一位民族音乐学家说："剑川的洞经音乐，佛腔、道腔音乐，风格独具，确系唐音宋曲，堪称中国古代音乐的活化石！"

我由衷赞美这令化石复活的年代！

剑川，你又给了我一个绿荫婆娑的精彩！

　　※　※　※　※

丢个石头试水深……

这是剑川人阿鹏初见金花时的"天问"。

而今，我来过，见过，听过，也想过。可是依然无法穷尽展现在我眼前的这被传统古风和时代新潮日夜拍打激荡的土地的秘密。惟有一句"永远的祝福"，才是我此刻面对祖国每一寸神圣土地所能言说的话语……

我的剑川呵！

黄晓萍

剑 川 男 人

"米脂婆姨绥德的汉"。陕北人用一句民谚总结本邦的好男好女，从三国时代强化到今天，为饮食男女飘洒了一头梦里落花，香醉天涯。陕北婆姨的千娇百媚，陕北汉子的英武潇洒，借一部《三国》，一曲《凤仪亭》，一出《小宴》，一阕《白门楼》，米脂貂婵、绥德吕布的万种风情，立体化得淋漓尽致。再走陕北，人们对米脂与绥德多了一份义无返顾的热忱。寻不着英豪佳人也无怨无悔，因为那寻觅过程充满诗意。文学艺术的魅力，使不是事实的信条永垂不朽，从一个侧面反映人之本性对大美者，有锲而不舍的崇拜。

若论好男好女，云南岂止一个米脂，一个绥德。各个民族的风采尽数写来，无一不是千古绝唱，比如剑川汉子。剑川男人的八面威风，没做成一部大文章，难免遗憾。

关于剑川男人，有两部作品写过。

金庸的《天龙八部》，发端和结局都从剑川来。老先生采取移花接木，将剑川名胜剑湖宫搬去无量山，以求大荒大朴大智大美大境界。书中两位牵动五册巨卷的男人，祖宅在剑川，先生倒也不讳言这个事实。十分可惜，两个好男人被金庸写偏了，写废了，老先生不大对得起剑川人对他一往情深。南诏皇门贵胄段氏，和西域抗上国大乱扫贰臣贼子轰轰烈烈统方诏，大智大勇大谋大气，很出过几辈好男人。金庸善解风情，用笔尽往花中去，将做了皇帝的段正淳写成个风流武侠，南征北战处处留情处处留种。储君段誉紧步其父后尘，只爱美人不爱江山，莫名其妙爱个你死我活的一串淑女，竟然全是父王段玉淳的私生女。一部长卷读下来，剑川男人都不务正业，不勤正事，云南人读来不是味道。季康、王公浦写的《五朵金花》拍成电影，在国内外产生极大影响，胜于《天龙八部》，剑川按道理应沾光的，那个叫阿鹏的白族男子，是剑川人。可惜，影片中的风采都让女主人公金花夺了去，让风情民俗美情美景夺了去，男主角阿鹏仅仅是个陪衬。影片中，阿鹏有一段自报家门的咏叹调，最能出戏的地方无戏，那段歌词有待斟酌："祖辈三代是铁匠，打把钢刀送亲人。"太刻板。如果改成"祖辈三代是木匠，雕只三弦送亲人"，情调就动人得多。再者，大理乃男性社会，男人在社会生活中扼腕社稷，那千秋大业一担挑的气概，最能打动女人心。影片中，阿鹏的文章做得不够，观后不知美丽的金花到底爱阿鹏什么。那个阿鹏，比生活中的剑川男人逊色多矣！

剑川男人七尺昂扬，身板俊雅，面颊饱满，鼻梁挺拔，浓浓的剑眉梢至发际，一双大眼睛微微凹下去，聚两池智慧两池才情，眸子亮而灵动，浑体刚柔兼济，使女人望一眼就心跳过速。剑川男人诗礼传家，出语不俗。他们舌头有点大的土腔透出些许木讷，惟其如此，言词很是简约，很是书卷气，使女人听君一席话会急出满面桃花。时下人说，男人先征服社会再征服女人，剑川男人不媚这个俗。他们深深懂得家祺国治的辩证关系，征服了女人再去征服社会，宁静的家园是剑川男人的心灵依托，他们把家看得很重。基于这种心理，历代剑川男人喜好三种归宿：精神的，灵魂的，宗氏的。于是，极爱盖庙、修祖坟、建宅子。由于心灵契合交汇，建的寺庙展三分民居风格，民居有三分庙堂风采，祖坟台雕龙刻凤布花草，与门楼相去不远，崇尚的生活是落叶归根的，一举穿邦而来，是一个很值得研究的文化现象。玩深沉的玄学常发问：你从哪里来？你将到哪里去？剑川人用宅子、祖坟、庙堂实实在在回答了玄学：随精神而来，带躯体而去。

一个人口不足十七万人的县，境内竟有大庙小庙四千余座。寺庙种类百态千姿，有歇山式、群落式、独殿式、悬空式、石窟式、摩崖式……浩繁的寺庙经剑川男人之手三千余年，神有了佛有了土主有了匠人也有了。剑川男人手感极好，悟性也极好。他们从理性的约束中脱颖而出，用心灵去指挥手再用手去感应心灵，把石雕、木刻、泥塑通通表现出动感的血肉之躯。他们一反正统宗教常规，宁可让佛像给人以瞬间顿悟,也不去取那千佛一面的空洞教化。这种毫厘千里的大功夫,很是有些创造性的背叛,背叛中使神明更接近生活,接近本土,接近思维。

剑川男人多是能工巧匠,尤以石木二匠誉满滇中。手艺是剑川男人的衣食父母,手艺又是创造剑川文明的摇篮,其历史,可以追溯到公元初年。

千百年间,茶马古道途经剑川,赶马人取暖造饭的古道篝火照红古城半边天。好客而善良的剑川男人提上自家的米酒,背起龙头三弦去为过路人敬碗米酒,弹几曲迎客调,听得赶马人泪水涟涟。剑川人顿起同情心,在古城外大道边搭个寮篷让马帮歇歇脚。到寮篷变成马站,剑川男人为赶马人刻只解愁乏的弦子,装腰刀的盒子,驮马驮的鞍子。精致的木雕被赶马人带出阳关,成了剑川人的无形广告,声名在外。赶马人感谢剑川人的深厚情义,把那南茶和藏药留下,把那马道上的故事留下,生动了剑川又丰富了剑川。耕耘小家园的剑川人不大安分了,坠着马尾掌着马灯穿着马褂带着匠人的行头去闯天下。他们出塞北走雄关进大漠,他们一路上唱着:

    江水悠悠向东流,
    泪水滚滚注心头;
    三弦弹起出门调,
    唱不尽忧愁。

    隔爹隔妈隔妻室,
    隔山隔水隔府州;
    背井离乡做木匠,

苦到白了头。

苦曲仅仅是发泄是思念,与闯荡无妨。剑川男人在关津渡口中逐渐形成了一种执着的信念:人不出门身不贵,人不出门志不宏。从小木匠到大老板,腰缠万贯者富贵宅门繁荣乡土,见多识广者精致宅门美化乡土,使这块边关古老地焕发出多元化发展。

剑川男人们感谢朋友和神明一路照看,总想为他们留足记忆。于是,在那深山旷谷石钟长鸣,清风不染尘的石钟山,请来了西域的神、吐蕃的神,东南亚的神。顺乎王室的统治心理,本不是神的这尊神必不可少,少此会起祸端。至于塑个什么形象,剑川男人既乖巧又大气:南诏王议政,南诏王出巡……把那沉浮中的智者、佛国中的高僧均拿来做了朝臣,敬你容你用你的王者风范,在不声不响中旌扬方土气节。让入主南诏的诸神、入室南诏的外士在王者皇冠之下长成小土地,不张不狂就完成了社会生活的前卫意识——洋为中用,古为今用。石窟的建造充分体现着剑川男人的大智慧,大才情,大人品。众佛之外,将交会过的朋友、有恩于己的友人驳杂其间,再写意几个民间故事。凝重而璀璨的艺术殿堂便多了人间烟火,反而使那广结善果再种菩提的心愿显得真实可信。

那天参观石钟山石窟,最让我动容并过目不忘者,是两尊观音,一尊愁面而一尊笑颜,均为我走南闯北不曾见过的独创。愁面观音是位老妇,一副苦了几辈子的苍凉,大有我苦了众生便不必再受苦的襟怀。另一尊观音风姿绰约,仪态万方,一身富贵一脸庄重尽是笑意,她不累的笑容却眉不扬嘴角不翘,幻化间你从任何角度看,她都在为你祝福。两尊女菩萨依稀可见白族女子神韵，道出了尽在不言中的女性崇拜。不着一词一句赞美，剑川男人用他们的心智表达出他们心中的真神是女人——母亲和媳妇。真神面前天香不足以表白真诚，男人们大着胆子悖逆佛道，将一个女性生殖器冠于众神之上呈君临气势，明明白白顶礼膜拜出真知：我等从女人的玉谷中来。

剑川男人性格中多匠气，既擅于大刀阔斧，又精于玲珑，最是会在细节上做大文章。他们历代盛行闯荡天下，很出了些能人。巧匠之外还有朝臣、学士、商贾。剑川坝子有股旋头风，男人们无论怎样地居庙堂之高还是出江湖之远，家园必是归宿。剑川坝子良田万顷，四时常绿，经营家园的重担落在女人肩上，居然无怨尤。安抚女人的手段，剑川男人身手不凡。雕对纤毫毕露的木狮子，一公一母中间那只绣球空镂出会旋转的五球六球，女人寂寞了旋着木球诉说相思，心有千千结，总在一球收。男人归来，人不到声先到，嘣咚嘣咚几声弦音之后，吼出两嗓子：想死我哟小心肝……

屋子里那位立刻手忙脚乱，再多的牢骚都化成烟云随歌声淡去。拍拍围腰拢拢头，香脂尚未抹匀便忙着烧茶，取出那上等春茶摆盏，木狮子面前一人一杯举案齐眉：干！

廉正祥

曼景兰，曼景兰

与朋友任君结伴去了趟西双版纳，回到蓉城，任君便向朋友们宣传我的名言——"世界上最好吃的是傣家红米饭，世界上最美丽的是傣家姑娘！"

是的，如果我当文化部长，我一定要设置美化生活奖，授予美丽的傣族妇女，她们把西双版纳装点得多么妩媚，多么秀丽啊！在绿色的田野上，在蜿蜒的村道上，在允景洪街头，到处都能看见婀娜多姿的傣族姑娘和少妇，她们的圆领窄袖短衣刚能遮住乳房,而长长的筒裙却一直拖到脚背,成黄金分割率。细细的腰肢,娇小的身材,都被短衣筒裙勾勒出最迷人的曲线,这些穿鹦鹉绿、孔雀蓝、桃红、桔黄短衣筒裙的姑娘和少妇给西双版纳增添了多少光彩和灵气!仿佛商量过似的,年龄相仿或高矮胖瘦相似的女伴们都爱穿一色的衣裙,都喜欢打一样款式的花伞。在村道上,她们下意识地排成单行,迈着细碎的步子,扭着细细的腰肢,仿佛在舞台上出场亮相;在街头,她们随随便便却又风韵十足地勾肩搭背,聚在一块儿说着姑娘们永远讲不完的悄悄话。初来乍到西双版纳的外地人,都惊叹她们服装线条的简洁流畅,色彩的明快淡雅。傣家妇女好像有一种天然的艺术气质和高雅的审美力。

  那天下午,画家朋友任君约我陪他去拜访阔别十八年的美院同窗 A 君。我们三人在州群众艺术馆画室里正谈得起劲,冷丁地,窗外探进半个姑娘的笑脸,甜甜地向老 A 打了个招呼,就不见了。还没等我们回过神来,她又从门外飘然而至,白色圆领窄袖短衫,粉红色筒裙,裙裾上的几只孔雀随她的脚步起舞翩翩,她梳着汉族古典妇女跟日本现代妇女发型相结合的一种发髻,髻上插了几朵小白花,一双大眼睛透出一股灵气,却又那么亲切。她向老 A 讲了几句傣话,然后打开她带来的一卷画。我们三人站在画前,细细欣赏这幅《傣族姑娘去神庙》。吊着牛肚子似的绿果的菠萝蜜树下,三个衣着艳丽的傣族姑娘提着水罐、圆箧桌,说笑着向远方的缅寺走去,类似傣家竹楼的缅寺前面,有几棵高高的浑身鳞甲的贝叶棕,直插蓝得没有一丝云彩的天空……我恍恍惚惚地记起傣族女作家帕罕写的小说《蜜多萝熟了》所描绘的纯情少女和美丽的画面,我一时弄不清到底哪位姑娘是小说中的主人公,画上的,还是面前的?都有那么一股灵气和动人的纯情。我的画家朋友一言不发,久久地站在画前发呆。老A对姑娘讲了几句傣话。姑娘从小竹篮里倒出西红柿和青辣椒,留下画,就像来时一样,向我们三人点头微笑便飘然而去。我一时像在梦中,在帕罕编织的梦境中。

当晚,在招待所,任君突然冒出一句:"唉,可惜了,这姑娘!"他告诉我,老A是从美院附中读起,一直到美院本科毕业,回到家乡又画了十多年,可他的画还比不上这姑娘有灵气啊。他从老A处了解到,姑娘叫依艳,是曼景兰寨子的农民,连小学都没有念完啊。我心中也怅然若失。老A是组织保送去学画的,而依艳是自学的,命运多么不公平!

傣历新年、泼水节前夕,我和任君参观了州群众艺术馆举办的画展,依艳姑娘的画摆在不显眼的位置,可画本身一种说不清的魅力却使周围的画黯然失色。我们两个,一个写文章的,一个画画的,都被依艳的画折服了,跟着又是替依艳惋惜不已。可惜呀,真可惜,一颗被埋没的珍珠。

泼水节以四月十五日在澜沧江赛龙舟、放高升拉开序幕。十七日是初一,十六日则是空白日。一大早起来,我心里倒真有点空空落落的,允景洪市民几乎倾城出动,去城郊曼听公园游园去了,我们干什么好呢?正发愁,傣族女作家帕罕来了,穿着粉红色短衣、红色小碎花筒裙,比往日穿汉装的她漂亮多了,她说今天曼听公园人满为患,允景洪街上又冷冷清清,建议我们去串傣族寨子。好主意。我和任君都一致要求她领我俩去曼景兰,去见见女画家依艳。

从允景洪到曼听的乡村公路上流淌着五彩缤纷的人流。在各色人流中,衣着艳丽的傣族妇女是人群中最美丽的花。曼景兰位于允景洪与曼听之间，寨子不很大，却整齐集中，傣家竹楼（其实应该改称木楼了，竹蔑楼板被木板取代，屋顶也不盖草排，是清一色的傣瓦，大小形状，颇类似成都的豆腐干）错落有致，家家竹楼周围都栽有凤尾竹和菠萝蜜、木瓜、香蕉等热带果木，还有从各家竹篱上探出笑脸的热带花卉。

帕罕领我们登上一家竹楼，听见楼梯响，从屋里迎出一位年轻姑娘，正是我们要找的依艳。我们不请自来，有点淡淡的不好意思。依艳却显得喜出望外，特别是帕罕跟她说本民族话，依艳不像在州群众艺术馆那么拘束了。帕罕当我们的翻译，很快我们就弄清依艳的身世。她父母双亡，家里缺劳动力，所以高小没念完就回乡劳动了。她从小喜欢画画，入了迷，家里穷，购不起画具颜料，她就在墙上、地板上到处画，还去缅寺看佛教故事画。我环顾室内，木板墙上面有花卉，布门帘也是画的，外面走廊墙上、堂屋神龛附近都有依艳的画。

画家任君来了灵感，构思了摄影报告文学，让帕罕和我当他的参谋，现编脚本，现拍画面。依艳起初有些紧张，表情僵硬。我和帕罕给她讲"戏"，慢慢她就进入了角色，拍摄越来越顺利。

中午，依艳看我们热得满头大汗，便用一只白搪瓷托盘端出西瓜和香蕉，又泡了几杯大叶茶，她让帕罕陪我和任君吃喝，自己忙着弄午饭去了。我奇怪女主人怎么不在家？一阵楼梯响，上来一位黝黑面孔的傣族少妇，满脸汗水，那对很有神采的眼睛表明她与依艳的关系。果然，是依艳大姐回来了，刚卖完西瓜回家。她一边招呼我们，一边到竹篾晒台上去，扭开自来水龙头冲洗赤脚，就势抹把脸，回转身又抱出好几只西瓜请我们吃，她自己却进堂屋帮妹妹煮饭去了。

781

不一会儿,像变戏法似的,依艳姐妹便在我们面前摆满一圆篾桌傣家饭菜。我们也就不客气地大饱口福。

傍晚,我们要告辞了。依艳姐妹再三挽留我们多玩玩。看我们执意要走,依艳姐妹便送我们每人一挂香蕉,一大包"毫偌索"(即用芭蕉叶包的傣族年糕)。这份浓浓的情意,顿时暖到我心底,啊,傣族姐妹,我能为你们做点什么?我受之有愧啊!

走出寨子,我频频回首,依艳姐妹还站在菠萝蜜树下目送我们。我对帕罕说:"蜜多萝熟了。"她一愣,随即会意地一笑。世界上还有什么能比人与人之间纯洁的友情更宝贵?!

曼景兰,曼景兰,迷人的傣乡,我永远怀念你!

老 荒

黑戈壁之痛

　　燠热的季风一阵又一阵地刮过空旷的戈壁滩，遍地的黑石头像被烤焦了的馒头，散发着一波又一波无色透明的流状气体，它们牢牢地吸附在大地上，如同贪婪的蚂蟥，要把大地的血液抽干榨净。

　　除了飘忽的季风，黑戈壁几乎绝迹了生命。时间在这里似乎也失去了存在的意义，抽象为形而上的东西。关于大海、树木，土地，以及一切司空见惯的生命意象，在这里都是难以想象的,仿佛那些都是来自另一个世界的,与这里毫无关涉。

燥热的季风像鬼影子一样蹿动。

焦急的太阳把光圈调到了极限。

昏黄惨白的天地间,一滴水珠莹莹地悬着,它欲滴未滴,如新生儿般鲜亮灿烂,如彩虹般发散着纯净高贵的理想光泽。

这是一滴生命之水。这滴水在一个充满想象的大脑里诞生。那层层叠叠的大脑皮层仿佛地下岩层般深邃复杂,它把一个幻想变为一个意识的信号,起初模糊不清的信号经过一层层神经的过滤,终于化为一滴清纯的水珠挂在了眼帘上。

透过这滴水珠,黑戈壁被折射成了五彩斑斓的幻境。

焦渴的黑石头如被春雨洗过一样,湿润而亮泽,透着神秘而高贵的贵族气息;干燥的砂土不再苍白艰涩,它把自己多彩的分子——白的石英、绿的松母、红的铁矿石、黄的沙金,以及众多叫不上名字的绚烂之色放大,构成一幅大自然神奇的微观图画。而流动在戈壁上的气流,则更是奇妙无比,它们折射着阳光五彩斑斓的光谱,像一条条流动着多彩音符的五线谱,瑰丽诱人。

这是怎样的一滴水珠啊!

黑色的大戈壁屏声静气地等待看这滴水珠发出惊天动地的坠响。锈蚀的岁月发条多么需要这样的一滴水珠的润滑啊!

漫长的等待在持续着。

这个时候,就听见黑色大戈壁那强壮有力的心脏在搏动了,它是大戈壁的某个部分,似乎又是整个大戈壁的全部。大戈壁呼吸着一扇巨大的肺叶,赭黄赭黄的,如风箱般沉重。

一滴水珠对它来说是如此的微不足道,又是如此的重要。

一颗被呼吸沉重地上下提着的心就痛了起来。

大戈壁的心也就随之痛了起来。

生命原来是如此地脆弱,心灵原来是如此地容易受到伤害。坚强者如黑色大戈壁也不例外。

是人的心痛还是大戈壁的心痛也就分不清了。人心里装着戈壁,戈壁心里也装着人。人认同了戈壁,戈壁也就化作人了。

燠热的季风还在一阵阵地刮看,吹着一颗心,好痛好痛!戈壁和心一样等待看那滴水珠的滋润。

浩　岭

柴达木的月亮

柴达木，蒙古语"盐泽"。它像一只巨盆架在青藏高原上，火车从盆的东缘穿越盆地到昆仑山下的西缘，需要一昼夜，汽车需要两个白天。每次到柴达木我都在想：造物主搞这么大个盆作何用？莫非就是为了盛那些盐？

的确，这只大盆里盛的盐是够多的了，总储量为五百亿吨，据说可供全球人吃几千年。

柴达木之所以被称为"聚宝盆"，除了这取之不尽的盐外，还有储量丰富的石油、钾、镁、铅、锌,也还有辽阔的牧场以及高原珍稀动植物,等等。凡去过柴达木的人,听到和看到的这一切都会使其感奋不已。

可是这一次,1995年7月,我第三次到柴达木,却讶然于一种完全意想不到的东西,那就是柴达木的月亮。

日与月,在中国早已演变为一种文化符号而沉淀于历史与传统的骨髓之中,所以,凡是有点景致的地方必有观日出这一招。然而奇怪的是,却没有听说哪里是几千年恒定不易的看月亮的好去处。这大约一则因为月亮有朔望圆缺之变,一年中最佳时机也就一个中秋夜,还保不准秋风秋雨愁煞人。二则,月亮是夜间之物,即便碧海青天,花好月圆,也总免不了几分夜的森然与可怖,猫头鹰,贼人并不因了月色很美而不出动。仅这两点,就注定月亮的命运比太阳惨——永远不会有人涉远登高去某一处名胜观月出,更不会有帝王之类的人物将自己视为月亮。于是,在文化含义上,月亮就成了雄性的、阳刚的太阳相对应的雌性的、阴柔的语言符号。月明星稀也好,月落乌啼也好,花前月下也好,都成不了什么大气候,画不到龙椅后面那块墙上去。

也许正因为如此,那一夜柴达木的月亮才使我感到了震惊,这种震惊不是感官上的,而是心灵和理念上的。那一刻,在离莽莽昆仑不远的柴达木盆地西南角,我和月亮几乎是猝然相遇,几乎是面对面撞个满怀。那一刻的昆仑山不高不低正好就是一只盆子的边缘,月亮就这样从盆外升起,又朝盆中冉冉落回。在差一点就要滚到眼前那株红柳树尖的时候,戛然停住了。

这时的柴达木便注满了银色的辉液,昆仑山、祁连山,都被荡到很远的地方,只能看见一抹恍惚的虚线。

柴达木的月亮啊,你都照见了什么?

最使你难以忘怀的,是在盆地的西北角,这里有一条短短的内陆河,叫鱼卡河,河边有一座小房子,门墙上钉着一块木牌,上面写着"鱼卡河水文站"。这是周围一百多公里惟一的一座房屋,不远处是一条穿越柴达木的公路干线。当每天对开的长途班车经过河上的水泥大桥的时候,疲困不堪的旅客们都会忽然眼前一亮,立时振作起精神来,因为他们看见了那座小房子,看见在房子前面有个红色的人影,显然是一个女人。在这如月球般荒凉的地方,怎么会有一位红衣女子?她站在这儿干什么呢?日复一日,年复一年,南来北往的无数趟班车上的无数名旅客,带着这一霎那间的振作和永久存留的疑问,还有想入非非,走向天地人生的各处。只有柴达木的月亮知道这一切。那时候,月光静照着鱼卡河边孤独的小房子,有一个老人坐在那里,默默地抽烟,悠悠地哼着一首比月光下的荒原还要朦胧的歌。他就是这个水文站惟一的一名职工,已经在这里坚守了整整三十五年。开初,每当班车经过大桥的时候,他都要站在小房子前面向车上注目微笑,可是人们都打着瞌睡,谁也不留意他和他的水文站,不愿多看一眼这令人绝望的荒寒之地。于是他就想了这个办法:每当班车出现时,将一件鲜艳的红布衫披在身上,远远站在小房子一侧,以引起人们的注意,让人们知道这儿有人,有一个国家单位……而人们果然也就打起了精神。

在柴达木中部,青藏铁路经过一个大淡水湖,名叫德鲁克湖。路基下面靠近湖边的地方,有两排当年筑路的铁道兵住过的土坯房子,里面住着十九名十七岁至二十七岁的女青年,这就是青藏线上有名的德鲁克湖女子养路工区。这地方也是几百公里没有人烟,每天只能看到客车上一晃而过的人影。夏日,在无风的晴朗的夜晚,一轮圆月从黑沉沉的湖面上徐徐升空,十九个女养路工便不约而同走出宿舍,来到湖边,面对苍茫的湖水,仰望那伸臂可揽的皓月。没有人说话,也没有人唱或笑,就这么默默地,默默地与湖水、与月亮对视着。有一年夏天,她们当中的一个在湖里游泳时下去再没有上来。几天后的晚上,柴达木的月亮将她那赤裸发白的身子照见并送到岸边。她们捞起她,环绕着她,仍是无声,无哭,甚至无泪……而柴达木的月亮却不忍目睹,急速地藏到了云后……又有一次,她们中的一位在这里生下了一个男孩,这下她们震撼了,激动了,欢腾了。孩子百日那天,她们在湖边举行了一场月光晚会,环绕着这位首次打破这女性世界的单调、寂静的男子,唱啊,跳啊,喊啊,许多人喝得酩酊大醉……

  柴达木的月亮理解她们,投放出最大限度的光亮为她们助兴。

  由于气候干燥,少云无雨,柴达木一年中星月满天的晴朗夜晚比任何地方都多;由于海拔高,空气稀薄,透明度强,柴达木的月亮便极亮,极近,极富质感。当这儿还是一片与现在的印度洋相连的古海的时候,它就照耀着无数原始生命的兴衰存亡。当那场壮阔得无法想象的造山运动将大海隔断、围堵,古海逐渐消退的时候,它那沉静温柔的光华就送走过这里渐次灭绝的古生物,迎来青藏高原诞生后的第一批新生命。那时的青藏高原,嫩得像一粒刚撞破种壳的幼芽,稚得如一个才滑出母体的婴儿,当那太阳扬长而去,将一个静得可怕的夜甩在身后的时候,月亮便出现了。它像一个园丁,也像一个保姆,忠实地、耐心地、温存地守护、照看这小小的稚嫩的生命,因而才有了后来的一切。

人类学界一直有一个观点:人类起源于青藏高原,所谓的中原文明,不过像长江、黄河一样,发祥地乃是巴颜喀喇山。如果真是这样,柴达木盆地无疑便是人类的摇篮了。且不管这是不是事实,但近年的考古发现,证明在柴达木南部的诺木洪,的确存在过一个古老王国。那整齐有序的城郭遗址,那精巧的石、骨、铜、陶器具和玛瑙饰品,以及麦类农作物和羊牛马骆驼等家畜的遗痕,都证明在三千多年前,柴达木盆地已经出现了脱离原始部落而进入等级社会的雏形。那时候,诺木洪一带水草丰茂,河湖纵横,人们在经过一天的劳作之后,坐在这和平安恬的古王国土地上,吹着骨笛翩翩起舞,月华如银,大明大亮,照耀着这生动的人类祖先的生活图景。可是有一天,这个王国却神秘地失踪了,全城人举国而去,不知所终,只留下那些具有考古价值的遗迹。可以想象,当国王领着全体民众向这块血食之土诀别时,那情景该是何等的悲壮啊!

在中国西部,像这样突然从历史上神秘消失的国家、城邦和民族部落很多,至今人们仍无法断其终究。只有它,那轮明月,看清一切,知道一切;但它永远只是微笑,只是温情脉脉地注视着你,守口如瓶,决不吐露丝毫秘密。

当然,在它的注视下,更多的是晓畅明白的感情和语言。四十年前,在开发大西北的高潮中,曾有八名大中专毕业的女地质队员来到柴达木,在一次沙暴中,她们失踪于最荒凉的阿尔金山下的大漠深处。半年后,人们才在一个地方找到了她们中的三人,尸体已经半风干,下面还压着地质包、地质图。人们在那里垒起八座坟墓,于是,共和国地图上就正式有了一个地名叫南八仙。如今,这地方跟当年一样荒凉,每夜与八位女子相伴的只有柴达木的月亮,它看见了她们生命消亡的全过程,它用无尽的光亮无边的情思抚慰着她们那寂寞的魂灵。

柴达木是一只巨大的宝盆,它不仅储藏着有形的矿产,还储满了无形的历史,这历史伴着日光和月光,从亿万斯年前一寸寸、一层层一直储到今天。要弄懂它,你除非去看那月亮,读那月光,仔细地读,仔细地品。

肖复华

柴达木的风

过了日月山,过了青海湖,再过了海西绿洲德令哈,向西、再向西……那就是我们柴达木无边无际的大漠戈壁!

犹如汹涌奔腾的铁水在这里突然凝固,寸草不生的柴达木西部袒露出它那布满漫漫金沙的胸膛。风,决非是被高楼大厦裁成方格格的城市里那杨柳细风,而是只有这里才会拥有的柴达木的风,真正男子汉般雄劲地迎接着你。风,这位上帝派往柴达木的使者,千百万年不知疲倦地、强悍地运动着,在戈壁滩深处刻下一颗硕大无边的"绝密"印章,使得这里人类的居住史比人类的文明史晚了五千年。它燥闷而狂暴地从戈壁深处而来,暴戾地呼啸着,使得这里年蒸发量是降雨量的二百倍,妄图吓倒一切生命在这片风沙主宰世界的存在。

迎风不屈的斗士,首推非风蚀残丘和沙蚀林莫属了。地质学家为它们起了个十分迷人的名字:雅丹地貌。远看,层层叠叠似万峰骆驼奔腾扬起漫漫沙雾。近看,狮面熊身、虎啸龙吟、仰面痛饮、醉卧沙场……—派千奇百怪慑人魂魄的雄伟景观。身临其境,令弱者丧魂落魄,强者身心振奋。千百万年来,狂风不由分说地将它们衣襟及皮肉掠走,只留下这钢铸铁浇的筋骨,它们依然昂起青铜色的胸膛,自立于荒沙戈壁之上。人们会顿然感悟到:血液奔腾的男子汉的坚韧脊梁,以及灵魂不息的生命奥秘。宇宙无穷,太空浩渺,遥远但可目视的地平线上,海市蜃楼下的湖泊里,倒映出梦也幻不来的奇彩怪影,大戈壁祖祖露露一丝不挂沐浴在灿烂的阳光里,裸体的柴达木让千百万年来肆虐无忌的风也不得不折服,拜倒在它的脚下,粗犷却绝对是动情地抚摸着它,然后裹携着它金色的沙粒跑远,为它讴唱着不尽的雄浑苍劲的歌……

于是,多情的柴达木的风开始为这里从未有过人烟的柴达木,传颂着许许多多神话般传奇的地名。南八仙——为纪念1955年在这里被大风卷走的八名女勘探队员而命名。牛郎织女湖——为纪念在湖水两侧一同工作却不能涉水相见的男女两支勘探队而命名。花土沟——是勘探队员勘探到此为祝愿这座秃山皱岭长出鲜花而起的名字……

于是,有了这样动听的人名:柴达木罕。她的父亲木买努斯·依沙阿吉,这位乌孜别克老人是第一位闯进神秘柴达木的人,早在1912年就骑着骆驼踏遍柴达木盆地。新中国成立后,又是他第一个做为向导,带领着勘探队为祖国寻找石油。柴达木的风是他最好的伙伴,几十年与他厮守一起,知道他刻在戈壁滩上的足迹就是柴达木几十年的一部史书。1957年,家乡哈密瓜开花时节,柴达木上油砂山、红柳泉、冷湖等地一时一并捷报频传,终于找到了宝贵的石油,浓黑的油柱喷薄冲天的时候,阿吉老人的女儿诞生了,而且就诞生在柴达木的茫崖。这一年阿吉老人已经是六十九岁高龄,居然又添个宝贝女儿。又找到石油,又添了女儿,他认为这都是奇迹。他愿意让女儿同自己一样,为柴达木创造更多的奇迹献出一切,便深情地为女儿起了这样一个动听的名字:柴达木罕……

于是,有了这样世上绝无仅有的苍茫雄浑的纪念碑。柴达木的风日日夜夜吹拂着它,缭绕着它,知道碑下埋着的男子汉对柴达木这块虽荒凉却炽热土地的一片赤子之心。1980年,正是粉碎"四人帮"后,祖国建设快马扬鞭的时候。石油部的地质师黄先训虽已年届六十四,仍要拿着一把地质锤到柴达木勘探。这是他一生的夙愿。他跑遍全国油田,惟独没到过柴达木,他对柴达木的眷念和向往的心情,就像地底奔涌的石油时刻鼓荡在他的胸膛。谁知,就在他刚刚买好到柴达木的火车票,却突然病倒了,而且竟一病不起。临终前,他留下惟一的遗嘱是把他的骨灰埋葬在青海。生前不能前往,死后也要一见。化为一抔土,也要和柴达木的沙土连在一起。他的碑就立在浩瀚无垠的戈壁滩上,他就躺在柴达木深情的怀抱中,面朝着太阳升起的地方。世上恐怕再没有一座碑会有它这样伟岸、悲壮,有这样宽广、无遮无拦的戈壁滩紧紧拥抱着它……

过了海西绿洲德令哈,过了青海湖,再翻过日月山……重新回到地球上载荷过于沉重的大都市,你不能不深深眷恋着那金沙漫漫的戈壁。柴达木的风,会紧紧揪住你的衣衫,扯住你的头发,牵动着你的神经,撩拨着你的情思,让你永远不能忘怀那里的雪山冰川、湖水蜃楼;永远不能忘怀那里的风蚀残丘雅丹、井架油海蓝天,以及那一代接一代为祖国开发柴达木而献身的人们……即使是万籁俱静的深夜,柴达木那强悍却也是深情的风,也会吹进你的梦中,吹落一天星花,万里云锦,那便是柴达木生命不息的精灵……

罗金荣

高原民俗（三章）

斗　牛

属于闲暇的境界。

却又惊心动魄。

蒸腾旋卷，扶摇直上的灰尘中，两头犍牛在牛皮大鼓的咚咚声中，元气充沛，肌腱紧绷，一场力斗和智斗在云中雾中。

日出而作，日落而息的牛，农闲时节，它们却一改温驯，来如洪水,倒如暴雨,和野性兽性彻底和谐。

即使拉着犁,把泥土翻得多么优美的牛,此时也会把放荡不羁燃烧得那么浓烈。

斗啊,把力量一直深入到生命的内部,让主人脸上荡漾着收获时一样的喜悦。

斗啊,胜利来自不可忽视的一瞬间,力中求稳智中求胜让主人笑得由衷,笑得惬意。

斗啊,让攻时不可捉摸,挡时不变应万变,使对手无不惊怵。

斗啊,直至把大红彩绸披上背,大红花朵挂上角,才配称一头主人的畜,一头高原的牛!

高原上,除了人与大自然的较量。

更有生灵的搏击中,既有高原人。

也有高原牛。

火　　塘

寒冷和干燥交织的高原,火塘是一个欢乐的音符。

祖祖辈辈,我这群乡亲早已养成了以火御寒的习惯。

这是一群白天或在小作坊敲敲打打,或在石缝间收收种种的乡亲。

一群很苦、很累的乡亲。

只有当夜晚,他们才急不可耐地接近火塘。

喜气洋洋,热热闹闹的火塘,围着火塘的,除了一家老少,还有嘀咕的猫,半眠的狗。

红红火火,娟秀异常的火塘,寒冬里,还会拴一两只缺羽少绒的鸡,罩一群刚出壳的鸭。

这是一种微妙的境界。

一种净化而忘我的居所。

我并非崇拜这原始。但我羡慕这种宽厚而温暖的人生,即使多么弱小的动物,都会被看作家族的一员。

我并非崇尚落后、贫穷。但我对这种爱抚和吉祥怀着无尽的憧憬和向往。

我并非失意和脆弱。但我要高歌这种把爱奉为最高的楷模或典范。

只有读懂了火塘,才读懂了乡俚乡音。

只有读懂了火塘,才读懂了乡情的浓烈和绚丽。

水　葬

天地间不留下一字一碑让人去读。

只把一生溶入一山一水间。

红土上的人溶入水中,水更奔放不羁。

红土上的骨溶入岩中,崖更陡峭险峻。

高原苍苍。

日月茫茫。

楚楚动人,美则美矣的大水,让你万丈的巨浪把死层层叠叠地挤压,让它不能像树木一样狂长,不能像野草一样丛生。

洁若处子,皓如玉境的大水,让你奔驰如电的急流把死彻底地抹去,让周围的庄稼葱茏茂盛和两岸和民族子孙繁衍!

木鼓咚咚,何等喧嚣的人间刹那间寂静。

竹筒声声，或红或白或绿或蓝的山川，突然变得肃然。

石锣阵阵，一切悲伤因此收紧。

别亲人的钱纸，飘在树桠，飘在深谷，飘在江中。那里高原一场铺天盖地的雪花。

一篇死亡的童话。

——族长的刀，挥无数闪电。

黑汉的剑，舞道道寒鞭。

先生的鹿尾，使所有的恶魔统统跪下。

目送亲人下水了，愿他的英容和大江永存。

目送亲人在浪花簇涌下远去，愿他的品质像矗立的伟岸。

亲人的英魂在灵山秀水间。

亲人的英魂跨上龙的脊背。

滚滚的浪花，是苍生的花环。

大江的岸，是千古的墓碑。

胡 茗

竹 海 醉 春

　　最早是筷子搭的桥，一日三餐为人直接开通进口渠道的竹筷，经千年百代不变的产地"江安"、"长宁"，总是用"火烩"烙印在筷子上端的。把这一带长绿的山川用蜀南竹海的雅号统辖起来，是近十来年的事。十多年前那个春笋上林的季节，我不远千里而来，日夜像一尾不闭眼的鱼，畅游在万顷竹波之中，三步一小醉，五步一大醉，十步之内必定要"呻唤"一声，就为这颗明珠埋没太久隐藏太深。那时还不知道日后的城市中会发达出什么"氧吧"之类的高级享受,一路上,我就高兴得连声对身边陪游的"临时工"老吴说:"真想把肺都吐出来,好好洗涤一番。"

"临时工"早年在省城念过一年大学,被那场"历史的误会"狠狠撞了一下腰,便遣返回乡了。幸好这绿色世界待人宽容,除给一条打楠竹、挖竹笋的活路,还让他拣了些民间传说、山歌俚曲,隐了真实身份投去山外的报刊,换回买油打盐的小钱滋润家庭生活。我从省里来,他正在等待"落实政策",文化馆便每天付他1.35元,雇来作了"临时工",为我当了"陪同"。那年月的山民,每见老吴滔滔不绝对我讲些从根到叶的绿色故事,往往在一旁起哄"吹牛开始!"——"包装"一词,那时候还没有汹涌澎湃地涌进山里来。

这一天,到了竹海深处的"万岭箐"。照老吴的说法,他今天要让我享受一下"地专级"待遇,因为宋代大文人黄庭坚被谪贬至宜宾做官多年,他能不搞点儿"公费旅游"吗?况且从"万里长江第一城"买舟东下,就是一个豪华团也花不了几两碎银子。黄翁不仅善饮,且善文善书,被人沽酒相待之后,岂有不留点儿"墨宝"的道理。老吴不管史书典籍上有无这项记载,认定黄翁是不能不来,不会不来,来了才是情理之中。我到的这块地方即是州官来过的地方,我享受的风光就算是"地专级"的风光了。我想笑,却不容笑,他吹得很动情,就让他尽情发挥吧!——黄庭坚来的时候,大概也是这春笋拱地、新绿窜林的季节。他所玩的,俨然比细雨骑驴的陆放翁高许多的规格,八抬大轿一颠一颠地来了个朝廷命官,当地土著能不置酒相迎?可黄庭坚却推开"土人"奉上的酒碗,欣然四顾,"秀色使吾醉也!"醉了的黄庭坚拔出佩剑,唰唰两下就将碗大一棵楠竹伐倒在地，三下五除二剔了竹枝，扎成一支叉头扫把，随后往溪水里沾了一沾，在崖头上一挥而就，写下"万岭箐"三个大字，那字大得一笔一划里能睡一个人。那活水自然就叫"墨溪"。我们立脚之地，就是黄翁干活之后的掷笔之处，竹笔散落在山谷之中，唰唰唰，长出万杆青翠。那"万岭箐"三字朝卧霞云、夜浴星辉，为了不让钱迷心窍之徒打她的主意，万杆修篁就把她里七层外八层地遮得严严实实了……

万岭翠色绝对可以醉人，老吴话里有酒精成份。他挂嘴边的口头禅"我的万岭箐"！就是不折不扣一句醉话。这方乡土既不是"土改"分到户下，也不是哪年哪月承包到手，完全是一种感情拥有，老吴常常自甘于这种感情拥有！一眼看见几棵野生野长的"蕨鸡树"，他准会连跑带跳蹦到跟前，把猪娃子狗崽子一阵哄撵，张二哥李幺妹的一阵惊呼呐喊，让主人赶快砌墙保护起来，说这是植物化石是文物，"给我看管好！掉一匹叶子都脱不到手！"俨然像个管户籍的警察。溪水边，山路旁，野生兰草自生自灭，拖楠竹下山的妹子，有时顺手摘几朵插在头上，幽幽地香出竹海，在我看来是很有诗意的。如果让老吴碰上了，就像城里的骑车人闯了红灯——他咕起一双眼，"路边的野花不准采！"这是他订的山规。"将来要和城里兴一样的规矩，谁采罚谁的款！""临时工"心目中的野兰花，看来早就被他规划成万岭箐的绿化带了。"我的！""我的！"从老吴口中听得多了，也就发现感情容易蒙蔽人，使人变得偏执，蜀地的名山大川，都封有"天下秀"、"天下幽"、"天下险"、"天下雄"等等天下级雅号。"地专级"算什么？"我的万岭箐"咋个不能叫"天下翠"呢？凡天下名山有的，万岭箐也是一定会有的，万杆青翠在情人老吴眼里是不老的西施。此后，老吴为

"天下翠"呼叫得声带出血绝不是戏言。

一日，我们路过林中一积水潭。绿缎微动，蛙声四起。他便停下步来，要我给蛙声亮个分。当知道我去过峨眉山，他就更高兴了，硬要拿万年寺的弹琴蛙与"我的青蛙"比较。不想使他扫兴，我还狡黠地打了个比方，说峨眉山的琴蛙唱的是美声，竹海的蛙鸣是民族唱法，"茶花女"和"韩英"岂能拉到一个赛台上去评判打分呢？就叫各有千秋吧！老吴可不依了，断言"我的青蛙"比"峨眉琴蛙"音域宽广、悦耳动听得多，只不过峨眉琴蛙是李白听过的。李白如何夜宿万年寺，如何与万年寺住持广浚结为知音，如何每至黄昏，二人背倚峨眉峰峦，广浚抚琴、李白低吟，深秋的月光溶溶地映入诗人身旁的水池，池里的青蛙也模仿琴音与之酬唱，老吴都是了如指掌的。所以，他那声"李白听过的"，是有弦外之音的，遗憾万岭箐的蛙声没让大诗人李白听见，知音老吴怎能与老李论之短长？于是，我便对老吴说，既然如此，就还是让我的青蛙满足"地专级"声誉算了吧！

竹海的旅游宾馆，如今已经堪称星光灿烂，可那时候，我们下榻在乡政府对面的茶旅社——无可争议的"鸡茅店"。在卡拉OK大举进山，麻将牌一朝解冻之前，乡村干部的夜生活是十分枯燥的。连旅店的小老板也舀碗豆花，拎瓶烧酒，碗里放几支土瓷调羹，凑到我们房里来摆"龙门阵"。不过，这一夜草草就让老吴收了早工。原因是老吴让他们出言不逊激怒了，这些祖宗八辈起就靠山吃山、以伐竹打笋为产业的山民，说什么也不相信老吴刚从我嘴里引进的新概念：竹乡的发展前景在于兴办无烟工业——城里人到山里来看一阵竹子，吸几口空气，喝几盅痨肠刮肚的竹根水，然后听上一阵子老吴式的

"吹牛",就大把大把花银子,简直是摆"玄龙门阵"是酒话。他们坚信竹子就是那么一年四季的绿,竹根下沁出的流泉就是那么成年累月的清,用易拉罐装了去,就可以成为先生女士求之不得的天然减肥饮品,山里人是难以置信的。这里说到竹根了,在省上读过书的老吴,知道南中国的榕树,其根如盘龙卧蟒暴突在地面上,十分壮观。榕根都可以成为称雄一方的景观,那"我的万岭箐"的竹根是什么?就在乡干部打着呵欠早早回家去的那个夜晚,这是一个月夜,老吴带我看万岭箐的"吉尼斯纪录"去了——老吴认为将来的"吉尼斯大全"上应该有一页竹根写下的纪录。

我们来到一条山溪尽头,倒不是仅为展示他半世人生在石缝里艰难蛇行的境况,而是让人面对壁立的峡山,将那白练悬空的瀑布之下、乱石丛中,万千竹根的涌动叹为观止。那竹根是什么?是巨石下不死的春魂,齐刷刷擎着竹茅,伴以水声风声的呐喊,千万年间将那石破天惊的阵形,日日夜夜演练于山谷之中,那夜,我大概也是醉了,醉得不轻。山路不平,月色朦胧,竹影摇曳,走路就像在打醉拳,流泉潺潺,心潮溅溅,真可谓"酒酣忘却身为客"。我一路吐醉话,说什么心中就是有天大的忧愁,到此也会忘到九霄云外。没想到老吴是酒醉心明白,跟在我身后,捏支圆珠笔,将手心手背当作记录纸,一字一句往上划。归途中,老吴摔过一跤,衣裤全被水露湿了,那支记录着"忘忧谷"、"翡翠长廊"等醉话的手掌却高高举起。日后,这些戴在旅游景点头上的桂冠,让慕翠尝绿而来竹海的天下人赞叹不已的雅号,真可说是一字一句都是从"临时工"老吴皮肉上抠下来的!

如今,蜀南竹海早已是游人如织的国家级风景旅游区了。

自那以后,我和老吴也屈指可数地见过几回面。他总是来也匆匆,去也忙忙,不是临时抽去帮忙给竹海写升级加封的申报材料,就是忙着扩大宣传搞展览,一直是个"临时工"。再后来,有去竹海旅游的朋友将信息反馈回省城,我终于知道这一回老吴不是打临工而是终身制了——他为女儿开了爿小小的竹工艺品商店,兼售他自编自印的民间故事、景点介绍,有贵宾显客到竹海,他也临时被请去"吹牛",还接待过不少的"老外"。店虽小,却有特色,那就是收费特别低廉,照他的话说,老吴自编自印的材料,是自产自销,免税的!有谁见过"吹牛"要缴税吗?这一回,老吴说的不是醉话,打的也非醉拳!而我对那次春行,至今还是醉话连篇!

火把·抢亲·选美

火把节是年年农历六月在凉山村村寨寨都要火上一把的"野生植物"。

好久不到这方来。陪同两位来自欧洲的外国朋友,如期而至赶上了火把节之夜,却也不期而遇赶上了西昌城瓢泼大雨。我脱了"T恤",裹了相机,赤裸了膀子和胸背,在万头攒动之中逃也似的回到住地。还算好,"老外"夫妇也效仿我"急流勇退",携手逃出风天雨地,作了一回雨打不散的鸳鸯。男"老外"是位研究中国历史、民族文化的教授。他跨进门就冲着我说:"胡先生,你带错路没有?西昌是西双版纳吗?怎么碰上了泼水节!……""米沙"生性幽默。他的画家夫人自幼长在中国,语言的"童子功"和教授可以联手开"夫妻店",既可把中国诗歌"英翻汉",也可"汉翻英"。这时,她插话了:"米沙的意思是他没有看见弹口弦的'幺表妹',身披'查尔瓦'(彝语:披毡)的'大表哥',像野火般燃烧的情景,算什么火把节呀?"是呀,是呀,午餐时,当餐桌上出现拳头般大小的彝家"名吃"——砣砣肉时,我对他们讲过一段早年在彝寨过火把节的见闻。那是我记忆中的"红裙四处点火,披毡遍野生风"——原始风味的火把节从"山吃"讲到"海喝",教授还颇为儒雅地说了一句"这是瓶口对人口的交流活动",同桌的人即兴唱起一支彝家酒歌:"大表哥,请你喝/你不喝,也要喝/含进嘴里是块糖/流进心里是把火!"酒拌歌,歌拌酒,顿时吹来一股山野之风,我眼看"老外"的目光有了酒意。

现在轮到醉意未消的"老外"向我要那个原汁原味的火把节了。如今繁华世间,还有没有那株名叫"火把节"的野生植物呢?

那夜,我的回答是"问天!"

次日,天开眼。节日狂欢,移址野天野地,我们闻讯后,赶赴西昌城外二十余里的大菁乡。最后几公里,弃车步行,前来参加招商引资、经贸洽谈、物资交流、诸种会议的大小车辆也来挤热闹,如我等这种"观光客"也就只好让热闹挤着,再体会一回"蜀道难"。

有戏可看,不过来时已晚。那不同于日本相扑,古希腊角斗的彝式摔跤,把赛台拍打得天摇地晃,迟到的我们不仅错过了这原始的"带火表演",连斗牛斗羊也在先前火过了。我们踩进绿茵场般大小一块平坝,"老外"很高兴,雨湿的泥地像裁绒红地毯。既不收售门票,也不验证放行。不一会,便表演激动人心的"抢亲"和"选美"。当这两把"野火"烧起来的时候,老外和在场的群众浑身都像再着了一把火似的。我也踩泥趟水满场疯跑起来,几个维持秩序的"袖标"就像"维和部队"的蓝盔们,袖手一旁,听我举着相机高喊:"我不抢亲,只抢镜头!"也就宽厚地笑着转过身去⋯⋯。

如果"抢亲"搬上舞台,绝对是一台红红火火的彝族婚俗歌舞剧。被抢的新娘,抢人的新郎,在真实的彝家古典婚礼上,本来就是浴着爱火旋转的双人舞,至于"女家"为一方,"男家"为一方,先歌声对垒,后泼水大战,在中外婚礼上也算一种奇观。盛装的伴娘们,今天一进场,人手一个盆。后来被"老外"戏称"阿米子"(彝语:姑娘)的专用消防器材,是颇为准确的。泼水抢亲人,一盆接一盆,一方是舀不干的水,一方是扑不灭的火,欢声雷动的山野——一口开了的锅。

不过,真的戏剧性是出在今年火把节上的意外——"新娘"意外地被抢。一群从山坡上俯冲入场的"查尔瓦",突如其来地抱了蒙着盖头的"新娘"就跑,实属是今年火把节表演"抢亲"遭遇的意外。那彩排过的"新郎",临到出手抢人的时候,都还畏手畏脚没有完全进入角色。那风闻可以参与的群众,像半空中泼下一盆野火,等"新娘"感觉大势不好,从未经彩排的"抢亲者"臂弯里拳打脚踢挣脱出来时,已离场四五十公尺。发也散了,裙也乱了,她一抹眼泪,吓得这一群被戏称为没有买票的入场者——憨厚的彝家小伙子手足无措地将"新娘"扔在了草坡上。不过,他们飞跑离场时,一点儿也不英雄气短,俨然是领了红牌下场的得分手,掌声鼓励不算经久不息,也算山鸣谷应。

对于"不抢亲,只抢镜头"的我们,其实也是一群"犯规者"。如果说"抢亲"的游戏规则是"未经排练,谢绝抢亲,只许假打,不许认真"。紧接着登场的压轴戏"选美",则是"动眼动心亦动手"。动手即是投票,直接把选票投到你心眼齐动觅到的美人手中。今年开先河,按群众投票多少选出"金花"、"银花"、"铜花"、"十大美人"。我们入场晚,不知票从何处来,更不知道有效选票是一元一张,事先早已发售一空。什么时候发现我和"老外"在一起犯了个美丽的错误?不是在如云的美女出场之初,她们人手一把金黄色的大伞——在山上放羊遮风挡雨躲避日头毒晒的大伞,此时在姑娘们头上撑开,既能像靶标似的招惹目光射击,也能有效阻拦目光的流弹。我们曾经上前,请姑娘们走出伞盖下来个"特写",这不算犯规。四方来的观光客,八面来的记者们,手持长枪短炮似的摄像机、照相机蜂涌而上,争抢有利地形的磕磕碰碰也只算是赛场上的"合理冲撞"。我是在新一届"十大美人"浮出水面,众星拱月捧上领奖台,我身背几乎是弹尽粮绝的相机,踏上归程,在伫立的坡顶上作出回首无憾事的姿态时,才惊觉憾事在身后,一帧亭亭玉立的背影突然闯入我的回望之中。她怎么没能上台领奖?远离掌声,远离奖牌,远离许多参加选美女孩子有过的美梦。我悄悄拍下她的背影,却再也不敢去拍她的面容,如果她脸颊上有泪,那泪会和我们有关。我把一种近乎犯错误的感觉立刻传达给了身旁的米沙夫妇。米沙拍了拍宽大的脑门,似乎也想起了选美场上的一连串镜头……

她一登场,立刻遭遇相机们包围,玩摄影的个个眼力都不赖,众里挑花更是训练有素。朋友们的摄影家协会,简称"摄协"。被我戏称"色协",米沙的画家夫人说她的同行们也应包括在内,被专业"猎手"口径一致瞄准的她,不是"金花"也是"银花"。观光客手持各种"傻瓜"机,一见这出类拔萃的美丽,也立刻加入包围圈。女同胞比男同胞更有过之,利用近可贴身的优势,不仅围着美人照,甚至搂着美人照。你照我照、他照,这姑娘有着"模特"般高挑的身材却无T形台上那张冷面;有着"云想衣裳花想容"的贵族气,天生丽质让人联想凉山娇阳下开放的嫣红一束三角梅。胸佩"号牌"的各路佳丽,有的踏着哨音,有的伴着音乐节拍,围着绿茵场,袅袅婷婷走出一片风景。"笑一笑,一张票。走一走,票到手"。佳丽们身背的绣袋,一瞬间成为吸纳选票的票箱。而在"三角梅"面前,却是"傻瓜相机真傻瓜,见了美人打哈哈,不知选美要投票,哈哈误人是空打"。里三层外三层的相机包围圈,直到大会宣布停止投票,美人退场,那些犯了傻的相机都还在把眼睛眨个不停。

  与"三角梅"落选之后邂逅,让人顿时生出心痛的感觉。如果咔嚓一声算一票吧,米沙夫妇和我起码投了她一个卷。"一个卷三十六张废票",当米沙醒悟过来的时候,他便主动凑近那"独立寒秋"的身影,作出积极道歉的姿态。对"老外"一个劲的赞美,尽管仍算是无效选票,凉山姑娘如今也学会了开放世界的流行语,落落大方地回敬一声"谢谢!"而对于我们临场时的发烧和犯傻、事后的歉意,落选的"三角梅"甜甜地笑着作出解释:"我看见你们一个劲把票投给我——照一张,算一票吧,我比谁得到的都不算少。颁奖台不认你们的票,你们不必呕气,我登不上领奖台也不愿登上去。大城市的老板来了好多好多,他们是带着金链子、钻戒指和招聘书来的。下了奖台就能选进城里的宾馆、饭店、度假村。你们刚才边拍照边叫我什么？"我们刚才叫她"三角梅"，也被她听到了。"'三角梅'是野生野长的，离开凉山活不好呵！"说着笑着，红裙一动，她云似的飘然而去了。

　　米沙夫妇也要走了。他们很满意凉山之行的收获，为能欣赏到野生植物年年开花的火把节。临别之际，从扩印出来的照片堆里，他俩再次将那"落选的美人"举到眼前，说照片发表时的标题将用"凉山的三角梅，我爱的风景"。

戴永夏

西行散记

车过日月山

汽车在宽平如镜的青藏公路上，撒着欢儿地奔跑。眼下正是7月天气，是内地最热的时候。"七月泉城似火炉"。我们这些刚离开"火炉"不久的人，此时感受到的，却是凉风习习，春意融融。纵目车窗外，小麦刚刚抽穗，油菜花一片金黄。路边，岭上，各色鲜花正烂漫地开着——红的，黄的，蓝的，紫的，白的……杂色纷呈，争奇斗妍。要不是偶尔有一两处帐篷掠过，你真会以为是来到烟花三月的江南了呢！

我们正在贪看公路两边的"春色"，同车的向导忽然指着前面的一座小山头说："日月山到了！"

"日月山就是这样一个小山包包吗？"我心里很有点瞧它不起。不过向导却说，这山的海拔高度为三千五百米，比两个泰山还高呢！我们走下车来，不大一会儿就登上平缓的山顶。但由于高山反应，我们还真感到有些气喘吁吁呢！站在山顶，极目东望，但见村落棋布，炊烟袅袅，绿野如茵，庄稼繁茂。而转身西望，却气象迥异：山峦起伏，草原无边，牛羊成群，帐篷点点。原来，这里就是古代汉藏交界之处。唐玄宗开元二十二年（公元734年），唐与吐蕃遣使于此划界立碑，双方保证"不以兵强而害义，不以为利而弃信"，日月山遂成为唐蕃交界处的重要贸易集市和边防关隘。至今，山下的古城堡遗址还历历可见。

日月山之所以闻名，还与文成公主的传说有关。公元七世纪初叶，藏王松赞干布统一了西藏，建立了吐蕃王朝。唐太宗贞观十四年，松赞干布遣使向唐王求婚。唐太宗决定将文成公主嫁给他。分别时，唐太宗和皇后担心文成公主远行思乡，就赐给她一面"日月宝镜"，以便在她想家时，就能从镜中看到长安，看到父母。文成公主千里迢迢，登上此山，极目西望，但见衰草离离，草原茫茫，人烟稀少，满目荒凉。她遂向陪同她西行的吐蕃国相禄东赞要"日月宝镜"。狡黠的禄东赞为促其西行，就偷偷地将"日月宝镜"换成石镜。文成公主拿过来一看，里面既无长安，又无父母，气得痛哭起来，遂将"日月宝镜"抛于山下，毅然西行……后人为纪念她，便将此山命名为"日月山"。

多么美好的传说,多么丰富的想象!

对于那些为民族的团结事业作出过贡献的人,人们是不会忘记他(她)的。日月山,你就像一位历史老人,不断为后人讲述着那遥远的故事;你又似一面历史的宝镜,永远闪射着民族大团结的光辉。

初识青海湖

啊,青海湖,我在古代诗人的诗中读到过你:"君不见青海头,古来白骨无人收;新鬼烦冤旧鬼哭,天阴雨湿声啾啾"——肃杀,荒凉,凄凄惨惨……

我也在梦中梦到过你:似海非海,似湖非湖,一团迷雾将你裹得严严实实……你又是那样朦胧,神秘,模模糊糊……

你到底是什么样子?我曾经多少次猜测、想象而不得其解。如今就要见到你了,我怎么也抑制不住心头的激动……

我正暗暗庆幸,主人为我们选择了这样一个游湖的好天气:丽日蓝天,风熏日暖,空气中飘散着淡淡的草原花香……岂料高原的天气像孩子脸,说变就变。刚才那万里无云的天空,吃顿饭工夫,就涌来了滚滚的黑云。当我们的大客车开到湖边时,还未及下车,一场急骤的冰雹便劈头盖脸地砸下来。狂风鼓着雹粒,肆虐地敲击着车窗、车顶,那声响,那气势,恰如有万面锣鼓,齐敲合击。我看一眼混混沌沌的车窗外,不禁暗暗叫苦:"这青海湖怕是看不成了。"当地的同志却摇摇头说:"不要紧的。高原的风雨来得快,去得也快,一会儿天气就会好的。"果然,不多会儿工夫,"锣鼓"声停了,乌云渐渐散了，头顶上依旧是丽日蓝天……

　　我们弃车登船，畅游湖上，但见水天相接，碧波万顷，好一派壮观景象！展现在我们面前的青海湖，既具有大海的宽广，又兼有内陆湖的清秀。尤其令人惊叹的是，湖水竟是那样的蓝！它蓝似天空，却比天空更深沉；它蓝似海洋，却比海洋更纯净。青海湖的蓝，大概只有透明的蓝宝石和白人姑娘的明亮眸子才堪与它相比！在惊叹之余，我又联想到一些内陆湖泊，好端端的一湖春水，却因受到污染而揉进许多杂色。造化为何对这高原湖泊如此偏爱？当地的同志告诉我，青海湖的水之所以如此纯净湛蓝，除这里受到的污染少外，还因青海湖高出海平面三千一百九十多米，湖水含氧量少，水温低，水中浮游生物很少。又因湖水含盐量高达千分之六，透明度达八九米，因而湖水就显得格外晶莹澄澈。人们将它称作"青海"，真是名副其实。

　　游船在玻璃般的湖面上行进着。我身边的一位"红领巾"忽作奇想，向一位当地的辅导员老师问道："叔叔，这湖中有水怪吗？"辅导员笑了笑，幽默地说："不但有'水怪'，还有'龙王爷'呢！"接着，他给大家讲了一个美丽的神话："东海老龙王有四个儿子，长子掌管东海，次子掌管北海，三子掌管南海，唯独小儿子没有海。小儿子是个很有志气的人，决心用自己的本领造一个海。于是他飞越千山万水，来到昆仑山北面，看见大草原上有许多条溪流，便大显神通，引来了一百零八条河的水，于是就造了个西海，这就是现在的青海湖。他呢，就成了西海龙王……"

　　辅导员正在谈笑风生，忽然有人喊道："看，海心山！"大家举目望去，只见远处碧波中，隐约地浮现着一座小山，这便是海心山了。据史书记载："青海周围千余里，海内有小山，每冬冰合后，以良牝马置此山，至来春牧之，马皆有孕，所生之驹，号为龙种，必多骏异。吐谷浑尝得波斯草马放入海，因生骏驹，能日行千里，世传青海骢也。"文中所指的小山，即海心山。由于海心山出产名马，青海湖从此名声大振。后来，隋炀帝又在这里设置了牧马官，专求"龙种"，而海心山也被叫做"龙驹岛"了。如今，这闻名遐迩的"龙驹岛"就在面前。但因时间关系，我们未能登临，只好"望岛兴叹"了。

现在，青海湖已揭去神秘的面纱，把一切都袒露在人们的面前了。湖边那曾尸横遍野的古战场，如今是水草丰美，牛羊成群，崭新的帐篷星罗棋布，一座座新兴城镇相继建立。青海湖内，还有着丰富的矿产资源；至于鱼类资源，更是全国闻名。湖内盛产的湟鱼，以肉嫩味美著称，每年产量高达四五千吨。

游湖归来，我心中老涌动着一股纯净的绿波。它跟那"古来白骨无人收"的悲惨景象，怎么也联不到一起……

塔尔寺感遇

凡到西宁的人，大都要到塔尔寺去观光，因为那里是"佛的天国"。

塔尔寺藏语叫"拱本"，即十万佛像的意思。它坐落在湟中县鲁沙尔镇西南角，离西宁三十公里，是我国著名的喇嘛教寺院，也是黄教创始人宗喀巴的诞生地。信徒们为了纪念这位黄教领袖，于明嘉靖三十九年（公元1560年）在这里建寺，即塔尔寺。塔尔寺历经四百多年，发展为拥有殿宇、经堂、佛塔、僧舍等三十余座宏伟建筑的古建筑群，占地面积达十四万二千多平方米。整个寺院建在林木葱郁的山坡上，依山就势，高低错落，金碧辉煌，蔚为壮观。

我们走进寺院，先来到小金瓦寺。小金瓦寺是塔尔寺的护法神殿。它采用藏汉结合的建筑方式，殿顶覆以镏金瓦，墙面以"蜈蚣墙"装饰，造型轻盈美观，别具一格。走进殿内，香烟缭绕，酥油味扑鼻。莹莹烛火中，护法神们似正进行着降服恶魔的战斗。主殿前的东西回廊上，陈列着野牛、野羊、黑熊等兽类标本，据说这象征一切恶魔鬼怪已被征服。院内，浓荫蔽日的菩提树下，安放着一块涂满酥油的怪石，石上粘满了各种硬币。据说硬币能不能粘到石上，可测知你是否心诚，引得不少"信徒"白白地把钱丢向了怪石下面的空池子里。

说说笑笑中，我们又来到大金瓦殿。大金瓦殿是塔尔寺的主殿，亦即宗喀巴纪念塔殿。殿为玻璃砖墙，镏金铜瓦屋顶，建筑面积为四百四十九平方米。这是一座以汉式为主、藏汉结合的建筑，整个殿宇造型庄严大方，宏伟壮观。它初建于1560年，后来又屡经扩建。1711年修建时，曾耗黄金一千三百两，白银一万两，改屋顶为金顶，并安置了殿脊的金轮、金幢、金鹿等装饰品，使殿宇更加灿烂夺目。大殿正中有一座高十二点五米的大银塔，相传当年宗喀巴就诞生在这里。塔前陈设金银灯及象牙、古瓶等装饰物。莲台上的各种佛像、绘画，墙壁和天花板上的彩绘佛教故事，都生动传神，维妙维肖，充分体现了我国民间艺术家的高超技艺和智慧。

离开大金瓦殿，我们又去观看了规模宏大的大经堂。大经堂是本寺僧侣集中诵经、听经和礼佛的场所。这是一座藏式双层平顶建筑，建筑面积达二千七百五十平方米，初建于明朝万

陈长吟 摄影

历三十四年（公元 1606 年），后来几经扩建。1913 年，该殿失火被毁，1917 年又在原址上重建。大经堂内矗立的一百六十八根柱子，都雕有优美的图案，外裹彩色毛毯，缀以刺绣飘带。堂内陈设的用各色绸缎堆绣的各种佛像、佛教故事图等，制作工艺精良，有很高的艺术成就。殿堂内可容一千余名喇嘛同时诵经。每当集体诵经时，殿堂内香烟缭绕，梵呗如雷，场面十分壮观。

　　在常人眼里，整天空守在寺内的和尚不过是一群只会诵经念佛的芸芸众生，难有大的作为。然而在塔尔寺，你却不得不承认自己的偏见和无知。塔尔寺的僧众不但有严密的组织体系、严格的学经制度和较高的学术品位（寺内仅高等宗教院校就有四所），而且有着高超的艺术造诣。他们创作的酥油花，跟壁画、堆绣一起，被誉为塔尔寺艺术"三绝"。这些用酥油塑造的佛像、人物、飞禽走兽、花草树木和佛教故事、神话传说等,造型新颖,色彩鲜艳,形象逼真,具有独特的艺术风格,深为广大观众所喜爱。

我们正在忘情地观赏着酥油花,塔尔寺的钟声悠悠地响了起来,像是在指点迷津,催人省悟。此时我却沉醉在这"花"的艺术氛围中,如痴如狂,久久不愿离去……

卞 奎

撩人心扉的"翅膀"

七月,鲜花灼灼、碧草茵茵的阿尔顿曲克草原简直就是一支美妙的歌子。

一年一度欢腾的运动会,在这个季节举行,那真称得上锦上添花了。这高原牧场的景色,这饶有鲜明民族特色的风土人情,会酿就一种耳目一新的美妙情致。

这次我的任务是和歌舞团的老乔深入生活采集一点哈萨克民族舞蹈的花卉。

在赛马场返回的路上,我的哈萨克族朋友库尔斯克告诉我:"看罢赛马,再看歌舞,你就会对我们的民族有一番新的了解。"

"何以见得?"

库尔斯克捻了下卷曲着上翘的小胡子,不慌不忙地说:"骏马和歌舞是哈萨克族的两支翅膀。"

我惊呆了,被这浓缩着诗意的谚语打动了,"讲得好!"还不待我发出更多的感慨,老乔催马赶了上来,他激动地揽住库尔斯克的膀子,"快走啊,库尔斯克,我们正需要一个你这样的向导。"

他这一嚷不打紧,库尔斯克反倒下得马来,"老乔同志,别急!"

"怎么?"老乔搞不清是不是方才的举动过于唐突冒失了。库尔斯克狡黠地一笑:"歌舞表演等一会儿才能开始,咱们先进毡房里喝一会奶茶。"

原来是这样,我们忍禁不住会意地笑了。

歌舞是在热烈的冬不拉节奏里,和响遏流云的歌声中开始的。第一个节目是双人舞,由于第一次观看这类舞蹈,我实在悟不出其中的奥妙。一个猎人装束的巴郎子和一个反穿皮袄的角色在舞台上周旋了半天,只见观看的人群里,发出一阵阵的哗笑。库尔斯克也笑得直不起腰来了:"你看,那个反穿皮袄的人装扮的是一个愚笨的哈熊,勇敢的猎人已经将它击伤,哈熊已由开始的凶猛、目空一切,而变得剩下一副只有招架和四方讨饶的可怜相了。"

"这叫什么舞?"

"'阿尤比',也就是通常说的'哈熊舞'。"

经他这么一点,我也看出一些门道来了。猎人穷追不舍,举枪痛打,哈熊犹作挣扎,直至被打死,猎人跳上去,剥掉它的皮,然后欢喜载歌而去。观众为其精采的表演,报以热烈的掌声。

待我定眼细看装扮哈熊的人,果然是一个"大块头"。这号体态,配上他对哈熊动作维妙维肖的摹仿,还是很有哈熊的性格特征的。

下一个是称作"套合比"(鸡舞)的舞蹈。

有两个反穿皮背心的人,在变化着不同表情、身段、角度,又好似在相互角逐,而其动作尤以肩头及臀部的摇动为多,我突然觉得这些动作有些眼熟。

"城里新潮派青年们跳的'迪斯科'舞,不也是有些类似的东西吗?"老乔作为行家里手忙给我解释。"肩部、臀部的摇动在'迪斯科'里是表现人体的曲线美,当然有些时间对舞伴也不无撩拨之意。"

库尔斯克插言说:"可,我们的这个舞蹈却是表现了两只鸡在嬉戏、玩耍,后来发生了角逐。看,现在上场的这个人正是在作调解,最后又是欢欢喜喜大团圆了。"

"噢,这个三人舞,的确很有象征、暗示的意义。这种来自生活的艺术品,决非是那些颓废主义的东西所能比拟的。"老乔又在发表他的艺术见解了。

接踵而上的是一个令人目不暇接的集体舞,叫做"也翁别克比"——劳动舞。

扮演者是四个男的,四个女的。他们身著色彩明丽的民族服装,忽而变作一行,忽而围作一圈,间或不同幅度地晃动肩膀。("请注意。"老乔提示我留神,"这是哈萨克族的一个典型的舞蹈语汇"。）忽后时而作"塌腰"，时而作"下腰"，我的心真要被这优美的舞姿揪去了。

"只有热爱我们牧区生活的人，才有权利热爱我们的舞蹈。"库尔斯克讲得津津有味："你看，这是一个忙碌而欢快的劳动场景，从剪毛开始，撕毛、拉毡、擀毡，男女互为帮手，歌声此起彼伏，双方相映成趣。"

我在心中默默地记下库尔斯克的话。实话讲，这些舞蹈，虽是有些不同程度的"模拟"，可当你悟出了其中的真谛，又不得不钦佩这些民间艺术家们怀着对生活的极大热忱，加工、提炼而得的洋溢着浓郁生活气息的艺术珍品。

"好看的还在后头呢！"

果真不假。

"布日可比佳可斯！"（雄鹰舞好！）"布日可比佳可斯！"后边的这个独舞，几乎自始至终是在观众的呐喊与欢呼声中进行的——这是雄鹰舞。

我知道，雄鹰是哈萨克族人所崇拜的，它骁勇无比，翱翔于高天寒流之中，生息于巍巍雪山之上，堪称自由的精灵。当然，人们在驯育自然界万物的过程中，也驯育了雄鹰。在此驯育过程中，往往是一个猎户喂养到底。人们将雄鹰奉之为上宾，食之以兽肉，饮之以奶茶，甚至在猎户的马上为其制作一个架子，当猎人远行时，使其蹲在架子上，好不威武。一旦发现珍禽异兽，猎人稍加示意，雄鹰便腾飞而去，获猎而归。雄鹰真可以称作哈萨克人的忠实朋友。有句谚语讲："猎人养下一只鹰，金峰银峰敢攀登。"所以，雄鹰舞完全可以令人达到如醉如狂的地步，从人们的感情上是可以理解的。

你看，雄鹰舞中的飞翔动作是何等洒脱，而其捕捉猛兽的动作又是何等矫健敏捷。最使我慑服的是像"鹞子翻身"、"旋子"、"蹦子"这近乎高难的舞蹈动作,我们哈萨克族的青年扮演者,竟能如此准确无误地做出来,赠其一个"舞蹈家"的称号也该是当之无愧的。

我在赞叹不已,而我的艺术界朋友老乔却又是拍照,又是录音,还作了厚厚一迭纸的场记。他真是忙了个不亦乐乎!他美滋滋地对我说:"老伙计,我在贪婪地吸取营养哩!早知如此,我要把我们团所有的舞蹈演员都带来。世上所有的艺术形式都是社会现象,都是掘之于生活这一无比丰富的源泉,这该是多么理智的结论呀!"我知道他又是在高谈他的什么"概论"。

而此刻的库尔斯克又在捻着他的小胡子,笑了,笑得是那么自豪。

我想:雄鹰实在是这个民族的化身,当骏马成其一支勇敢坚强的翅膀,那么歌舞、冬不拉……不正是这支民族的另一支多情的、乐观的翅膀?

我的心再一次被撩拨而燃烧。猛地,熔化了。

杜 莎

滇藏漫行记

贪恋中甸

车子迅速而无间断地从此地到彼地，只奔向此次的目的地。我们来不及在路上分心，行程就一直单调下去。

在由丽江至中甸的高原上就是这样，玻璃窗外满天云彩，漫原的野花猛泼大洒。明蓝艳黄嫩红粉白惊心动魄地狂涌而至，又如潮而逝。我是百般惊艳，百般贪恋，可车却只奔向它应停的驿站。

我的双脚真的踩在这片沃野上了,那是我背着粮草从远方的驿站又步行回来的。我是个太容易心神不定的过客。天是晶莹如水,云是拭镜漫飞。天高云低,下面还有旷野千里。那么多花哟,那么多——从脚端铺过去,从天边喷下来,谁都是活活泼泼,眉眼生动。一点、两点,顷刻在高原上以火焚身般地燎起来。白的净白,黄的明黄,红的艳红,蓝的翠蓝,自己的生命,自己的色彩,绝不干扰,绝不含糊。

我凝在风里,痴看着自己的肢体在发癫、发笑、手舞足蹈,谁又会制止谁呢?这是一个连房上的青草都肆意欢长的地方。我恨不得一头埋进云里,一头栽进花里,就让可以流动的时光窒息。在牛马群深处乱撞出一伙藏族孩子,竟喊出"I love you"。霎那间,行云流水地恋过对方。就连那只粉蝶,也交托生死地恋定美色。

这一切都是灵动的。

我知道,我再不走,就来不及了。那边的天已在暗云翻涌了,暴雨将至。翠若水晶的蓝天已迅速地被黑幕一段一段吞噬。云幕的裂缝中,如钢如锯的金光在抵死顽抗,渐渐转成死灰,扼断咽喉般的了无声息。我知道,我真的该走了,但我真的走不动了,我还在贪恋那欲来的壮阔与狂野。沼水如鬼脸般变幻,灰金灰银的,天与地快弥合了。每一粒沙土,每一棵细草都在窃嘱:还不走,还不走,就是万劫不复,就是深渊底处了。

恋美恋到极至,就会怕美怕到极至。

当我在高原上狂奔起来时,身后已是撕天劈地了,所有的生灵之神一路叮咛——像古老传说中提过的:

一直往前跑啊,别回头,别回头……

我逃到神殿前,松赞林寺,属川藏十三名寺之一。浩荡的殿林竟占了五百亩土地。黄土黄墙,一段段让人辛苦爬来,打磨杂心。殿堂众多,起起落落,急不得,每去一处,需经高低回转而渡。拐角起承处,却又偏生似试人尘缘、拨汝凡心,猝不及防地抖开一大丛媚态百生的黄花,在殿宇前,金光溢彩。

原来僧人也爱花。

他们长期食用着香客们供来的酥油,在这么艰苦的高原上,出人意料地厚实挺拔。少谙世务,越发显得他们如世上最初的人,浑然淳质。礼佛久了,眉宇间笼着清华。是的,俗子看花会贪恋风尘的。在达赖神佛面前,我想亲近的却是供台下清俊的伺佛之人。看遍百色彩绘,千盏明灯,只为问他一句,近他一步。忽明忽暗沉沉大殿深处,一呼一吸间,一进一退时,已到了佛祖眼前。我不怕的,色心又怎样?佛祖说过,色即是空,空即是色,他是剔透,我亦玲珑。

墙砌得太高,窗开得太小。诸佛坐在里面,我坐在外面,一槛之遥而已。砌墙的土质很松,捏一捏,簌簌而下,但神佛是不怕蒙尘的。周围聒噪着许多硕大的乌鸦,拜僧与佛的纵容,它们可以不司吉凶之职,任由在这殿外的残垣、荒草间野荡。我也可以,佛祖说——众生平等。

寺宇依山层层而建,在上面的殿群中穿行时,可以看见下面的殿群间僧侣静静出没。红袍褐带,盖着头,却裸着臂膀。那样的步子仿佛是迈过千百年而来。黄沙乍起,独行的身影又无声隐入另一高墙,我唤过他了,唤不到的。正如错了轨的生命,中间隔了块毛玻璃,声音只会消失在各自的空气里。其实真的不远啊,真的不远,才隔了五丈土地——五丈佛地。

德钦的女人们

德钦,滇藏公路上云南境内的最后一站。

我把行装甩在脏兮兮的货车司机旅店里,就惶惶急急地去觅食了。

这样一个寒夜,这样一个窝棚,当地的女人竟然说我像浪子。在这个供过路商客歇脚的棚子里,我翻动着铁丝网上的臭豆腐、米饼、土豆。泥盆的炭正旺着,还是挡不了寒雨袭到背脊上的阵阵颤栗。一口口青稞酒灌下去,脸是越来越热,头也越来越肿,但人倒更经不得吹了。风一过,由指尖激灵到脚尖上去了。一边身子给酒和火烘得浑浑慵慵,只好由得另一半身子在湿湿冷冷的空气中僵死过去,动都懒得动。

老板娘的女儿拖着鼻涕,脸上冻得褐红斑驳,正馋着我的臭豆腐,被她娘老子一喝,一泡眼泪才要喷出,被我顺手一筷夹着臭豆腐又塞回去。我自己挑了块熟土豆,蘸上辣子嚼了,外黄内软,正是时候,不似那青稞粑粑,只得两个字,死胀!老板娘一边张罗生意,一边跟我搭话。她倒是勤勤俭俭的,白天干了一天的活,晚上还做这额外营生。她问我不做买卖,又不像走亲戚的,在这高原上荡来荡去干什么?干什么,我也不知道,但现在最关键的是把这些烤焦了的土豆与臭豆腐做些处置。拖着鼻涕的小女娃又挨过来,我挑起一块"黑"土豆,对她一笑。

风一阵阵紧,除了棚子里是温暖的好去处之外,周围什么都看不见。黑幕里又吐出几个采松茸(一种珍贵野菌)的女人,生得高大壮实,大家喊着嗓子说话。我饶有兴趣地看着她们将烤盆上的东西拿来一块块吃掉,然后马不停蹄地吃喝着上酥油茶。"喂!"几个女人一个字就把我勾进了话团子。开始还用不咸不淡的汉话说着不咸不淡的事情,后来就扯到寺庙,寺庙里的和尚,和尚的模样……臭豆腐吃多了,就不臭了。恼得那已为人母的老板娘直啐,说她们带坏了我这异乡客。心喜老板娘的亲近,她们再说时,就只陪着坏坏地笑。那几个女人又唆使着我去打酥油茶,我虽不会,倒也不怕。老板娘已将冰茶煮沸,倒进一米左右高的竹制打茶筒里,加上酥油、盐之物,就交给我了。我抓着捣杆,一下,沸茶四溅,二下,女人哗起,没有第三下了。女人哄笑中,少不得揶揄,少不了得意。出了她们想看的丑,我并不介意。"你不行,回来。"我又给扯回话团子。看老板娘,那才叫行家,腰身、节奏,哪样少得。而我守自己的本分——吃吃吃。"别喝那么多酒,这里喝酒要上了头比不得你们在平地。要冷,多喝两碗酥油茶。"老板娘帮我拨亮盆里的火。

这时节,天气太差。昨天,我才从中甸下来,路上坍了又断,截了部改装小吉普,蒙头大睡,置于死地而后生也就过来了。

"明天,去哪?"

"盐井。"

"路上断了噢,南下那边的路也断了,整个山滑坡,两部东风车给铲到金沙江里去了。"她们啃玉米像脱粒机。老板娘插了一句:"可惜,这两天,猪肉、臭豆腐要运不上来了。"她只为生计丝丝着紧,其它天灾人祸倒不管。几个女人从筐里拣出大个的松茸,撕开烤熟,油滋滋地递过来。嗯,香得很。老板娘又横了一句"别吃那么多,烤的松茸坏肚子。"看来,她管我是管定了。而那几个女人不管有没得逞,都"轰"地一下笑起来。

酒喝多了,头上冒烟;辣子吃多了,嘴里冒烟;火烤久了,连冰如铁管的裤子也开始湿湿地冒起烟。其实,那几个女人明眸皓齿,很漂亮。在我昏睡过去的最后一丝清明,听见她们算计着送我五个松茸明儿上路。

很多不敢轻露的伤怀都是因为,在此生只有一面之缘的福分里,一下子挥霍了过多的情分。

坐车去盐井

我在德钦的桥头找到一辆去芒康的小货车,谈好价钱,二十五元捎我去盐井。一百二十公里得耗去一天,皆因路况差,空气稀薄,汽车爬坡困难,时速连每小时18公里都达不到。

等我爬上后面的车厢时,才发现车厢里已满塞了八个粗壮的油桶。桶上是行李,行李上坐着先我而到的藏人,周围低矮的护栏已毫无保护作用了。半个小时后,这样一个小车厢里,除了八个汽油桶,还塞进了十一个搭顺风车的藏人,一大摞箩筐,各式各样的行李货物。而个头细小的我则如揉成一团的废纸,扔在汽油桶与箩筐的夹缝中。

对于这样的运输方式,藏人们已应付从容,任凭小货车在高山深壑里颠簸纵跃,总能与车厢不离不弃。其实,坐着也很不舒服,凸凹不平的杂物已硌得我生疼直至发麻。但是,我实在不敢站起来,因为在这般惊涛骇浪的颠乱中,我深信,凭我的技术与勇气,仅靠两只脚与车身接触,是绝对会"乘风归去"的。但藏人不会,他们何止不会,还可以坐到车厢外挂着的备用轮胎上，然后把两只脚伸到车厢里，只用手抠住车厢的边沿。

三个小时下来，全身都麻木了。但实在没有多余的地方可以活动活动。所有的有机物与无机物都紧紧紧紧地挤在一起。我是车上唯一的女人，不知是出于对我的照顾还是自己蜷得难受，大多数男人都已站起来。我也只能用手将我双腿的膝盖弯由原先的零角度打开至三十度，腰以下的身体部位只是视觉意义上的了。中途，还在不断地上着人和货。有些货物已用绳子捆着，绑挂到车厢外沿去了。司机把驾驶室的两扇门全拆下来，插在车厢两侧，为防人或物向外飞溅。这样蜷缚着，在高原上颠簸，我很快进入胸闷头晕的状态。好在车停的次数越来越多，因为破旧的轮胎需要冷水不断地泼淋冷却；又因为藏族司机突然想起要喝酥油茶；还因为遇上"松茸"生意，要停下来看货、讲价。短则十几分钟，长则两个多小时。我渐渐明了这规则，就利用这间隙，在路上来来回回地找一些羚羊的头骨，牦牛的下颏，山羊的断腿，还有干扁的鼠兔。我找来只为看一看，看完了，又扔回给高原。

司机从不给任何提示，"轰"一下就发动了车。藏人是训练有素，纵跳如飞，顷刻间，各归原位。可怜我，手脚并用，努力向前，才最后赶上。小破车"轰隆隆"地开动，一路仍声如洪钟，气若长虹，对于突发性超近距离地狂擦石壁和澜沧江，我已疲倦得连害怕都没有精神了。

坐在后备胎上的那个藏人，很自然地从身边的竹筐里抓出些山果派给大家吃，大家也很自然地擦一擦，吃来吃去。后来，我才发现那些货不是他的。

盐井之夜

最后一丝光线悲悯地看着我从货车上跌撞而下,才悄然地收到云幕后面去了。天黑了,而我连食宿都没有着落。在两旁的房屋间穿行,十分钟后,折回来。幽暗的路上布满了牛屎马粪。这就是盐井,到达西藏境内的第一个小镇。一条路,两排屋,我已参观完毕。

长时间的颠簸,已使我的胃肠绞成一团,使得我暂无胃口。这里的藏式民居仍分三层,一楼或养家畜或住人,二楼住人,三楼晒粮草。门前有一条由雪山上引来的水渠,方便日常生活。我知道自己已经脏得不像话,纵无勇气将头塞进水渠,去清洗那因油脂而板结打缕的头发,但实在也应"湿"洗一下脸庞了。天!入夜的雪水刺骨的疼。我以极快的速度擦上香皂,用水泼面。突然,黑暗中一阵暴怒的犬吠,惊天动地狂袭过来。没有思维了,没有感觉了,剩下的时间我全拿来狂奔。空气激烈动荡,我清晰地听到它的獠牙利爪破风的声音。我几近悲嚎,已经闻到它口中喷出的狂劲腥热,它已经腾起——高原上的星星猛亮猛亮,光华璀璨,大把大把地砸死我。

我几乎是撞进这家小饭馆的,它实在太小,小得我一撞进去,所有的什物都来不及消弱我的冲力,一直撞到对面的墙上去。店里的主人在惊愕中迅速明白了,千钧一发,门——被挡上了。它在外面,狂嚎狂瞪,体如牛犊,毛发乱炸,名字叫"藜",它用嘴和爪没有完成,就借助狂怒的声音将魂飞魄散的我生撕千万。

店主善意的唠叨我一句都没听清。继之而来的后怕使我端酥油茶的手一直在抖,泼泼洒洒。脸上还存着没来得及洗的肥皂,冰凉冰凉的汗,还有一种不是因悲伤而滚落的液体。褪尽油脂的皮肤突然开始生疼,被风撕裂的那种疼。店主端来青稞面饼,黑乎乎的牦牛肉干。盘结在头上的红绒辫穗子在油灯下摇曳生影。不知是骇得齿根都软了,还是那牦牛肉质量过"硬",我费尽口齿也无济于事,只好囫囵而下。

谢了店主,张惶地穿过寂寂的夜路,去找他指点的客房。

我把自己扔在油腻的板铺上,浑噩到半夜。四五个粗壮大汉闯进来,手执火铳,腰别藏刀。我用连自己都惊诧不已的速度,光着脚弹到窗边。被惊动的汉子望过来,"嘿嘿!"我知道自己的五官已经惨褪成空白了。"别怕,我们是人民军队,今晚睡在这里,会保护你的。"他们在对面板铺上坐下,解下身上各种粗重的金属物品,一片叮铃当啷。然后,呼呼相挤睡去。

我穿戴整齐地坐在对面的板铺上,想着狗嘴里吐出的肉,放到砧板上了。两小时后,我累得昏死过去。

次日清晨,对面的人不见了,长吁一声收拾离去。开门——他们在外面,喝着酥油茶。我被招呼过去……

斟满酥油茶后,喝上几口;又再斟满,又喝几口;不想喝了。斟满后就不要再喝了。起身告别时,我按规矩一饮而尽。

下一站就是芒康了,川藏路与滇藏路的交汇处。

李锦华

走进香格里拉

"走进香格里拉"并非我的散文题目,它是中甸县的县歌。初识它是在我八月初进迪庆的途中。

三菱车沿着金沙江奔驰,车窗外是初秋滇西秀丽的山光水色。稻谷泛黄,玉米油绿,鲜花娇媚,牛羊成群。触景生情,驾驶员小赵师傅抽出盘磁带放进机子,藏族歌手金安拉姆优美的歌声便越过车窗飘向了辽阔的田野。

"在那雄伟的雪山下,柔情的奶子河流过的地方,那就是中甸香格里拉，我的故乡。苍翠的五凤山，神秘的碧塔海，壮丽的虎跳峡，神奇的白水台，迷人的纳帕湖，神圣的松赞林，描绘了高原多姿的风采……祥瑞的香巴拉雪域圣地，勤劳的康巴人纯朴的心灵，和谐的乐园，腾飞的日月城，托起明天灿烂的辉煌……"

我的思绪沿着歌声又走进了盛开着杜鹃花的大草原，走进神奇壮丽的梅里雪山，走进了奇险灵秀、充满诱惑的滇西大峡谷……那欢腾的赛马会，那背着糌粑朝圣的人群，那能歌善舞、淳朴善良的藏胞，那洁白的哈达，那醇香的青稞酒，那鲜美的酥油茶……

我常常向来云南的客人展示我在迪庆拍摄的风光人物照片，一次次写信向远方的朋友讲述我在迪庆的经历和故事。但我很清楚，我的镜头摄不完迪庆的山光水色，我的故事诉不尽迪庆的神奇美丽。

"香格里拉"，这是三十年代初美国作家詹姆斯·希尔顿的成名小说《失去的地平线》中所描述的一个神秘美丽、充满了和平幸福的地方。这是西方人追求的没有战争，没有种族歧视，没有罪恶的"人间天堂"。也是中国人苦苦寻觅的没有仇恨，没有邪恶，人与自然和谐相处的"世外桃源"。"香格里拉"由此成为了世界人民寻访的地方，理想的境界。

1996年，人们突然发现希尔顿笔下的香格里拉就在迪庆，新加坡等国家的报纸作了报道，国内许多报纸作了宣传。寻访香格里拉的人群涌向了迪庆。但我深知，这片地方，必须要具有灵性和善心的人才会真正领略她神秘的意蕴。

于是，在八月和熙的秋风里，聆听着那首优美动听的"走进香格里拉"，我又来到了迪庆。

走进迪庆，我看到了几年来这片美丽神奇富饶的土地在改革开放的春风中翻天覆地的变化。幢幢具有现代化设施又不失藏族风格的高楼大厦拔地而起；条条城市街道已形成规模，宽敞整洁；交易市场上人头攒动，热闹非凡；书写着藏、汉、英文的宾馆、商场、酒楼举目皆是。歌舞厅飘荡着迪斯科激烈的旋律，卡拉OK厅传出优美动人的歌声……改变了传统观念的藏族人民，已不再只把自己的理想和信念系在马背上，拴在青稞架上。他们要飞越雪域高原，让自己的生活节拍融进时代前进的步伐。

走进迪庆，我看到那皑皑雪山，茫茫森林，无垠的草原，神秘辉煌的寺庙，幽静圣洁的湖泊变得更加秀丽壮观，多姿多彩。资源的开发与保护，这两者似乎矛盾的问题已在迪庆心中结合成了一个不可分割的有机体。在这里，每一个人都像爱护自己的眼睛那样呵护着这片土地的祥和与纯净。

走进迪庆，我看到一大批为繁荣迪庆，为把迪庆建设得比希尔顿笔下的"香格里拉"更加美丽而奋斗拼搏的人。他们把自己的青春年华铺在了这片土地上，他们把自己的心血和汗水洒在了这片土地上，他们把自己的知识和才能奉献给了这片土地。他们用自己坚强的双臂，托举着一个雪山般圣洁崇高的信念——让迪庆真正成为一块世人神往、吉祥如意的宝地。

这是一片只能用心灵触摸的土地，这是一个只能用诗篇和音乐领悟的地方。

戴光耀

悲情西部：谁为荒漠的土地哭泣？

提到西部，人们的眼前立即会浮现出蓝天白云下"风吹草地见牛羊"的旖旎风光，会浮现出"长河落日圆"的壮美奇景……

提到西部，人们马上会想到精美绝伦的敦煌文化，会想到曾经璀璨一时的楼兰古国，会想到被敦煌、楼兰、尼雅绿洲等串起的锦缎般的丝绸之路……

随着岁月的剥蚀，西部这些当年的诗情画意，这些曾辉煌了中华民族古代史的灿烂文明，早已寥若晨星，或是"千山鸟飞绝"了。

那么，历史为什么会上演出这样的悲剧呢？不容置疑的事实告诉我们：西部生态环境的逐步恶化是其罪魁祸首！

黑云压城城欲摧

用这句诗来形容西部目前的生态环境，有人也许会认为有点儿夸大其辞，那就让我们走进西部、走进历史作一番"实地考察"吧。

北京大学环境科学中心环境生态室的宋豫秦主任和他的研究生张力小，在内蒙古奈曼旗研究沙漠时曾遇到过这么一件事：一位自言他拉苏木（"苏木"，即蒙语"乡"）的蒙族汉子，为了赶上第二天上午十点多钟的汽车走亲戚，晚上睡下不多一会儿，马上匆匆起床赶路。后来这汉子对他们说："前些年我们这里是出门就能骑马的大草原，现在变成了沙漠，骑马困难了，我只好用两条腿走上十多个小时去镇上再搭汽车。多费钱多耽搁时间就不说了，人还要受累。唉，骑在马上逍遥自在走亲戚的日子再也没有了！"

植物荡然无存，草原变成了沙漠，骑马都困难了，人靠双脚跋涉还能坚持多久？这就是荒漠化给人类生存带来的威胁。

现在我们可以再从宏观上"俯视"一下。

据史书记载，黄河中上游的森林覆盖率在秦汉时为43%，以后逐代下降，到明末清初时为14%，到1949年仅剩下6%了。长江中上游的森林覆盖率，明末清初时为40%，到1949年为19%，目前已下降为约12%。

据统计，中国荒漠化土地目前已高达二百六十二万二千平方公里，占全国疆域的27.3%，相当于十四个广东省的面积，而其中99.6%分布于西部地区的四百二十个县（市、旗）。荒漠化土地占荒漠化地区总面积的79%，远远高于全球69%的平均水准。且扩展速度快，发展态势严峻——五十年代末期至七十年代中期平均扩展速度为每年一千五百六十平方公里，到九十年代中期已达到每年二千四百六十平方公里，相当于一个中等县的面积；每年造成的直接经济损失达五百四十亿元，相当于西北五省区1999年财政收入的七点五倍，而间接经济损失是直接经济损失的二至八倍，甚至高达十倍。

目前，全国水土流失面积达三百六十七万平方公里，流失地表土五十亿吨，其中流入长江二十二点四亿吨，流入黄河十六亿吨，而这几乎全都在西部，且每年还在以一万平方公里扩大着。

泥沙大量流入黄河，使黄河河床每年以十厘米的速度在抬高，郑州、洛阳等地段已高出地面八——十米，成了搁在空中的悬河，一旦溃决将是什么后果，人们可以想象。

曾经到处是芳草如茵，鲜花盛开，人骑在骆驼上只能看到人而看不见骆驼的阿拉善大草原，如今就像患了秃斑疮一般，植被稀稀拉拉。当地百姓告诉我们："过去我们这儿是'风吹草低见牛羊'，如今却是'老鼠跑过露脊梁'了。"而实际上，这里许多地方如今已经脱变成了地球的"癌症"——沙漠，并成了今年春季九次沙土暴的重要起沙区。

1979年4月10日的一场沙尘暴曾使南疆铁路路基风蚀二十五处，铁路中断行车二十天，造成直接经济损失二千余万元，使铁轨磨损速率增加五——十倍。

西藏如今有七百四十八个村庄受到风沙危害；仲巴县城即将被风沙吞噬，已危在旦夕；边防重镇阿里也正在受到风沙的严重威胁，如果搬迁将耗资二亿多元人民币。

1993年，新、甘、宁、蒙四省区七十二个县共一百一十万平方公里的广大区域遭受一场强沙尘暴的袭击，造成八十五人死亡，三十一人失踪，二百六十四人受伤，十二万头牲畜死亡和失踪，四千四百一十二间房屋被摧毁……直接经济损失竟达五亿四千三百三十亿元，间接经济损失更是无法计算。

近年来，内蒙占额济纳族先后有十二处湖泊、十六处泉水、四个沼泽地干涸，部分牧民因此而被迫沦为"生态难民"，不得不离开他们世世代代居住的可爱家园，过起了四处迁徙的流浪生活。

甘肃、宁夏一些地区因荒漠化侵吞了他们赖以生存的大片良田，迫于生计的农民大批涌入草原地区采挖甘草、麻黄、搂发菜，与生存同样窘迫的当地人经常发生械斗，不断造成人员伤亡。

我国沙漠地区（包括沙地）计有药用植物三百五十六种及多种珍稀野生动物。由于滥采、滥猎、滥垦等不合理的人类活动，由此而荒漠化的迅速扩展，使生物资源遭受剧烈摧残，生物多样性急剧减少。目前，三叶甘草、盐梓等已经消失；新疆虎、新疆大头鱼、蒙古野马、高鼻羚羊等也已绝迹。另外，还有数十种动植物正处于濒危状态。

稍有科学常识的人们都懂得，生物多样性是维持生态平衡的基础，而生态平衡又是人类赖以生存的必备条件，一旦生态严重失衡，人类的灭亡也就为期不远了。这不是耸人听闻，这是科学！

春风欲度玉门关

衡量一个国家的发展水平不是看一时一地的经济增长，而是要观其整体的全局的效益。改革开放以来，我国东部地区的经济有了较大的发展，西部地区虽也有所增长，但由于历史和现实的种种原因，增长比较缓慢，与东部的差距不仅没有缩小，而且进一步扩大。东西部经济的差距和矛盾，已日益成为我国宏观经济运行中的一个突出问题。

西部地区有着极其丰富的矿产资源、水能资源、旅游风光资源、野生动植物资源等等。据专家测算，进入二十一世纪以后，我国东部经济发展的原材料将有60%需要西部供应，50%的能源要靠西部输送。因此可以说，我国经济可持续发展的后劲将来自西部地区的开发。而东部地区呢，则有着大量的科技资源、人才资源、教育资源和相对雄厚的经济实力等等，这些又都是西部所欠缺的，如果东部将其注入西部的建设，将给西部插上一双腾飞的翅膀。

再从西部本身来看，它占有全国56.8%的土地（五百四十五万平方公里），可仅仅养活23.1%的人口（2.85亿）；并且占全国90%的贫困县与人口都在西部，其经济发展和百姓的生活水平可想而知。由此看出，开发西部，发展西部经济已到了刻不容缓的地步。

有人打了这么一个形象的比喻，西部大开发好比是一首钢琴曲，在弹奏它的时候，我们必须首先领悟和把握它的主旋律。那么，这个主旋律是什么呢？

朱镕基总理指出："生态环境保护和建设是西部大开发的

根本和切入点。"中国林业科学院王彦辉研究员则十分激动地告诉记者："生态环境的建设，在西部大开发中的地位应是'重中之重'。"这就明确告诉我们，改善和建设好西部的生态环境就是这首"钢琴曲"的主旋律。

为什么国家领导人和科学家都不约而同地强调生态环境这个主旋律呢？原来这是从历史和现实中推导出来的。

俗话说，兵马未动，粮草先行。打仗如此，搞开发建设同样需要有一个良好的基础条件。试想，漫漫黄沙覆埋了公路和铁路，物资怎么运输？西部大多数地区严重缺水，生产和生活都离不了这一基本要素，没水怎么能行呢？风蚀和水土流失卷走了土壤中的氮素，磷素和有机质，牧草与农作物怎么生长呢？输电线路、通讯线路、输油输气管线随时受到风沙的威胁，又如何搞开发建设呢？

这是现实在提醒我们：西部大开发必须首先抓好生态环境的改善。让我们再回过头来看一看历史，也是不无裨益的。

早在二千多年前，塔克拉玛干沙漠南缘有一条名叫尼雅的小河，河中碧波荡漾，鱼虾嬉戏。沿着河畔，如茵的绿草和成片的杨树、桑林织出一块绿洲。绿洲之上，桃梨成行、牛羊成群，葡萄泛着缕缕紫光，麦穗飘出阵阵清香……在漫漫黄沙的包围之中，这里却是一个桃花源般温馨、静谧的绿色世界。年年月月，伴随着悦耳的驼铃声，穿梭于丝绸之路的商旅们，在西沉的夕阳中走进这片绿洲，他们在这里补充到了水、草、粮，然后在她温柔的怀抱中拂去一天的劳顿，做上一个好梦，次日清晨，他们又拥着从这片绿洲上获得的新的力量，迎着东升的旭日走向另一个目标。

可就在公元三、四世纪之际，这个名唤"精绝"的小小王国却突然沉入了茫茫沙海之中。

除此，在我国的西域和北方沙漠地区还有过楼兰、敦煌、红山文化、夏家店文化等许多优秀的古代文明。再从许多帝王建都长安、从"风吹草低见牛羊"的诗句中看，都说明今天的西部在逝去的日子中曾有过芳草萋萋的浪漫时代，有过经济昌盛的青春岁月。也证明，西部是完全可以建设起现代文明的！而这一切均毁之于生态环境的恶化，毁之于人类违背自然规律、轻视科学的愚昧。所以我们今天开发建设西部，必须首先要改造好生态环境，否则，一切开发和建设必将重蹈众多西部及北部古代文明的覆辙。

这是历史在告诫我们：西部开发，必须生态先行。正如只有春风劲吹才能百花盛开一样，西部也只有首先改善和建设好生态环境，其经济效益的"百花"才可能姹紫嫣红、喷芳吐馨！

北风卷地百草折

医生治病总要查出致病的病因，然后对症下药才能收到理想的效果。我国的西部目前犹如一位身染疾患、体质羸弱的汉子，这个"疾患"就是生态环境的严重恶化，从而一直阻碍着它的发育和生长。那么，导致这一"疾患"的病因何在呢？

中国分布着大面积的干旱、半干旱、亚湿润干旱地区，这里远离海洋，深居大陆腹地，加上层层山脉的阻隔和青藏高原不断隆起对水气的遮挡，使得这一地区成为全球同纬度降水量最少、散失量最大、最为干旱脆弱受不了干扰的环境地带。加之该区部分地域处于副高压控制区，而副高压控制区如果远离海洋大多数会形成荒漠。这里还处于西伯里亚和蒙古高压反气旋中心,其频繁的强风为风蚀土壤提供了动力。还有云南东川位于高山深谷和陡坡,这里又是强震区,地表组成物板岩、千牧岩被震动、挤压后极易破碎,从而为山崩、泥石流的形成创造了条件。

除以上不可抗逆的地理环境的原因外,人为的摧残则更令人震撼!

科学院的"大夫们"通过大会诊得出了结论,生态环境的恶化虽有其不可抗拒的自然因素,但是,最主要的仍是不合理的人类活动造成的,它就像肆虐的"北风"千百年来摧残着中华版图上的芳草茂林、沃野良田。

历代以来西部及北部连绵的战火(秦汉对匈奴、魏晋南北朝对鲜卑、氐、羌,唐朝对突厥、回纥,宋朝对契丹、女真,明朝对蒙古、满族),修建栈道,帝王将相们不断兴建皇宫都城、豪宅别墅等等,无时不在蹂躏着大批大批的山林,践踏着大片大片的植被。

到了清代,朝庭多次对新疆、蒙古进行大规模地屯兵和开垦,虽然一时解决了增长人口的生存问题和边疆的统一,但因为没有尊重自然规律,而是无节制、无补偿地开发,最终导致大量的森林消失、牧场萎缩、水土流失、沙漠扩大、物种锐减、灾害急增。

1949年以后,由于我们没有吸取清朝开发西部的血的教训,没有严肃的科学态度,又一次大规模地屯垦戍边,以及头脑发热的"大跃进"运动,给西部地区的生态环境再一次雪上加霜。

近几十年来人口的高速增长和西部地区经济的落后,加大了对土地的压力，加大了人们向大自然索取财富的力度——过度放牧、乱伐森林、盲目垦荒、粗放经营、无序采矿、滥挖药草、狂猎野生动物、不合理利用水资源等等，大大加速了西部生态环境的破坏。

西南地区森林资源丰富，一些地方为了增加财政收入和改善生存条件，便对之大肆加以砍伐。黄土高原地形起伏，人们在荒坡陡地上垦耕开梯田，使"毛发"本已稀疏的荒丘野岭不断被"剃"成"大光头"。这些都是造成水土流失及洪水泛滥的祸根。

西部多数地方水资源严重短缺，然而黄河等河流中上游地区为了自己小范围的利益，多处筑坝拦截，且沿用大水漫灌的落后方式，导致中上游喝出了"大肚病"——盐渍化，下游却"口干舌燥"被撂荒。

这一切的一切使"先天基因缺损"、"体质"本已虚弱的"西部汉子"又受到了生态环境恶化这一病毒的严重侵染。

路漫漫兮其修远

这些年来，我国对治理生态环境也做了不少工作，收到了一定的效益。可由于具体条件不成熟和重视程度不够等原因，总的情况是：治理1亩，恶化1.32亩，小范围好转而大面积恶化。这次为保证改善西部生态环境工作的顺利实施和真正收到实效，国家制定了"退耕还林（还草），封山绿化，以粮代赈，个体承包"的政策。但是，生态环境的恢复和建设是一项十分长期而复杂的浩大工程，其如何"医治"西部生态环境恶化的整体"医疗方案"，目前正酝酿于政治局的会议桌上和科学家们智慧的大脑中，不久将会一一出台。为了超前预防，记者目前走访了有关权威人士和专家，就其付诸实施的过程中有可能出现的问题进行了预测。

封山育林、轮换封育牧场草地让其休养生息，这本是改善生态环境的一个科学措施。可就有那么一些弄权者，为一己私利不惜损害群众利益，损害大局。北京大学的张力小先生告诉我们，内蒙古奈曼旗昂乃乡乡政府饲养的牧群，面对自己宣布封育的草地却勇闯"红灯"，独占"花魁"。这不仅破坏了保护生态环境的措施，而且会使牧民们产生什么想法和做法呢？所以人们不仅要问，改善西部生态环境的工程启动后，我们用什么来保证这类"霸权主义"、"强权政治"的灰飞烟灭呢？

河北丰宁县是北京的北大门，其境内的五条大河是京津用水的潮河、滦河的发源地，近年来那里的沙漠正以"小跑步"的速度向南发起"运动战"，目前最近处离北京怀柔仅有十八公里了，有位环保专家忧心忡忡地说："也许用不了多久，北京人出门就得打'驼的'了。"据著名生态学家、北京林业大学教授罗菊春先生介绍，为了保卫首都，保卫京津水源，该县为治沙耗费了大量人力、物力和财力，可作为大受其益的北京市，九十年代以来仅给丰宁拨过二百一十万元款，与该县付出的代价极不相称，使该县人不免产生微词。在今后大规模改善生态环境的工程中，为了大局牺牲局部，为了下游委屈上游的情况还会有很多，但是局部与上游也要生存、要发展，这一对矛盾如何解决？

一些地方政府的"父母官"们，为了迎合某些不切实际的政绩考核办法，为了个人的升官晋爵，拼命追求辖区内农牧业的数量指标、产值指标，追求任期内政绩"辉煌"的短期行为，而不去科学地考虑本区域牧场耕地的承载能力，致使植被不断遭破坏，生态环境不断变恶化。如果我们的政绩考核标准不修订，如果这些官员的思想境界不产生一次质的飞跃，我们认为，改善生态环境的措施恐难收到实效。

西部大开发的冲锋号吹响之后，国人颇受鼓舞，但是不同人群的不同心态此时也一一浮出了水面。有些一直身处西部的农牧民，不是想着利用政府"以粮代赈"的优惠政策，为改变自身的生存环境、为家乡日后的长远发展做一点实实在在的事情，而是滋生了某种依赖思想；有的官员与那些低素质的农牧民想的大同小异，只是盘算着如何利用如此"良机"给自己银行的账户上增加点数目；还有某些科学工作者重点不是考虑自身如何配合大局，而主要想着怎样在这里弄点款项完成手中的或"钟情"的科研课题。对此种种有背大开发和生态环境建设的不正常心态，我们该如何将其统一到当前的大目标上来呢？

北京林业大学罗菊春教授在接受采访时还提到一件令人痛心的事儿——八十年代某年某领导一声令下，大批南方的树苗草籽便被千里迢迢"派遣"到西部去"屯垦戍边"，结果因其水土不服而全部"壮烈牺牲"。这一错误导致了国家资金的严重损失和大量人力、物力、水资源的浪费，然而最后却没有任何人出来承担责任。像这样因决策者没有科学态度，仅靠长官意志用事的情况在今后生态环境的建设中如果造成损失、特别是重大损失又该怎么办？我们要不要制定出相关的法律法规来约束之？

1998年长江大洪水时的救灾款和三峡建设的工程款，均被一些贪官们不择手段地鲸吞过，西部大开发中国家下拨的款项更是量大面广，有方便能说不会让一些人垂涎欲滴吗？据说国家对西部大开发工程已准备设立监理机构，但是对于那些胆大妄为、"头脑灵活"的某些权力弄潮儿来说，这张"网"是否就真能够罩得住他们呢？

国务院发展研究中心农村经济研究部部长陈锡文先生不无忧虑地对记者谈到，国家虽已颁布了生态效益补偿制度，但是西部人口众多，政府配给钱粮终不是永久的办法，如果十年以后退耕还林还草的经济效益不明显，养活不了这部分人，他们会不会又回过头来重新砍林毁草呢？

诸如此类的问题还有很多很多。这说明改善西部生态环境及整个西部大开发工程犹如万里长征，不仅任重道远，而且路途十分艰难。如果解决不好这一切矛盾和问题，那改善和建设西部生态环境的规划和措施便会大打折扣，而西部生态环境恶化的严重性和治理的紧迫性，是不允许我们等下去，是不允许受到挫折的！